ZAPACH
GORZKICH
POMARAŃCZY

KATE LORD BROWN

ZAPACH GORZKICH POMARAŃCZY

Przełożyła
Bożena Kucharuk

Prószyński i S-ka

Tytuł oryginału
THE PERFUME GARDEN

Copyright © Kate Lord Brown, 2012
First published in Great Britain by Corvus Books in 2012
All rights reserved

Projekt okładki
Mariusz Banachowicz

Zdjęcie na okładce
© Everett Collection

Redaktor prowadzący
Grażyna Smosna

Redakcja
Agnieszka Rosłan

Korekta
Jolanta Kucharska

Łamanie
Jolanta Kotas

ISBN 978-83-7839-519-5

Warszawa 2013

Wydawca
Prószyński Media Sp. z o.o.
02-697 Warszawa, ul. Rzymowskiego 28
www.proszynski.pl

Druk i oprawa
TOTEM
ul. Jacewska 89
88-100 Inowrocław

Rozdział 1

Hiszpania, wrzesień 1936

Ostatniej jesieni swego życia leżała na plecach w spłowiałej falującej trawie i grzejąc się w promieniach andaluzyjskiego słońca, wodziła wzrokiem za samotnym białym motylem fruwającym w słabym wietrze. Po niebie leniwie przesuwały się chmury. W pewnej chwili przewróciła się na brzuch, naciągnęła migawkę w swoim rolleiflexie i uniosła go do oka.

– A, tu jesteś – mruknął leżący nieopodal Capa. Zmrużył oczy i zapatrzył się na wzgórze. Stali tam trzej żołnierze z odbezpieczonymi karabinami, wycelowanymi przez równinę w stronę gór. – Wszędzie cię szukałem. Myślałem, że utraciłem moją *pequeña rubia*, moją blondyneczkę... Wyglądasz jak lisek kryjący się w trawie. – Pocałował dziewczynę w ramię, po czym szybkim ruchem sięgnął po leicę. Słońce odbijało się w obiektywach aparatów. Jak na komendę zaczęli robić zdjęcia.

– Nudziłam się. Myślałam, że przez całe popołudnie będziesz grał w karty.

Gerda wybrała ujęcie – na pierwszym planie źdźbła trawy, dalej lśniące od potu twarze żołnierzy. Ustawiła ostrość na grupkę mężczyzn. Obiektyw obracał się bezszelestnie

5

w jej palcach. Słońce prażyło bezlitośnie, ze wzgórza niósł się śpiew cykad.

– Nic się tam nie dzieje, chłopaki łażą i wyjadają najlepsze szynki w mieście. – Capa wsparł łokcie na spękanej ziemi. Gerda oblizała wargi. Miały smak soli i kurzu. Zdała sobie sprawę, że jest głodna, ale tego ranka światło było tak wspaniałe, powietrze tak przejrzyste, że nie chciała stracić okazji na zrobienie doskonałego zdjęcia i nie miała czasu na jedzenie.

– Musimy wysłać coś naprawdę dobrego, André. Czas wracać do Madrytu. A tak swoją drogą gdzie my jesteśmy? Koło Espejo?

– Tak, gdzieś w pobliżu Cordoby. Myślę, że kierujemy się do Cerro Muriano... – Capa był zajęty ustawianiem obiektywu.

Wyczuła, że jest nieobecny duchem, skupiony na czymś, co uznał za niezwykle istotne. Często zdarzało mu się to podczas pracy z aparatem. Gerda przypomniała sobie, jak będąc dzieckiem, w Niemczech, goniła motyla, starając się go złapać w złożone dłonie. To wspomnienie było dla niej swoistą definicją fotografii, ilekroć chciała utrwalić fascynujący układ barw i światłocieni. Pomyślała, że Capa i ona są myśliwymi, łowcami światła. Capa wycelował obiektyw aparatu w stronę mężczyzny stojącego samotnie na wzgórzu. Młody człowiek miał na sobie białą koszulę, skórzany pas z nabojami, w prawej ręce trzymał karabin. Wyglądał jak cywil, który wybrał się na polowanie na króliki, a nie jak żołnierz w czasie wojny.

– Za daleko. – Przesunął się w przód na brzuchu. – Co ci zawsze powtarzam?

– Że jeśli zdjęcie nie jest dostatecznie dobre, to znaczy, że nie jestem dostatecznie blisko. – Gerda odgarnęła rudoblond włosy z czoła.

Capa uśmiechnął się z wyraźną satysfakcją.

– Widzę, że szybko się uczysz. – Zacisnął dłoń w pięść i uniósł rękę. – Naprzód!

Zaczęli wdrapywać się na wzgórze, śmiejąc się przy tym jak dzieci. Jej buty o podeszwach ze sznurka z cichym szelestem ślizgały się na suchej trawie.

Uniosła aparat. Zrobiła parę zdjęć dwóm żołnierzom, których karabiny wydawały się kłuć niebo, podobnie jak ostre łodygi traw. Smagłe twarze mężczyzn miały barwę ziemi.

Capa wstał i podszedł do żołnierzy energicznym krokiem.

– *Salud!*

Gerda przykucnęła, by zmienić film. Kiedy wstała, dostrzegła w oddali grupy żołnierzy republikańskich. Wychudłe postacie w obdartych ubraniach przycupnięte w trawie przypominały stado owiec pasące się na wzgórzu; nad nimi rozpościerało się niebo ze skłębionymi chmurami, jak z obrazów El Greca. Wstrzymała oddech, mocno ścisnęła gruby skórzany pas przy niebieskim kombinezonie, *mono*, i dotknęła pistoletu. Wprawdzie nie znajdowali się w centrum walk, jednak przeczuwała, że spokój nie potrwa długo. Zasłoniła oczy, robiąc daszek z dłoni, i uważnie rozejrzała się po równinie ciągnącej się aż po odległe góry o odcieniu lawendowym. Nawet tutaj, z dala od frontu, mogli kryć się snajperzy. Z kieszeni na piersi wyjęła puderniczkę i uszminkowała usta jasnoczerwoną pomadką. Starła kurz z czoła i policzków. Usłyszała śmiech Capy.

– Rozmawiałem z chłopakami. Idziemy – oznajmił. Gdy się do niej zbliżył, poczuła znajomy przypływ pożądania. Tak było od ich pierwszego spotkania w Paryżu. – Zrobimy jeszcze parę zdjęć i wracamy do Madrytu.

Wsunęła dłoń w jego gęste ciemne włosy, ujęła nieogolony podbródek.

– Chodźmy do hotelu…

– No właśnie. – Otoczył ją ramieniem. – Świetny pomysł, panno Taro.

– Prawdę mówiąc, marzę o ciepłej kąpieli i czystym łóżku, panie Robercie Capa. – Wyzwoliła się z jego objęć i wysforowała naprzód.

– André! – zawołał za nią. – Dla ciebie nie jestem Capa. Zawsze będę twoim André.

– Zawsze – przytaknęła z uśmiechem. Spojrzała w niebo, osłaniając oczy dłonią. – Tak czy owak, Robert Capa jest w równym stopniu tobą jak mną. – Obróciła się w jego stronę. – Stworzyliśmy go. To najlepszy fotoreporter wojenny na świecie. Amerykanin.

– Tak o mnie mówisz? – Uniósł aparat. – Pewnego dnia uczynię z ciebie uczciwą kobietę i się z tobą ożenię. – Przystanął, by przewinąć film.

Gerda popatrzyła na niego przez ramię, szybko schodząc ze wzgórza.

– Zobaczymy, André. Najpierw zajmijmy się tworzeniem legendy Roberta Capy.

Patrzyła, jak jej towarzysz wbiega na wzniesienie, unosi leicę i kieruje obiektyw w stronę jednego z żołnierzy. Szczęknęła migawka, w tej samej chwili gdzie indziej ktoś nacisnął spust i żołnierz upadł, na zawsze utrwalony w kadrze pomiędzy niebem a ziemią.

Rozdział 2

LONDYN, 11 WRZEŚNIA 2001

Widzisz, Em, lekarze mówią, że zostawienie listu do Ciebie da mi poczucie „domknięcia" (co za koszmarne słowo). Zapytałam: „Czy naprawdę sądzicie, że uda mi się zawrzeć wszystkie moje życiowe doświadczenia w jednym liście? Czy dam radę przekazać córce wszystko, co bym chciała, na kilku kartkach?". I oczywiście okazało się, że nie potrafię. Dobrze mnie znasz, kochanie, wiesz, że zawsze dużo mówię.

Emma ujrzała oczami wyobraźni matkę – Liberty – siedzącą przy kuchennym stole w domu babki Freyi. Ta scenka musiała mieć miejsce w późnych latach siedemdziesiątych, jako że w świetle porannego słońca kasztanowe włosy Liberty lśniły jak u Kate Bush, a w radiu śpiewał zespół Blondie. Liberty coś mówiła, żywo przy tym gestykulując, Freya pokładała się ze śmiechu. Emma, zwinięta w kłębek w psim koszyku przy palenisku, jadła grzankę i tuliła nowego szczeniaka mopsa, należącego do Charlesa. Pamiętała charakterystyczny zapach domu, zaparzanej kawy, świeżych grzanek, herbatnikowego zapachu psa drapiącego

9

pazurkami zieloną tarczę z napisem „Reprezentantka Szkoły" przypiętą do wełnianego pulowera. Czasami wspomnienia przechowują się w obrazach albo melodiach, jednak dla Emmy utrwalały się przede wszystkim w zapachach. Wiele się nauczyła od matki i już jako dziecko instynktownie wyczuwała nuty zapachu harmonizujące z wonią jej wymarzonego „domu".

– Emmo, wstań, kochanie – powiedziała Freya. – Popatrz tylko na siebie, twój szkolny strój jest cały w psiej sierści.

Emma pamiętała ciepło psa, cudne płowe stworzonko wiercące się w jej rękach. Pamiętała, jak Liberty łaskotała ją dopóty, dopóki obie nie znalazły się na podłodze, zanosząc się śmiechem, a szczeniak skakał dookoła. Kiedy matka ją tuliła, Emma wdychała woń jej perfum. Liberty zawsze pachniała jak różany ogród w pełni rozkwitu; był to zapach ciepły, pełen słońca, poświęcony jednej, dominującej kwiatowej nucie, *soliflore*.

Wybacz, dałam się trochę ponieść emocjom. Zostawiłam Ci całe pudełko listów, z radami na różne życiowe okoliczności, jakie przyszły mi do głowy. Dołączyłam też do nich mój ostatni notes. Lubię sobie wyobrażać, że podejmujesz pracę tam, gdzie ją przerwałam. Em, obiecaj, że będziesz kontynuować moje dzieło. Korzystaj z tego, co ci zostawiam, i stwórz cudowności.

Emma wsparła łokieć o stojącą z boku walizkę. Podróżowała od wielu miesięcy, jednak dopiero teraz, kiedy autobus Routemaster linii 22 przedzierał się Kings Road w porze lunchu, poczuła upływ czasu. Był chłodny szary dzień, jeden z wielu podobnych w Londynie. Jesienny wiatr miotał liśćmi na chodnikach. Miała wrażenie, że nic się tu nie zmieniło oprócz niej samej. Znów poczuła mdłości męczące ją od dłuższego czasu. Sięgnęła do kieszeni w poszukiwaniu miętówki. Przez dziurę w podszewce dotarła palcami aż do brzegu płaszcza, lecz nie znalazła cukierka.

Setki razy wracała do ostatniej strony notatnika matki, znieruchomiała z piórem w ręce, niezdolna do dokonania wpisu tam, gdzie przerwała Liberty. Po raz ostatni przebiegła wzrokiem linijki pisma w notesie. Zawsze zabierała go z sobą w podróż i czytała tyle razy, że kartki były już naderwane. Listy czekały, nieotwarte, w czarnym lakierowanym pudełku w pracowni Liberty. Po odczytaniu testamentu matki i wyjeździe Joego Emma godzinami wpatrywała się w kasetkę, aż świt zaczął się sączyć do wnętrza przez szyby w skośnym dachu. Umieściła pudełko na środku biurka Liberty – specjalnie skonstruowanych organach perfumiarskich z kilkupoziomowymi półkami pełnymi buteleczek z aromatami. Ucząc Emmę swego rzemiosła, Liberty radziła jej myśleć o esencji zapachowej jak o muzycznej nucie, a pojemniczki traktować jak klawisze. Właśnie tutaj Liberty stworzyła wszystkie swe arcydzieła. Tutaj Emma bawiła się, będąc dziewczynką. Tu, w tym miejscu wciąż czuła obecność matki.

Ze stanu odrętwienia wyrwał ją w końcu brzęk butelek z mlekiem roznoszonych do domów. Uniosła wieko pudełka. Nie była pewna, czego się spodziewała ze strony Liberty. Przygotowała się na to, że z pudełka buchnie konfetti albo wyskoczy papierowy wąż. Roześmiała się z ulgą, zobaczywszy, że matka jedynie pomalowała wnętrze pudełka na swój ulubiony pomarańczowy kolor. Drżącą dłonią uniosła kartkę leżącą na wierzchu. Pod nią znajdował się plik listów związanych aksamitną wstążką w kolorze wiśniowym i niewielki czarny notes. Na pierwszej kopercie widniał napis „O rodzinie". Emma zaczęła czytać słowa nakreślone przez matkę na kartce i łzy napłynęły jej do oczu.

Kocham Cię, Em. Jestem ogromnie dumna z kobiety, którą się stałaś. Nie mogę znieść myśli o tym, że Cię opuszczam, ale moja miłość zawsze będzie Ci towarzyszyła. Miłość jest nieśmiertelna.

Mama x

Czytanie raz po raz tego krótkiego liściku ciągle od nowa zbliżało ją do matki. Zwierzyła się Freyi, że zostawi listy w Londynie na czas podróży.

– Zrobisz, jak uważasz, Em – powiedziała babka. – Już jako dziecko długo nie otwierałaś prezentów. Nie znam innej osoby, która tyle czasu potrafiłaby zachować całą tabliczkę czekolady.

Emma głęboko zaczerpnęła tchu i wyjrzała przez okno. Nadszedł czas zmian. Chyba przestanę już zachowywać to, co najlepsze, na deser, na sam koniec, pomyślała. Złożyła liścik i wsunęła go do notesu firmy Moleskine należącego do matki. Trzymając notatnik na kolanach, przerzuciła kartki zapełnione śmiałym charakterem pisma Liberty. Niemal wyskakiwały na nią słowa: neroli, *duende*, namiętność. Matka doklejała przeróżne karteczki do zapisków i receptur nowych perfum, nad którymi pracowała – zdjęcia gajów pomarańczowych, błękitnego nieba w upalny dzień, pożółkły kawałek gazety z ogłoszeniem o wystawie Roberta Capy... Było tam słynne zdjęcie *Padający żołnierz*. Emma obwiodła palcem twarz żołnierza, zastanawiając się, o czym myślał, zbiegając ze wzgórza, w chwili gdy dosięgła go śmierć; co widział, kiedy upadał. Wyczuła, że pod fotografią coś się znajduje. Przewróciła kartkę i uniosła najmniejszą kopertę, jaką zostawiła Liberty w pudełku z listami. Na niej matka napisała adres: Villa del Valle, La Pobla, Walencja, Hiszpania. W środku znajdował się stary klucz. Muszę zapytać Freyę, czy wie coś na ten temat, pomyślała Emma. Po otwarciu koperty spędziła bezsenną noc, obracając w ręce klucz i rozważając różne możliwości. Cała mama, westchnęła, przypomniawszy sobie wszystkie cudowne trasy, na które Liberty zabierała swą córeczkę; znaki i ślady, które zostawiała, by mała Emma mogła znaleźć schowany prezent. Szukanie, nastrój radosnego oczekiwania często sprawiały większą frajdę niż sam podarunek. Emma uśmiechnęła się z nostalgią i wsunęła kopertę do notesu.

Przewracając kolejne kartki, zobaczyła na obrazku pogodną twarz Madonny, fotografię pobielanego muru z pnącą się po nim bugenwillą. Im bliżej końca, notatki stawały się rzadsze, czynione coraz bardziej chwiejnym pismem. Wyczuła, że Liberty myślała o przeszłości równie często jak o tym, co ją czeka. Obok wklejonej etykietki z Chérie Farouche, perfum, które matka skomponowała dla Emmy na jej osiemnaste urodziny, widniał wpis: „Niektóre perfumy są niewinne jak dzieci, słodkie jak dźwięk oboju, zielone jak trawa na łące – Baudelaire". Chérie Farouche. Wciąż był to niepowtarzalny zapach Emmy. Te perfumy pachniały na niej jak deszcz z ogrodzie, świeży i upajający, potem, gdy ulotniły się zielone górne nuty, Emma zawsze myślała o ziemi, o zbieraniu z mamą kwiatów w lesie. Nuta serca – konwalia i jaśmin – uzupełniała się doskonale z nutą bazową – drzewem sandałowym i piżmem. Liberty zawsze powtarzała, że zapach jest taki jak Emma, nieśmiały, ale zaskakująco silny. Do tej strony było dołączone ich zdjęcie sprzed lat, Liberty z malutką córeczką. Emma przewróciła kartkę, przepełniona tęsknotą na wspomnienie pięknego, szczerego uśmiechu matki. Zatrzymała się dłużej na ostatnim szkicu przedstawiającym nową buteleczkę perfum Liberty Temple i pośpiesznym dopisku: „Jaśmin? Kwiat pomarańczy, tak!".

Potem nastąpiły przejmująco puste miejsca. Strony, które matka zostawiła na zapiski dla Emmy. Emma szybko zamrugała powiekami i dotknęła złotego filigranowego medalionu na szyi. Nie spodziewała się, że powrót do domu wytrąci ją z równowagi. Przez wiele miesięcy, uczestnicząc w niezliczonych spotkaniach, wmawiała sobie, że doskonale daje sobie radę. Jak w kalejdoskopie stanęły jej przed oczami przeróżne kraje i hotele. Instynktownie przyłożyła dłoń do nieznacznie zaokrąglonego brzucha. To jest coś naprawdę cudownego, pomyślała. Wyjęła pióro z torebki, wygładziła pierwszą czystą stronę i napisała: „Hiszpania".

Rozdział 3

Cambridge, wrzesień 1936

Łódki, jedne z ostatnich w tym roku, wolno sunęły po rzece Cam, mijając majestatyczne budowle uniwersytetu; jesienne liście wirowały na zmąconej wodzie. Charles wsunął list od swej siostry Freyi do wewnętrznej kieszeni tweedowej marynarki i splótł ręce za głową.

– Jak się miewa? – spytał jasnowłosy chłopak, który drągiem odpychał łódkę od dna rzeki.

– Freya? Prawdę mówiąc, to, co się dzieje w Hiszpanii, to jakiś koszmar.

– Powinniśmy tam pojechać?

Charles pomyślał o magazynie „Vu", który przeglądał poprzedniego wieczoru, i o zdjęciach wojennych Roberta Capy. Jakiś student z King's College stanął na stołku w pubie, wyrzucił czasopismo w górę i krzycząc ile sił w płucach, by jego głos wzniósł się ponad zgiełk panujący dokoła, dowodził, że wszyscy przy zdrowych zmysłach powinni dołączyć do Brygad Międzynarodowych i walczyć z faszyzmem w Hiszpanii. Charlesowi nie dawała spokoju fotografia padającego żołnierza, niemal czuł uderzenie kuli, słyszał odgłos ciała osuwającego się na ziemię.

– Charles!

– Przepraszam, Hugo. Zamyśliłem się.

– Słyszałem, że w Paryżu jest facet, który zajmuje się przerzutem ochotników do Hiszpanii koleją albo przez Pireneje. Mam adres na Rue Lafayette, możemy tam pojechać. Za kilka dni pociąg z ochotnikami wyrusza z Gare d'Austerlitz. Twój przyjaciel Cornford mówi, że już niedługo bylibyśmy w obozie szkoleniowym w Albacete.

Charles pomyślał o tytule z kroniki „Movietone News", którą widział poprzedniego wieczoru w kinie. Gęsty dym papierosowy w sali wydawał się mieszać z czarno-białymi jęzorami ognia na ekranie. „Wojna domowa następstwem faszystowskiego buntu w udręczonej Hiszpanii. Kraj pogrążył się w chaosie".

– Nie wiem. Nie omówiłem jeszcze wszystkiego z Crozierem z „Manchester Guardian". Jeśli nie będzie dla nas pracy...

– To zostaniemy szeregowymi żołnierzami jak cała reszta – dokończył Hugo i się roześmiał. – Wydasz wszystkie swoje oszczędności na potwornie drogi aparat fotograficzny. Dobrze ci tak! Mogłeś sobie kupić samochód. Ja wezmę tylko notatnik i ołówek.

– Fotografia ma wielką przyszłość, Hugo. Jeśli ludzie widzą zdjęcie albo film, wierzą w to, co się stało. Zapamiętasz moje słowa. – Charles się zamyślił. – Mimo wszystko nie chcę działać pochopnie. Jeśli nie dostaniemy tej pracy, nie będzie mnie stać na bilet.

– Będziesz mógł się zająć portretami.

Charles zgromił Hugona wzrokiem, wstał i przejął żerdź. Zmienili się miejscami. Woda cicho chlupotała pod płaskodenną łodzią.

– Marzę o tym, żeby zostać reporterem wojennym.

– Motyle nie wydają ci się wystarczająco atrakcyjne?

– Wrócę do doktoratu za kilka miesięcy, kiedy skończy się wojna. – Charles odetchnął, gdy udało mu się skierować łódź we właściwą stronę. – Niewielu moich opiekunów naukowych ma doktoraty.

– Lepidopterologia przyciąga szlachetnych amatorów...

– Och, przestań! I usiądź, na litość boską, bo zaraz wypadniemy z tego diabelstwa. – Charles zapatrzył się przed siebie. Lustrzane odbicia chmur w oknach kaplicy King's Chapel wyglądały jak przesuwający się tren sukni panny młodej. Pierwsze krople deszczu usiały drobnymi punkcikami gładką powierzchnię rzeki. – W Hiszpanii moglibyśmy wiele zmienić.

– No właśnie. Zobacz, co się dzieje w moim kraju, co wyprawia Hitler. Nie mogę tu siedzieć w wieży z kości słoniowej, chociaż właśnie to najbardziej odpowiadałoby moim rodzicom. Po raz pierwszy mamy okazję stanąć do walki. Jeśli tego nie zrobimy, Hitler, Mussolini, Franco zagarną dla siebie całą Europę. – Hugo zapalił papierosa i wrzucił zapałkę do rzeki. – Poza tym to piękny kraj. Nie mogę znieść myśli o tym, że jest tak okrutnie rozrywany na strzępy.

– Mówiłem ci, że wracamy za szybko. – Charles, czując krople deszczu na twarzy, przypomniał sobie upalny letni dzień na wzgórzach w Yegen, szelest długich, suchych traw, zapach rozmarynu i lawendy rozgniatanych stopami podczas polowania na motyle. Pomyślał o śniegu w Sierra Nevada, gwiazdach, które wydawały się świecić jaśniej niż gdzie indziej. – Pamiętasz, jak tam jest pięknie? Nie mogę uwierzyć, że taki kraj sam zjada się żywcem.

– Cóż, na tym właśnie polega wojna domowa. – Hugo wydmuchnął kłąb dymu. – Hiszpanie są żądni krwi. Walki byków i flamenco, wieśniacy na mułach... mam wrażenie, że wciąż panuje tam średniowiecze.

– A może wszystko, o czym mówisz, jest lepsze niż to, co nas otacza – rzekł w zamyśleniu Charles, patrząc na kobietę w beżowym gabardynowym płaszczu, prowadzącą brzegiem rzeki sapiącego labradora. – Tam wciąż jest pasja, namiętność. Patrzą śmierci prosto w oczy, traktują ją jako najważniejszy, kulminacyjny moment życia. – Pochylił się ku przyjacielowi. – Cmentarz jest tam *tierra de la verdad*, ziemią prawdy. Dla Hiszpanów życie jest iluzją, złudzeniem.

– Mimo to uważam, że są zacofani.

– Nie, są tylko związani z ziemią. Wciąż wierzą w *hechiceras*, czarodziejki, które fruwają w świetle księżyca i spotykają się na klepiskach. Trzeba jednak uważać na *brujas*, czarownice…

– Nie wygłupiaj się! Prawdziwy z ciebie romantyk… pewnie już ostatni. – Hugo wyciągnął rękę. – A więc jedziemy. Zgoda? Świat nie potrzebuje już następnego podrzędnego niemieckiego artysty, a dla ciebie zawsze znajdą się jakieś motyle.

Charles uścisnął mu dłoń, po czym przesunął palcami po wełnianej tkaninie marynarki. List Freyi cichutko zaszeleścił w kieszeni.

– To nasza szansa. To, co się dzieje w Hiszpanii, jest miniaturową wersją tego, co może się zdarzyć wszędzie. Jeśli nie pokonamy faszystów na drogach do Madrytu, wkrótce będziemy musieli z nimi walczyć na Kings Road albo Fosse Way.

Freya skuliła się z tyłu ciężarówki podskakującej na wybojach w drodze do Madrytu. Owinęła głowę fioletowym szlafrokiem, by osłonić się przed zimnem.

– Cholera – mruknęła pod nosem, gdy wpadli w koleinę i pióro gwałtownie przesunęło się po kartce. Ręce drętwiały jej z zimna. Kurczowo zaciskała palce na zniszczonej książce *Przeminęło z wiatrem*, podmuchy powietrza rozchylały stronice z oślimi uszami.

Jak wiesz, Hiszpania jest bardzo piękna, Charlesie, napisała na czystej stronie z tyłu książki. *Po prostu musisz tu przyjechać. A tak na marginesie, dziękuję Ci za keks. Twoje listy dodają mi sił. Mam wrażenie, że już całe wieki minęły od chwili, kiedy wyjeżdżaliśmy i obsypano nas kwiatami na Victoria Station... czy możliwe, że było to zaledwie miesiąc temu? Podróż od hiszpańskiej granicy wprawiła mnie w doskonały nastrój. Jechaliśmy ciężarówką wyładowaną toffi i lukrecją dla dzieci. W każdej mijanej wiosce podbiegały do nas. Kobiety dawały nam pomarańcze i melony... Charlesie, nie masz pojęcia, jak wspaniale smakuje zimny melon, kiedy w ustach masz całkiem sucho po wielu godzinach jazdy.*

W szpitalach brakuje dosłownie wszystkiego. Pielęgniarki są wiecznie zmęczone i głodne, a zimą będzie jeszcze gorzej, ale nie możemy się skarżyć. Nie uwierzyłbyś, jak dzielni i wspaniali są ludzie, z którymi pracuję. Biedny kraj. Nie mogę się pogodzić z tym, że ta straszliwa choroba, wojna domowa, tak go podzieliła.

Przyjedź jak najszybciej. Po raz pierwszy nie masz innego wyboru. Dobro musi zwyciężyć zło. Nie możemy dopuścić, by zniszczono tu demokrację. To jest także nasza wojna, Braciszku.

Ciężarówka zatrzymała się na pierwszym punkcie kontrolnym poza miastem. Freya uniosła wzrok. Mijały ich inne pojazdy, słyszała jakieś głosy i telefon dzwoniący bez przerwy w budynku wartowni. Szybko podpisała list, wydarła kartkę i wsunęła ją do koperty już przygotowanej do wysłania. Rozwiązała rękawy szlafroka pod brodą i uwolniła jasne włosy.

– *Salud, compañero!* – zawołała w stronę jednego ze strażników. – Poczta?

– Niedługo przyjedzie. – Żołnierz wyciągnął rękę po list. Gdy ciężarówka ruszyła, wcisnęła kopertę w jego dłoń.

– *Gracias!*

– *De nada*. Nie ma za co.

Freya zajęła miejsce pomiędzy innymi pielęgniarkami i popatrzyła w stronę zbliżających się zabudowań Madrytu. Słyszała, że podpalono pięćdziesiąt kościołów. Gryzący dym wciąż unosił się w powietrzu, ciemny, o woni siarki. No tak, pomyślała, zdawszy sobie nagle sprawę, że wkraczają w sam środek walk. Popatrzyła na blade twarzyczki pielęgniarek siedzących obok niej. Malował się na nich strach. Weź się w garść, powtarzała w duchu. Wiatr z drobinami kurzu chłostał jej twarz, piekły ją oczy. Poczuła skurcz jelit, gdy mimo warkotu ciężarówek dobiegły ją z oddali odgłosy wybuchów.

Rozdział 4

LONDYN, 11 WRZEŚNIA 2001

Emma zeskoczyła ze stopnia autobusu na chodnik. Płatki róż i złociste liście jesionu ścieliły się przy schodach Urzędu Stanu Cywilnego w Chelsea. Poły czarnego płaszcza powiewały buńczucznie wśród tłumu, wysokie obcasy jasnobrązowych butów stukały rytmicznie, gdy ciągnęła za sobą srebrną walizkę z przywieszkami lotniczymi. Przystanęła na chwilę, by popatrzeć na świeżo upieczonych małżonków obejmujących się w drzwiach. Kiedy ich przyjaciele zaczęli wiwatować, ruszyła dalej. To mogliśmy być my, pomyślała i zaczęła szukać w torebce dzwoniącego telefonu.

– Słucham – powiedziała, przytrzymując komórkę ramieniem. Skręciła we Flood Street.

– Dzięki Bogu! – usłyszała westchnienie Freyi. – Tak się o ciebie martwiłam. Jesteś już w domu?

– Prawie.

Przystanęła przed Chelsea Manor Studios. Kilku młodych turystów z Holandii robiło zdjęcia przy wejściu. Rozstąpili się, robiąc jej przejście, a jakiś chłopak zaniósł jej walizkę do drzwi.

– Dziękuję – powiedziała.

– To tutaj był sierżant Pieprz Beatlesów? – spytał chłopak.

– Tak. Zdjęcia do okładki albumu robiono w studiu mojej mamy. – Emma czuła oszołomienie po długiej podróży samolotem, piekły ją oczy. Marzyła o położeniu się do łóżka, ale wzruszyły ją młode, pełne zapału twarze Holendrów. Wzięła od młodego człowieka aparat fotograficzny i zrobiła zdjęcie całej grupie. Kiedy odeszli, oparła się o drzwi i chwyciła telefon. – Przepraszam. Właśnie przyjechałam, samolot miał opóźnienie.

– Przenieśliśmy wszystkie twoje rzeczy. Obawiam się, że narobiliśmy bałaganu, ale w studiu zawsze panował nieład, nawet za życia twojej mamy. – Freya umilkła na chwilę. – Nie rozpakowałam pudeł. Pomyślałam, że może będziesz chciała wyrzucić niektóre rzeczy Liberty, zanim na dobre tam zamieszkasz.

– Nie ma pośpiechu. Dziękuję, że wszystkim się zajęłaś. Nie zniosłabym powrotu do domu. Ona się tam wprowadziła?

– Delilah? – W tonie głosu Freyi pojawiły się chłodniejsze nuty. – Tak. Nasza pani Stafford nie traci czasu, chociaż wcale nie byłabym zaskoczona, gdyby zmusiła Joego do sprzedaży domu i przeprowadzki do Stanów...

– Jak on się miewa? – przerwała jej Emma.

– Dobrze, dobrze. Martwię się o ciebie. Byłaś już u lekarza?

– Freyo...

– Nie bój się, nikogo tu nie ma. Wszyscy poszli na lunch. Nikomu nie pisnęłam słówka, możesz mi wierzyć.

– I niech tak zostanie, przynajmniej dopóki nie porozmawiam z Joem.

– Co za zamieszanie! – Freya znowu westchnęła. – Chyba mogłabym ją zabić. Delilah zawsze była specjalistką od sprawiania kłopotów. Nie zamieniłam z nią ani słowa od kilku tygodni, od twojego wyjazdu. W biurze panuje okropna atmosfera.

– Mogę to sobie wyobrazić. Przykro mi, że wszyscy są w to wmieszani. Przepraszam.

– Dlaczego przepraszasz, Emmo? To nie twoja wina. Zawsze ci powtarzam, że jesteś za dobra. Kiedy pomyślę o tym, co ci zrobiła...

– Przecież nie zmusiła go do tego, żeby ją wybrał. To była decyzja Joego.

– Wiem, że to nie po chrześcijańsku, lecz chciałabym zobaczyć jej minę, kiedy się dowie, że jesteś z nim w ciąży.

Emma przysiadła na walizce i oparła głowę o mur.

– Oczywiście bardzo się cieszę na myśl o dziecku, ale nie mogę powiedzieć, żebym była z siebie dumna. Rozstaliśmy się już, a potem... – Powróciła pamięcią do dnia, w którym został odczytany testament jej matki.

– Widocznie tak miało być. To zrozumiałe, że potrzebowaliście siebie nawzajem. Mam nadzieję... miejmy nadzieję, że posłucha głosu rozsądku.

– Już za późno, Freyo. Kiedy tamtej nocy przyszedł do mnie, pomyślałam, że mnie wybrał. – Emma zrobiła pauzę. – Dlatego musiałam wyjechać. Czułam się jak idiotka.

– Co ty mówisz?! Nie rań mi serca. Przecież kiedy się poznaliście, byliście jeszcze jak dzieciaki.

– Może wszystko byłoby inaczej, gdybym zgodziła się za niego wyjść za mąż.

– Nonsens.

– Joe zawsze przywiązywał większą wagę do tradycji niż my.

– Nie, Delilah uganiała się za nim wiele lat. – Freya cmoknęła ze zniecierpliwieniem. – Miała nawet czelność powiedzieć mi, że poznała go pierwsza, że to ty jej go zabrałaś!

– Chyba nie uprzykrzyła ci życia podczas mojej nieobecności?

– Nie martw się o mnie, kochanie. Poradzę sobie z panią Stafford... mój kot ma trudniejszy charakter niż ona.

– Byli jedynie przyjaciółmi, kiedy poznałam ich w Columbii. – Emma często zastanawiała się, czy to prawda. Zmarszczyła czoło. – Wiesz, co mi powiedział, kiedy widzieliśmy się ostatni raz? Był w rozterce. Mówił, że kocha nas obie.

Freya wymamrotała coś pod nosem.

– Joe nie potrafi sobie radzić z delikatnymi sprawami sercowymi. Sam nie wie, co robi, wciąż nie może dojść do siebie po śmierci twojej mamy.

Emma potarła nos.

– Po śmierci mamy był załamany tak jak my.

– Byli sobie bliscy. W pewien sposób jestem zadowolona, że Liberty nie widzi, co się dzieje, chociaż byłaby zachwycona, że zostanie babcią. Czuję się okropnie staro na myśl o tym, że będę prababką... – Głos Freyi ucichł, gdy nakryła słuchawkę dłonią, by odezwać się do kogoś obecnego w pokoju. – Przepraszam, ale biuro znów się zapełnia. Odwiedzisz nas?

– Nie teraz. Muszę wziąć prysznic. I chyba powinnam zadzwonić do Joego.

– Jest w Nowym Jorku. To znaczy, są w Nowym Jorku.

– Delilah z nim poleciała?

– Oczywiście – odpowiedziała Freya. – Przecież nie mogła ryzykować, że coś się nie uda. Zawsze miała nosa do pieniędzy. Słuchaj, ty się nie śpiesz. Nie musisz sprzedawać firmy.

Emma westchnęła.

– Niestety, muszę. Nie ma tu już dla mnie miejsca. Przez całe lata budowaliśmy ten interes, ale oferta Amerykanów jest zbyt korzystna, żeby ją zlekceważyć.

– Twoja matka nie chciałaby o tym słyszeć. Marzyła,

że to będzie rodzinna firma, że poprowadzicie ją we troje. Nigdy nie podzieliłaby jej pomiędzy was w swojej ostatniej woli, gdyby wiedziała, co Delilah knuje.

– Nic na to nie poradzę. To dobrze, że nie miała pojęcia o ich romansie. – Emma zamknęła oczy. – Jestem zadowolona, że nie wiedziała. W każdym razie Joe i Delilah mają razem pakiet kontrolny. Nic nie możemy zrobić. Kiedy firma zostanie sprzedana, odejdę.

– Tak uważasz? Amerykanie będą chcieli, żebyś została... Liberty zadbała o to, byś stała się twarzą firmy.

– Byłam tylko dekoracją wystawy. Wszyscy zapracowaliśmy na naszą markę.

Pięcioletnie dzieci szły parami ze szkoły Hill House. Ile razy matka ją odprowadzała do domu ze szkoły, trzymając za rękę? Te uroczo zwyczajne chwile na zawsze odeszły do przeszłości. Emma poczuła ściskanie w gardle, łzy zapiekły ją pod powiekami. Liberty niezależnie od tego, jak ciężko pracowała, zawsze odbierała córkę ze szkoły. Czasami spóźniała się, niemniej jednak przychodziła. To był ich czas – po lekcjach i wcześnie rano. Tylko wtedy Emma miała mamę dla siebie. Chodziłyśmy tam i z powrotem setki razy, a ja potrafię sobie przypomnieć jedynie chwile, pomyślała.

– Strasznie mi szkoda, tyle pracy w to włożyliśmy – powiedziała Freya.

– Tak? A ja myślę, że nadszedł czas, by zacząć wszystko od nowa. Ej... będziesz mogła w końcu przejść na emeryturę – droczyła się Emma, przetrząsając zawartość wytartej beżowej torebki Mulberry w poszukiwaniu kluczy.

– Ja? – Freya zaśmiała się krótko. – Tak właśnie mówi Charles. Ale nigdy do tego nie dojdzie. Praca pomaga mi żyć. Gdybym nie krzątała się po biurze, nie pałętała się wszystkim pod nogami, to co bym robiła?

Emma uśmiechnęła się. Liberty nie miała sumienia zmusić Freyi do zrezygnowania z pracy.

– Jak się czuje Charles?

– Tak jak zwykle.

– Przepraszam, że nie byłam na twoich urodzinach w zeszłym miesiącu.

– Wolałabym zapomnieć, że mam osiemdziesiąt cztery lata, kochanie. Przyjdź i zjedz coś z nami.

– Dziękuję, ale kupię jakąś kanapkę w kawiarni. Chcę wszystko tu uporządkować jak najszybciej i wyjechać do Hiszpanii. Chciałabym rozpocząć nowy rozdział w życiu.

– Tak… – Freya zawiesiła głos. – Musimy o tym porozmawiać.

– Proszę… nie zaczynaj. – Emma ściągnęła brwi. – Wiem, że nie akceptujesz mojego pomysłu, ale ja naprawdę tego potrzebuję. Nie miałam pojęcia, że mama kupiła tam dom.

– Kochanie, nie wszystko wygląda tak, jak myślisz. Znam cię… wyobrażasz sobie uroczą posiadłość, domeczek z pnącym jaśminowcem na murach…

– Nie, nie. – Oczywiście, tak właśnie to sobie wyobrażała.

– Hiszpania… – Freya urwała. – Prawdę mówiąc, byłam zaskoczona, kiedy twoja mama powiedziała mi, że kupiła ten dom.

– Pojedź tam ze mną. Odpoczynek dobrze by ci zrobił.

– Nie! – Freya była stanowcza. – Charles i ja obiecaliśmy sobie, że nasza noga nigdy już nie postanie w Hiszpanii, nie po tym, co tam nas spotkało.

– A co się zdarzyło? Nigdy o tym nie mówiliście…

– To nie ma teraz znaczenia. Minęły już całe wieki.

– A może wiesz, dlaczego mama wybrała Walencję? Tam pracowałaś jako pielęgniarka, tak?

– Walencja, Madryt... – Freya odchrząknęła. – Często się przemieszczałyśmy, jechałyśmy tam, gdzie byłyśmy potrzebne.

– Czytałam o tym rejonie w Internecie. Nazywają go Hiszpańskim Rajem. – Myśli Emmy powędrowały ku pachnących olejkiem neroli gajów pomarańczowych, ogrodów buchających jaśminem i chłodnych kościółków wypełnionych odurzającą wonią kadzidła.

– Wiem, wiem – mruknęła Freya. – Niedorzeczny pomysł. Nie wiem, co Liberty sobie myślała. Z tego, co mówiła, wnioskuję, że nikt nie zajmował się tym domem przez wiele lat. To jakaś rudera, a ty będziesz zajęta dzieckiem. Jesteś szalona! Nie masz pojęcia, ile pracy jest przy dziecku. Będziesz potrzebować pomocy rodziny.

– Potrzebuję tej pomocy – powiedziała Emma – żeby to zrobić.

Usłyszała, że Freya bierze głęboki oddech.

– Jesteś tak samo uparta jak twoja matka.

– Wiem. – Emma patrzyła za dziećmi znikającymi za rogiem. – I wiem, że sobie poradzę. Pracuję na to całe życie, a dzięki mamie zawsze oszczędzałam. Mogę sobie pozwolić na kilka miesięcy odpoczynku. Najmę kogoś do pomocy przy porządkowaniu domu, a może i opiekunkę do dziecka.

– Wiem, wiem. Jesteś rozsądna, zawsze byłaś mądrą dziewczynką.

– Obiecuję, że będę mieszkać i tu, i tam. Zamierzam spędzać w Hiszpanii wakacje. Nie myśl sobie, że chcę ci zabrać prawnuczkę albo prawnuka.

Freya milczała.

– Dobrze. Nie będę spierać się z tobą teraz, tuż po powrocie do domu – odezwała się Emma po dłuższej chwili.

– Przyjdź do nas, jak trochę odpoczniesz.

– Dobrze.

– Kocham cię, Emmo.

– I ja cię kocham, babciu.

– Nie nazywałaś mnie tak od wielu lat.

– Dziękuję ci za wszystko – powiedziała Emma, obracając złoty medalion i owijając łańcuszek dookoła palca.

– Nie dałabym sobie rady bez ciebie, ale teraz czuję, że muszę zacząć wszystko od nowa.

Rozdział 5

MADRYT, WRZESIEŃ 1936

– *Que pasa?* Jak poszło spotkanie?

Rosa zbliżała się do kawiarni powoli, opierając dłoń na rękojeści pistoletu. Była ubrana jak członek republikańskiej milicji, ale jej ruchy miały rytm i precyzję tancerki flamenco, a mocno ściągnięte paskiem *mono* zdradzało, że jej talia jest wąska jak u dziecka. Zerknęła w głąb brukowanej ulicy ku barykadom i ujrzała trzech mężczyzn pochylonych nad jednym talerzem. Nad ich głowami powiewała czerwono-żółto-fioletowa flaga republiki. Z murów biły w oczy kolorami rewolucyjne afisze i plakaty. *Defendos Contra Fascismo!* – nawoływał jeden z nich, przedstawiający kości ułożone w kształt swastyki. Rosa poprawiła beret na głowie i przygładziła czarne, krótko przystrzyżone włosy. Jordi czekał na nią, siedział w słońcu na masce starego autobusu. Przyglądał się, jak przez miasto idzie stado owiec, które trzeba było ewakuować z miejsca objętego walkami i przepędzić w stronę Walencji. Na dźwięk głosu Rosy odwrócił się. Błyszczały mu włosy natarte brylantyną. Zeskoczył na ziemię i uniósł pięść na powitanie.

– *Señorita Montez. Mi compañero.* – Zamknął ją w objęciach. – *Mi amor* – szepnął przy okazji pocałunku. – Nie straciłaś wiele. Jakiś anarchista z Walencji zdenerwował komunistów. – Wargami przesuwał po jej szyi, lekko przyszczypując. – Nie chce, żeby Rosjanie się wtrącali. W swojej mowie głosił, że hiszpańskie sprawy dotyczą jedynie Hiszpanów. – Pokręcił głową. – Powiedz to Hitlerowi i Mussoliniemu. To oni dostarczają broń oddziałom Franco. Jaka nadzieja byłaby dla nas, republikanów, bez Rosjan?

Zeszli po kamiennych schodach do kawiarni. Zza kontuaru dobiegała piosenka z płyty: ...*the music goes round and round and it comes out here...*

Jordi zasłonił jej dłonią oczy.

– Co robisz? – spytała z uśmiechem.

– Mam coś dla ciebie. – Z kieszeni wyjął długi złoty łańcuszek i zapiął go na szyi Rosy. – Wszystkiego najlepszego z okazji urodzin.

Pocałował ją w kark.

– Myślałam, że zapomniałeś! – Rosa spojrzała na złoty medalion i głośno nabrała powietrza. – Och, Jordi, jaki piękny! Skąd miałeś na to pieniądze?

– Należał do mojej matki. Zabrałem go ostatniego lata, gdy byłem w Walencji i Vicente nie patrzył. Auu... – Zgiął się wpół, gdy Rosa dźgnęła go łokciem w ramię. – On nie zauważy! Mój brat interesuje się tylko pieniędzmi. Gdyby przede mną spostrzegł ten medalion, dawno by go sprzedał. Mama zawsze uważała, że to za dobra biżuteria, żeby ją nosić. – Ostrożnie otworzył filigranowe wieczko medalionu. – W dawnych czasach ludzie chyba nosili w nim pachnidło, ale ja włożyłem do środka nasze zdjęcia.

Rosa ujrzała portrety, które zrobiono im w pracowni fotograficznej kilka miesięcy temu, starannie dopasowane do delikatnego złotego obramowania. Wciągnęła powietrze w nozdrza i wyczuła ślad dawnego aromatu.

– Podoba mi się. Bardzo.

Pocałowała go, długo ciesząc się słonym ciepłem jego warg i skóry.

– Obiecaj, że będziesz go zawsze nosiła – powiedział cicho. – Wtedy cokolwiek się stanie, będziemy razem.

– Nic nie może nas rozdzielić, Jordi.

– Nic. – Przytknął dłoń do jej brzucha. – Nie pozwolę ci już brać udziału w walce. Gdy tylko będę mógł, zabiorę cię do Walencji. Vicente się tobą zaopiekuje.

Wyjął jedną dziką różę z bukieciku stojącego w słoiku na kontuarze i wsunął łodyżkę w dziurkę od guzika jej uniformu.

– Nie pojadę. – Rosa wcisnęła ręce do kieszeni *mono*. – Mogę dalej walczyć. Jesteśmy razem, tylko tego chcę.

Jordi obrócił się, by uścisnąć swego przyjaciela Marca, który stał niedaleko kontuaru. Rosa wyłapywała strzępki rozmów dobiegających od stolików, przy których ludzie jedli obiad. Kelnerka zręcznie prześlizgiwała się wśród wyciągających się do niej z nadzieją rąk samotnych żołnierzy.

– W Walencji jak na razie jest bezpiecznie – mówił któryś z nich. – Miasto jest pełne stoczniowców lojalnych wobec związku zawodowego CNT, a dookoła ciągnie się Huerta, gdzie bogaci wieśniacy na pewno będą pochylać głowy i tylko pilnować, żeby ryż i pomarańcze dobrze im rosły.

– Ryż i pomarańcze! – parsknął śmiechem Marco i kuksnął Jordiego. – O tym powinieneś wiedzieć wszystko.

– Nie jestem rolnikiem! Jestem *recortadore*. – Jordi wskoczył z kocią gracją na kontuar, a goście z pobliskich stolików zaczęli klaskać i wiwatować. – W całej Hiszpanii nikt mi nie dorówna w ujeżdżaniu byków!

Rosa ze śmiechem ściągnęła go z powrotem na dół.

– Mój ojciec był rolnikiem – powiedział Jordi i otoczył ją ramieniem. – Był właścicielem ziemskim, który stracił

31

grunty. Swoje rozczarowanie utopił w koniaku, a przy okazji nieprzytomnie rozpuścił mojego brata. Vicente to nieudany matador i nieszczęśliwy rzeźnik, który uważa, że powinien być arystokratą. Pije w knajpie do trzeciej albo czwartej nad ranem, trochę śpi, a potem uszczęśliwia kobiety z miasteczka słoniną...

– Nie tylko tym, jak słyszałem – mruknął Marco.

– I ty chcesz, żebym zamieszkała u tego człowieka? – spytała ze śmiechem nieco zakłopotana Rosa.

Jordi wzruszył ramionami.

– Tam będzie bezpieczniej niż tutaj. Vicente to nie *político*, stara się do niczego nie mieszać. Jest moim bratem, kocham go. Jeśli o mnie chodzi, byłem sporą niespodzianką dla rodziców. Po tym, co matka przeszła, rodząc Vicente, myśleli, że już nie będzie miała więcej dzieci. A on, kiedy dorastałem, był dla mnie jak bóg. Powinnaś go zobaczyć. Owszem, już wyłysiał, a brodę i włosy na piersi ma siwe, ale kiedy schodzi codziennie nad jezioro, żeby popływać po sjeście, i zdejmuje swój różowy szlafrok, wciąż jest w tym coś z występu na arenie, ryku tłumów... – Pochylił się i szepnął jej do ucha: – Pamiętam, jak razem z Markiem któregoś dnia go szpiegowaliśmy. Położył żonę poczciarza na szklanej ladzie, pochylił głowę jak byk, spodnie opuścił do kostek. Śniadymi dłońmi rozchylał jej uda...

Rosa zachichotała.

– Żartujesz sobie ze mnie!

– Nie! Sama poczekaj, aż zobaczysz go nad jeziorem. Vicente stoi w ten sposób... – Jordi wypiął pierś, stanął w rozkroku, wsparł się pod boki i powoli przesunął wzrokiem od lewej do prawej. – Wszystkie kobiety go podziwiają. A on urzeka je swoimi opowieściami o *toros*. Szlafrok zdejmuje, jakby poruszał jedwabną kapą matadora...

– Jordi odegrał tę scenę. – Kiedy wdycha powietrze przez nozdrza niczym byk, wciąż jest Vicente Wspaniałym.

– To prawda – przyznał Marco. – Miał połowę kobiet w miasteczku.

– Dlaczego żaden rozwścieczony mąż jeszcze go nie zastrzelił? – spytała Rosa.

– Mężczyźni albo się go boją, albo go podziwiają. – Marco wysączył łyk swojego napitku. – Mam wrażenie, że ślad złotych siekaczy Vicente na ciele żony jest dla niektórych mężczyzn piętnem jakości!

Przyjaciele zaczęli wymieniać historie o starszym bracie Jordiego, a Rosa zmarszczyła czoło i znów wsłuchała się w rozmowy dookoła.

– Teraz przynajmniej nie zaatakują Madrytu od wschodu – powiedział jakiś żołnierz.

Rosa pomyślała o zachodzie i odgłosach bitwy. Wciąż dzwoniło jej w uszach, słyszała dojmujący jęk, w który zdawały się zamieniać wybuchy.

– Zatrzymamy ich na innych frontach, a droga do Walencji jest wolna.

– Wywożą obrazy z Prado, słyszałeś?

– A wiesz, co mówi prawica? Że czerwoni gwałcą zakonnice...

– Lepiej niech się zajmą generałem Queipo de Llano i jego audycjami radiowymi z Sewilli. Nie słyszałeś, jak obiecywał madryckie kobiety swoim oddziałom w nagrodę za splądrowanie miasta?

Chłonęła nakładające się na siebie rozmowy, wpatrzona w lśniący kontuar. Pochyliła się nad nim, a tymczasem Jordi zamówił jeszcze trzy kieliszki sherry. Płytki posadzki w kawiarni były mokre, niedawno myte. Rosa wychwyciła ostry zapach drewna nasiąkniętego winem i słonawą woń charakterystyczną dla owoców morza. Pomyślała, że teraz wybór jest tu żałosny. Zaburczało jej w brzuchu na wspomnienie krabów i ostryg obficie rozłożonych wśród kawałków tłuczonego lodu. Zawsze najbardziej cierpią kobiety i dzieci, pomyślała, przypominając sobie żonę przyjaciela z południa, którą przed rozstrzelaniem zgwałcili kolejno wszyscy żołnierze plutonu egzekucyjnego.

– Queipo de Llano powiedział, że za każdego człowieka, którego zabijemy, on zabije co najmniej dziesięciu.

Jordi obrócił się raptownie, by przerwać tę rozmowę.

– Dlatego nie możemy im pozwolić, by zwyciężyli, *compañero*. Tak, pasożyty są po obu stronach, to przecież wojna, ale Franco jest gotów zniszczyć połowę Hiszpanii, jeśli będzie musiał. Jego ludzie zrzucają z klifów całe wsie.

– Słyszałem, że Falanga organizuje konne polowania na wieśniaków! – krzyknął ktoś.

– Mogę w to uwierzyć. Ciągle słyszę doniesienia o faszystach „czyszczących" miasta po przejściu wojska. Jeżdżą po ulicach z panienkami w samochodach rodziców i strzelają z pistoletów na prawo i lewo, jakby to była zabawa.

Zabawa w zabijanie, pomyślała Rosa. Pamiętała pierwsze dni w lecie po przewrocie nacjonalistów. Ludzie jeździli do Toledo jak turyści wojenni, jakby wybierali się na piknik i tylko chcieli w imię demokracji zrobić kilka zdjęć nacjonalistom. Jeździli na front niczym na przyjęcie, uzbrojeni nie tylko w broń palną, lecz również tortille i butelki wina. Potem wracali do domu, żeby pospać albo się kochać. Pamiętała, że w tych początkowych dniach wszędzie było słychać śpiewy, a najwytworniejsze hotele szeroko otwierały podwoje. Tam gdzie jadali arystokraci, teraz szarzy ludzie posilali się w dopiero co założonych klubach robotniczych, używając najlepszej porcelany. Zapanowała równość, ale już się to zmieniało. Tyle strat nadeszło tak szybko i gwałtownie. Więzienia opustoszały, przestępcy szukali zemsty. Za najgorsze rzezie odpowiedzialni byli kryminaliści, a nie republikanie, tego była pewna. I nagle wojna zanadto zbliżyła się do domu.

– To nie jest zabawa! – krzyknęła. – Niech przyjdą, ale niech walczą twarzą w twarz!

W kawiarni rozległy się wiwaty. Rosa czuła, że Jordi na nią patrzy. Odwróciła się do niego.

– Nie mogę znieść okrucieństwa – powiedziała. – Jaki jest ten świat, na który przyjdzie nasze dziecko?

Ujął jej twarz w dłonie.

– Dobry. Wyzwolimy Hiszpanię, sprawimy, że będzie lepsza dla naszego dziecka. Nie obawiaj się. Nacjonaliści muszą przerazić robotników... tylko w ten sposób mogą zwyciężyć. Właśnie dlatego pokazują publicznie trupy i pozwalają zakładać bary w miejscach egzekucji. Dla nich to jest krucjata, chcą w nas zaszczepić bojaźń bożą. Ale są tylko ludźmi, dlatego zwyciężymy.

Rosa zerknęła ku schodom, po których zbiegła do kawiarni grupka mężczyzn. Powitały ich okrzyki entuzjazmu i wyciągnięte w górę pięści.

– Niech żyje republika! Niech żyje wolność! – krzyknął Robert Capa.

– No, no, Capa! – zawołał Jordi. – Gratulacje! Wszyscy mówią o twoim zdjęciu padającego żołnierza. Teraz świat wreszcie spojrzy na Hiszpanię.

Capa wzruszył ramionami.

– Miałem szczęście.

– Znasz moją dziewczynę? To jest Rosa. Barman, coś do picia dla moich przyjaciół!

– Nie, ja stawiam – sprzeciwił się Capa i wysypał kilka monet na kontuar.

– Kim są ci ludzie? – szeptem spytała Rosa.

– Fotografowie i dziennikarze – odpowiedział Jordi. – Jakiś czas temu Capa zrobił mi zdjęcie. Ci ludzie opowiedzą światu prawdę o Hiszpanii.

Capa pocałował Rosę w rękę i spojrzał jej w oczy.

– Szczęśliwy z ciebie człowiek, Jordi. Chciałbym sfotografować twoją dziewczynę.

– To chyba nie jest dobry pomysł. – Cofnęła się o krok.

– Dlaczego? Czy pani się obawia, że ukradnę jej duszę?

– Nie wydaje mi się, żeby moją duszą pan się interesował.

Śmiech Capy przypominał mruczenie kota. Fotograf puścił oko do Jordiego.

– Miałem rację. Szczęśliwy z ciebie człowiek.

– To prawda. – Jordi objął Rosę. – A wiesz, Capa, w tej chwili szczęście jest nam potrzebne w każdej ilości.

Rozdział 6

LONDYN, 11 WRZEŚNIA 2001

Emma wyszła z Picasso Café i postawiła kołnierz płaszcza. Paru miejscowych siedziało jeszcze nad późnym lunchem przy stolikach na chodniku, a jeden ze sprzedawców z Antiquariusa pomachał do niej ręką na powitanie. Pociągnęła łyk herbaty ze styropianowego kubka, czekając na lukę między samochodami. Od intensywnego, dymnego zapachu kanapki z boczkiem, którą miała w papierowej torbie, burczało jej w brzuchu z głodu. Taksówka zwolniła, żeby pozwolić jej przejść; Emma kiwnęła głową z podziękowaniem i przebiegła na drugą stronę, pod kino.

Wydawało jej się, że zna tu każdą pękniętą płytę chodnikową i każdą twarz. Rześkie jesienne powietrze, zapach spalin i kawy – znała je i uwielbiała. Zdarzało jej się marzyć o stworzeniu perfum będących zabutelkowaną esencją miast. Londyn – to dym węglowy, herbata, benzyna, pomyślała. Tu był jej dom, jej zakątek świata, a musiała go porzucić. Niedawno wzięła prysznic i wyszła z cichego studia zastawionego po sufit kartonami. Błyszczące pudełko stało dokładnie tam, gdzie je zostawiła wiele miesięcy temu, na biurku Liberty, otoczone flakonikami perfum jak dyrygent pośrodku orkiestry.

Zjadła kanapkę, przechodząc obok Habitatu i skręcając ku parkowi St Luke's Gardens. Wrzuciła papierową torebkę do kosza i dokończyła herbatę. Park był niemal pusty, pracownicy biur wrócili już na stanowiska. Parę matek pchało wózki z dziećmi w kierunku placu zabaw, gdy szła w stronę ławki, którą zawsze uważała za swoją własność – swoją i Liberty. Po ceremonii pogrzebowej przyszła tu z Freyą, Charlesem i Joem, tu rozsypali prochy Liberty na skraju różanej grządki. Myśl o rozkwitających latem kwiatach przypomniała jej o jednej z pierwszych podróży, w jakie zabrała ją matka – do Turcji, do któregoś z dostawców. Mężczyźni stali tam po pas w różach, a Emma włożyła małą piąstkę do worka z jedwabistymi aromatycznymi płatkami. Zapach był tak intensywny, że wydawał się mieć fakturę, pudrową zmysłowość. Brakowało jej teraz kwiatów. Ziemia była znów goła, krzaki przycięte na zimę.

– Cześć, mamo – powiedziała cicho, siadając. Patrząc na grządki, w myślach prowadziła rozmowę. Bardzo za tobą tęsknię. Wreszcie zostaniesz babcią... Przypomniała sobie powiedzenie matki: „Dzieciom powinno się dać korzenie i skrzydła".

Twarz się jej wyciągnęła, gdy ulicą przetoczył się autobus ozdobiony reklamą nowego zapachu Liberty Temple. Dział marketingu pracował na wysokich obrotach, przygotowując się do premiery, przedstawiając Emmę jako następczynię Liberty. Emma wróciła myślą do ostatniego wywiadu dla „ES Magazine", do tego, jak Joe oprowadzał dziennikarkę po ich nowym domu, chwaląc się wszystkimi zainstalowanymi tam zabawkami – kinem domowym, pokazowymi dziełami sztuki Hirsta, meblami, które wyglądały jak w katalogu Design Museum. Tymczasem fotograf poprosił Emmę, żeby powąchała storczyki na półce nad kominkiem.

– Ale one nie pachną – odparła.

– Kochana, to je pogładź. Zrób natchnioną minę. – Zatoczył ręką w powietrzu, nie odrywając oczu od wizjera.

Kiedy posłusznie głaskała storczyki, w kuchni pisnęła komórka Joego. Czekali na wieści od Liberty ze szpitala, postanowiła więc sprawdzić. Sto razy zastanawiała się, co by się stało, gdyby tego nie zrobiła. Przeczytała wiadomość: „Tęsknię za Tobą. Do wieczora, x". Usłyszała kroki Joego na nowych schodach z drewna wenge. Pośpiesznie odwróciła telefon z powrotem, tak jak leżał, i nalała wszystkim po lampce szampana.

– Cudowny macie ten dom! – powiedziała dziennikarka, sadowiąc się na stołku przy lśniącym blacie z corianu. – Dawno się wprowadziliście?

– Niedawno – odparła Emma. Usiłowała myśleć jasno. – To wszystko to ciężka praca Joego.

– E tam! – Joe rozparł się w fotelu Eamesa przed kominkiem i założył ręce za głowę. – Ja dopilnowałem wszystkich ciężkich robót, ale to Emma ma świetne oko. Przysyłała mi mejlem polecenia z całego świata.

– Dużo podróżuję służbowo. – Wszystko zaczynało się układać w całość. – Nasze największe rynki to Japonia i Stany.

– Matka Em od wielu lat prowadziła firmę kosmetyczną. My włączyliśmy się jakoś pod koniec lat osiemdziesiątych i ta marka perfum, Liberty Temple, po prostu eksplodowała. Emma jest teraz twarzą firmy, mózgiem kreatywnym… i nosem, prawda?

– Słucham? – Spojrzała na niego i ta znajoma twarz nagle wydała jej się obca. Czy chodziło o tę nową koszulę z Pinks, którą miał na sobie? Jak zawsze prezentował się nieskazitelnie. Chociaż nie poszedł w ślady ojca i nie wstąpił do armii amerykańskiej, w jego zachowaniu, a zwłaszcza dokładności, było coś wojskowego. Włosy miał świeżo, z rana, przycięte u Trumpera, paznokcie opiłowane. Emma spojrzała na jego dłonie – sama od wielu tygodni nie miała czasu na manikiur. Zmusiła się do skupienia i rozpoczęła opowieść, którą powtarzała już tysiące razy na różnych konferencjach prasowych – o tym, jak rodzinny biznes rozpoczęty na kuchennym stole rozrósł się i stał jedną z czołowych firm niezależnych producentów perfum na świecie.

– Moja matka zawsze używała Calèche – powiedziała dziennikarka. – Wie pani, czasem mijam jakąś kobietę na ulicy, czuję te perfumy i wydaje mi się, że to mama.

– Otóż to. Uwielbiam te emocje, jakie wywołują w nas zapachy. – Emma czuła w gardle ciasny węzeł. – Chciałabym kiedyś stworzyć coś naprawdę klasycznego, na miarę Chanel No 5.

– Nasi księgowi skakaliby z radości – rzucił ze śmiechem Joe.

Emma odstawiła kieliszek drżącą ręką.

– A wie pani, że w niektórych częściach świata słowo „pocałunek" oznacza „zapach"? Czy to nie romantyczne, takie skojarzenie aromatów i zmysłów? – Wpatrywała się w Joego.

– O, może to będzie dobry tytuł naszego artykułu – zastanowiła się dziennikarka. – *Romantyczna i aromatyczna.* Coś jak z Jane Austen. Wszyscy uwielbiają Jane Austen.

– Proszę wybaczyć. – Emma wstała i uścisnęła jej dłoń. – Niestety muszę się pożegnać. Źle się czuję.

Teraz, w parku na ławce, przez chwilę pozwoliła sobie marzyć o idealnym życiu, w którym są nadal razem z Joem. Ogarnęła ją tęsknota. Mimo wszystko kochała go. Była jednak na tyle dorosła, by wiedzieć, że już nie będzie tak jak dawniej. Zniknęło gdzieś zaufanie, lecz kochała go już tak długo, że to uczucie nie mogło rozpłynąć się tak po prostu. Zerknęła na zegarek, pancerny, męski Patek. Dochodziła druga.

Ruszyła ku Chelsea Green, wzięła głęboki oddech, wyciągnęła telefon i wcisnęła jedynkę na ekranie szybkiego wybierania.

– Em? – Od razu odebrał. – Od paru tygodniu nie mogę się do ciebie dodzwonić.

– Hej, Joe – powiedziała, tak jak zawsze. Wspomniała, jak unosił wzrok znad swoich książek do MBA w bibliotece Columbia University, a blond grzywka spadała mu na oczy w kolorze indygo. Hej, Joe. Jak odwracał się do niej w świetle brzasku, w ich pierwszym, pozbawionym zasłon wspólnym mieszkaniu na Battersea. Hej, Joe.

– Gdzie byłaś? Po Tokio zniknęłaś z radarów.

– Zatrzymałam się w Vancouver, żeby odwiedzić tatę.

– Twojego ojca? – Joe był zaskoczony. – Od lat się z nim nie widywałaś.

Emma zmarszczyła czoło.

– Pomyślałam, że najwyższy czas. Chciałam tylko... w sumie nie wiem, na co liczyłam. – Znów odetchnęła głęboko.

– Jasne, rozumiem, po tym, jak mama... – nie dokończył. – Jesteś w Londynie?

– Dopiero co wróciłam. – Miała nadzieję, że w jej głosie słychać nonszalancję. Przypomniała sobie, gdzie go ostatni raz widziała... na odczytaniu testamentu Liberty, z którego wyszedł ze łzami w oczach. Hej, Joe.

– Świetna robota. Japończycy byli wniebowzięci. – Zamilkł na moment. – Niepokoiłem się o ciebie. Wszystko w porządku?

– Pewnie. A ty mówisz, jakbyś był bardzo zmęczony.

– Albo czuł się winny, pomyślała.

– No, kurczę… – Usłyszała, jak wzdycha. – Wiesz, jak to jest.

Jak to jest z czym? W złości kopnęła puszkę po coli w rynsztoku. Z firmą? Z życiem razem z Delilah? Szlag ją trafiał od samego brzmienia jego głosu, tego luźnego akcentu ze Wschodniego Wybrzeża. Tej nocy, gdy powiedziała mu, że wie wszystko o nim i o Delilah, obejmowali się nawzajem w lśniącej kuchni nowego domu, płacząc jak dzieci nad wszystkim, co pękło i przepadło. Jakby uwolniło się, wydarło coś, co dotąd w sobie nosiła. Miłość? Teraz w tym miejscu miała bolesną ranę. Pomyślała o mejlu, którego przysłał jej Charles w chwili, gdy czuła się najgorzej: „Hemingway mawiał, że świat łamie każdego i potem niektórzy są jeszcze mocniejsi w miejscach złamania. Podoba mi się wizja, że łamanie jeszcze nas wzmacnia. Trzymaj się tej myśli, Em. Będzie lepiej". Odchrząknęła. – I jak, dobrze być w domu?

– Pewnie, zawsze miło wrócić. Mama i tata cię pozdrawiają – dodał z zakłopotaniem.

Skrzywiła się.

– Zostaniesz w Nowym Jorku?

– Możliwe. Lila cały czas mówi, żeby się tu przeprowadzić. – Westchnął. – Dostałaś papiery?

Emma obejrzała się w lewo i w prawo, przechodząc przez ulicę.

– Tak.

– To je podpisz, Em. Tyle na to pracowaliśmy.

– Żeby się wyprzedać?

– Nie, żeby zbić fortunę, żeby zrobić z naszą przyszłością, co zechcemy.

– Jaką przyszłością, Joe? My nie mamy żadnej przyszłości. – Zawahała się. – O Boże, tobie chodzi o przyszłość z nią, prawda?

– Sam nie wiem, o co mi chodzi. – Wyobraziła sobie, że Joe przeczesuje włosy dłonią. – To ty odeszłaś.

– A co miałam niby zrobić? Sypiałeś z moją... naszą przyjaciółką... – Przechodzący biznesmen podniósł na nią wzrok. Odwróciła się od niego, osłoniła telefon dłonią. – Jakie to banalne. Myślałam, że stać cię na coś bardziej oryginalnego.

– Ciągle byłaś taka zmęczona. Ciągle cię nie było...

– Pracowałam dla nas! Dla naszej przyszłości. – Zawahała się, omal mu wtedy tego nie powiedziała.

– No, w każdym razie zimowa premiera musiała się odbyć bez ciebie. Lila zastępowała cię na konferencjach prasowych.

– Od dawna świetnie jej wychodzi zastępowanie mnie.

– Daj spokój, Em. Była beznadziejna, za bardzo się nakręciła. Pokłóciliśmy się. Emmo, muszę się z tobą zobaczyć. Popełniłem głupi błąd. W ogóle nie mam pojęcia, co ja teraz robię.

– Masz rację. Najlepiej się wycofać u szczytu. Wszyscy wpakowaliśmy kupę lat w Liberty Temple.

– Nie mówię o biznesie.

– Joe, ale Lila chce pieniędzy, ją tylko to interesuje.

– Ona naciska, żebym sprzedawał, ty zniknęłaś, Freya mówi, że powinniśmy się trzymać firmy. Tyle tego, że chętnie bym zniknął tak jak ty.

– No to może zniknij? – warknęła. – A ja wcale nie zniknęłam. Od miesięcy jeżdżę po świecie i dbam o to, żeby marka przetrwała.

– Tęsknię za tobą.

– Nie mów tak. – Ze złością otarła łzę. – Nie masz prawa.

– Nie jest za późno. Jeszcze wszystko możemy naprawić.

– Muszę już iść.

– Dobra, dobra. Później pogadamy. – Usłyszała, że zagwizdał na taksówkę, i wyobraziła go sobie stojącego na krawężniku pod nowojorskimi drapaczami chmur. – Muszę się dostać do World Trade Center, jestem umówiony w Windows of the World na samej górze na śniadanie z pewnymi ludźmi.

Jajka à la Benedict, pomyślała. Podwójne espresso, podwójny cukier.

– Nie dam im wyjść, póki nie przewałkujemy wszystkiego. To co, przefaksujesz mi te papiery, jak będziesz w biurze?

Emma spochmurniała.

– Tak.

– Dzięki za wszystko, Em... – przerwał. – Przepraszam. Idiota ze mnie. Kocham cię. Wiesz, że zawsze będę cię kochał.

– Tak jest.

– Powiedz, że jeszcze mnie kochasz.

– Nie.

– Daj mi szansę. Wszystko naprawię.

– Nie – powtórzyła, czując narastającą złość. – Nic już nie będzie jak dawniej.

– Zadzwonię.

– No to zadzwoń. – Zatrzymawszy się przy drzwiach do biur na Pond Place, wystukała jeszcze do niego SMS-a: „Kochasz mnie? To udowodnij. Mamy dziecko".

Sięgnęła po klamkę ze szczotkowanej stali i się zawahała. Podeszła do sąsiednich drzwi, jaskrawoczerwonych, i zastukała. Czekając, wyobrażała sobie Freyę idącą sztywno przez dom, postukującą w skrzypiące deski laską ze srebrną główką. Usłyszała odsuwany łańcuch, a gdy drzwi się uchyliły, dobiegła do niej piosenka Elli Fitzgerald.

– Nie, nie, nic z tego, Ming – mruknęła Freya, zagradzając laską drogę kotu syjamskiemu. Uniosła wzrok. – Em!

Emma ją objęła. Wyczuła kanciaste kości pod czarnym kaszmirowym golfem.

– Tęskniłam za tobą – powiedziała stłumionym głosem.

– Niech no ci się przyjrzę. – Freya odsunęła ją na długość ramienia. – Masz piękne włosy, fantastyczne.

– Dzięki. – Emma przesunęła dłonią po ciemnych włosach do ramion. – W Tokio kazałam je przyciąć. I pomyślałam, że wrócę do naturalnego koloru.

– Bardzo dobrze. Na parę miesięcy daruj sobie farbę – szepnęła Freya, mocno ściskając jej dłoń.

– I co, ujdzie?

Freya zasznurowała usta.

– No cóż, trochę jesteś wymizerowana, ale nie będę od razu marudzić, dopiero co weszłaś. Rozgość się, rozgość. – Pociągnęła ją do środka. – Charles jest w oranżerii.

– Cieszę się, że cię widzę – odparła Emma, biorąc babcię pod rękę. Dobrze, że chociaż tutaj nic się nie zmieniło, pomyślała, uspokojona znajomym chaosem domu Freyi i Charlesa. Od ulicy mieli żółty salon, pełen książek i jaskrawych abstrakcyjnych obrazów. Za oknami przelewał się nieustający strumień pieszych i aut. Wytarte kilimy leżały obok wysiedzianych sof, w powietrzu unosił się zapach tuberozowej świecy. Ogień płonął w kominku, a z góry dobiegał odgłos odkurzacza. W małej kuchence kredens wypełniony biało-niebieską zastawą i starymi pocztówkami opierał się poufale o sosnowy stół, a kot Ming, wylegujący się w słońcu na starym czerwonym fotelu, przyglądał się kobietom turkusowymi oczami.

– Charles! – zawołała Freya, człapiąc na oszkloną werandę i postukując laską w terakotową posadzkę. Między roślinami, w gorącym, wilgotnym powietrzu, niebieskie motyle powoli trzepotały opalizującymi skrzydełkami, rozwijając trąbki do nektaru. Z liści ściekała skroplona para. Na włosach Emmy usiadł paź królowej. – Charles! – Freya pokręciła głową. – Pewnie jest w gabinecie. – Odsunęła kotarę z cienkich łańcuszków, otworzyła tylne drzwi i wsparłszy się na Emmie, zeszła po niskim stopniu do ogrodu. Niepewnie stąpała po nierównych kamieniach, kierując się ku niebieskiej jak niebo szopie. Zastały Charlesa pochylonego nad zasuwanym sekretarzykiem, przypinającego rusałkę do korkowej tabliczki.

Emma się uśmiechnęła. Jako dziecko spędzała tu z Charlesem godziny, pomagając ciotecznemu dziadkowi katalogować okazy. Ściany były całe zasłonięte gablotkami z motylami, jak technikolorowym uskrzydlonym muralem. Na podłodze cicho pochrapywał siwy mops, a minuty odmierzał stojący szwedzki zegar.

– Dzień dobry…

– On cię nie słyszy. – Freya szturchnęła brata laską w plecy. – Charles! Mamy gościa.

– Co tam, do diabła? – Okręcił się, podniósł połówkowe okulary na gęstą grzywę siwych włosów. Pusty lewy rękaw, spięty w łokciu, zakołysał się u boku. – Kobieto, chcesz mnie przyprawić o zawał serca? – Uśmiechnął się i wstał, zauważywszy Emmę. Objął ją prawą ręką. Ucałowała go w suchy, gładki policzek.

– Włącz to.

Charles pstryknął w aparat słuchowy.

– Tylko tak można mieć chwilę spokoju w tym domu wariatów, cały czas przecież ktoś tu przychodzi albo wychodzi – poskarżył się Emmie.

– Przestań jęczeć – napomniała go Freya. – Jak sobie pójdą, będziesz za nimi tęsknić.

– Cieszę się, że cię widzę. Dobrze wyglądasz – powiedziała Emma.

– Naprawdę? W tym wieku pozostaje mi cieszyć się, że żyję. Przyjaciele padają jak muchy – westchnął. – Co roku na wspominkach brygad w Jubilee Gardens jest nas coraz mniej.

– Wiesz, jaki on jest. – Freya splotła ramiona na piersi.

– Codziennie najpierw czyta nekrologi, żeby zobaczyć, czy nie ma kogoś znajomego.

– Wcale nie. O, Em, masz pasażera. – Charles małym siatkowym pudełeczkiem zdjął jej motyla z włosów i zamknął wieczko.

Kiedy stali obok siebie, Emmie wydawało się, że nawet w tym wieku fizyczne podobieństwo brata i siostry jest uderzające – oboje byli szczupli, wysocy, teraz trochę przygarbieni, mieli te same wydatne kości policzkowe i orle nosy. Schludna Freya była wzorcem dyskretnego, monochromatycznego stylu, a brązowe sztruksy Charlesa, zwisające mu luźno na biodrach, były całe upstrzone plamami od wielu lat rozpalania w kominku i od papierosów.

– Charles, jak ty wyglądasz! – jęknęła Freya. – Dałbyś mi czasem kupić sobie parę nowych ubrań.

– Po co? – Wbił dłonie w wyciągnięte kieszenie granatowego kardiganu, wyjął puszkę z tytoniem. – Po co mi jakieś nowe ubrania? – mruknął, zapalając skręta.

Freya strzepnęła mu z rękawa psią sierść.

– Odczep się, kobieto, przestań przeszkadzać! – Odtrącił jej rękę.

Przygładziła swe ostrzyżone na pazia siwe włosy.

– Dobrze już, dobrze. – Zagryzła wargi. – No, Emmo, wszyscy już nie mogą się ciebie doczekać. Pójdziemy tam?

Wyszli we trójkę na chodnik z zabałaganionego, zaadaptowanego ze stajen domu, zamieszkiwanego przez rodzinę od prawie siedemdziesięciu lat, i przeszli do sąsiedniego budynku. W biurach Liberty Temple wrzało jak w ulu. Gdy Emma otworzyła frontowe drzwi, storczyki na białym kontuarze recepcji zafalowały w przeciągu. Oparte na otwartym planie biura roiły się od eleganckich młodych kobiet i mężczyzn; w powietrzu unosił się zapach róż oraz urywki języków francuskiego, angielskiego i japońskiego.

– Witamy w domu, Em – powiedziała recepcjonistka.

– Dzięki. – Emma weszła w głąb biura. – Cześć wszystkim.

Freya i Charles czekali w recepcji, gdy zespół przybiegł, żeby przywitać Emmę.

– Mam nadzieję, że dobrze robi – odezwała się cicho Freya. – To teraz dla niej najbliższy odpowiednik rodziny. A jak firma zostanie sprzedana...

– Mówisz o Emmie czy o sobie?

Freya szturchnęła go w żebra.

– Ej, nie tak mocno. – Skrzywił się.

– Mnie nic nie będzie, już ty się nie martw. – Freya wcisnęła podbródek w czarny golf i splotła ramiona na wąskiej klatce piersiowej. – Ja całe życie opiekowałam się Liberty, potem Emmą i firmą...

– No tak. Dzięki dziewczynom zachowałaś młodość.

– Nie to co ty.

Charles skrzywił się pociesznie.

– Pozwolę sobie zignorować tę uwagę. – Zerknął na Freyę kątem oka. – Przeprowadzisz się na stałe do domu w Kornwalii?

Pokręciła głową.

– Tak łatwo się mnie nie pozbędziesz.

– Spodoba ci się tam i nie będziesz musiała... – Słowa uwięzły Charlesowi w gardle, gdy spojrzał na płaski telewizor nad kominkiem. Podszedł do niego i ustawił głośniej.

– Cicho! – krzyknął; pasek serwisu informacyjny BBC odbijał mu się w okularach.

– Co się stało? – Freya przerażona patrzyła na dym
buchający z wieżowca World Trade Center. – Jezu, nie!
– Uniosła dłoń do ust, gdy drugi samolot wbił się w sąsiedni
wieżowiec.

Podbiegła Emma.

– Nic nie rozumiem. Co się dzieje? – Objęła Freyę ramieniem. – Joe tam jest – powiedziała łamiącym się głosem.
– Pół godziny temu z nim rozmawiałam. Jest w północnej
wieży.

Rozdział 7

MADRYT, LISTOPAD 1936

Jedenasta brygada maszerowała po Gran Vía. Charles wypatrzył przyjaciela i wmieszał się pomiędzy Brytyjczyków z karabinami maszynowymi oraz Niemców z batalionu imienia Edgara André. Wzdłuż alei migotały neony, jaskrawe w zimowym powietrzu. Madrileños wiwatowali.

– Obiad się udał?

– Nie ma jak drobny przedwieczorny ostrzał z armat na apetyt. – Hugo miał bladą, zmęczoną twarz. – Robiłeś jakieś zdjęcia?

Charles pokręcił głową.

– Pomyślałem, że może w gazecie przydałoby się parę fotografii zwykłych ludzi...

– I co? Nikogo takiego nie znalazłeś? – zażartował Hugo.

– Co nowego słychać?

– Faszyści wkraczają na uniwersytet.

– Pewnie brygady też już tam są – odparł Charles, poprawiając przewieszony przez ramię stary sowiecki karabin. – Jedenasta ich stamtąd wykurzy. – Wokół słychać było tupot maszerujących stóp, okrzyki, śpiewy, klaksony. W tle jednak dominowały odgłosy bitwy: karabiny

50

ręczne, maszynowe, moździerze. Cały czas zbliżali się do frontu.

– Masz jeszcze dużo filmu?

Charles zapatrzył się na plac, majestatyczne uczelniane budynki żółte i rdzawe, już otoczony skłębionym dymem bitewnym.

– Mam nadzieję, że wystarczy. – Wydało mu się, że płonie całe miasto, ogień bucha w niebo. Drewniane belki sterczały jak połamane żebra, po chodniku walały się puste, poplamione, obsypane kwiatami nosze. Przesunął dłonią po włosach. Miał w nich pełno pyłu. W uszach dzwoniło mu od nieustającego, ogłuszającego ostrzału.

– Czekaj – powiedział do Hugona. Gdy ludzie szli dalej w stronę frontu, naciągnął migawkę w aparacie i sfotografował przypominające maski twarze martwej matki i jej dziecka leżących obok siebie na skraju ulicy.

– Co ty robisz?! – Hiszpański bojówkarz chwycił go za kołnierz. – Ty wstrętna hieno! Rzygać mi się chce na wasz widok, pismaki! – Plunął na reportera.

Charles spojrzał nań oszołomiony. Hugo chwycił go za rękę i pociągnął.

– To moja robota – powiedział Charles. – Robię, co do mnie należy.

Po zachodzie słońca nad trupami krążyły gołębie. Charles miał wrażenie, jakby rozwarła się brama piekieł. W gorączce bitwy zgubił gdzieś Hugona. Wiedział, że musi uciekać, że samochody prasowe zaraz odjadą na noc. Wbiegł na oślep pod osłonę bramy, usłyszał rykoszetujące za plecami pociski. Kucnął, oczy piekły go od dymu i potu, serce dudniło. Chwycił gorącą lufę karabinu, sprawdził amunicję, uderzeniem barku otworzył drzwi. Przebiegł przez opuszczoną aulę wykładową, między ławkami połamanymi jak zapałki, pod popękanymi tablicami. Z rozbitych rur lała się woda. Wygramolił się w ciemność zrujnowaną klatką schodową, brnąc z chlupotem przez czarne kałuże, wymacując drogę z desperacką nadzieją, że nie nadepnie na żadnego trupa. Przywarł plecami do ściany przy wybitym oknie, ostrożnie wyjrzał, uważając na snajperów. Za miasteczkiem akademickim zobaczył w oddali posuwające się we mgle marokańskie oddziały. Trzeba będzie puścić się pędem.

Biegł do bezpiecznej kryjówki, nisko zgięty, nurkując od osłony do osłony. Gdy rzucił się głową naprzód do najbliższego okopu, tuż obok wybuchł potężny pocisk. Sypnęło ziemią, a fala uderzeniowa walnęła go w pierś jak pięścią. Skulił się, kryjąc głowę między kolanami. Popuścił w spodnie ze strachu.

Zapadła noc. Charles leżał, dygocąc na całym ciele. Powrócił myślami do dnia, gdy nad tłumem nowych rekrutów stłoczonych jak sardynki na placu defilad w Albacete wzniósł się głos towarzysza Marty'ego. Głowa swędziała go od wełnianej czapki, buty też miał kiepskie. Już na porannej musztrze zrobiły mu się bąble na piętach, ale kiedy rozejrzał się po cudacznych łachmanach reszty żołnierzy, dotarło do niego, że i tak miał szczęście. Część ubrana była w mundury z demobilu z pierwszej wojny światowej, niektórzy, na oko, w kostiumy do pantomimy. Natomiast dowódca nosił czarną skórzaną kurtkę, ciemny beret, a na pasie rewolwerowca wisiał mu dziewięciomilimetrowy samopowtarzalny pistolet.

– Teraz wyślemy was do obozu szkoleniowego w Madrigueras! – krzyknął dowódca.

– Skąd on wytrzasnął pistolet? – mruknął Charles.

– W końcu on tu rządzi – szepnął Hugo. – Reszcie mają starczyć kije od szczotki. Zresztą coś mi się wydaje, że

52

wartownicy po raz pierwszy mają w rękach karabiny. – Zerknął na opartego o ścianę chłopaczka. – Na miłość boską, człowieku! Nie pal tutaj! – syknął i wskazał stojące obok skrzynki z dynamitem.

– Myślałem, że mają dość karabinów dla wszystkich.

– Dobrze by było.

– Wiem, o co mamy walczyć, ale nie bardzo wiem jak.

– Za późno, żeby się wycofać – powiedział Hugo.

– W Figueras zabrali nam paszporty.

Charles przypomniał sobie ziemistą, paskudną twarz mężczyzny w okienku przy wejściu do starego zamku. Człowiek ten spisał ich dane i wrzucił paszporty do kartonu, z którego wysypywały się dokumenty ze wszystkich stron świata. „Proszę – powiedział, wciskając mu stupesetowy banknot, prezerwatywy i furażerkę z pomponem.

– Należycie teraz do armii republikańskiej". Uniósł pięść, a Charles i Hugo z wahaniem zrobili to samo.

Marty zapytał głośno:

– Kto umie jeździć ciężarówką?

Paru mężczyzn podniosło ręce.

– Dobrze, zbiórka tam. Kto umie jeździć motorem? Kto jest po przeszkoleniu medycznym? – Gdy ostatni zgłaszający się odmaszerowali, objął wzrokiem pozostałych. – Reszta to piechota. Przejdziecie do historii.

– Przydałyby się chociaż mapy – mruknął pod nosem Charles. Chuchnął w dłonie, rozglądając się po obdartej grupce dokerów, górników, recydywistów i studentów marzycieli. – Na pewno ktoś ma chociaż przewodnik Michelina?

– Ani map, ani kompasów – jęknął Hugo. – Będziemy błądzić w tym śniegu z deszczem, po ciemku. – Zadygotał.

– Coś czuję, że powinniśmy dostawać więcej niż dziesięć peset dziennie.

– Ej, ty! – Marty wskazał Charlesa palcem. – Temple i ten drugi! Dziennikarze, tak?

– Jesteśmy z „Manchester Guardian", towarzyszu! – Charles stanął na baczność. – Ale jeśli można, towarzyszu, chcielibyśmy walczyć razem z brygadami.

– Świetnie. Bo za dużo już mamy reporterów i fotografów, co chcą się tylko przejechać. – Marty przewertował teczkę. – Zakwaterujcie się w Madrycie. I tam zgłoście się do dowództwa brygad. – Podpisał jakiś skrawek papieru. – Proszę, to przepustka dla was obu. Jak chcecie, to walczcie, ale macie słać reportaże z całego kraju. Powiedzcie Anglikom, co się tutaj dzieje. Przydzielimy wam samochód.

– Dziękuję, towarzyszu. – Charles uniósł dłoń zaciśniętą w pięść.

Dziękuję, towarzyszu, myślał Charles, kuląc się z zimna. Ubranie miał mokre i przepocone. Szkoda, że się z nimi nie zabrałem. Pomyślał tęsknie o pokoju hotelowym. Przypomniał sobie, jak skarżył się Hugonowi na zawszone sienniki, na których musieli spać w Albacete, na przepełnione latryny. Teraz nie przeszkadzałoby mu ani jedno, ani drugie.

– Wojna śmierdzi zgniłym jedzeniem i gównem – powiedział kiedyś, rzucając się na łóżko w koszarach.

– No proszę, a tyle się mozoliłeś nad pierwszym zdaniem do pierwszego artykułu! – Hugo się zaśmiał.

– Bardzo zabawne. – Charles podpalił knot w blaszance pełnej oliwy. Słabe światełko nie rozproszyło ciemności. – Szlag mnie trafi od tych cholernych wszy – jęknął, drapiąc się w kroku.

– Naprawdę to trzeba uważać na szczury. Słyszałeś tę piosenkę? *Szczury, szczury wielkie jak koty*? – Hugo sposępniał. – Pewien jesteś, że się do tego nadajemy?

– Jasne. Umiemy pisać, umiemy dostrzec prawdę. Jak patrzę na te bzdury, które nasze gazety wypisują o republikanach, dostaję szału. – Charles pomyślał o poranionych twarzach ledwie żywych brygadierów wracających z Aragonii. Wyglądali na wpół obłąkanych z rozpaczy i goryczy. Fuszerka, mówili. Ani artylerii, ani samolotów. Opowiadali o dzikości Marokańczyków, o kumplach, którym poderżnięto gardła, a ciała zrzucono z mostu.

Teraz dobrze już wiedział, co przeżyli brygadierzy. Z całej siły zacisnął powieki. Obaj z Hugonem byli tak pełni nadziei, gdy kierowali się do Madrytu. Wspomniał śpiewy w pociągu, gdzie siedzieli w trzeciej klasie między kobiecinami z kurami na kolanach. Na każdej stacji wiwatował tłum: *Salud! No pasarán!* Nie przejdą! Śpiewali *Międzynarodówkę* razem z wieśniakami, którzy wciskali im pomarańcze, oliwki i wino. Każdy peron mijany przez szarpiące i turkocące wagony był jak morze uniesionych pięści. Przypomniał sobie ciemnooką dziewczynę, która posyłała mu całusy i krzyczała: „*Chico*, to dla ciebie, nie masz tu żony, żeby cię pocałowała na pożegnanie!".

– Dobrze by było mieć żonę – mruknął, obracając się na bok. Z zimna dzwoniły mu zęby. Pomiędzy wybuchami słyszał niosący się echem makabryczny bełkot we wszystkich językach świata.

– Dobrze się czujesz? – Hugo przysunął się bliżej.
– Straciłem cię z oczu.

Charles widział jego poruszające się usta, słowa były jednak przytłumione, jakby dochodziły spod wody.

– Dzięki Bogu, myślałem, że...
– Co się stało?
– Koło mnie wybuchł pocisk. Chyba do niczego się już nie nadaję.

Hugo wziął go delikatnie za ramię.

– Jedźmy stąd. Chcę o tym napisać, póki mam to wszystko na świeżo. Ależ to było piekło, pod koniec walczyliśmy dosłownie o każdą piędź ziemi. No rusz się, tam cię doprowadzą do porządku.

Poprowadził go przez barykady najeżone nogami od krzeseł, wyściełane materacami. Postacie bez twarzy przeciskały się koło nich w ciemności. Ulicą pełną krwawych śladów stóp dowlekli się do auta prasowego. Gdzieś w mroku dzwonił budzik.

Charles zwalił się bezwładnie na siedzenie. Zamknął oczy, gdy trzasnęły drzwi i zazgrzytał wrzucany wsteczny.

Rozdział 8

LONDYN, 11 WRZEŚNIA 2001

– Otwórz oczy. – Emma przypomniała sobie wesoły głos Joego, ciepły oddech łaskoczący ją w ucho. Stykali się udami, czuła na sobie ciężar jego bioder.

– Nie mogę! – Zastygła w bezruchu, rozpłaszczona na chłodnej szybie tarasu widokowego w World Trade Center. Nie była w stanie się poruszyć; wciskając podeszwy wysokich converse'ów w parapet, próbowała się cofnąć.

Joe uścisnął jej rękę.

– Zaufaj mi. Otwórz oczy.

Uniosła jedną powiekę.

– Spójrz na ten widok. Jest piękny. – Patrzyli w dół na Nowy Jork. – Czuję się, jakbyśmy frunęli. – Pod nimi rozpościerało się imponujące centrum miasta, promienie wiosennego słońca tańczyły na wodzie, rozświetlały tysiące okien, dodawały ciepła świeżej zieleni Central Parku.

Emma poczuła zawroty głowy, zaschło jej w ustach. Mogła myśleć tylko o jednym – co by się stało, gdyby szyba nie wytrzymała. Zrobiła krok do tyłu i odwróciła się do Joego.

– Zadowolony? Podjęłam wyzwanie.

– Ale trzęsiesz się jak listek na wietrze! – Przyciągnął ją do siebie ze śmiechem. – Trzymam cię i nigdy nie puszczę.

Ukryła twarz na jego piersi, wsunęła mu ręce pod pikowaną kamizelkę. Bliskość i dotyk Joego wciąż ją oszałamiały. Tego ranka całowali się godzinami. Kiedy byli razem, miała wrażenie, że ich szczupłe, spragnione ciała nie istnieją odrębnie, stanowią całość.

– Hej, ty wcale nie żartowałaś! Dobrze się czujesz? Emma wymierzyła mu lekkiego kuksańca w brzuch.

– Niech to będzie dla ciebie nauczka. Nigdy nie rzucaj wyzwań kobietom z rodziny Temple. Mam u ciebie lunch.

Uśmiechnął się szeroko, równe zęby błysnęły bielą w opalonej twarzy.

– Załatwione. – Objął ją za ramiona i poprowadził do windy. – Tak czy inaczej powinniśmy już iść, bo Delilah na nas czeka.

Emma jęknęła.

– Znowu? Czy w ogóle kiedyś będę cię miała całego dla siebie?

– Brzmi to zachęcająco. Lila jest moją przyjaciółką, skarbie. Od kiedy ty i ja jesteśmy razem, czuje się trochę zaniedbywana... Nie masz nic przeciwko temu, żeby nam towarzyszyła? Jeszcze się nie oswoiła z faktem, że oszalałem na punkcie pewnej ślicznej Brytyjki. – W opadającej szybko windzie objął Emmę w talii i wsunął palce za pasek jej klasycznych levisów 501; czuła jego ciepły dotyk w zagłębieniu kręgosłupa.

– Nie, oczywiście, nie mam nic przeciwko temu. – Oparła się o niego, trafiając czołem na obojczyk.

Gdy drzwi windy się otworzyły, Joe pocałował Emmę w czubek głowy.

– Możemy się spotkać później, obiecuję. Mam konsultacje do późna, ale przyjadę po ciebie koło siódmej, dobrze?

– Jasne. – Zmusiła się do radosnego uśmiechu. Idąc przez hol, myślała o radzie matki: „Uśmiechaj się, Emmo.

Według mnie to, że Joe przyjaźni się z dziewczyną, dowodzi, że jest wrażliwy. Delilah należy do zestawu i będziesz się musiała po prostu do tego przyzwyczaić. Zaprzyjaźnij się z nią. Chłopcy nie znoszą czepiania się i zazdrości. Jeśli Delilah cię denerwuje, uśmiechaj się, moja droga. Wkrótce się znudzi i odpuści". Tylko że ona nie wyglądała na taką, która cokolwiek w życiu odpuściła.

Delilah siedziała na placu przed budynkiem, wyraźnie na nich czekała. Jej jasne włosy lśniły w słońcu, a nieskończenie długie nogi spoczywały wyciągnięte na ławce. Widząc, że nadchodzą, poruszyła się i wielkie złote koła w jej uszach błysnęły w słońcu.

– Cześć, dzieciaki – powitała ich, przeciągając sylaby. Podniosła się z wdziękiem dziewczyny, która przez całe życie pobierała lekcje tańca; poduszki w ramionach lnianego żakietu podkreślały smukłość jej talii. Emma poczuła się niezręcznie w swoich dżinsach i trampkach. Delilah mieszkała w Nowym Jorku od urodzenia i miała we krwi pewność siebie typową dla ludzi pochodzących z tego miasta.

Joe objął przyjaciółkę wolnym ramieniem.

– Cześć, jak było na zajęciach?

– Nuda, nuda, nuda. Ale uporałam się z tym ostatnim referatem.

– Chciałaś chyba powiedzieć „uporaliśmy się"? – podsunął Joe ze śmiechem.

– Wszystko jedno. Dosyć ci pomagałam przez lata.

Emma skurczyła się w sobie. Miała wrażenie, że Delilah bezustannie przypomina jej o tym, jak dobrze zna Joego i od jak dawna się przyjaźnią. Zerknęła na nich niepewnie.

– Dobrze chociaż, że za tydzień kończymy studia, a potem żegnajcie podręczniki, witaj funduszu reprezentacyjny.

– Delilah potrząsnęła włosami.

– I co będziesz robić? – zapytała Emma.

– Mam kilka możliwości.

– Chciałbym pogadać o tym z wami obiema – powiedział Joe, prowadząc je ku przejściu dla pieszych. – Odbyłem wczoraj interesującą rozmowę z Liberty. Pozwólcie więc, że zabiorę moje dwie ulubione dziewczyny na lunch i pogadamy.

Patrząc na wieże World Trade Center w telewizji, Emma przypominała sobie każdy szczegół tamtego dnia przed dziesięciu laty. Zmuszała się wówczas do zachowania spokoju, nawet uśmiechała się ciepło, kiedy Joe mówił o tym, jak we troje zbudują nową firmę z Liberty, coś, co zastąpi jej pierwsze, nieudane przedsięwzięcie Senso. Liberty uwielbiała Joego od momentu, gdy tylko go poznała; Emma zawsze uważała, że był dla niej synem, którego nigdy nie miała. Naturalnie Delilah podążała wszędzie tam gdzie Joe, więc kiedy pomysł nabrał realnych kształtów, stali się siłą biznesowo-marketingową potrzebną Liberty do rozkręcenia nowego interesu. Emma była umysłem twórczym, następczynią Liberty, „nosem", który miał wytyczać przyszłość firmy. Liberty nalegała, by Emma odbyła skrócony kurs ekonomii na Columbii po zakończeniu nauki perfumiarstwa w Grasse; miała nadzieję, że pobyt w Nowym Jorku ją zahartuje. Emma dobrze pamiętała trwające długo w noc posiedzenia przy kuchennym stole Freyi. Liberty krążyła wówczas po kuchni i bez końca mówiła o tym, jak bardzo się martwi, że jej córka jest zbyt zamknięta w sobie, zbyt wycofana, żeby działać samodzielnie w świecie biznesu.

– Jesteś artystką, kochanie, podobnie jak ja – twierdziła.

– Artystką zapachu. Jesteś zbyt krucha, żeby sobie poradzić z ekonomiczną stroną takiego przedsięwzięcia. Pamiętaj, jak mnie inwestorzy wystawili do wiatru! W interesach trzeba być twardym, Em. Obecna sytuacja jest zupełnie inna niż w czasach, kiedy zaczynałam z Senso, robiłam mydło i krem do twarzy na tym kuchennym stole, podczas gdy ty pod nim bawiłaś się klockami. – Uderzyła dłonią w blat, aż zadźwięczało szkło. – Potrzebujesz pomocy. Dlatego właśnie Joe i Delilah przyjechali do Londynu.

Emmie kręciło się w głowie, wyciągnęła rękę, żeby utrzymać równowagę. Nie mogła uwierzyć, że sceny widoczne na ekranie dzieją się naprawdę.

– Rozmawiałam z nim zaledwie kilka minut temu – powiedziała, sięgając po omacku po torebkę. Wybrała numer Joego. Linia była zajęta.

Po trzech nieodebranych połączeniach znalazła wiadomość od Joego nagraną w poczcie głosowej: „Em! Chyba żartujesz! Dziecko?". Usłyszała jego śmiech. „Boże, ty to zawsze umiałaś mnie zaskoczyć. Nie wiem, co robić... Postąpiłem okropnie głupio. Słuchaj, zamierzam wszystko naprawić. Em, muszę teraz iść. Zadzwonię do ciebie po spotkaniu. Kocham cię".

– Boże... – załkała. – On nie może być tam w środku...

Freya otoczyła ją ramieniem. W osłupieniu śledziły wzrokiem tekst przesuwający się po ekranie: „Z ostatniej chwili: samolot wbił się w wieżę World Trade Center w Nowym Jorku".

– To niemożliwe – wyszeptała Emma, wpatrując się w szczyt budynku. Wyobrażała sobie, że Joe siedzi przy stole naprzeciwko kupujących, w świeżej białej koszuli, w swoim przynoszącym szczęście niebieskim krawacie, który podkreśla kolor jego oczu. Słyszała brzęk porcelanowych naczyń, sztućców, syk ekspresu do kawy, szybkie, zwinne kroki kelnerów. A potem uderzenie i moment zawieszenia, nim rozpętało się piekło. Emma poczuła, że cała złość i ból nagle z niej uleciały.

– Joe, o Boże, Joe...

Widziała dym unoszący się w górę, wiedziała, że z pewnością Joe szuka wyjścia, przejmuje dowodzenie, gromadzi ludzi wokół siebie. Taki już był. Zawsze to robił. Wyobrażała sobie, jak wygląda przez okno na to przerażające, piękne, czyste niebo.

– Wydostanie się stamtąd – powiedziała cicho Freya.

– Kto jak kto, ale Joe się wydostanie.

Rozległ się ostry dźwięk telefonu. Recepcjonistka podbiegła do biurka, żeby odebrać.

– Dzień dobry, Liberty Temple – odezwała się jak zawsze. – Tak, pani Stafford...

– To Delilah?! – zawołała w jej stronę Freya. – Przełącz na konferencyjny. – Przy dźwięku syren dobiegającym z głośników wszyscy zgromadzili się przy stole w sali spotkań. – Delilah, tu Freya. Nic ci się nie stało?

– Freya?

– Gdzie jesteś?

– Na ulicy, niedaleko południowej wieży. Boże, Freya, co się dzieje?

Emma nachyliła się do słuchawki.

– Joe jest z tobą?

– Chryste, nie wiem! Ja...

– Gdzie on jest, u diabła?

– Uspokójcie się obydwie! – ucięła Freya. – Musimy zachować jasność umysłu. Delilah, gdzie jest Joe?

– Był na spotkaniu. Miałam też tam być, ale złamał mi się obcas i nie dotarłam.

W tle usłyszały rozdzierający kobiecy krzyk.

– Ludzie spadają! Boże, ratuj ich! Oni skaczą z okien, Boże! – Głos Delilah rwał się, był zduszony, jakby biegła. – Każą nam opuścić ten teren... – Głośno chwytała powietrze. – Ludzie wciąż spadają... – Połączenie zostało przerwane.

Freya zwróciła się do recepcjonistki.

– Cały czas próbuj się połączyć z Joem i Delilah.

Milcząc, znów stanęły przed telewizorem.

Rozdział 9

WALENCJA, LISTOPAD 1936

Profil Rudolfa Valentino drżał na białym prześcieradle zawieszonym na rynku w La Pobla; snop światła z projektora rozcinał mrok, wlatujące weń ćmy rzucały na ekran ruchome cienie. Rosa podniosła wzrok na czyste wieczorne niebo usiane gwiazdami i wtuliła się mocniej w Jordiego, kładąc mu stopy na kolanach. Okrył ją swoim płaszczem i trzymał w objęciach, ogrzewając ciepłem swych ramion.

– Nie podoba ci się film? – zapytał szeptem. Mieszkańcy miasteczka oglądali *Krew na piasku* z wielką uwagą, zauroczeni; ciszę przerywał jedynie szum aparatury i dobiegające z oddali szczekanie psów. Na skraju rynku bawiły się dzieci. Mały chłopiec – stojąc w pozie ze złączonymi stopami, wypiętą piersią, ściągniętymi pośladkami i opuszczonym podbródkiem – wyrzucił ręce w górę.

– Ha-da! – zawołał, tupiąc nogą.

Drugi chłopiec udał, że nastawia rogi, i zaatakował.

– Nie, film jest w porządku – odpowiedziała, marszcząc czoło. – To miejsce mi się nie podoba.

– Jesteś tu dopiero jeden dzień. Daj mu szansę.

Rosa nie mogła przestać myśleć o sznurze pojazdów ciągnących szosą do Walencji, odkąd republikański rząd uciekł z Madrytu. Było jej wstyd, że znajduje się między nimi. Kiedy przejeżdżali przez Tarancón, skuliła się z zażenowania, gdy grupa anarchistów zatrzymała samochód pełen polityków. Słyszała krzyki: „Tchórze! Powinniśmy was zastrzelić za opuszczenie stolicy!".

Dzięki swoim dokumentom Jordi zdołał przejechać przez blokadę, ale te słowa długo dźwięczały im w uszach.

Jordi wstał i wziął ją za rękę; ludzie za nimi, pomrukując gniewnie, wyginali szyje, żeby widzieć, co się dzieje na ekranie.

– Rosa, już o tym rozmawialiśmy – zaczął Jordi, kiedy wyszli poza rynek. – Wychowałem się w La Pobla, będziesz tu bezpieczna. – Spojrzał na zegarek. – Vicente już skończył pracę. Chodź, powiedziałem, że spotkamy się z nim w barze, a potem muszę wracać do Madrytu.

Vicente, pomyślała. Ich pierwsze spotkanie nie należało do udanych. Jordi zaparkował wówczas samochód pod bielonym murem na obrzeżach miasteczka i wyruszyli, trzymając się za ręce.

– To jest Villa del Valle, nasz dom rodzinny – objaśnił Jordi, wskazując zamkniętą metalową bramę. – A to jest sklep Vicente.

Odór zastygłej krwi unoszący się w powietrzu przyprawił Rosę o mdłości. Jordi otworzył drzwi i w tym samym momencie zadźwięczał trącony przez nie dzwonek. Za ladą jakiś człowiek w skupieniu ostrzył nóż.

– Vicente! – zawołał Jordi.

Wzrok Rosy stopniowo przyzwyczajał się do półmroku. Z profilu starszy brat Jordiego wyglądał na bardzo przystojnego mężczyznę. Nagle jednak odwrócił się do nich i Rosa z trudem powstrzymała odruch, żeby się cofnąć. Miał wykrzywione, oszpecone blizną usta, w których połyskiwały złote zęby. Jordi otoczył ją ramieniem i podprowadził bliżej.

– To moja dziewczyna, Rosa. – Pochylając się do jej ucha, dodał: – Nie przestrasz się Vicente. Przegrał kiedyś pojedynek z bykiem.

Vicente zaśmiał się, wytarł ręce w ścierkę poplamioną krwią.

– Teraz ludzie zjadają byki występujące na arenach, więc może jednak wygrywam ten pojedynek. – Podszedł do nich i zmierzył Rosę doświadczonym okiem. – Bardzo piękna. Gratulacje, braciszku. – Wytrzymał spojrzenie Rosy. – Jordi mówił mi, że jesteś tancerką.

– Rosa potrafi wiele rzeczy – oznajmił Jordi z dumą. – Jej przodkowie pochodzą z Sacromonte, są tancerzami i uzdrowicielami.

– A, mała Cyganeczka, co? – Zbliżył się, patrząc na nią czarnymi oczami pozbawionymi wyrazu. – Jordi mówił, że znałaś Lorcę. Szkoda, że zabrali go na przejażdżkę.

Dar un paseo. Rosa wzdrygnęła się na wspomnienie poety. Takie niewinne określenie na to, co się stało. Ilu jeszcze będzie zmuszonych „pojechać na przejażdżkę" i kopać dla siebie grób?

„Nadal nie rozumiem, dlaczego zabijają poetów – powiedziała do Jordiego którejś nocy, kiedy leżeli w łóżku. – Lorca nie był politykiem ani żołnierzem".

„Ranił ich swoim piórem bardziej, niż mógłby zranić strzelbą – odparł. – Reprezentuje to wszystko, czego nienawidzą: miłość, wolność, sprawiedliwość, współczucie. Dlatego nasi poeci są rozstrzeliwani pod murami cmentarzy".

Zamknęła wtedy oczy i zapadając w sen, myślała o pięknej *Romancy lunatycznej*. Miała wtedy poczucie, że unosi się w czystej szmaragdowej wodzie albo leci pośród szeleszczących zielonych liści. Zawsze czuła, że pisząc o cygańskiej dziewczynce, poeta myślał o niej. Kiedy spotkała

Lorcę po raz pierwszy, była jeszcze dzieckiem, wyciągała wodę ze studni w Granadzie.

Pamiętała, jak słowa Lorki o dwóch przyjaciołach wspinających się na strome wzgórze znienacka napłynęły jej do głowy i gwałtownie ją obudziły. Z oślepiającą jasnością zobaczyła Jordiego i Marca wspinających się coraz wyżej i wyżej, zostawiających ślady krwi. Próbowała się otrząsnąć. Miewała takie wizje już wcześniej i wierzyła w to, co zapowiadały. Miała nadzieję, że się myli.

– Mój brat miłośnikiem poezji? – odezwał się ze śmiechem Jordi.

Rosa wbiła wzrok w Vicente.

– Owszem, znałam Lorcę. Tańczyłam dla niego – oznajmiła z dumą. – Byłam natchnieniem dla tego wielkiego poety. Poznaliśmy się na Concurso de Cante Jondo, festiwalu flamenco. Słyszałam, jak śpiewali Caracol i Pavon, tańczyłam do ich śpiewu.

– Musiałaś być wtedy dzieckiem! – stwierdził Jordi.

– Byłam dzieckiem.

– Może pewnego dnia zatańczysz dla mnie? – Vicente odwrócił wzrok. – Tymczasem będziesz pomagać w domu, przy sprzątaniu…

– Mam zamiar pracować – oznajmiła dobitnie. – Skoro nie pozwalają kobietom walczyć, mogę pomagać w szpitalach w mieście, przynajmniej do urodzenia dziecka.

– Ile masz lat?

– Dziewiętnaście. – Uniosła dumnie podbródek. – Jestem dorosła.

– Masz zamiar się z nią ożenić? – Vicente zwrócił się do brata.

Jordi uniósł w górę obie ręce.

– Oświadczyłem się.

Vicente wzruszył ramionami.

– Jeśli tylko wywiążesz się ze swoich obowiązków tutaj, dziewczyno, możesz robić, co chcesz.

– Zabierz mnie ze sobą – błagała Jordiego. – Nie mogę tu zostać. Niedobrze mi się robi na widok sklepów pełnych szynek, ciast i słodyczy, ludzi spacerujących wieczorami, jakby w ogóle nie było wojny. Czy ich nie obchodzi, co się dzieje w Madrycie? Zapomnieli o tym, co się stało latem? Obecnie front walki z faszystami nie przebiega gdzieś daleko, Madryt jest tym frontem. – Przytuliła głowę do jego piersi. – Wilki czyhają u bram. Powinnam walczyć u twojego boku.

– Nie – odparł stanowczo. – Nie chcę o tym słyszeć. Jeśli mnie kochasz i kochasz nasze dziecko, zostań tutaj. Wrócę do ciebie, obiecuję.

– A jeśli...?

– Rosa. – Ujął jej twarz w dłonie. – Żadna faszystowska kula mnie nie dosięgnie, żadna bomba mnie z tobą nie rozdzieli. Wrócę. Przysięgam. – Spojrzał na chłopców bawiących się w corridę. – Widzisz? Ten malec też to w sobie ma. Żeby wygrać z bykiem, musisz mieć odwagę stać spokojnie. Nie wolno uciekać, trzeba pokonać swój strach.

– Tego ode mnie oczekujesz? Żebym stała spokojnie? – Błysnęła podkreślonymi na czarno oczami.

– Chcę, żebyś zachowała spokój. – Pocałował ją w czoło. – Odpoczywaj, dobrze się odżywiaj. Dopilnuj, żeby nasz syn był silny.

– Syn? – zaśmiała się Rosa. – A jeśli to dziewczynka?

– Będzie tak samo piękna i uparta jak jej matka.

Szli przed siebie, ciasno objęci. Od pierwszego wieczoru, kiedy się poznali w pewnym barze w Madrycie, gdzie Rosa tańczyła, pragnęła go tak bardzo, aż do bólu. Patrzyła w dół na ich stopy maszerujące równo ulicą oświetloną księżycowym blaskiem. Od chwili, gdy pierwszy raz Jordi wziął ją w ramiona, nie potrafiła się oprzeć rytmowi, którym pulsowały ich ciała – kiedy razem tańczyli czy spacerowali. W tym momencie także go pragnęła, chciała poczuć tę największą bliskość po raz ostatni przed jego wyjazdem. Pociągnęła Jordiego w boczną uliczkę, do jakiejś ciemnej bramy, i przywarła do jego ust gorącym pocałunkiem. Z otwartego okna na piętrze dobiegała stłumiona muzyka, ktoś grał na gitarze, melodia płynęła miękko, palce wybijały rytm o pudło rezonansowe. Czuła, że Jordi w mroku wyciąga do niej ręce. Powietrze między nimi było tak naelektryzowane, że niemal iskrzyło, świeży powiew przyjemnie chłodził jej rozgrzane uda. Zamknęła oczy, wsłuchana w muzykę; stukały kastaniety, metalicznie brzęknęła klamra rozpinanego paska.

– *Mi amor* – wyszeptał Jordi z ustami przy jej szyi. Uniósł ją ku sobie, chwytając za pośladki. Rosę ogarnęła nowa fala pożądania, rozchodziła się po jej ciele niczym soki po konarach sosny. Kiedy Jordi w ciemności wodził koniuszkami palców po jej skórze, poczuła w sobie światło, jakby pękł rozgrzany słońcem owoc.

– *Te amo* – powiedziała szeptem. – *Te quiero.* Kocham cię, pragnę…

– Zawsze – odpowiedział zduszonym głosem. – Zawsze.

Rozdział 10

LONDYN, 11 WRZEŚNIA 2001

Tuż przed trzecią Charles wyszedł na pustą ulicę, żeby zapalić. Freya poszła za nim i wyjęła mu papierosa z ręki.

– Nie paliłaś od lat – stwierdził.

– Nie mogę uwierzyć. – Wypuściła dym. – Tylko nie wojna, nie znowu.

– To nie jest wojna, to terroryzm. Kiedy my byliśmy na wojnie, widziało się twarz przeciwnika. Człowiek wiedział, komu oddać cios.

– Jesteśmy w stanie wojny, nie rozumiesz? – powiedziała Freya łamiącym się głosem. – Boże, czy ludzie niczego się nie uczą? – Spojrzała na brata. – To dopiero początek. To nasza wojna tak samo jak Amerykanów. – Odwróciła się w stronę biura, usłyszawszy zbiorowy okrzyk: „Nie!".

Charles wrzucił niedopałek do kratki ściekowej, pośpiesznie wrócili do środka i przepchnęli się przez grupę zgromadzoną przed telewizorem.

– Co się stało?

– Południowa wieża się zawaliła – odpowiedziała Emma z twarzą białą jak płótno. Wszyscy patrzyli, jak wielkie kłęby kurzu wciskają się w ulice Nowego Jorku.

– Wciąż jest szansa – odezwała się Freya. – Może będą mieli czas ewakuować północną wieżę.

Emma pokręciła głową.

– Jest w pułapce. Jeśli był w restauracji na ostatnim piętrze, to znalazł się w pułapce. – Objęła się ramionami, zaciskając palce na łokciach. – Joe – wyszeptała. Jej Joe był tam sam. Zamrugała, żeby powstrzymać łzy. – Wydostań się stamtąd, Joe – powiedziała cicho. Przypomniała sobie, jak na tarasie widokowym powiedział: „Czuję się, jakbym frunął"...

Stali milcząco wpatrzeni w ekran przez następne pół godziny.

– Czuję się taki bezradny – wyznał zduszonym głosem Charles.

– Wszyscy się tak czujemy – powiedziała Freya. – Nie możemy nic... – Urwała, wstrzymując oddech. Bezwiednie uniosła rękę do twarzy. – O Boże, nie... – Kręcąc głową, z niedowierzaniem patrzyła, jak północna wieża łamie się i zapada.

Emma podeszła do telewizora i dotknęła ekranu.

– Joe. – Łzy ciekły jej po policzkach. – Idźcie wszyscy do domu – powiedziała cicho. – Idźcie do domu i bądźcie ze swoimi rodzinami.

Siedzieli długo w noc, przełączając się raz na CNN, raz na BBC; światło z telewizora migotało, podobnie jak ogień na kominku. Złotawy blask ulicznych latarni wlewał się oknami, bo nawet nie pomyśleli o zaciągnięciu zasłon. Emma ze zmęczenia usnęła skulona obok Freyi na starej sofie.

„Atak terrorystów mógł wstrząsnąć fundamentami naszych największych budowli, ale nie naruszy fundamentów Ameryki – mówił George W. Bush. – Te barbarzyńskie działania niszczą stalowe konstrukcje, lecz nie mogą złamać stalowego ducha amerykańskiej...".

Freya pogłaskała Minga wyciągniętego na jej ramionach.

– Co to za świat?

– Taki sam, jaki był zawsze – odpowiedział jej Charles, gramoląc się z fotela. Szurając nogami, przeszedł przez pokój i podsycił ogień w kominku. – Nie pamiętasz? Kiedy faszyści po raz pierwszy użyli bombowców w Guernice, a potem w Madrycie i Walencji, mówiliśmy to samo.

– To co innego – odburknęła mu ze złością. – To tchórzostwo. Serce mi pęka, kiedy myślę o tych tysiącach mężczyzn i kobiet, o dzieciach, których rodzice nie wrócą tego wieczoru do domu. – Zamykając oczy, widziała spadających ludzi.

– Dlaczego to jest inne? Bo to inny rodzaj wojny?

– Ci ludzie, którzy zginęli, nie byli żołnierzami. To byli zwyczajni obywatele, jak Joe, zajęci swoimi sprawami.

– Pamięć cię zawodzi – powiedział Charles z zaciętym wyrazem twarzy. – Ci w Hiszpanii też nie byli żołnierzami, w każdym razie większość z nich. Pamiętasz kobiety, dzieci?

– Oczywiście, pamiętam. Nie musisz mi przypominać tego, co oboje widzieliśmy.

– Byli niewinni, tak samo jak nasza Emma. – Pogładził śpiącą dziewczynę po włosach. – Nic nie możemy poradzić. Joego już nie ma. Nigdy nie ufałem tej szczwanej intrygantce, która między nimi mieszała.

– Cicho bądź, Charles!

– Emma musi teraz myśleć o sobie i o swoim dziecku. – Pomógł siostrze wstać, razem okryli Emmę kocem, po czym udali się na górę do swoich sypialni.

Emma obudziła się o świcie, gdy w kominku dogasały poszarzałe resztki żaru. Stłumiony dzwonek kazał jej się otrząsnąć z resztek senności. Zrzuciła z siebie koc i sięgnęła po torebkę.

– Halo – wymamrotała, podniósłszy klapkę komórki. Przetarła czerwone, zapuchnięte oczy.

– Em? Emma? To ja. – W słuchawce trzeszczało.

– Lila? Gdzie jesteś? – Emma zawahała się, słysząc skrzypnięcie otwieranych drzwi pokoju Freyi na górze.

– Och, Boże, Em... – Głosem Delilah wstrząsał szloch. Emma wstała, koc zsunął się na podłogę.

– Znalazłaś go? Miałaś jakieś wieści?

– Nie. Nic. Myślałam, że może ty dowiedziałaś się czegoś w biurze.

– Nikt nie dzwonił. Nic nie wiemy.

– On... Oni wszyscy tak po prostu zniknęli. Ci wszyscy ludzie. Ja... nie mogę w to uwierzyć – łkała Delilah. – Nie mógł zginąć. Niemożliwe. Nie potrafię bez niego żyć. Co ja teraz zrobię? – słowa przeszły w jęk rozpaczy.

Emma zacisnęła dłoń w pięść.

– Gdzie jesteś? – Słyszała, że Delilah próbuje nad sobą zapanować, stara się uspokoić oddech.

– Wróciłam do Paramount.

– Czemu go nie szukasz?!

– Szukałam! Chodziłam godzinami, usiłując się dowiedzieć, czy ktoś widział Joego. Ludzie czuwają w Union Square Park. Pokazują wszystkim w koło zdjęcia zaginionych...

Emma spojrzała w stronę schodów; na najwyższym stopniu ukazały się szczupłe stopy Freyi, a nad nimi fałdy srebrnego kimona.

– Przyjadę tam.

Delilah zamilkła. Kiedy się znów odezwała, z jej głosu wiało chłodem.

– Po co? Nie ma potrzeby. Poza tym wszystkie loty zostały odwołane.

– Muszę przyjechać. Muszę znaleźć Joego. – Emma nie odrywała wzroku od Freyi, która schodziła na dół, trzymając się balustrady bladą, kościstą ręką.

– Nie trzeba. Ja jestem na miejscu. – Delilah przybrała obronny ton. – Powinnam być tam z nim. Nie mogę... nie mogę żyć bez niego. Jeśli zginął, to żałuję, że nie zginęłam razem z nim.

– Rozmawiałam z Joem tuż przed tym spotkaniem... – powiedziała Emma łamiącym się głosem. Freya zbliżała się do niej, potrząsając głową. – Mówił mi, że popełnił błąd. Mówił, że mnie kocha.

– Bzdury.

– Powiedział, że zawsze mnie kochał.

– Jasne, ale już nie w taki sposób. – Delilah parsknęła tym swoim gardłowym, seksownym śmiechem, który – Emma widziała to niejeden raz na własne oczy – zmieniał dojrzałych mężczyzn w dukających głupców. – Przegrałaś, Emmo. Wybrał mnie.

– Mieliśmy zamiar znowu być razem.

– Tak ci się zdaje. – Nastąpiła pauza. – Rozumiem więc, że Joe ci się nie przyznał?

Emma poczuła bolesny ucisk w sercu.

– Do czego?

– Pewnie chciał ci to powiedzieć prosto w oczy.

– Co powiedzieć?

– Zakończ rozmowę – poprosiła szeptem Freya. Próbowała odebrać jej telefon, ale Emma zrobiła unik. – Proszę, rozłącz się, nie pozwól, żeby cię denerwowała. Pomyśl o dziecku.

– Pobraliśmy się, Em. Miesiąc temu.

– Nie. – Emmie zrobiło się słabo. – Kłamiesz. Ożenił się z tobą? – Po przerażonej minie Freyi poznała, że również nie miała o niczym pojęcia.

– Odeszłaś od niego. A ja kocham Joego, zawsze go kochałam. Gdyby nie ty, od lat bylibyśmy razem.

– Na litość boską, on miał z tobą romans! Co miałam robić? – Emma przejechała dłonią po włosach. – Zatem wkroczyłaś do akcji i zmusiłaś go do małżeństwa, ledwie zniknęłam z horyzontu?

– Wiesz, jak bardzo Joe pragnął się ożenić i mieć rodzinę. Odmawiałaś mu zbyt wiele razy.

– No tak, akurat rodziny nie będziesz w stanie mu stworzyć, prawda? – Emma odruchowo dotknęła swojego brzucha.

– To było podłe – mruknęła Delilah.

– Ile skrobanek zaliczyłaś przez te lata, Lila?

– Mieliśmy zamiar adoptować dziecko.

– Cudownie. Gotowa rodzina, do kompletu z gotowym domem, który wybudowałam z Joem.

– Nienawidziłaś tego domu! Powstał dzięki Joemu, kiedy ty podróżowałaś.

– Tworzyłam firmę! – Emma wybuchnęła płaczem. – Jak mogłaś?! Jak on mógł?!

– Tak czy inaczej nie zamierzaliśmy wracać – powiedziała spokojnie Delilah. – Znaleźliśmy tu odpowiednie miejsce, niedaleko jego rodziców. Mieliśmy zamiar sprzedać wszystko w Londynie. Nie obawiaj się, dostaniesz swoją część.

– Mówisz tak, jakby mi zależało na pieniądzach! – Emma ze złością otarła oczy wierzchem dłoni. – Oszukiwaliście mnie całymi miesiącami…

– Nie mogliśmy powiedzieć ci prawdy, kiedy Liberty umierała!

– I tak się dowiedziałam. – Schyliła się i wyciągnęła spod sofy miękkie skórzane botki.

– Nie chcieliśmy cię zranić.

– Chcieliście i wam się udało. – Emma zarzuciła torebkę na ramię. – Teraz wszystko należy do ciebie, Lila. Jeśli Joe zginął, wszystko jest twoje – dom, dwie trzecie firmy. Jesteś bogata. Mam nadzieję, że to cię uszczęśliwi. Zawsze tylko tego chciałaś.

– Nie… Może kiedyś. Teraz chcę tylko Joego.

Emma pokręciła głową, widząc, że Freya wyciąga do niej ręce. Otworzyła drzwi.

– Obie chciałyśmy tylko jego, prawda? – zakończyła rozmowę i pobiegła przed siebie ulicą.

– Emmo! – zawołała za nią Freya; potknęła się, wchodząc na chodnik. – Wracaj!

Charles zszedł po schodach i delikatnie pociągnął ją z powrotem do domu.

– Pozwól jej odejść. Em jest już dorosła. Nie możemy walczyć za nią. Wie, że tu jesteśmy, gdyby nas potrzebowała.

– Ale…

– Żadnego ale. Zawsze postępowałaś tak samo wobec Liberty. Nie możesz ich chronić w nieskończoność.

– Wiem. – Żal ściągnął rysy Freyi. – Biedna dziewczyna. Co ona teraz zrobi?

– Wyjedzie, będzie lizać rany. Zawsze tak robi. – Charles z westchnieniem pocałował siostrę w czubek głowy. – Pozwól jej odejść.

Rozdział 11

MADRYT, LISTOPAD 1936

Charles szedł chwiejnie korytarzem hotelu Florida, wsparty na ramieniu Hugona. Przez otwarte drzwi pokoi widać było mężczyzn wystukujących na maszynach do pisania raporty, które mieli wysłać do swoich krajów. Jeden z piszących, z papierosem w kąciku ust, przeklinał cicho pod nosem, a dym owijał mu się wokół palców uderzających w klawisze maszyny.

– Te sukinsyny nadal zaprzeczają, że naziści też tu są – mamrotał. – Skoro ich nie ma, to kto, do diabła, bombarduje nas od trzech dni, co? Opowiem im, że widziałem całe niebo junkersów z Legionu Kondora. Założę się, że to nie trafi do gazet...

– Hej, Capa! – zawołał Hugo.

– Gdzie się podziewałeś?

Dwudziestokilkuletni mężczyzna o gęstej ciemnej czuprynie patrzył na nich spod szerokich brwi. Palił papierosa, opierając się o futrynę. Charles zwrócił uwagę na jego dłonie – silne, o długich palcach, niepokojąco kobiece.

– Wybraliśmy się na front. To pierwsza wizyta Charlesa. Masz jakieś zapasowe spodnie?

Capa uśmiechnął się i klepnął Charlesa w ramię.

– Jeszcze jeden gość z kiszkami słabszymi od stóp? Chodź, trzeba cię doprowadzić do porządku.

Wchodząc niepewnym krokiem do łazienki, Charles rzucił tęskne spojrzenie na łóżko. Jedyne czego pragnął, to położyć się i zwinąć w zawstydzoną kulkę.

– Nie martw się – powiedział Capa. – Za pierwszym razem też tak miałem. Nie znam faceta, któremu nie nawaliłyby jelita przy pierwszym ostrzale artyleryjskim.

Charles znał zdjęcia Capy – widział *Padającego żołnierza* w magazynie „Vu" i oddałby wszystko, żeby poznać fotografa. Ale nie w ten sposób. W duchu skulił się z zakłopotania. Jego ubranie śmierdziało jak diabli, było sztywne nie tylko od krwi. Rozpaczliwie próbował coś powiedzieć, pokryć tym fakt, że ma na sobie te koszmarne, cuchnące szmaty. Chciał być tak samo bohaterski i lakoniczny jak Capa. Słowa dobiegały z daleka, słyszał je jakby z dna basenu. Capa roześmiał się, wskazał na uszy i wykonał gest naśladujący eksplozję. Charles kiwnął głową.

– Przyzwyczaisz się. – Capa odkręcił kran i rzucił na wieszak czyste spodnie. – Zaczekamy na ciebie na dole.

Charles wyszorował się do czysta, po czym zanurzył z wdzięcznością w parującej wodzie. Jego ciało było ociężałe z wyczerpania; zamknął oczy. Nagle powrócił do niego wielojęzyczny zgiełk i grzmot artylerii. A więc to jest wojna. Nic go na to nie przygotowało. Tego popołudnia trzymał za rękę umierającego chłopaka. Nigdy nie zapomni jego twarzy bladej jak marmurowy nagrobek. I jego wnętrzności, które wylewały się na zimną ziemię. Charles został z nim do końca. Chłopak opowiadał o swojej matce i siostrze, mrugał powiekami, a światło w jego oczach gasło. Niekończący się dzień krwawych walk skurczył się do tej jednej chwili.

– Tutaj! – zawołał Hugo przez bar. Kiedy Charles przepychał się w jego stronę, czuł się tak, jakby płynął przez mieszaninę różnych języków, smog dymu i zapach pola walki, potu i taniej wody kolońskiej.

Capa podniósł wzrok.

– A! Nasz Anglik! – Objął Charlesa ramieniem. – Lepiej się czujesz?

– Trochę.

– Hugo, drink dla naszego kolegi. Dzisiaj stracił dziewictwo.

Whisky zapiekła Charlesa w gardle, drżała mu dłoń, kiedy oparł się o kontuar, żeby się opanować.

– Potem jest już łatwiej. – Capa podał mu papierosa.

– Przyjechałeś z Hugonem, prawda? Jesteś dziennikarzem?

– Charles Temple. Tak, mam wysyłać sprawozdania do „Manchester Guardian". Robię... hm, uczę się robić zdjęcia.

– Jaki masz aparat?

– Contax.

Capa gwizdnął przeciągle.

– Niezły sprzęt. Ja mam leicę. – Uniósł szklankę. – Witamy na pokładzie. Jak widzisz, niezła z nas zbieranina.

– Oparł się o bar i sączył alkohol, przeczesując wzrokiem salę. W pewnej chwili pomachał do faceta w okularach grającego w szachy. – To jest Chim.

Chim podszedł do nich i wyciągnął rękę do Charlesa.

– Miło cię poznać.

– Hej, Capa, telefon do ciebie! – krzyknął barman.

Capa przełożył papierosa do drugiej ręki i przytrzymał słuchawkę ramieniem.

– Z kim rozmawiam? – Jego twarz rozciągnęła się w uwodzicielskim uśmiechu. – Przepraszam. Musi mi pani przypomnieć. Taro? Czy my się znamy? – Zaciągnął się papierosem. – Proszę mi powiedzieć, czy pani jest brunetką? Wysoką? Zgrabne nogi? – Mrugnął do Chima i się roześmiał. – Ach, ta panna Taro. Mały lisek.

Chciałbym umieć tak rozmawiać z dziewczynami, pomyślał Charles. Odwrócił się do Chima.

– Jak długo tu jesteście?

– Trochę. Ja robię zdjęcia spoza frontu. Niebezpieczne rzeczy zostawiam jemu i Gerdzie – odparł, wskazując głową Capę.

– Gerdzie?

– Poznasz ją. Wszyscy szaleją za Gerdą.

– Ona jest z Capą?

– Tak. To smuci wielu facetów.

– Sądzę, że panią kocham, panno Taro. Przyjedź szybko. Tęsknię. – Capa odłożył słuchawkę.

Kiedy wrócił do nich, Chim uniósł szklankę.

– Kiedy przyjeżdża?

– Niedługo.

– To twoja dziewczyna? – zapytał pozornie obojętnym tonem Charles.

Capa kiwnął głową i otworzył portfel. Charles spojrzał na fotografię i omal nie podskoczył z wrażenia. To ty, pomyślał zastygły w skupieniu nad uśmiechniętą buzią dziewczyny.

– Mamy zamiar wziąć ślub, kiedy to się skończy – powiedział Capa.

Charles oddał mu zdjęcie.

– Moje gratulacje.

– Ach, miłość... – Hugo zachwiał się, sięgając po stołek barowy. Whisky zachlupotała mu w szklance. – Wiesz, biskupi mówią, że to wojna z wezwania Najświętszego Serca Jezusowego, a miłość Boga daje siłę żołnierzom Franco. – Wykrzywił się z gniewem. – Co to za miłość? To nie mój Bóg.

– Ani mój. – Charles zacisnął szczęki. Zdjęcie odebrało mu spokój. – Ale nikt nie chce poznać prawdy.

– Gazety nie chcą niepokoić moich rodaków publikowaniem faktów – powiedział Hugo.

– Założę się, że nigdy nie słyszałeś o tym dornierze, który spadł niedaleko Bilbao. Wyciągnęli z niego nazistę z wyskubanymi brwiami, szminką na ustach i w damskich majtkach. O co zakład, że to nie trafi na pierwsze strony? – Charles z zadowoleniem słuchał śmiechu Capy.

Hugo dopił alkohol.

– Naprawdę? Typowy nazista.

– Czytając gazety, można by pomyśleć, że masakra setek hiszpańskich dzieci jest mniej interesująca od butów pani Simpson. – Charles wmusił w siebie łyk whisky.

– Rozmawiałem z facetem, który był w Aragonii – powiedział cicho Chim. – Widział kobietę z synem rozstrzelaną zamiast męża. Powiedział, że trzymała dziecko, jakby kołysała je do snu. – Ucichli wśród barowego hałasu.

– No tak... Kto zagra w karty? – zapytał w końcu Capa, obejmując ich ramionami. – Nic na to nie poradzę, Charles, ale zauważyłem u ciebie w pokoju butelkę sznapsa. Możemy?

O świcie Charles obudził się na podłodze w pokoju Hugona. Wszystko wokół wirowało. Hugo chodził po pokoju, pakując tornister. Trącił Charlesa w nogę.

– Wstawaj, stary. Dżipy wyjeżdżają za dziesięć minut. Zbieraj się.

Charles dźwignął się chwiejnie i wciągnął buty.

– Dokąd jedziemy?

Hugo wzruszył ramionami.

– Kto wie? Może z powrotem na uniwersytet? Tam, gdzie ich zdaniem coś się będzie dzisiaj działo. Szczerze mówiąc, ludzie czekają, aż Capa się ruszy... ma niezwykłą zdolność lądowania w samym środku akcji.

Nieogoleni mężczyźni o zaczerwienionych oczach wybiegali z pokoi i kierowali się ku schodom. Charles skinął głową reporterowi, którego widział w barze kilka godzin wcześniej. Wszędzie czuć było kwaśną woń potu i przetrawionego alkoholu. Charlesowi dudniło w głowie, usta miał wyschnięte. Tęsknił za szklanką zimnej wody, ale w lobby była tylko gęsta czarna kawa nalewana z cynowych dzbanków. Pogrzebał w kieszeni w poszukiwaniu drobnych, żeby kupić tortillę, po czym przypomniał sobie jak przez mgłę, że poprzedniego wieczoru przegrał do Capy całą gotówkę. Chwycił cynowy kubek i zbyt szybko wlał w siebie kawę, parząc usta.

Hugo przepchnął się przez tłum.

– W porządku, wszystko załatwione.

W chłodnym poranku dziennikarze i fotoreporterzy wsiadali do ciężarówek i dżipów. Charles obserwował Capę ładującego swoje aparaty do samochodu przed nimi. Pomyślał o fotografii dziewczyny. Nie czuł się tak od czasów dzieciństwa. W szkole chłopiec starszy od niego o rok miał łódkę, zabawkę, której Charles rozpaczliwie pragnął. Ten chłopak miał charyzmę, był powszechnie podziwiany, wszyscy chcieli się z nim pokazywać. Jego łódka była najcudowniejszą rzeczą, jaką Charles kiedykolwiek widział, miała jaskrawoczerwony kadłub i solidny biały żagiel. Nocą ktoś – prawdopodobnie jakiś rywal – włamał się do szafki i zniszczył tę piękną łódkę, rozwalił ją na kawałki. Zostały z niej tylko czerwone drzazgi na podłodze.

Rozdział 12

ST IVES, WRZESIEŃ 2001

Emma zamknęła oczy i uniosła twarz ku czystemu niebu, po którym śmigały mewy. Plaża Bamaluz była pusta, od morza wiał zimny wiatr. W dzieciństwie była to jej ulubiona plaża – odwiedzający St Ives nie wiedzieli o jej istnieniu i podążali za tłumem do Porthmeor albo Porthminster. Liberty zawsze przywoziła ją tutaj. O tej porze roku, kiedy wszystkie mrówki – jak tutejsi mieszkańcy nazywali turystów – zdążyły już wyjechać z Kornwalii, Emma miała ukochane wybrzeże tylko dla siebie. Był przypływ, fale rozbijały się w dole. Szła do starej rybackiej chaty, którą Charles i Freya kupili wiele lat temu, zanim St Ives stało się modnym kurortem. Ta plaża była miejscem zabaw matki, świadkiem jej dorastania. Dla Emmy zawsze oznaczała letnie wakacje, surfing i skórę pieszczoną słońcem. Zawsze czuła się tu bezpiecznie.

Tego poranka, kiedy wyszła od Freyi, jechała do Kornwalii bez przystanków, tylko na chwilę wpadła do studia, żeby zabrać walizkę i pudełko z listami od Liberty. Kiedy dotarła do St Ives, zapadała noc. Zaparkowała przed domem i w ciszy słuchała tykania stygnącego silnika. Ulica była pusta; światło lamp padało z okien pubu na chodnik, a z domu naprzeciwko dobiegał przytłumiony dźwięk telewizora. Emma spojrzała w górę. W złotawym świetle okna zobaczyła rodzinę zasiadającą do wieczornego posiłku, męża całującego żonę w policzek, zanim zajął miejsce u szczytu stołu. Nigdy jeszcze nie czuła się tak samotna. Oddech wiązł jej w gardle, kiedy szła na plażę. Jej kroki rozbrzmiewały echem. Myślała o Joem, wciąż przeglądając w myślach te same obrazy. Przypomniała sobie ten wieczór, gdy po raz pierwszy domyśliła się, że coś jest nie tak. Było to podczas przyjęcia milenijnego w Londynie. Znajomi na imprezie zachowywali pozory jak podczas pokazowego meczu szachowego, każdy grał swoją rolę, a Emma była Emmą, starą dobrą Emmą, na której zawsze można polegać.

– Em, czy usłyszymy w tym roku weselne dzwony? – zapytał gospodarz, kiedy pomagała mu później w sprzątaniu.

– Czas już, żeby Joe poprowadził cię do ołtarza.

– Po co? – Roześmiała się. – Jesteśmy szczęśliwi, tak jak jest.

Byli szczęśliwi. Odpowiadała na to pytanie tymi samymi słowami już tyle razy, że czuła się jak automat, jednak tym razem coś zabrzmiało fałszywie. Słowa w jej ustach były martwe jak pęknięty dzwon. Szczęście miało teraz smak kurzu, zasuszonych kwiatów i pożółkłych fotografii. Na zewnątrz nic się nie zmieniło, ale coś wyssało siły żywotne z ich miłości.

Patrząc na nich, nikt by się tego nie domyślił. O północy dwaj dudziarze poprowadzili gości nad rzekę, torując drogę przez ogrody. Emma na początku szła ramię w ramię z Joem, ale kiedy Big Ben zaczął wybijać północ, była sama, odgarniała do tyłu włosy koleżanki wymiotującej do kwietnika. W tłoku przegapiła fajerwerki i rzekę ognia, podtrzymując targaną torsjami dziewczynę. Może gdyby nie szła tak wolno, niemal niosąc koleżankę z powrotem na przyjęcie, nie zobaczyłaby Joego. On jej nie widział, była tego pewna. Kiedy wokół nich przetaczały się tłumy powracających, zauważyła go w bramie w połowie Lord North Street. Rozmawiał z kimś przez komórkę. Nie musiała słyszeć, co mówi, by zrozumieć, że to początek końca. Wystarczył jej sam jego widok. Rozmawiał przez telefon tak jak z nią na początku ich związku.

Kiedy później odnalazł ją na przyjęciu, udawała, że nic się nie stało. Powiedział, że jej szukał. O wschodzie słońca wrócili pieszo do swego na wpół wykończonego domu przy Old Church Street i się kochali. Joe ogłosił nowy początek, ale Emma wyczuła w tym ostatnie pożegnanie. Trwało to wszystko jeszcze trochę ponad rok. Joe był bardzo ostrożny. A później Liberty miała nawrót nowotworu. Za pierwszym razem Emma była zbyt młoda, żeby wiedzieć, co się dzieje, ale teraz nie ulegało wątpliwości, że to koniec. Czuła, że praca i opieka nad matką odciągają ją od Joego właśnie wtedy, kiedy najbardziej go potrzebuje. Budziła się nocą w hotelu w Hongkongu albo w Sydney, omotana prześcieradłami, dysząc ciężko, przerażona koszmarnym snem. Zawsze spadała, spiralne schody ciągnęły się bez końca, leciała w dół coraz szybciej, wołała Joego na pomoc, ale nigdy go tam nie było.

Po dziesięciu wspólnych latach nie było ani sukni ślubnej, nad którą można by płakać, ani dzieci, ani nawet kotów, o które walczyliby w sądzie. Emma czekała na formalny, twardy dowód, bo wiedziała, że bez niego Joe wszystkiemu by zaprzeczył. W końcu stracił czujność i zostawił kluczyk do swojej szafki z dokumentami, kiedy wychodził zagrać w squasha. Znalazła tam schludny papierowy plik rachunków restauracyjnych i hotelowych oraz znajomy numer telefonu, zbyt często pojawiający się na billingach jego telefonu. Emma wmawiała sobie, że może wytłumaczenie jest całkiem niewinne – Joe także często podróżował w interesach i oczywiście musiał dzwonić do Delilah w sprawach służbowych. Potem zobaczyła jej wiadomość.

Wyprowadziła się do Liberty. Matka była jedyną osobą, której pragnęła się zwierzyć, ale nie potrafiła. Jak mogłaby zniszczyć miłość i zaufanie matki do Joego – teraz, kiedy Liberty była już u kresu życia? Powiedziała, że chce być stale przy niej przez ten czas, który im pozostał; że Joe to rozumie. Rzeczywiście chciałam być przy mamie, myślała Emma, idąc plażą. Przez ostatnie tygodnie, gdy Liberty stawała się coraz słabsza, zachowywali pozory. Kiedy Delilah przyszła po raz ostatni, żeby się pożegnać, nie nawiązała kontaktu wzrokowego z Emmą, dopiero przy wyjściu posłała jej triumfalne spojrzenie.

Po pogrzebie Emma odeszła z życia Joego tak samo, jak się w nim pojawiła, z jedną walizką. Lata pomiędzy początkiem a końcem związku osypały się jak piasek z pękniętej klepsydry. Tak jak się spodziewała, z początku wszystkiemu zaprzeczył, ale w końcu uległ pod naporem jej chłodnej furii. Nie była mściwa. Bawiła się myślami o pocięciu mu garniturów, wiedziała jednak, że najlepszą zemstą będzie sam fakt jej odejścia. Joe nienawidził zmian. Powiedział jej, że Delilah złapała go w chwili słabości, że mogą wszystko zacząć od nowa. Mówił, że ich nowy dom jest świadectwem lat ich miłości. Popielniczka na jego biurku znalazła się tam, bo wybrali ją razem w małym sklepiku w Hamburgu; każdy obraz na ścianie został wypatrzony i omówiony wspólnie podczas ich niedzielnych wypraw do Christie's w South Kensington.

Przypomniała sobie wieczór, kiedy przyszedł do jej studia po odczytaniu testamentu Liberty, gdy topili swój smutek w znajomym cieple swoich ramion. „Nie chciałem, żebyś odeszła – powiedział w ich ostatniej rozmowie głosem nabrzmiałym od łez i żalu. – To szaleństwo, kocham cię, tamto było tylko przelotną fascynacją. Zaczniemy wszystko od nowa. Nie rób nic pochopnie. Zerwę z Delilah". Emma pamiętała, że w tym momencie jej serce zamarło.

– Chcesz powiedzieć, że nadal się z nią spotykasz? – Odepchnęła go, naciągając na siebie prześcieradło obronnym gestem. – Wynoś się! Jak mogłeś tu przyjść?

– Emmo, ja cię kocham...

– Wynoś się! – Rzuciła mu ubranie i zaryglowała za nim drzwi, podczas gdy on stał w korytarzu i błagał ją, żeby wróciła do domu.

Kiedy Joe przyleciał z Nowego Jorku, zastał dom czyściutki i wychuchany. Pogratulował sobie, myśląc, że Emma odzyskała rozsądek. Zignorował niezliczone wiadomości od Delilah, przygotował kolację dla Emmy – ich ulubione ostrygi i pieczonego kurczaka – i otworzył butelkę sancerre. Zapadała noc. Czekał przy świecach, aż Emma wróci do domu. Zadzwonił do niej, ale miała wyłączony telefon. Ostrygi straciły smak, kurczak wysechł. Joe przeszukał dom. Zorientował się, że zniknęło tylko kilka rzeczy: jej ulubione perfumy – inne stały na wpół zużyte na toaletce, najlepsze majtki, stare dżinsy i buty, skórzana kurtka, którą oboje nosili na zmianę, chociaż na Emmie wyglądała o niebo lepiej niż na nim. Rzucił okiem na nocny stolik. Zostawiła ich wspólną fotografię z przyjęcia, po którym zostali kochankami, ale zabrała swoje zdjęcie z czasów niemowlęctwa, w ramionach matki. Niewielki prostokąt ciemnego mahoniu błyszczał pośród warstewki szarego kurzu. Zabrała to, co było w jej życiu najcenniejsze, i odeszła. Zawsze podróżowała z niewielkim bagażem.

Tydzień w Kornwalii dobrze jej zrobił. Znowu czuję się sobą, pomyślała, wdrapując się na dobrze znaną skałę. Popatrzyła na morze. Promienie słońca wyzierającego spomiędzy chmur oświetlały falujące morze. Otulając się skórzaną kurtką, zdała sobie sprawę, że ból nie jest już tak dotkliwy. Czuła, jak dziecko kopie, porusza się pod jej dłonią. Potarła brzuch, myśląc o wieczorze, kiedy tu przyjechała. Wtedy, na plaży, raz po raz wykrzykiwała na wiatr imię Joego, wstrząsana łkaniem. Pozwalała odejść jemu i całej swojej nadziei. Słone powietrze smagało jej twarz, mieszając się ze łzami. Dlaczego?! – krzyczała. Dlaczego ja? Dlaczego on? Czemu mi go odbierasz?!

Zmęczona wróciła do chaty, odszukała klucz, który Freya zostawiała schowany pod kamieniem obok tylnych drzwi. Na progu znalazła butelkę mleka i garnek jeszcze ciepłej zupy. Roześmiała się przez łzy. Najwyraźniej Freya zadzwoniła do sąsiadów, żeby mieli na nią oko.

Czyżbym była aż tak przewidywalna? – zastanawiała się teraz. Schowała twarz w miękkim różowym szaliku i wciągnęła nosem ciepły, biały kwiatowy zapach Cherie Farouche. Wyciągnęła z kieszeni jeden z listów Liberty. Zachowała go na ostatni poranek nad morzem. Kiedy przyjechała do chaty, rozłożyła listy na starym kuchennym stole i patrzyła na tytuły, wybierając ten, który otworzy jako pierwszy. Siódmy był zatytułowany „Na trudne chwile" i przez chwilę korciło ją, by go przeczytać. Nie. Lepiej go zostawić na później. Uśmiechnęła się do siebie i wybrała inny. Na kopercie matka napisała: „O rodzinie". Emma obróciła list w rękach i rozerwała kopertę.

Em, jak Cię znam, zachowasz te listy nieotwarte przez jakiś czas. Zawsze lubiłaś oczekiwanie na zapakowane prezenty, napawałaś się każdym podarunkiem. Nie jest z Tobą aż tak źle jak z Freyą, która nadal chowa wszystkie papiery po prezentach, żeby wykorzystać je ponownie, ale sądzę, że nauczyłaś się od niej, jak wielką wartość ma umiejętność cieszenia się każdą chwilą – ja zrozumiałam to zbyt późno.

Pamiętasz, jak mając chyba siedem lat, wypuściłaś stado motyli Charlesa? Myślałaś pewnie, że oddajesz im przysługę, zwracając im wolność, ale to były motyle tropikalne i Charles wściekł się na ciebie. Wcale nie byłaś niegrzecznym dzieckiem. Właściwie poczułam ulgę, że zrobiłaś wtedy coś tak spontanicznego, nie w Twoim stylu. Powiedziałam Ci, żebyś wyciągnęła wnioski ze swego błędu. Że musisz sama odkrywać i czerpać nauki z życia – nikt Cię tego nie nauczy. Odpowiedziałaś: „To nie fair, mamo. Co to za nauki?". Nadal myślę, że musisz doświadczyć wszystkiego sama, ale skoro nie będzie mnie przy Tobie, żeby służyć Ci radą, postaram się przekazać Ci w tych listach to, czego ja się nauczyłam.

Wyobrażam sobie, że mogłabyś czytać ten list, słuchając Sister Sledge. „Jesteśmy rodziną..." – pamiętasz? Ciągle przy tym tańczyłyśmy. Jesteśmy rodziną kobiet... i Charlesa oczywiście. Zawsze żałowałam, że Twój ojciec wybrał przeciętność, samochód w wersji kombi i kobietę, która nosiła nylonowe sukienki, ale co mogłam zrobić? Uwierz mi, że trafił mi się największy tradycjonalista spośród hipisów na Zachodnim Wybrzeżu Ameryki. Moje związki były katastrofą, ale zrobiłyśmy, co tylko można, Ty i ja stworzyłyśmy rodzinę.

Zastanawiam się, czy Freya rozmawia z Tobą o mnie teraz, kiedy mnie nie ma. Przez lata żywiłam *podejrzenia, ale Freya zawsze je obalała. Myślę, że na swój źle pojęty sposób próbowała mnie chronić. Nigdy nie czułam się na swoim miejscu, Em, nigdy nie czułam się u siebie. Tak jakby brakowało mi czegoś, o czym nigdy się nie dowiedziałam. Może Tobie powie więcej. Może uda Ci się rozwiązać tajemnicę naszej rodziny. Mnie zabrakło na to czasu. Może to jest pierwsza lekcja – podejrzewam, że rodziny, które tworzymy w swoim życiu, nie zawsze połączone są więzami krwi. Mam nadzieję, że odkryjesz prawdę o naszej. Kocham Cię.*

Mama x

Rozdział 13

MORATA DE TAJUNA, JARAMA, LUTY 1937

Chirurdzy w szpitalu polowym niedaleko frontu w Jaramie pracowali nadzy do pasa, z biodrami owiniętymi w białe fartuchy i w białych butach. Chwiejna metalowa konstrukcja podtrzymywała słaby reflektor nad pacjentem; wyglądało to jak dziecięca próba zbudowania stołu operacyjnego z klocków.

– Co mamy jeszcze w kolejce? – zapytał jeden z chirurgów.

– Sześć brzuchów i parę głów, doktorze – odparła Freya.

– Jak się czuje ostatni?

– Stabilny, doktorze. Transfuzja pomogła.

– Dobrze. Skalpel.

Freya odwróciła się i w ciemności wymacała odpowiedni instrument. Światło świecy migotało nad tacką ze srebrzystymi narzędziami.

– Ile butelek krwi nam zostało? – zapytał.

– Właśnie zużyliśmy ostatnią – odpowiedziała pielęgniarka stojąca przy lodówce.

– Cholera! Dostawa się spóźnia. – Chirurg otarł pot z czoła wierzchem dłoni. – Wyślijcie wiadomość do banku krwi, żeby przysłali nam wszystko, co mają. – Oparł się ze znużeniem o brzeg stołu operacyjnego. – Trudno, musimy zrobić temu facetowi transfuzję bezpośrednią. Kto ma grupę zero?

Freya podniosła rękę.

– Kiedy ostatni raz oddawałaś krew?

– Parę miesięcy temu.

– Może być.

W pokoju obok Freya ułożyła się na zimnym, wilgotnym łóżku polowym obok rannego i zamknęła oczy. Rozpaczliwie próbowała nie myśleć o aparaturze, którą ustawiano przy niej. Zamiast tego zmusiła się do wskrzeszenia w wyobraźni obrazu uroczego starego *palacio* w Madrycie, gdzie zakwaterowano ją na kilka dni w drodze na front. Była tam piękna kamienna klatka schodowa, strzyżone żywopłoty i palmy. Pałac został opuszczony na początku wojny przez zwolennika nacjonalistów, teraz pielęgniarki i pielęgniarze grali w bilard we wspaniałych komnatach z jedwabnymi draperiami i przeglądali czasopisma w bibliotece. Co wieczór jedli chleb i ciecierzycę na złoconym serwisie obiadowym. Wydawało im się nierealne, że pławią się w takim spokoju i luksusie zaledwie parę kilometrów od frontu.

– Poczujesz tylko lekkie ukłucie – usłyszała męski głos.

Zesztywniała.

– Dobrze pan to zrobił. Nic nie poczułam.

– Świetnie. Podłączę cię teraz do jego żyły.

– Jeśli nie robi to panu różnicy, wolałabym nie wiedzieć, co się dzieje.

Otworzyła oczy i spojrzała na przyglądającego się jej lekarza. Ze zmarszczek w kącikach jego oczu domyśliła się, że uśmiecha się pod maską.

– Miałaś tak mocno zaciśnięte oczy, byłem pewien, że się boisz.

– Bo się boję. Nie znoszę igieł, kiedy są blisko mnie.

– Pielęgniarce musi być z tym niełatwo. – Spojrzał na nią znad rannego żołnierza. – Jestem pewien, że ten gość to doceni. – Ułożył jej ramię i sprawdził, czy krew przepływa do żyły pacjenta. – No, w porządku, dobra robota. Macie tu dziś urwanie głowy, prawda?

– Zawsze tak jest – odparła Freya. – Kiedy robi się tłok, jest tu trochę cieplej od ciał pacjentów. W tej chwili jest ponad dwustu rannych, chociaż nasza jednostka może przyjąć pięćdziesięciu. Leżą po trzech na łóżku, na podłodze, wszędzie... – Poczuła, że zbyt wiele mówi. Zmusiła się do uśmiechu i zacisnęła palce. Nadal bolały od zimna. Rano pomagała hiszpańskim pielęgniarkom prać prześcieradła w lodowatym strumieniu uchodzącym do rzeki Jaramy. Szorowały je do czysta na kamieniach. W powietrzu unosił się zapach bitwy, ale również tymianku i innych ziół zgniatanych butami tysięcy żołnierzy.

– Uwielbiam was, Brytyjczyków. – Lekarz się roześmiał. – Zawsze znajdujecie dobrą stronę sytuacji. Przy okazji, jestem Tom Henderson.

– Miło mi pana poznać, doktorze Henderson.

– Mów mi Tom.

Freya popatrzyła w jego emanujące dobrocią niebieskie oczy.

– Jestem Freya.

– Cóż, Freyo, myślę, że po tym wszystkim zasługujesz na filiżankę herbaty – powiedział, imitując angielski akcent.

– Herbata? Och, tak. Nie mam pewności, czy pamiętam smak herbaty – odparła Freya. – Jesteś dla mnie za dobry. Muszę się pozbierać. Przywożą nowe ofiary.

– Wiesz, jak nazywają tę bitwę?

– Wzgórze Samobójców. – Freya westchnęła. – Słyszałam, że piętnasty batalion robi co może, ale straciliśmy praktycznie wszystkich oficerów i ponad połowę Brytyjczyków.

Tom zbadał pacjenta.

– No, wracają mu kolory. – Usiadł na brzegu łóżka Freyi i ściągnął maskę. – Batalion imienia Abrahama Lincolna ma chyba jeszcze większe straty. Ci biedni, odważni amerykańscy chłopcy poszli prosto na pozycje nacjonalistów bez wsparcia artyleryjskiego i zostali starci na miazgę.

Freya potrząsnęła głową i znowu westchnęła.

– Przynajmniej powstrzymaliśmy ich przed odcięciem Madrytu.

– Nie przejdą? Kiedy patrzę na tych chłopców w szpitalu, zastanawiam się, jakim to się dzieje kosztem. – Tom uśmiechnął się smutno. – Powiedz, kiedy ostatni raz jadłaś porządny posiłek?

– Czemu pytasz? Wyglądam tak źle?

– Nie. Jesteś tylko trochę blada.

– Wczoraj wieczorem dali nam jakiś gulasz. – Freyi zaczęły szczękać zęby. – Za każdym razem, kiedy dostaję coś z małymi kostkami, wmawiam sobie, że to królik, a nie kot.

– Ja też. – Tom wstał i obejrzał pacjenta. – Jeszcze parę minut. – Usiadł z powrotem obok niej. – Chciałabyś, żebym potrzymał cię za rękę? Masz chyba dreszcze.

– Naprawdę mógłbyś?

– Jesteś lodowata – powiedział, rozcierając jej palce.

– Wszystko w porządku. Myślę, że jestem po prostu zmęczona. Przez ostatnie dni pracowaliśmy bez przerwy. Spałam tylko parę godzin. – Freya utkwiła w nim wzrok, starając się opanować zawroty głowy.

– Daj mi drugą rękę.

– Dziękuję. – Freya popatrzyła na ciemne włosy spadające mu na czoło. – Jak długo tu jesteś?

– Kanadyjska Służba Transfuzji Krwi działa od zeszłego listopada, ale ja przyjechałem w styczniu do jednostki doktora Bethune. Jechałem z grupą Amerykanów z Nowego Jorku. Jestem w batalionie Mackenzie-Papineau.

– Och, myślałam, że...

– Nie. Jestem Kanadyjczykiem. – Tom podniósł wzrok i uśmiechnął się do niej szeroko, a w jego nieogolonych policzkach ukazały się dołeczki. – Urodzony i wychowany w Toronto. – Spojrzał na zegarek. – Nie była to udana podróż... trzecią klasą przez cały Atlantyk, po czterech w kabinie i wszyscy rzygali jak koty. Większość czasu spędziłem na pokładzie.

– Zatrzymaliście się w Paryżu?

– Tak, piękne miasto. Bardzo bym chciał wrócić tam któregoś dnia.

– Ja też. – Freya już wyobrażała sobie wspólny spacer po brukowanych uliczkach Montmartre'u.

– Złapaliśmy pociąg do Marsylii, potem ciężarówkę do Perpignan i przeszliśmy przez Pireneje. A ty?

– Pierwszą bazę mieliśmy na froncie aragońskim, niedaleko Huesca. Niektórzy z nas przeszli stamtąd do innych stacji polowych. Ja wylądowałam w końcu w Madrycie, a potem przyjechałam tu z karetkami Pomocy Medycznej...

– Naprawdę? – przerwał jej Tom. – To znaczy, że jakiś szczęściarz był z tobą sam w karetce przez całą drogę? Chyba zmienię sposób podróżowania.

Freya się zaczerwieniła. Nie przywykła do takiej śmiałości.

– To piękny kraj, nie sądzisz?

– Z każdą chwilą staje się piękniejszy.

– Gaje pomarańczowe, zakurzone drogi...

– Może miałabyś ochotę wybrać się później na spacer? – Tom wstał i przeciągnął się, a biała koszulka opięła się na jego muskularnym brzuchu.

– To byłoby... – Freya uniosła wzrok. – Z przyjemnością. Pochylił się nad nią, żeby wyjąć igłę. Freya odwróciła głowę.

– Zakwaterowali nas w eleganckim pałacyku w Madrycie – powiedział. – Tak jest rzeczywiście bezpieczniej, faszyści nie bombardują bogatych dzielnic. Widziałem, jak dzisiaj pracowałaś. Jeśli miałabyś ochotę zmierzyć się z temperamentem doktora Bethune, to potrzebujemy nowej pielęgniarki do zespołu. Jedna z naszych złapała tyfus i musiała wrócić do domu. Wzięłabyś pod uwagę przeniesienie?

Freya nie wahała się ani chwili.

– Oczywiście.

– To ciężka praca, będziesz często przy linii frontu. Dostarczanie krwi, podawanie jej umierającym.

Skrzywiła się, kiedy wyciągał igłę.

– Jeżeli tylko przez jakiś czas nie będziesz mnie prosił o następną transfuzję bezpośrednią, to jakoś sobie poradzę.

Tom przycisnął kawałek gazy do zgięcia jej łokcia.

– Proszę. Przytrzymaj to jeszcze przez minutę czy dwie.

– Dobrze. Tylko że... Po prostu to trudne, prawda? Tylu rannych ludzi wszędzie dookoła, te ich krzyki...

Potrząsnęła głową, przypominając sobie schludne, czyste oddziały, do których przyzwyczaiła się, studiując w Szkole Pielęgniarskiej Florence Nightingale w Londynie.

Sanitariusze przyszli po rannego.

– Jeżeli żołnierze krzyczą: „*Enfermera, curandera, ven aqui!* Siostro! Tutaj!", to mają jeszcze szansę – powiedział Tom. – Musisz uważać raczej na tych cichych, jak ten facet.

Sprawdził dokumenty pacjenta i włożył je pod koc.

– Jordi del Valle. Starałem się go uratować wbrew swojej intuicji, ale jest taki młody...

– Przeżyje?

– Kto wie. Amputacje są ciężkie. Na stole prawie się poddał. – Tom ciężko westchnął. – Jest ich za dużo, żebyśmy mogli się nimi należycie zająć, i brakuje nam środków. Pracujemy przy świeczkach.

– To dosyć romantyczne, jeśli odpowiednio na to spojrzeć.

– Znowu to samo, szukasz dobrej strony. – Tom sprawdził opatrunek na jej ramieniu. – Czy nie przeszkadza ci, kiedy pacjenci zalecają się do ciebie? Widziałem, jak potrafią się zachowywać.

– Nie, wcale mi to nie przeszkadza. Większość z nich jest jak dzieci. Są samotni. A poza tym, no cóż... – Freya wyciągnęła pistolet z kieszeni fartucha.

Tom ze śmiechem podniósł ręce do góry.

– Dzięki za ostrzeżenie.

– Nie to miałam... – Zamilkła, bo na zewnątrz rozległy się strzały. Pokojem wstrząsnął wybuch. Freya poczuła, że podłoga drży pod jej nogami. W uszach poczuła pulsowanie krwi. Tom pociągnął ją do siebie i przycisnął do ściany, osłaniając przed tynkiem spadającym z sufitu.

– Myślałam, że tu jesteśmy bezpieczni.

Łóżko, na którym przed chwilą leżała, było pokryte gruzem. Oboje instynktownie popatrzyli na sufit, oczekując kolejnych eksplozji.

– Może nie umie celować. Dobrze się czujesz?

Tom odsunął się nieco, nadal obejmując ją w talii. Z korytarza słychać było krzyki i odgłosy bieganiny.

– Wszystko w porządku. Zabawne, jak zaczynają działać odruchy, prawda?

Freya starła mu kurz z nosa. Serce biło jej szybko, pobudzone adrenaliną i bliskością Toma. Nachylił się i musnął jej usta wargami.

– Czy całuje pan wszystkie swoje dawczynie krwi, doktorze Henderson?

– Tylko te ładne.

Uśmiechnął się i przewrócił oczami, kiedy usłyszał dochodzący z zewnątrz klakson samochodu.

– Muszę wracać do Madrytu, ale chciałbym postawić ci kiedyś tę filiżankę herbaty.

Freya popatrzyła mu prosto w oczy.

– Bardzo bym chciała.

– Porozmawiam z Bethem, żeby cię stąd wyciągnął. Do zobaczenia. – Zatrzymał się w drzwiach. – Wesołych walentynek, Freya.

Rozdział 14

LONDYN, WRZESIEŃ 2001

– Cieszę się, że wróciłaś, Em – powiedziała Freya. – Martwiłam się, kiedy nie mogliśmy się z tobą skontaktować.

– Niestety, wyrzuciłam komórkę do morza.

Emma szurała nogami, rozgarniając złociste liście na ścieżce. Jeszcze raz odsłuchała ostatnią wiadomość od Joego: „Postąpiłem okropnie głupio. Słuchaj, zamierzam wszystko naprawić". To było dla niej nie do zniesienia. Wszystko za późno.

– Zaczyna ci to wchodzić w nawyk – powiedział Charles, idąc sztywno obok nich brzegiem jeziora Serpentine.

– Mam na myśli znikanie.

– Liberty zawsze mnie uczyła, że nie można polegać na nikim oprócz siebie samej. Po prostu musiałam pobyć trochę w samotności.

Jakiś chłopiec puścił na wodę czerwoną żaglówkę; rześki wiatr zmarszczył powierzchnię jeziora.

– Bzdura. Wiesz, że zawsze możesz na nas liczyć.

– Charles postawił kołnierz czarnego wełnianego płaszcza. – Oboje się martwiliśmy. Nie powinnaś mierzyć się z tym wszystkim sama, Em.

Freya pokręciła głową.

– Nie mogę patrzeć na ciebie w takim stanie. Wyglądasz tak jak w dzieciństwie, kiedy upadłaś i ze wszystkich sił starałaś się nie rozpłakać.

– Nic mi nie jest. – Emma miała ściśnięte gardło.

– Nie ma żadnych wiadomości o Joem – powiedziała cicho Freya.

– Wiem. – Emma szła dalej. – Prosiłam jego matkę, żeby dali mi znać, jeśli czegoś się dowiedzą.

– Będą zachwyceni z powodu dziecka... – dodała cicho Freya.

– Powiem im w swoim czasie. Na razie jeszcze nie.

– Emma się wzdrygnęła. – Wiecie, mają teraz prawdziwą synową.

– Delilah jest w drodze do domu.

Emma odwróciła się i stanęła twarzą w twarz z Freyą.

– Proszę, nic jej nie mów.

– Będzie musiała w końcu się dowiedzieć.

– Nie jestem jeszcze gotowa, żeby ją poinformować. To dziecko jest jedynym dobrem, jakie mi pozostało w życiu, nie pozwolę, żeby to też zniszczyła. – Emma zorientowała się, co przed chwilą powiedziała. – Jedynym oprócz was – poprawiła się. Ujęła Freyę i Charlesa pod ręce. – Czy umowa doszła do skutku? Podpisałam papiery.

– Tak, widziałam, że wczoraj wieczorem zostawiłaś je w biurze. – Freya wskazała ławkę. – Usiądziemy?

Charles starł kurz i podał Freyi ramię, pomagając jej usiąść.

– Amerykanie się wycofali. Szczerze mówiąc, czułam, że tak będzie – dodała po chwili Freya.

– Z powodu jedenastego września? – Emma wzięła głęboki oddech i spojrzała na drugą stronę jeziora. – Więc co teraz? Nie mogę przecież pracować z Lilą. Nie teraz, kiedy Joe zaginął.

– Jeszcze nie wszystko stracone. Delilah sądzi, że uda jej się znaleźć innego kupca.

– Dobrze, niech znajdzie.

– Jesteś pewna, Emmo? – zapytał Charles. – Nie musisz się z niczym śpieszyć. To ona powinna odejść.

– Nie mogę jej wykupić, skoro ma udziały swoje i Joego. Teraz ona rozdaje karty jako jego żona. Wygrała. Dostała wszystkie pieniądze. Joe był zawsze dobrze zorganizowany. Założę się, że zmienił testament zaraz po ślubie.

Freya kiwnęła głową.

– Delilah przesłała mi faksem kopię, tak jakbym potrzebowała dowodów. To nie fair. – Gniewnie dźgnęła końcem laski zgniecione opakowanie po chipsach. – Dlaczego miałabyś wszystko stracić?

Emma popatrzyła na babcię.

– Nikt nie powiedział, że życie jest fair. Pomyśl o mamie.

– Co będziesz robić? Jest przecież studio. Mogłabyś zacząć od nowa…

– Sprzedam je.

– Gdzie będziesz mieszkać? Zawsze możesz przeprowadzić się do nas, ale mamy tylko dwie sypialnie.

Emma milczała przez chwilę.

– Któregoś wieczoru siedziałam na plaży i pomyślałam, że mogę jechać dokądkolwiek. Mam was, ale teraz nic nie wiąże mnie z żadnym miejscem, naprawdę. To niesamowite, jak szybko może rozpaść się to, co wydawało się trwałe. Joe, mama, mój dom, moja praca, wszystko skończone.

– Och, Em, kochanie… – Freya wzięła ją za rękę.

– Nie użalam się nad sobą. Po prostu… – Emma przeczesała włosy palcami. – Przejrzałam jeszcze raz testament mamy. Zdecydowałam, że wyjadę na stałe do Walencji.

101

Freya szeroko otworzyła oczy.

– Można tam jeździć na wakacje, ale po co się od razu przeprowadzać?

– A dlaczego nie? Chcę wychować moje dziecko z dala od tego wszystkiego. Chciałabym zacząć wszystko od nowa.

– Ale Liberty mówiła, że nikt nie mieszkał w tym domu od dziesięcioleci. – Charles wygrzebał z kieszeni starą monetę i potarł ją kciukiem. – Prawdopodobnie jest w ruinie.

– Nie przeszkadza mi to. Zamierzam przeznaczyć na remont pieniądze ze sprzedaży studia. Zbuduję sobie nowe życie. Oczywiście mam nadzieję, że przyjedziecie z wizytą i zostaniecie tak długo, jak będziecie chcieli.

– Nie, nie sądzę. – Charles odwrócił wzrok.

– Dlaczego? Kochałeś Hiszpanię.

– Kraj, który kochałem, nie przetrwał, tak samo jak wiele osób, które kochałem. Wszystko się zmieniło. – Nerwowo obracał monetę w palcach.

– Jesteś pewien? Upłynęło przecież tyle czasu. Walencja… to brzmi cudownie.

– Jest cudowna – powiedziała Freya. – To zawsze był raj na ziemi. „Kraina kwiatów, światła i miłości".

– Naprawdę?

– Och, to była stara piosenka. – Freya patrzyła na jezioro. – Góry, te cudowne błękitne kopuły, *Krew na piasku…* – Wyczuła zdezorientowanie Emmy. – Tyrone Power i Rita Hayworth, kochanie. Walencja jest magiczna. Wiesz, że w katedrze przechowywany jest Święty Graal?

– Żartujesz? – Emma się uśmiechnęła. Czuła się dziwnie, mięśnie twarzy odzwyczaiły się od uśmiechu. – Musicie pojechać tam ze mną.

– Nie. To nie jest dobry pomysł. Musisz odkryć ten kraj sama dla siebie. Nasze wspomnienia z wojny domowej…

No cóż, wielu idealistów zobaczyło na własne oczy, jak ich marzenia obracają się w proch, kiedy wygrał Franco. – Freya spojrzała na Charlesa. – Jeżeli zdecydowałaś się tam wyjechać, to nie chcę, żeby nasze przeżycia miały wpływ na twoje wrażenia.

Charles odkaszlnął.

– Pamiętasz to cudowne majorkańskie powiedzenie?

– „Tak było i nie było" – mruknęła Freya. – To podsumowuje wszystko, prawda? Każdy medal ma dwie strony. Światło i cień. Niezwykłe akty ludzkiej odwagi i miłosierdzia pozwalały przetrwać najgorsze. Ale było też brutalne mordowanie. Jak się nazywał ten okropny człowiek, który powiedział: „Niech żyje śmierć! Na pohybel inteligencji!"?

– Millán-Astray. – Charles się skrzywił. – Pierwszy dowódca Hiszpańskiej Legii Cudzoziemskiej. Uwierz mi, byli naprawdę okrutni dla przeciwników. Bardzo lubili używać noży.

Freya pokiwała głową.

– Wojna zawsze jest krwawa, a wojna domowa jest najokrutniejsza.

– Brat zwracał się przeciwko bratu – rzekł Charles, patrząc na Freyę. – Wszyscy podejrzewali wszystkich. Republikanie próbowali wywęszyć ukrytych frankistów; nazywali ich piątą kolumną, wrogiem wewnętrznym.

– Ale nie wyłapali wszystkich – powiedziała cicho Freya.

– Szczerze mówiąc, polityka wielu z nas nie obchodziła. Ludzie tacy jak Charles i ja jechali do Hiszpanii, bo wydawało się, że tego wymaga od nas elementarna ludzka przyzwoitość.

– Rząd brytyjski był przerażony, podobnie konserwatyści na całym świecie – kontynuował Charles. – Widzieli tylko nagłówki w gazetach o czerwonych gwałcących zakonnice, mordujących księży i właścicieli ziemskich.

A ja nigdy nie widziałem takiego tłumu przyzwoitych ludzi jak ci mężczyźni i kobiety, z którymi spotkałem się w brygadach. Byli zwykłymi robotnikami, dokerami i górnikami. Widzieli, że ludzie tacy jak oni cierpią, a demokracja jest zagrożona. Teraz wszyscy myślą, że Brygady Międzynarodowe były pełne poetów z kwiatami zatkniętymi za czapki.

– Albo motylami – pozwoliła sobie na złośliwą uwagę Freya.

– Właśnie zaczął eś pracować nad doktoratem, kiedy poszedłeś na wojnę, prawda, wujku Charlesie? – zapytała Emma. – Dostałeś stypendium, tak?

– Hm, tak. Kiedy rodzice zginęli, zostaliśmy praktycznie na lodzie. Udało mi się zgromadzić trochę pieniędzy, żeby kupić dom na wsi. Chelsea bardzo podupadło, prawie nikt tam nie jeździł, a St Ives było małą wioską rybacką. Pamiętasz, Frey, jaką mieliśmy wilgoć na ścianach? Wiele razy musieliśmy się chować za sofą przed mleczarzem.

– Dlatego nie skończyłeś studiów?

– Wiesz, wtedy nie trzeba było skończyć studiów, żeby uczyć. W pewnym sensie było to niemal źle widziane, trochę nie w stylu dżentelmena. Taki Nabokow, zupełny amator, był jednym z najlepszych lepidopterologów.

– Korespondowałeś z nim przez jakiś czas, prawda? – Freya założyła kosmyk włosów za ucho i ściągnęła niżej czarny beret. – Charles był wtedy niezłą partią – dodała figlarnie. – Należał do niezwykle modnego towarzystwa. To były ciekawe czasy. Wielu jego kolegów zdobyło sławę.

– Byłem co najmniej naiwny, jeśli chodzi o politykę. – Zamilkł na chwilę. – I w wielu innych sprawach też.

– Czy wstąpiłeś w końcu do Apostołów? – spytała Freya. Pochyliła się do Emmy i wyszeptała: – Nigdy nie udało mi się uzyskać od niego jednoznacznej odpowiedzi.

– Co? Nie. – Charles założył nogę na nogę. – Znalazłem zaproszenie w swojej przegródce, ale pomyślałem, że chodzi o jakąś rozśpiewaną i roztańczoną grupę kościelną, i wyrzuciłem je do kosza.

– Duby smalone, nie wierzę w ani jedno słowo! – wykrzyknęła Freya ze śmiechem. – To było tajne stowarzyszenie. Chłopcy z college'ów Trinity i King's spotykali się w sobotnie wieczory i dyskutowali. Członkostwo było dożywotnie, należeli do niego Lytton Strachey, Rupert Brooke, Burgess i Blunt. Czy Cornford też był członkiem?

– John? Nie, był na to zbyt skromny.

– Oczywiście w czasach Charlesa do klubu rekrutowano już nie ze względu na intelekt, ale na wygląd.

– Och, daj spokój, Frey. Mówisz o sprawach, o których nie masz pojęcia.

– Nigdy nie mogłam zrozumieć, dlaczego Charles nie wrócił do King's, bardzo mu się tam podobało. Tak jakby chciał sam siebie ukarać – powiedziała Freya do Emmy.

– Sam siebie ukarać? Naprawdę tak myślisz? Może miałem zbyt wiele wspomnień. – Charles zmarszczył czoło. – Byłem wystarczająco szczęśliwy w Downing College. Wróciłem w tysiąc dziewięćset czterdziestym piątym roku, kiedy Wigglesworth przejął kierownictwo od Immsa. Był specjalistą od motyli i ciem. Cudowny, rodzinny człowiek, bardzo ciepły, chociaż nie pomyślałabyś tak o nim po lekturze wiersza, który napisał o nim Updike. To były wspaniałe czasy. Nasza praca w Cambridge naprawdę zrewolucjonizowała poglądy na świat owadów. Z początku badałem łuski zapachowe na skrzydłach motyli... Wiedziałaś, że uwalniają substancje chemiczne, feromony, żeby przyciągnąć samice?

Charles wyjaśniał swoje teorie już sto razy, ale Emma mu nie przerywała.

– Brzmi fascynująco, wujku Charlesie.

– Nie do wiary, przecież to maleńkie stworzenia, które ważą tyle co dwa płatki róży i żyją parę dni.

– Wielu twoich przyjaciół pojechało do Hiszpanii?

– O tak. Ja, Hugo, John Cornford...

– Był poetą, prawda?

– Tak. Wrócił w tysiąc dziewięćset trzydziestym szóstym, żeby przekonać nas do wstąpienia do Brygad Międzynarodowych. Kilka miesięcy później już nie żył. Widziałem się z nim przez chwilę w Madrycie. – Charles uśmiechnął się smutno do swoich wspomnień. – Wyglądał jak Byron, śniady i romantyczny, z bandażem na głowie. W Wigilię pojechali pociągiem na front w Andujar. Straciliśmy Ralpha Foxa i Johna, dzień po jego dwudziestych pierwszych urodzinach. – Westchnął. – Skoro naprawdę interesują cię te stare historie, Em, to mam dla ciebie prezent pożegnalny. Wybierz się do mnie do Cambridge, zanim wyjedziesz.

– Dziękuję, chętnie skorzystam. Mam nadzieję, że zmienicie zdanie co do Walencji. Nie ma pośpiechu. Remont zajmie trochę czasu. – Czekała z nadzieją. – Pewnie będziecie chcieli przyjechać i zobaczyć dziecko?

– Pomyślimy. – Freya uśmiechnęła się słabo. – Mam nadzieję, że wiesz, co robisz.

– Z czego będziesz żyła? – zapytał Charles.

– Coś wymyślę. Perfumy, kosmetyki... po jedenastym września wszystko wydaje się bezsensowne.

– Nie masz racji – powiedziała zaskakująco zdecydowanym tonem Freya. – W czasach takich jak teraz ludzie bardzo potrzebują perfum, poezji, muzyki i sztuki. Muszą pamiętać o prostych radościach życia. Jeśli o tym zapominamy, jeśli życie traci barwy, wtedy wygrywają tchórzliwe sukinsyny bez serca.

– Spokojnie, Frey – napomniał łagodnie siostrę Charles.

– Przepraszam. Te rozmowy o przeszłości zawsze… No tak… – Freya zamrugała powiekami i spuściła wzrok. – Pamiętaj, nie możemy pozwolić im wygrać.

Emma nagle zdała sobie sprawę, że nigdy nie widziała babci płaczącej, ani razu, nawet po śmierci Liberty. Chciała zapytać ją o list matki, ale nie była to odpowiednia chwila.

– Po prostu mam nadzieję, że wiesz, co robisz – powtórzyła Freya.

– Nie słuchaj jej – powiedział Charles. – Zawsze była zbyt ostrożna…

– Bzdury – fuknęła Freya. – Bywało inaczej.

Charles poklepał Emmę po ręce.

– Powodzenia, Em. Jeżeli tego właśnie potrzebujesz, zrób to. – Spojrzał na jezioro. – Wszystko tak szybko przemija. Musimy cieszyć się tym, co jest nam dane.

Rozdział 15

GUADALAJARA, MARZEC 1937

Freya pracowała z kilkoma hiszpańskimi pielęgniarkami prawie do zachodu słońca. Szykowały szpital polowy – usuwały gruz ze zniszczonych pokojów porzuconego gospodarstwa, czyściły nierówne podłogi i ustawiały łóżka. Była wykończona, ręce miała starte do krwi od przenoszenia cegieł i kamieni, na jej łydkach widać było siniaki i zadrapania. Jak nigdy miała ochotę na mocnego drinka i odpoczynek z Tomem w Madrycie. Tęskniła za gorącą kąpielą i swoim łóżkiem. Czuła się jak księżniczka, budząc się rano w luksusach opuszczonego domostwa nacjonalistów, gdzie stacjonowała kanadyjska jednostka transfuzji krwi. Zadziwiały ją kontrasty w jej życiu, natężenie emocji, fakt, że w tak potwornych okolicznościach znalazła szczęście. Oparła się na szczotce i podniosła blaszaną puszkę z oliwą służącą za lampkę. Knot skwierczał, kiedy oglądała niskie pomieszczenie bez okien.

– Dobra robota, dziewczyny – powiedziała. – Teraz już wiadomo, że będziemy gotowe na rano.

– Tu jesteś! – powiedział męski głos.

– Tom? – Obróciła się. Dostrzegła zaciekawione

spojrzenie jednej z pielęgniarek. – Ta sala jest gotowa, doktorze Henderson.

– Dobrze. Nie musiała pani przy tym pomagać, siostro Temple. Wystarczająco ciężko pracuje pani przy transfuzjach.

– Chciałam pomóc.

– Świetnie. Jest pani gotowa do powrotu do Madrytu? – zapytał, spoglądając znad notatek, które przeglądał. Poczekał, aż hiszpańskie pielęgniarki wyjdą, i rzucił podkładkę do notowania na łóżko. Chwycił Freyę w ramiona, pocałował, przytulił.

– A więc tu się ukrywałaś! Tęskniłem dziś za tobą – wyznał, całując jej szyję. – Nigdy w życiu nie pragnąłem nikogo tak jak ciebie.

Palce Freyi zaplątały się w jego gęstych ciemnych włosach.

W głowie szumiało jej ze zmęczenia i pożądania. Na dźwięk kroków na korytarzu zamarli i zaraz oderwali się od siebie. Freya czekała, wpatrując się w zrujnowane wejście. Jej pierś falowała w rytm szybkiego oddechu. Korytarzem przeszli sanitariusze z noszami.

– Chodź. – Tom wyprowadził ją na zewnątrz. – Mamy jeszcze trochę czasu przed odjazdem karetki.

Szli pośród pól ścieżką wydeptaną przez muły. Słońce wisiało nisko nad horyzontem, świat zalało bursztynowozłote światło. Kiedy nie można ich już było dojrzeć z gospodarstwa, wzięli się za ręce.

Freya zdjęła z głowy czerwoną chustkę i potrząsnęła blond włosami obciętymi na pazia. Całe ciało bolało ją od wysiłku, ale bliskość Toma pobudzała jej zmysły. Ciepły wiatr niósł zapach mężczyzny – czystej bawełny, świeżego potu i wody kolońskiej. Oparła głowę o ramię Toma. Z daleka dobiegał łoskot dział na linii frontu.

– W takich chwilach wydaje mi się niemożliwe, że jesteśmy na wojnie – powiedziała.

Tom objął ją ramieniem. Chwyciła go w pasie, czując pod dłonią jego twarde mięśnie, kiedy szli pod górę, oddalając się od szpitala polowego, od wojny. Przycisnął usta do czubka jej głowy.

– Jak tu pięknie. Założę się, że latem rośnie tu pełno maków.

Zbocze wzgórza wydawało się różowe; ziemia mieniła się odcieniami łososiowym, umbry i brzoskwini, nakrapiana srebrnozielonymi drzewami, przypudrowana białym kurzem jak policzki kurtyzany.

– Moglibyśmy być młodą parą cieszącą się zachodem słońca i swoim towarzystwem...

Tom urwał, bo obok nich świsnęła kula snajpera i utkwiła w drzewie.

– Padnij!

Pociągnął ją w dół i osłonił własnym ciałem w wysokiej trawie.

– Co to było? – Freya zadrżała, kiedy druga kula uderzyła w drzewo i odłupała kawał kory.

– Chyba podeszliśmy za blisko linii ognia. – Tom przewrócił się na bok i się rozejrzał. Wskazał mały zagajnik, obok którego niedawno przechodzili, i rozwalony w kilku miejscach kamienny murek. – Ty pierwsza. Czołgaj się na brzuchu i kieruj w stronę tego murku. Snajper jest daleko, ale nie będziemy ryzykować.

– Boję się, Tom.

– Będę tuż za tobą. – Pocałował ją pośpiesznie. – Jeśli ma zamiar cię zastrzelić, będzie musiał najpierw mnie wziąć na cel.

Freya zaczęła czołgać się przez trawę. Kamienie i wyschnięta ziemia raniły jej łokcie i kolana. Nad jej głową kołysały się źdźbła, ciemne na tle zachodzącego słońca. Wydawało jej się, że minęło sto lat, nim zamajaczył przed nią kamienny mur. Okrążyła go i usiadła, opierając się plecami o nagrzane kamienie i łapiąc oddech. Tom zaraz znalazł się obok niej. Spojrzeli na siebie i wybuchnęli śmiechem. Tom sięgnął do kieszeni i wytrząsnął z pogniecionej paczki dwa papierosy. Zapalił je, podał jednego Freyi.

– W porównaniu z tym randki w kinie będą nam się wydawały nudne – powiedział ze śmiechem.

Freya wypuściła kłąb dymu.

– Tak, trudno będzie o podobne emocje.

– Będzie o czym opowiadać wnukom. – Starł kciukiem jakiś pyłek z jej policzka.

Freya miała wrażenie, że przestrzeń pomiędzy nimi się kurczy.

– Albo i nie – mruknęła cicho. Czuła, że nadeszła odpowiednia chwila. – Pragnę cię – wyszeptała, muskając wargami jego twarz i szyję, jak motyl wolno poruszający skrzydłami. Tom zgasił papierosy i przyciągnął ją do siebie. Upadli na ziemię, zaplątani w swoje ramiona i falującą trawę.

Freya patrzyła na niebo, gdzie jedna po drugiej rozbłyskiwały gwiazdy.

– Chciałabym, żebyśmy tak zostali na zawsze – szepnęła.

Tom uniósł głowę znad jej brzucha, pocałował łuk jej żeber, jej piersi. Przewrócił się na plecy i objął ją ramieniem. Poczuła na policzku ciepło jego ciała, usłyszała miarowe bicie jego serca.

– Powinniśmy być ostrożni – powiedział.

– Nie sądzę, by ktokolwiek się domyślał, że się spotykamy.

111

– Nie o tym mówiłem. Nie obchodzi mnie, czy ktoś wie, że jesteśmy razem. Chcę się tobą zaopiekować. – Odgarnął jej włosy z czoła. – I może wolelibyśmy pobyć jeszcze jakiś czas tylko we dwoje, zanim....

– Och! Mówisz o... – Freya się zaczerwieniła. – O to się nie martw. Nie mam... to znaczy...

– Wiesz, jak na pielęgniarkę potrafisz być okropnie pruderyjna. – Tom był wyraźnie rozbawiony.

Dźgnęła go w żebra.

– Tak czy siak, miesiączki się zatrzymały. Już dawno nie miałam okresu, więc raczej nie zajdę w ciążę. A gdybym jednak zaszła...

– Byłoby cudownie. – Przytulił ją do siebie. – Zostań dzisiaj ze mną. Kochasz mnie?

– Oczywiście. – Ujęła jego twarz w dłonie. – Oczywiście, że cię kocham.

– Wyjdź za mnie.

Ucałowała wierzch jego dłoni.

– Zwariowałeś. Prawie mnie nie znasz.

– Znam cię – odparł, patrząc jej w oczy. – Niczego w życiu nie byłem bardziej pewien. Wyjdź za mnie, Freyo.

Rozdział 16

MADRYT, WRZESIEŃ 2001

Emma biegła po peronie, wymachując ręką do zawiadowcy. Właśnie zamykano ostatnie drzwi, gdy wskoczyła do zatłoczonego pociągu. Zanim znalazła sobie miejsce w wagonie z bufetem, pociąg szarpnął i ruszył z dworca Atocha. Słońce oślepiało przez szyby, gdy z turkotem toczyli się naprzód. Biznesmen z miejsca naprzeciwko pomógł jej umieścić walizkę na półce i Emma wreszcie mogła spokojnie usiąść. Nieco opuściła żaluzję i zamknęła oczy. Cały ranek spędziła w madryckich muzeach, więc gdy zapadała w drzemkę, miała przed oczami wspomnienie *Guerniki* Picassa.

Doleciała ją woń obiadu gotowanego w wagonie restauracyjnym – poznała zapachy czosnku i cebuli oraz intensywny, choć nieco mdły aromat szafranu. W Hiszpanii czuła się tak, jakby powoli wychodziła ze stanu hibernacji. Poprzedniego wieczoru długo chodziła po ulicach, zatrzymywała się w ulicznych kafejkach, żeby zjeść *tapas* i poprzyglądać się miejscowym podczas wieczornego *paseo*. Zapachy miasta działały na nią upajająco – czarny tytoń, parująca kawa, ścieki, smażone pomidory – każdy z nich pomagał jej zmysłom w powrocie do życia. Przystanęła przed starą perfumerią zahipnotyzowana widokiem złoconych, barwnych flakoników w witrynie. Zamknęła oczy i głęboko odetchnęła, a tymczasem drzwi się otworzyły. Róże, pomyślała. Perfumy mamy. Właśnie w tej chwili nabrała niezbitej pewności, że przyjeżdżając do Hiszpanii, postąpiła słusznie.

Pociąg z rytmicznym stukotem wyjechał poza miasto, wyjęła więc książkę z torebki. Przesunęła palcami po wypukłym tytule na płóciennej oprawie – *Motyle Andaluzji*, Charles St. John Temple – zajrzała do środka i uśmiechnęła się do studyjnego portretu Charlesa. Gęste jasne włosy zachodziły mu na czoło, jaskrawy, luźno zawiązany krawat kontrastował z białą koszulą. Znajome niebieskie oczy patrzyły w dal. To musi być zdjęcie sprzed wojny, pomyślała. Odkąd go znam, nigdy nie miał takiej beztroski w oczach. Odwróciła kartkę.

Hiszpania. Największa bieda i największe szczęście mojego życia.

Emma uniosła brwi, czytając to pierwsze zdanie. Nigdy nie słyszała w głosie Charlesa tyle pasji.

Czułem wiatr zmian wiejący z południa. Chodziłem po pylistych drogach śniady jak prorok, kąsany nie tylko przez insekty w przydrożnych gospodach. Podróżowałem dzień za dniem w oślepiającym, parzącym słońcu. W mojej Hiszpanii kury wydziobywały ziarno z podłóg domów, a pod okapem starej sali tanecznej, ozdobionej girlandami goździków, gnieździły się jaskółki. Czarnookie dziewczęta tańczyły – żywiołowe, panujące nad każdym ruchem, porażająco piękne – przed chłopcem, w którego

śpiewie pobrzmiewało cudne zawodzenie islam-
skich lamentów. W mojej Hiszpanii mężczyźni byli
pełni temperamentu, niezależni, krnąbrni i nazy-
wali cię hombre. *W tym kraju przebywasz pośród*
wielkich, ciepłych rodzin, a mimo to nigdy nie
czułem się bardziej samotny niż w tych opustosza-
łych wsiach spowitych cieniem ani na rozległych
polach, z których znienacka wzbija się w powie-
trze tysiąc białych motyli niczym melodia porwana
przez wiatr.

Emma cicho gwizdnęła pod nosem i pokręciła głową. To
nie był Charles, którego znała. Zerknęła na ostatnią stronę.

Niektórzy twierdzą, że Hiszpania była emocjo-
nalnym luksusem dla młodocianych intelektuali-
stów, ale nie zgodzi się z tym żaden człowiek, który
kochał ten kraj i za niego walczył. Hiszpania jest
Europą w miniaturze. Wojna domowa była eksplo-
zją w arsenale, wybuchem siły, która gromadziła
się od wieków. Walczyłem za ten kraj i jak wielu
zapłaciłem za to wysoką cenę. Mojej Hiszpanii
już nie ma, nie ma tego kraju spacerów przy księ-
życu po Albaicin i Alhambrze, podków mułów
dźwięczących na kamieniach kapryśnych ścieżek,
rudej ziemi, zgniecionych liści mięty i śniadych,
ogorzałych twarzy zbyt wcześnie naznaczonych
wiekiem. W porównaniu z chwilą prawdy życie
jest obłoczkiem pary z oddechu, tak mówią Hisz-
panie, a w tym pięknym, nieoświeconym kraju
widziałem na własne oczy, że moment, w którym
wszyscy jesteśmy całkiem sami, staje się udziałem
zbyt wielu.

Emma przekładała kartki w poszukiwaniu zdjęć. Sądziła wcześniej, że książka okaże się suchym zbiorem faktów, katalogiem motyli, które Charles złapał w Andaluzji, ale rysunki i zapiski na ten temat przeplatały się z obrazami i wspomnieniami z wojny. To wszystko jego prace? – zastanawiała się. Nie wiedziała, że Charles fotografował zawodowo. Przerwała kartkowanie na stronie ze zdjęciem szczupłej dziewczyny o jasnej karnacji, opierającej głowę na strzaskanej kolumnie zbombardowanego domu. Przeczytała podpis: „Gerda". Gerda miała na wargach uśmiech, ale nie patrzyła w obiektyw, jakby usiłowała głośno się nie roześmiać. Emma wyobraziła sobie Charlesa w tej sytuacji, chodzącego wzdłuż fasady zburzonego budynku, kierującego obiektyw na kobietę z różnych miejsc. Gerda, pomyślała. Gerda Taro, partnerka Roberta Capy. Wyczuła zaangażowanie kryjące się w spojrzeniu Charlesa. Sprawdziła datę: front pod Cordobą, czerwiec tysiąc dziewięćset trzydziestego siódmego roku. Kilka tygodni przed bitwą pod Brunete.

Pociąg gnał naprzód. W pewnej chwili Emma zerknęła za okno i ujrzała rude wzgórza przesuwające się wraz z obserwującym je wielkim czarnym bykiem z reklamy brandy Osborne. Biedny Charles, pomyślała.

Zaczęła przeglądać wojenne zdjęcia. Poważne, wyzywające twarze żołnierzy, nienaturalnie powykrzywiane ciała na barykadach, dzieci z rozumiejącym, zmęczonym spojrzeniem starych ludzi. To widzieliście z Freyą, myślała. Przy ostatniej fotografii zatrzymała się i obróciła książkę pod kątem. Był to akt – przedstawiał młodą kobietę skromnie osłoniętą prześcieradłem, kryjącą twarz za czarnym wachlarzem. No, Charles! Uśmiechnęła się. Nie spodziewałabym się tego po tobie, stary draniu. Zerknęła na ostatni akapit z sąsiedniej strony:

*Jeśli ten biedny, znękany kraj podniesie się z po-
piołów, to tylko dzięki swoim kobietom. Człowiek
na ogół nie zauważa, że społeczeństwa mogą się cofać, a nie tylko iść naprzód. Wierzyliśmy w zwycięstwo, nie braliśmy pod uwagę możliwości, że przegramy. A jednak przegraliśmy. Walczyliśmy, mając
u boku nasze kobiety, mimo to Hiszpania wróciła
do przeszłości. Hiszpańskie kobiety mają w sobie
wszystko, co jest w Hiszpanii dobre. Ten kraj żyje
w ich sercach i ich poświęceniu. W Hiszpanii po-
znałem najpiękniejsze kobiety, jakie kiedykolwiek
widziałem, promienne i delikatne, nieuchwytne
i pełne uroku, tak jak motyl. Jeśli Hiszpania się
podźwignie i będzie znowu wolna, to właśnie dzięki
nim.*

Dając jej tę książkę, Charles spłonął rumieńcem.

– Jest oczywiście okropnie przestarzała – powiedział,
gdy Emma odwijała szary papier z prezentu po ich wspólnym podwieczorku w Fitzbillies, niedaleko miejsca, gdzie
Charles mieszkał w Cambridge. – W swoim czasie zaćmiły
ją książki Lee i Orwella. Ilekroć przechodzę obok antykwa-
riatu, czuję się w obowiązku spytać: „Czy mają państwo
Motyle Andaluzji Charlesa St. John Temple'a?". – Parsknął
śmiechem. – Proza pozostawia nieco do życzenia, ale może
fotografie wytrzymały próbę czasu.

Emma przeglądała zaplamione strony wydzielające zapach pleśni.

– Jesteś zbyt skromny. Zdjęcia są wspaniałe. Dlaczego
przestałeś się tym zajmować?

Widziała przecież, jak dumny jest z tej książki.

Otarł usta serwetką.

– Miałem swoje pięć minut. W klubie była mała uroczystość. Zresztą wciąż wisi tam jedno z moich zdjęć. Ale wiesz... – Wskazując ruchem głowy kikut ręki, spuścił wzrok. – To jednak przeszkadzało. Poza tym, szczerze mówiąc, potrzebowaliśmy stałego dochodu, póki twoja matka była dzieckiem. Gdy Liberty poszła do szkoły, Freya wróciła do pracy pielęgniarki, ale wcześniej musieliśmy jakoś wiązać koniec z końcem tylko z mojej pensji.

Emma ujęła go za rękę.

– Dziękuję ci. Zachowam tę książkę jak skarb.

– Nie chce mi się wierzyć, że jedziesz do Hiszpanii – powiedział cicho.

– Byłeś tam jeszcze przed wojną, prawda?

– Ja? Tak. Tuż przed wybuchem wojny włóczyłem się po Andaluzji i uganiałem za motylami. Hugo i ja mieszkaliśmy u Geralda Brenana, w jego starym domu niedaleko Yegen. On wtedy był mocno związany z grupą Bloomsbury, to wiesz. Przesympatyczny człowiek, mnóstwo mi opowiedział o historii Hiszpanii. – Charles odchrząknął. – Mają tam zachwycające modraszki, a szachownice... są po prostu piękne. Pamiętam chmary biedronek, przez nie rzeki wydawały mi się krwistoczerwone.

Urwał i sztywno wstał, opierając się o stolik. Przy drzwiach podał Emmie płaszcz, po czym odebrał swój filcowy kapelusz i szalik.

Wyszli. Wieczorem nie było już takiego gwaru jak w godzinach szczytu. Światło latarń sączyło się między gałęziami nagich drzew. Minęła ich grupa studentów śpieszących do akademika. Emma szła powoli wsparta na ramieniu Charlesa.

Przy bramie jego college'u przystanęli, Charles otoczył ją ramieniem i uściskał.

– Uważaj na siebie, wuju Charlesie – powiedziała, mocno odwzajemniając uścisk. Odetchnęła dobrze znanym zapachem: Acqua di Parma, gałki antymolowe i tytoń marki Drum. – Mam nadzieję, że się nie przepracowujesz.

– Ja? Oficjalnie przeszedłem na emeryturę już wiele lat temu, ale oni są tacy dobrzy, że pozwalają mi szwendać się po terenie uniwersytetu. Dziwię się, że jeszcze mnie nie wypchali i nie wstawili do szklanej gabloty obok dinozaurów. – Puścił do niej oko. – Prawdę mówiąc, dobrze jest wynieść się z Londynu. Freya nie musi mną przez cały czas rządzić. Z przerwami spędziłem tutaj ponad sześćdziesiąt lat. – Uchylił przed nią kapelusza. – Bądź ostrożna, Em. Wiesz, że zawsze tu jesteśmy, w razie gdybyś nas potrzebowała.

Emma pomyślała o liście Liberty: „W razie pilnej potrzeby".

– Wzajemnie. Wiecie, gdzie mnie szukać.

– W krainie kwiatów i miłości...?

Rozdział 17

MADRYT, MARZEC 1937

Charles i Hugo jedli obiad w swojej ulubionej restauracji przy Gran Via. Charles rozejrzał się dookoła – wyglądało to jak zgromadzenie wszystkich pisarzy świata, którym się powiodło. Zawsze miał tu wrażenie, że za chwilę ktoś podejdzie i powie mu, że to nie miejsce dla niego. Kiedyś podzielił się tym przeświadczeniem z Capą, który wybuchnął śmiechem.

– Powiem ci coś i możesz mi wierzyć. Gdy tylko budzi się w tobie przekonanie, że masz święte prawo gdzieś być, kończy się dobra zabawa. Baw się więc i już.

U szczytu stołu rej wodził Hemingway, zaborczo otaczający ramieniem Marthę Gellhorn, swoją czarującą i zatrważająco bystrą przyjaciółkę. Charlesa urzekła do tego stopnia, że ledwie zdobył się na odwagę, by powiedzieć jej „dzień dobry". Byli tu również Ted Allan, komisarz polityczny w zespole transfuzyjnym Bethune'a, i Gerda. Charles zerkał na nią raz po raz, jakby była barwnym motylem.

– Schowaj język – szepnął do niego Hugo, gdy sięgał po popielniczkę.

– Nie wiem, o czym mówisz.

Charles skrzyżował ramiona.

– Nie możesz oderwać od niej oczu. Zauważy to, jeśli nie zachowasz ostrożności.

Hemingway zwrócił się do Teda.

– Wiesz, co ci dobrze zrobi, chłopcze? Odłóż swoje historyjki na dziesięć lat i dopiero potem do nich wróć.

– Papo, jesteś bezlitosny. Ted dobrze pisze – powiedziała Gerda i spojrzała Hemingwayowi w oczy.

– Czyżby? Panno Femme Fatale, za dziesięć lat może będzie wielki. Może wtedy napisze coś dobrego, czystego i prawdziwego.

Ted się zaczerwienił. Sprawiał wrażenie wściekłego i upokorzonego.

Hugo skłonił głowę ku Charlesowi.

– Tak to wygląda, kiedy król stołu zamachnie się na szczeniaka.

Charles w głębi serca odczuwał ulgę, że nie odważył się pokazać Hemingwayowi swoich notatek do książki o Hiszpanii.

– Jaki mamy plan na dzisiaj? Znowu w pole po dobrym obiedzie? Jeśli można to coś nazwać dobrym obiadem.

Kiszki wciąż grały mu marsza. Smętnie grzebał widelcem w resztkach ryżu z ciecierzycą. Nie mógł się przyzwyczaić do tego, jak normalnie wyglądają restauracje. Wszystko było w nich na miejscu: kelnerzy, zastawa, białe obrusy. Wszystko z wyjątkiem jedzenia.

– Hemingwayowi akurat potrzebny taki obiad – szepnął Hugo. – Sądzisz, że on wie, jak denerwujący jest dla wszystkich zapach jego bekonu i jajek smażonych codziennie rano?

– Moim zdaniem nic go to nie obchodzi. – Charles dopił kawę. – Może zdołamy namówić komuszków, żeby i nam przynosili śniadanie do łóżka?

– Nam? – Hugo parsknął śmiechem. – Tacy ważni to my nie jesteśmy.

Charles zerknął na Gerdę, zastanawiając się, co może zrobić, żeby zwróciła na niego uwagę. W czasie wolnym od walki i wysyłania korespondencji Charles i Hugo pomagali republikańskim żołnierzom we frontowej szkole. Mężczyzn uczono czytać i pisać, tłumaczono im zalety wierności małżeńskiej, abstynencji, wegetarianizmu. Zapał tych prostych ludzi poruszył ich obu. Charles opowiadał podczas swoich zajęć o florze i faunie, a Hugo tworzył na starej, poszczerbionej tablicy piękne ilustracje maków i motyli.

Tego ranka po zajęciach, gdy przechodzili wśród oddziałów, Charles zauważył, że jego uczniowie ustawiają się w rzędzie do objazdowej *peluquería*, gdzie golono ich i strzyżono. Duże wrażenie zrobił na nim widok bladej skóry na ich karkach odsłoniętych przez brzytwę. Poczuł takie braterstwo z tymi ludźmi, był z nich tak dumny, że do oczu nabiegły mu piekące łzy. Nagle zrozumiał, o co walczą. Gdyby nacjonaliści zwyciężyli, wszystko zostałoby po staremu. Ci ludzie dalej byliby tłamszeni, bici, wciąż odmawiano by im wiedzy. Usiadł na kępie trawy, na rozgrzanej ziemi, niedaleko grupy nowych rekrutów, których szkolono w rozkładaniu i składaniu broni, i zaczął przyglądać się ich ogorzałym chłopskim twarzom. Dalej na polu musztrowano wiejskich chłopaków, którzy maszerowali tam i z powrotem z miotłami na ramionach. Po raz pierwszy w życiu Charles poczuł, że jest właśnie tam, gdzie powinien być.

Nagle ciszę przerwał odgłos karabinowego ognia i Charles zerwał się z miejsca. Natychmiast odszukał wzrokiem aparat i broń. Hugo podbiegł i podał mu lornetkę. Charles skierował ją na postaci biegnące ku wzgórzu. Dostrzegł z przodu rudowłosą kobietę pędzącą przez otwarty teren.

– Kto to? Jakaś szalona!

Wypowiadając te słowa, już zdawał sobie sprawę, kogo widzi. Dziewczynę z fotografii. Serce ścisnęło mu się w piersi.

– Jeszcze nie poznałeś Gerdy? – Hugo się roześmiał. – Ona jest nieustraszona, podobnie jak Capa. To szaleńcy, Charles, ciągle ryzykują życie. Taka dwójka dzieciaków zakochanych w sobie wzajemnie i w życiu. To wszystko jest dla nich wspaniałą zabawą.

Gerda wskoczyła do okopu, a blask słońca odbijał się w jej włosach. Charles przypomniał sobie, że w rodzinnych stronach widział kiedyś lisa, który śmiga gibki i jaskrawy w wysoką trawę i znika jak gasnący płomień.

Lisiczka, pomyślał, widząc ją między głowami żołnierzy. Bardzo pragnął być tym mężczyzną, który stoi obok niej.

Udało mu się z nią w końcu porozmawiać następnego ranka. Szedł sprężystym krokiem korytarzem Casa de Alianza ku samochodom i wydawał dyspozycje jednej z sekretarek.

– Czy może to pani zanieść jak najszybciej do biura prasowego w budynku Telefóniki? – W ostatniej chwili chciał zrobić poprawkę w korespondencji i rozdarł piórem cienki, prześwitujący papier. – Do diabła, co za świństwo!

Sekretarka parsknęła śmiechem.

– Przynajmniej ma pan jeszcze papier do pisania. Znam dziewczyny, które piszą na rolkach toaletowego.

– Hej, to pan jest Charles?

Podniósł głowę znad brudnopisu i w uchylonych drzwiach sypialni zobaczył Teda Allana piszącego na maszynie marki Royal.

– Dziękuję – powiedział, ostatecznie wręczając brudnopis sekretarce.

Miał nadzieję, że jego pisanina dostanie nieodzowną aprobującą pieczęć cenzury. Przeczesał dłonią włosy i podszedł do Teda.

– Charles Temple z „Manchester Guardian".

– Miło mi poznać. Widziałem pana wczoraj na obiedzie. Capa powiedział, że kręci się tu taki jeden mały Anglik.

– Ted wstał i wyciągnął do Charlesa rękę. – Byłem wczoraj wieczorem u ludzi Betha. Pana siostra prosiła, żebym to przekazał. – Podał Charlesowi tabliczkę owiniętą w serwetkę.

– Dziękuję.

Charles odpakował przesyłkę, a gdy obrócił deseczkę, ujrzał odmalowany ze szczegółami gaj pomarańczowy, w oddali zaś świetliste, czerwonofioletowe góry.

Ted zerknął mu przez ramię.

– Niezła artystka z tej Freyi. – Przekrzywił głowę. – Beth bardzo lubi dzieła sztuki. Próbuje jej pomóc, żeby trochę odpoczęła.

W to nie wątpię, pomyślał Charles, zaglądając w głąb pokoju Teda. Mały Anglik, dobre sobie, pomyślał. Wzrostem z pewnością dorównywał Amerykaninowi. Nagle znieruchomiał. Zauważył Gerdę siedzącą po turecku na łóżku. Zakładała nowy film do aparatu. Gdy podniosła głowę, jej krótko przystrzyżone rudoblond włosy wydały mu się aureolą. Przypomniał sobie boginie, których wizerunki widywał w książkach o Wschodzie: spokojne, złociste, promienne. Chłodne oczy obserwowały go spod długich łuków brwi. To kocie spojrzenie czuł i na ciele, i we wnętrzu.

– Zna pan Gerdę? – spytał Ted.

– Nie. Cieszę się, że mogę panią poznać. – Charles podszedł i podał jej rękę. – Pani też fotografuje?

– Tak. A pan?

– Wciąż się uczę.

– Taki los nas wszystkich.

– Capa powiedział mi, że talent nie wystarczy, trzeba jeszcze być Węgrem. W zasadzie mogę się poddać.

Gerda roześmiała się głośno.

– Takie gadanie jest do niego podobne. – Wstała i zmierzyła Charlesa wzrokiem. Miała rzeczywiście nie więcej niż metr pięćdziesiąt wzrostu. – Wie pan, aparat jest tak dobry, jak ten, kto go obsługuje, wszystko jedno, mężczyzna czy kobieta. – W jej zielonych oczach pojawił się błysk rozbawienia, gdy położyła mu dłoń na piersi. – Wszystko jest przedłużeniem tego... – Wyczuła bicie jego serca. – I tego – dodała, dotykając jego czoła, jakby go błogosławiła. – Obrazy są tutaj, tylko czekają.

– Och, chciałbym... – Charlesowi zabrakło słów.

– Jedzie pan jutro do Guadalajary?

– Ja? Tak. Właśnie skończyłem pisać korespondencję.

– Poczekamy na pana. Mamy miejsce w samochodzie.

– Dziękuję.

Wychodząc, Charles zauważył ledwo widoczny grymas urazy na twarzy Teda.

Troje młodych reporterów usadowiło się w samochodzie, który potoczył się w stronę Plaza de Cibeles. Gerda postawiła kołnierz płaszcza, przysłaniając nim uszy.

– Zimno ci? – Ted otoczył ją ramieniem i przyciągnął do siebie.

Charles obserwował ich kątem oka, czyszcząc obiektyw aparatu.

– Jak panu odpowiada contax? – spytała Gerda.

– Dobry jest. A pani co ma?

– Rolleia – powiedziała, opierając się o drzwi tak, by mieć obu mężczyzn przed sobą. Przy okazji wsunęła czubek stopy pod nogę Teda. Charles mimo woli odnotował poufałość tego gestu. – Contax jest dla mnie za drogi, zastanawiam się jednak, czy nie zmienić aparatu na leicę.

– Gerda wychodzi z niemałego cienia naszego pana Capy – powiedział Ted.

Charlesowi nie spodobał się ton jego głosu.

– Kiedy Bob ma wrócić z Paryża?

– Jadę do niego za kilka dni – powiedziała Gerda.

– Ach tak. – Charles starał się ukryć rozczarowanie. – Wy dwoje dużo jeździcie.

– Trzeba gonić za pracą – odrzekła, przesyłając mu uśmiech. – Ale wrócimy. Oglądał pan zdjęcia uchodźców z Malagi, które robiliśmy w lutym? – spytała Charlesa, wsuwając kosmyk za ucho. – Nigdy czegoś podobnego nie widziałam. Jak biblijny exodus. Na drodze do Almerii było chyba ze sto pięćdziesiąt tysięcy ludzi. A te sukinsyny wciąż nadlatywały. Widziałam, jak samoloty kosiły ogniem karabinów maszynowych kobiety, dzieci, starców… – Nie odwróciła wzroku. – Wspaniałe, wymowne ujęcia, oczywiście.

Jeszcze tego samego dnia, tylko nieco później, Charles zaczął rozumieć, co musieli czuć ci ludzie. Leżał w płytkim okopie z kilkoma innymi reporterami. Dookoła nich toczyła się zażarta bitwa, republikanie krok za krokiem zmierzali do zwycięstwa nad Włochami Mussoliniego. Od prób pogłębienia okopu miał połamane paznokcie i pokrwawione palce, ale i tak zdawało mu się, że wystaje z niego na kilometr.

– Myślisz, że oni celują specjalnie w nas? – spytał człowieka skulonego obok.

– Nie, po prostu… Cholera! Padnij!

Mężczyzna osłonił głowę ramionami i zrobił gwałtowny skłon. W pobliżu eksplodował kolejny pocisk, posypała się na nich ziemia.

– To nie jest śmieszne – powiedział Charles.

Kule z karabinów maszynowych orały grunt dookoła niczym gradobicie.

– Człowiek właściwie się nie boi, że oberwie, tylko zastanawia się w co – rzekł tamten. – Włosy jeżą się na całym ciele.

Charles wyciągnął szyję i dostrzegł błysk obiektywu Gerdy w drugim okopie, nieco z tyłu. Czuł euforię republikanów. Zmierzchało i walka traciła na intensywności. Czekał już tylko na sygnał powrotu do samochodów. Świadomość, że udało mu się przeżyć następny dzień i że ona jest blisko, zaledwie parę metrów od niego, sprawiała mu olbrzymią radość. Gdy wpatrywał się w oddalone śnieżne czapy na szczytach Sierry, był sztywny z zimna, a w nogach miał bolesne skurcze, ale pierwszy raz od dawna naprawdę żył.

Rozdział 18

WALENCJA, WRZESIEŃ 2001

Przechodząc bez pośpiechu przez Plaza del Ayuntamiento, Emma jeszcze raz sprawdziła adres agenta. Dotarła na miejsce przed czasem, jak zwykle, więc postanowiła trochę pozwiedzać. Były w tym mieście zmysłowość, łagodność światłocienia, która natychmiast ją urzekła. Nieco dalej zobaczyła młodą kobietę polewającą wodą z cynowego wiaderka chodnik przed kawiarnią, podczas gdy mężczyzna rozstawiał stoliki i krzesła dla porannych gości. Emma krążyła po placu, przyglądając się barokowej architekturze i bujnym palmom, symbolom męskości. Przystanęła przed sklepikiem z dewocjonaliami. Z witryny wpatrywały się w nią zwarte rzędy identycznych Madonn mających w oczach wyraz melancholijnego zrozumienia.

Kawiarnia Santa Catalina wyglądała przytulnie i gościnnie, więc Emma zajęła miejsce przy barze. W wielkich lustrach ściennych sięgających mozaikowej ceramicznej posadzki odbijało się kilka jej wizerunków.

– Próbowała pani *horchata*? – spytał barman.

– A co to takiego?

– *Chufas*, mleko z migdałów ziemnych. A może lepsza będzie dla pani gorąca czekolada?

– Czy czekolada może nie być dobra? – Emma podparła ręką brodę. Za kontuarem stały w piramidkach białe miseczki, nad nim wisiał w złoconej ramie obraz przedstawiający Matkę Bożą Opuszczonych, miejscową patronkę, obok jakieś piłkarskie trofeum i stare plakaty reklamowe z pozaginanymi krawędziami. Sarniookie tancerki flamenco w sukienkach w czerwone grochy i szalach z frędzlami próbowały ją urzec, by kupiła oliwę Hilo de Oro, co zresztą robiły od dziesięcioleci.

– Jest pani na wakacjach? – spytał barman, stawiając przed nią talerz z pączkami *buñuelos*.

– Nie, tu jest mój dom – powiedziała, sprawdzając, jak to zabrzmi w jej ustach.

Tuż po dziewiątej pchnęła dwuskrzydłowe przeszklone drzwi w stalowej ramie, prowadzące do biura agenta nieruchomości. Obcasy jej botków zastukały na płytkach ceramicznych.

– *Buenos días* – powiedziała recepcjonistka, spoglądając na nią apatycznie znad starej maszyny do pisania. Jej długie proste włosy opadały na nylonową koszulę z żabotem, a entuzjazmu było w niej tyle, ile w zakurzonych plastikowych kwiatach stojących obok na serwetce.

– *Buenos días, señorita* – odpowiedziała ostrożnie Emma. – Przepraszam, mój hiszpański nie jest najlepszy.

Dziewczyna wzruszyła ramionami.

– Mój angielski też nie.

Z gabinetu za drzwiami Emma usłyszała odgłos przesuwania metalowych nóg mebla po płytkach.

– Fidel! Hej! Fidel! – zawołała dziewczyna.

Obłok dymu obwieścił jego nadejście. Ukazał się pulchny człowieczek w swetrze ręcznej roboty, z papierosem w zębach, i wyciągnął do Emmy dłoń z palcami jak kiełbaski. Gęste siwe włosy opadały mu na oczy. Emma oceniła, że agent musi być mniej więcej równolatkiem jej matki.

– *Encantado*. Fidel Pons Garcia. Czy pani mąż również przyjdzie?

– Mój mąż?

– Hm, nie moja sprawa, prawda? – Zerknął na dziewczynę, która z zainteresowaniem śledziła rozmowę. – Mario!

Klasnął w dłonie. Dziewczyna zaczęła stukać w klawisze, a on wyciągnął z szafy wielkie koło z kluczami.

Emma wyszła przed biuro.

– Pięknie tu jest. Czy pan mieszka w samym mieście?

– Ja? Nie. Mieszkam w starym domu rodziców w La Pobli, niedaleko od Villa del Valle. – Zaprowadził ją na boczną uliczkę. – Mam tu zaparkowany samochód. Wie pani, pracuję z pięcioma braćmi i siostrą. Wszyscy gnieździmy się w jednym domu i łazimy sobie po głowach, a pracujemy też razem...

Gdy skręcali za róg, cisnął papierosa do rynsztoka.

– Szczęśliwy z pana człowiek – powiedziała Emma. – Wspaniale jest mieć dużą rodzinę.

Ktoś zawołał z samochodu. Fidel wyszedł na jezdnię między pojazdy, pochylił się do okna kierowcy i przez chwilę przyjaźnie z nim gawędził, nie bacząc na auta zatrzymujące się z tyłu. Nikt nie użył klaksonu. Gdy rozmowa dobiegła końca, Fidel wielkodusznie pomachał ręką kierowcom z ogonka i wszyscy ruszyli.

– Chce pani mieszkać sama w tym domu? – spytał, prąc naprzód krótkimi, lecz sprężystymi krokami. Przystanął obok starego, odrapanego seata i zaczął manipulować przy drzwiach.

– Tak. – Emma z trudem za nim nadążała.

Wzruszył ramionami i otworzył drzwi po stronie pasażera.

– Pani jest odważna. Połowa miasteczka uważa, że tam straszy.

Zepchnął z siedzenia na podłogę plik papierów. Gdy Emma zajęła miejsce, owionął ją odór mokrej sierści psa. Silnik zaskoczył przy drugiej próbie.

– Naprawdę?

– Druga połowa jest zdania, że na tym domu ciąży klątwa.

Wyjechali kawałek za miasto i wkrótce znaleźli się wśród gajów pomarańczowych i pól cebuli. Agent skręcił z szosy w stronę niewielkiego miasteczka i mijał teraz domy kryte ceramiczną dachówką. Emma opuściła szybę. Poczuła wilgotną ziemię i czysty zielony zapach wody pluskającej w kanałach odpływowych. Pod starym drzewem oliwnym przy cmentarzu stłoczyło się stadko brązowych owiec. Fidel wskazał ku szczytowi pagórka, gdzie widać było wysoką żeliwną bramę stanowiącą wyłom w solidnym bielonym murze. Powyżej Emma dostrzegła jeszcze czworoboczną wieżę dzwonniczą z mauretańskim łukiem.

– To tam – rzucił, wzbijając chmurę kurzu przy hamowaniu. – Proszę się nie śpieszyć. Otworzę pani bramę.

Zanim zdążyła go dogonić, był już w trakcie kłótni z Marokańczykiem sprzedającym przed bramą dywany i róże. Energicznie gestykulując, agent pokazywał młodemu człowiekowi, że ma się wynieść.

– Nie, to nie problem – powiedziała Emma, przesuwając dłonią po ceramicznej tabliczce z napisem „Villa del Valle".

– To jest teraz pani dom. Nie chce pani handlarza tutaj.

– Te kwiaty są piękne. – Wyjęła z torebki banknot. – Dzień dobry. Jestem Emma.

– Aziz.

Z bliska zobaczyła, że jest naprawdę bardzo młody. Mógł mieć piętnaście, najwyżej szesnaście lat.

– Możesz zostać, mnie to nie przeszkadza. To mój dom.

Skinął głową i podał jej bukiet róż.

– Tacy ludzie nie są tutaj mile widziani. – Agent zmierzył Marokańczyka kosym spojrzeniem.

– A święto Maurów i chrześcijan? Dużo o tym czytałam.

Wydawał się zaskoczony.

– Proszę uważać. On panią wykorzysta.

– Tak pan sądzi? Z mojego doświadczenia wynika, że jeśli traktować ludzi z szacunkiem, starają się go odwzajemnić.

Oparła się o mur i przysłoniła oczy przed blaskiem słońca. Jakaś stara kobieta, widząc, że pierwszy raz od lat ktoś otwiera bramę, przeżegnała się i przeszła na drugą stronę drogi.

Fidel pchnął to zardzewiałe żelastwo i wprowadził Emmę do środka. Gdy brama za nimi znów się zamknęła, odgłosy miasteczka i ruchu ulicznego ucichły. Emma znalazła się w otoczonym murem ogrodzie. Powoli rozejrzała się dookoła. O mamo, jak pięknie! – pomyślała. Cierniste bugenwille ze szkarłatnymi kwiatami opanowały mury, a na trawnikach rosły drzewka pomarańczowe. Gdy szła zapuszczoną alejką, długa trawa łaskotała ją po nogach. Owady bzyczały monotonnie, jakby ktoś grał na grzebieniu.

– Potrzebuję ogrodnika – powiedziała.

– Nie tylko – rzekł Fidel, prowadząc ją do kuchennych drzwi.

Emmę zachwyciły wysokie, tynkowane ściany domu i cienisty taras u podnóża dzwonnicy.

– Nie ma elektryczności, wodę trzeba nosić ze studni, być może już wyschniętej – mówił Fidel. – Od lat

trzydziestych nikt tu nie konserwował rur... Powiedziałem
pani matce, że jest szalona, ale się uparła.

– Znał pan moją matkę?

– Ja... Pomagaliśmy jej w papierkowej robocie.

Z kieszeni marynarki wyciągnął klucze i zaczął szukać
tego, który pasowałby do drzwi.

– Chwileczkę – powiedziała Emma i wyjęła z torebki
pudełko z listami. Przełożyła kilka kopert, wreszcie znalazła tę oznaczoną słowami „Villa del Valle" i wytrząsnęła
z niej klucz na dłoń Fidela.

– *Gracias.* – Otworzył drzwi. – Kiedyś wszystkie grunty
od tyłu też należały do tej posiadłości, te wszystkie gaje
pomarańczowe, jak okiem sięgnąć. Teraz zostało tylko tyle.
– Lekceważąco skinął dłonią w stronę zarośniętego ogrodu.

– Jest znakomicie. – Niebieska farba odłaziła z drzwi.
Sąsiednie domy były bardziej nowoczesne: eleganckie wille
lśniły płytkami ceramicznymi i metalowymi okiennicami.
Villa del Valle bez wątpienia powstała znacznie wcześniej.
Części domu wydawały się jeszcze mauretańskie. Okna
były dokładnie osłonięte drewnianymi okiennicami, ciężkie
drewniane drzwi dzwonnicy zamknięte na cztery spusty.
Emma przesunęła wzrokiem po ozdobnym gzymsie dachu
i żeliwnych balkonach na pierwszym piętrze. – Dom jak
z baśni.

Agent uniósł brwi i nacisnął klamkę.

– Tak jak powiedziałem, nie ma elektryczności, więc
nie wiem, ile uda się pani zobaczyć. – Emma popatrzyła na czarne kable oplatające sąsiedni dom i pomyślała,
że może dobrze będzie zacząć od zera. – *Joder!* – zaklął
pod nosem Fidel, po czym naparł ramieniem na stawiające
opór drzwi. – *Vamos!* – wykrzyczał triumfalnie.

Z wysokiej trawy wychynęła bura kotka i przyjrzała im
się nieufnie.

– Ha! Jesteście takie same – powiedział agent, gestem dając do zrozumienia, że myśli o wielkim brzuchu. Podał Emmie klucz i plik papierów. – Cała umowa jest tutaj.

– Dziękuję.

Fidel zerknął z powątpiewaniem w głąb ciemnego domu.

– Na pewno chce pani tutaj zostać?

– Nigdy w życiu nie byłam niczego bardziej pewna.

– Powiem córce, żeby przysłała pani skrzynkę owoców i warzyw. Ona prowadzi sklep warzywny na targu. Gdyby pani czegoś potrzebowała, może pani zwrócić się do niej albo zadzwonić do mnie, do Walencji. Powodzenia.

Gdy Emma została sam na sam z kotką, przykucnęła i wyciągnęła dłoń.

– Cześć.

Kocica wycofała się z sykiem i przemknęła pod ścianą ku ciemnościom.

– Nie chcesz się zaprzyjaźnić? – Wstając, Emma zobaczyła jeszcze, jak kotka z zadartym ogonem niknie w mroku sieni. – I jak myślisz? Będziemy tutaj szczęśliwe?

Przechodziła z jednego pokoju do drugiego. Wszędzie bielone ściany i mrok za zamkniętymi okiennicami, wszędzie cisza. Zostawiała ślady stóp na zakurzonych płytkach posadzki. Wreszcie pootwierała okna i wnętrze zalało światło. Nie było wiele do obejrzenia. Ostatni mieszkaniec zostawił tylko pożółkłe gazety, butelki po koniaku i na zlewie mydło, które chyba skamieniało. Z mebli przetrwał jedynie wielki drewniany stół w kuchni. Prawdopodobnie był zbudowany od razu w tym pomieszczeniu, a z uwagi na rozmiary trudno go było usunąć. Nikomu nie chciało się rozpiłować go na kawałki i przeznaczyć na opał.

Wyszła do ogrodu za domem i zaczęła przechadzać się w trawie do kolan. Wśród bujnych chwastów znalazła miętę, rozmaryn i lawendę, dziko rosnące, zaniedbane. Roztarła w palcach łodyżkę rozmarynu i odetchnęła jej zapachem. Uświadomiła sobie, że patrzy na resztki ogródka warzywnego. Potem, chodząc wzdłuż muru, zaczęła rozplanowywać układ grządek i zapisywać pomysły w notatniku matki. Zawsze marzyła o stworzeniu wonnego ogrodu i wiele godzin poświęciła na spacery z Liberty po wielkim sklepie Chelsea Gardener. Zastanawiała się wtedy, które rośliny by chciała mieć. Instynktownie wiedziała, co chciałaby zasadzić tutaj, i stopniowo szkicowała plan z małą sadzawką. Gdy stanęła przy bramie od frontu i spojrzała na dom, wyobraziła sobie obłożoną płytkami fontannę i strugę wzdłuż alejki prowadzącej do wejścia. Ogród należało przywrócić do życia. Może i on zrobi to samo dla mnie, pomyślała. Nie miała pojęcia, jak ani dlaczego Liberty wyszukała ten dom, uświadomiła sobie jednak, że dostała od niej ostatni prezent.

– Dziękuję, mamo – powiedziała cicho.

Noc przespała na podłodze kuchni swojego nowego domu. W szeroko otwartym oknie świeciły gwiazdy. Wcześniej kupiła na targu w miasteczku nadmuchiwany materac, dwa koce i poduszkę, a w sklepie Pollos Asados – pieczonego kurczaka. Postanowiła zaryzykować rozpalenie ognia w kominku i już wkrótce, siedząc w blasku płomieni na swoim zaimprowizowanym łóżku, ogryzała nóżkę. Po jedzeniu umyła zęby wodą mineralną, skoczyła na materac... odbiła się i wylądowała w plątaninie koców obok. Zaczęła się śmiać. Oto jak wygląda spełnienie marzeń, pomyślała.

Zapaliła latarkę i sięgnęła po kosmetyczkę, z której wyjęła flakonik olejku migdałowego. Potem wybrała dwa mniejsze ciemne flakoniki spośród tych, w których miała esencje. Dodała po dwie krople esencji rumiankowej i lawendowej do olejku bazowego, wszystko odrobinę podgrzała w dłoniach i zaczęła rozcierać, wdychając odprężający aromat. Potem położyła dłonie na brzuchu i gdy rozpoczęła delikatny masaż, poczuła w odpowiedzi lekkie kopnięcie dziecka.

– Hej, ty – powiedziała z uśmiechem. – Jesteśmy na miejscu. – Rozejrzała się niepewnie po mrocznych zakamarkach kuchni. – Jutro powinniśmy się chyba zainteresować lekarzami i szpitalami.

Nagle poczuła, że to wszystko ją przerasta.

Ostrożnie ułożyła się na materacu i sięgnęła po pudełko z listami matki. Przejrzała je przy latarce i wybrała jeden.

– O perfumach – przeczytała na głos swojemu dziecku. – Zobaczmy, co twoja babcia miała do powiedzenia na ten temat.

Rozerwała kopertę, wyjęła z niej kartkę i rozłożyła. Na materac posypały się różane płatki i Emma wybuchnęła śmiechem.

Jesteśmy rodziną perfumiarzy. Mamy to we krwi, Em, tego jestem pewna. Freya twierdzi, że odkąd tylko nauczyłam się chodzić, zrywałam kwiaty w parku i robiłam dla niej różne mikstury, a Ty byłaś taka sama. To dzięki takim jak my – perfumiarzom, aptekarzom, uzdrowicielom – ludzie czują się lepiej.

Emma wróciła myślami do rozmowy z Freyą w Hyde Parku. „W czasach takich jak teraz ludzie bardzo potrzebują perfum".

Perfumy są kluczem do naszych wspomnień. Ktoś, nie wiem, czy nie Kipling, powiedział, że to one wprawiają serce w drżenie. Nieoczekiwany zapach cofa cię o lata, pozwala zobaczyć inne miejsca, dawnych kochanków, obce kraje, minione czasy. Kto nie pamięta zapachu używanego przez pierwszą miłość albo woni pokoju matki? Zawsze chciałam wyrabiać perfumy, które pozwalają ludziom poczuć się tak, jakby wdychali zapach dopiero co skoszonej trawy albo świeżo umytej głowy niemowlęcia. Perfumy mówią nam, że jesteśmy, że żyjemy.

Pamiętam księżniczkę z Bahrajnu, z którą kiedyś jadłam kolację. Miała z sobą pękaty kryształowy flakonik z olejkiem sandałowym i namaszczała gościom przeguby dłoni. Właśnie to było moim pragnieniem – dawać perfumy jako podarunek, jako modlitwę. Perfumy są święte – pomyśl o ogrodzie w Pieśni nad Pieśniami.

Emma przypomniała sobie z dzieciństwa, jak Liberty czytała jej oparta plecami o pień drzewa. „Jego policzki jak balsamiczne grzędy, dające wzrost wonnym ziołom. Jak lilie wargi jego, kapiące mirrą najprzedniejszą". To zawsze był jej ulubiony fragment.

Może zastanowiło cię, dlaczego wiernie trwam przy róży jako moim zapachu. Wiesz, w ogniu świętej wojny rycerze wracający z krucjaty przywozili z sobą do domu róże damasceńskie. To mi się podobało. Wyobrażałam sobie, że dawali te kwiaty kobietom, które kiedyś kochali, lecz zostawili. Bo woń róż to miłość. Kleopatra nasączyła żagle swojego złotego statku zapachem esencji różanej, a gdy odwiedzała Rzym, aromat zostawał jeszcze długo po jej przejściu. Róża pachnie rozkoszą i ekscytacją oczekiwania – dlatego mnie urzekła.

Przez wiele lat podróżowałam i łowiłam zapachy. Uwielbiałam wszystkie: plumerię w tropikach, spirale z wonią kadzidła na Wschodzie, paloną kawę i benzynę w Stanach Zjednoczonych. Najlepsza zabawa była wtedy, gdy podróżowałam razem z Tobą, pamiętasz? W Majsurze pokazywałam Ci sandałowce, a w Toskanii irysowe pola. Tak nauczyłam się swojego rzemiosła, zawsze w drodze, szukając dostawców w Turcji i Bułgarii, w Indiach i Syrii, i oczywiście we Francji. Wszystko, czego się nauczyłam, przekazałam Tobie, Emmo, a Ty mnie prześcignęłaś. Jesteś artystką woni, dziedziczką uzdrowicieli, alchemików, aptekarzy – jesteś czarodziejką! Nigdy o tym nie zapominaj. Trzeba wiele czasu, by stworzyć wspaniałą kompozycję, więc nie ma pośpiechu. Mnie zajęło osiem lat, by zestawić dla Ciebie Chérie Farouche, ale Ty potrzebowałaś aż osiemnastu, by stać się piękną kobietą, dla której te perfumy były przeznaczone. Wszystko co dobre wymaga czasu.

Idź za głosem serca, Emmo, podążaj za swoim nosem... słuchaj podszeptów duszy. Wprawiaj ludzkie serca w drżenie. Wytwarzaj perfumy, które przypominają, co to znaczy żyć. Nie zapomnij, Em, że życie jest zawsze wspaniałe, a ludzie muszą o tym pamiętać i przystawać, by powąchać kwiaty.

Kocham Cię i całuję
Mama x

Tej nocy, gdy Emma spała, jej sny zamieszkały w nowym miejscu, wypełniły je skarbami, sekretami, zapachami skrzyń z bielizną i przypraw korzennych, przyciszonym szmerem kiedyś wypowiedzianych słów. O świcie

pierwszego dnia w swoim nowym domu próbowała w prze-
błysku świadomości uprzytomnić sobie, gdzie się znajduje.
Bolały ją plecy, stopy miała przemarznięte. Leżała na podłodze. Czyja to podłoga? Gdy jej oczy nieco przyzwyczaiły
się do mroku i ujrzała cienkie szpary w okiennicach, przez
które sączyło się światło, wszystko sobie przypomniała.

To Hiszpania. Podłoga była jej, tak samo jak dom. Jej
dom. Taką chwilę wyobrażała sobie wcześniej tysiące razy,
przebudzenie do nowego życia w nowym kraju.

Teraz słyszała jedynie monotonne brzęczenie. Początkowo myślała, że to budzik stojący gdzieś w innej części
domu. Joe miał podobny, kiedy go poznała. Znienawi-
dziła ten budzik do tego stopnia, że wyrzuciła go przez
okno pierwszego ranka, gdy ocknęła się obok Joego. Co
to za dźwięk? – zastanawiała się, przecierając oczy. Palce
zaczerniły jej się od tuszu do rzęs, którego wieczorem nie
miała jak zmyć. Uniosła powieki.

– O Boże! – krzyknęła.

Nie była histeryczką, ale właśnie uświadomiła sobie,
ile ma szczęścia. Niecałe trzy metry nad jej głową zwisało
z krokwi największe gniazdo os, jakie w życiu widziała.
Szarosrebrzysty zagniewany duch minionych letnich miesięcy. Powoli, bardzo powoli wysunęła się spod koców, opuściła kuchnię i zamknęła za sobą drzwi, a ciekawską osę,
która wyleciała za nią do sieni, pacnęła dłonią w powietrzu.

Potem stanęła oparta o ścianę i zaczęła głęboko oddychać. Rozczapierzoną dłoń przytknęła w obronnym geście
do brzucha. Nienawidziła os, odkąd Freya opowiedziała jej
apokryficzną historię o ciotce, która na rodzinnym pikniku
połknęła osę, pijąc lemoniadę z puszki, i wkrótce potem
zmarła na asfiksję. Ostatnimi czasy mało co budziło w Emmie obawy, choć samotnie podróżowała po całym świecie,
ale jej śmiertelny lęk przed osami przetrwał.

Wyjrzała przez okno i zobaczyła Aziza rozkładającego swój dobytek przed bramą. Zawołała go i przyzwała gestem.

– Wszystko w porządku? – spytał, gdy nadbiegł.

– Osy... A może szerszenie? – Oczy miała szeroko otwarte. – Tam. – Wskazała kuchenne drzwi, jednocześnie ściągając poły szlafroka.

– Ma pani benzynę?

– Chyba tak. Widziałam kanister w szopie.

Wybiegł do ogrodu i chwilę potem Emma usłyszała brzęk kanistra. Aziz wrócił uzbrojony w miotłę.

– Proszę tutaj zostać.

Zniknął w kuchni, z której dobiegło kilka stłumionych przekleństw. W każdym razie Aziz strącił gniazdo, wyrzucił je na dwór i tam podpalił.

– Pożądliły cię? – spytała, gdy przyszedł ponownie.

– Trochę. Ale większość nie żyła, przecież już prawie zima.

Zaczął ssać użądlone miejsce.

– Dziękuję – powiedziała. – Czekaj, pomogę ci.

W kuchni przejrzała torbę z zakupami i wydobyła z niej ocet. Nalała trochę na szmatkę i zaczęła nią przemywać zaczerwienienia na ramieniu chłopaka.

– Nie można tak mieszkać – rzekł, przyglądając się jej zmierzwionemu posłaniu. – Pani jest szalona.

Emma wzruszyła ramionami.

– Możliwe. W każdym razie tego teraz chcę.

– Szalona kobieta. – Roześmiał się. – Uparta jak moja matka i moje siostry. Ale matka już nie żyje.

– Moja też nie. – Emma popatrzyła na niego badawczo. Ufała swoim instynktom. – Napijesz się kawy? Mam dla ciebie propozycję.

Słońce rzucało długie cienie na pokryte ochrą ściany Casa de Cultura. Emma musiała poświęcić sporo czasu na załatwienie w miasteczku wszystkich formalności, ale w końcu, gdy Fidel z ociąganiem jej pomógł i zdobyła wszystkie niezbędne pieczątki, mogła przekazać Azizowi dobrą wiadomość. Chłopak zareagował entuzjastycznie na jej pomysł, by urządzić prawdziwą kwiaciarnię w dawnym sklepie wbudowanym w mur Villa de Valle od strony ulicy. Zanim wszystkie pieczątki znalazły się na swoim miejscu, zdążył opowiedzieć jej swoją historię. Okazało się, że mieszka na skraju miasteczka w walącym się domku razem z małymi siostrami. Ich rodzice umarli, więc Aziz w wieku szesnastu lat został głową rodziny i był odpowiedzialny za nakarmienie i ubranie wszystkich domowników.

– Patrz – powiedziała tego ranka Emma, gdy otworzyła drzwi starego sklepu. Ktoś z pewnością używał go jako garażu, ale półki wciąż jeszcze zostały. Z niepokojem powiodła wzrokiem po wbitych w sufit hakach. – Co to tym sądzisz?

– Dla mnie to jeden wielki bałagan. Podobnie jak reszta domu.

Emma przesunęła dłonią po drewnianym kontuarze.

– Tutaj ustawimy kasę. Jeśli otworzymy okna z tyłu, będzie naturalne światło, a dwuskrzydłowe drzwi od frontu umożliwią dobrą ekspozycję towaru.

– Kasę? – Wyraźnie zaczynało mu się udzielać jej podniecenie.

– Sklep, Aziz. Urządzimy tutaj niedużą kwiaciarnię.

Twarz mu posmutniała.

– Nie stać mnie…

– Posłuchaj, ten sklep stoi pusty, a ja z przyjemnością ci pomogę. Będę ci płaciła pensję i procent od zysku. Co ty na to?

Wyciągnęła do niego rękę.

Uśmiechnął się szeroko i uścisnął jej dłoń.

– Jak zdołam się pani odwdzięczyć?

Gdy pomógł jej obluzować zardzewiałe gwoździe, którymi zabito drzwi do ogrodu, światło zaczęło wpadać do sklepu z dwóch stron. Aziz zmrużył oczy.

– Już wiem! – zawołał. Wskazał bujną trawę i równie bujne chwasty. – Uporządkuję to dla pani. Poza tym interes nie będzie szedł, jeśli ogród tak wygląda.

Emma się roześmiała.

– Umowa stoi.

– Nie wiem, co powiedzieć. Dlaczego ja?

– Lubię cię. Widzę, że ciężko pracujesz. Masz już swoich klientów. – Znów się zaśmiała. – Poza tym sprowadzam do domu ekipę budowlaną, więc będą musieli korzystać z głównej bramy!

Aziz znów zajrzał do sklepu.

– Dużo tu trzeba zrobić.

– To do roboty! – Zerknęła jeszcze raz na sufit. – Trzeba zacząć od usunięcia tych potwornych haków.

– Rozmawiałem kiedyś z pewną starą kobietą, która powiedziała mi, że tu był kiedyś rzeźnik.

– No tak, to wiele wyjaśnia. – Emma zaplotła ramiona na piersi. – Wciąż nie bardzo mi się tutaj podoba, ale na pewno możemy się postarać, żeby było lepiej. Potrzebujemy szyldu, musimy pobielić ściany. – Rozejrzała się dookoła. – Trzeba też poszukać wiader na kwiaty i wyposażenia. Popytam Fidela, skąd to wziąć.

– A nazwa?

– Tak, potrzebujemy dobrej nazwy. – Przypomniały jej się słowa z listu Liberty. – Nazwiemy tę kwiaciarnię Ogrodem Wonności.

Rozdział 19

BRUNETE, MAJ 1937

– Siostro Temple, gdzie siostra była? – spytał asystent doktora Jolly, nie podnosząc głowy znad notatek. – Już późno.

– Przepraszam – powiedziała Freya. – Ostrzelały nas samoloty, kiedy ambulanse wracały z dworca.

Pokręcił głową.

– Tym bydlakom wydaje się pewnie, że czerwone krzyże to cele, a nie symbole pracy humanitarnej.

Ta sama myśl przemknęła przez głowę Freyi, gdy przycupnęła w rowie, osłaniając drogocenne butelki z krwią, które mężczyźni wyciągnęli z ambulansów. Kule z karabinu maszynowego posiekały ziemię nie dalej niż dwa metry od niej. Wciąż miała w ustach smak pyłu.

– W porządku, proszę brać się do pracy. Bitwa chyba dopiero się zaczyna, a już mamy wielu rannych do opatrzenia. – Zerknął na Freyę zatroskany. – Nic się pani nie stało?

Dotknęła policzka i poczuła pulsowanie nerwu w oku.

– Nic a nic – powiedziała.

Lubiła tego niewysokiego Francuza, zawsze kojarzył jej się bardziej z piratem niż z lekarzem. Miał lśniące oczy i ciemną brodę. Wzięła czysty fartuch z dyżurki pielęgniarek i wygładziła włosy.

– Aha, siostro Temple! – zawołał za nią. – Szukał pani doktor Henderson.

Uśmiechnęła się, przechodząc między rannymi ułożonymi na szpitalnej podłodze. Transfuzji na linii frontu było tyle, że na ochotnika zgłosiła się do pozostania w szpitalu. Toma nie widziała od ponad tygodnia, więc myśl o nim bardzo ją pokrzepiła.

Wszystkie podłogi w szpitalu, wszystkie pomieszczenia były pełne rannych i umierających. Freya ostrożnie omijała leżących w słabo oświetlonym holu. Lekarz przechodził od człowieka do człowieka w towarzystwie Mimi, jednej z francuskich pielęgniarek, aby sprawdzić, komu można pomóc. Przed nią kuśtykało widmo człowieka, zabandażowane i wsparte na kulach. Potykało się o nogi łóżek i ludzi z połamanymi kończynami.

Na dworcu w Madrycie, gdy załadowali rannych do pociągu sanitarnego zmierzającego ku ośrodkom dla rekonwalescentów na wybrzeżu, na peron podjechał drugi skład z mnóstwem nowych ochotników, których czerwone chusty były jeszcze jaskrawsze w wiosennym słońcu. Freya zastanawiała się, ile czasu minie, nim ci dzisiejsi pełni entuzjazmu żołnierze znajdą się wśród nieszczęśników w szpitalu. Minęła rząd zakrwawionych noszy czekających przy łazience na czyszczenie. Zerknęła na puste butelki po krwi w drucianym koszyku przy drzwiach jej oddziału i sprawdziła pobrudzone krwią przywieszki, każda z nazwiskiem, numerem batalionu, opisem rany i datą. Dzięki Bogu, że udało nam się dowieźć świeżą krew, pomyślała.

– Freyo! – zawołał ją Tom, gdy sięgała do klamki.

– Cześć, Tom.

Upewniła się, że nikt nie zwraca na nich uwagi, i delikatnie pocałowała go w usta.

– Szukałem cię wszędzie. – Wciągnął ją do ciemnego magazynku.

– Mieliśmy postój po drodze z Madrytu.

– Chryste, ale tam jest ruch. Praca na trzech stołach bez przerwy.

Objął ją i z westchnieniem wtulił twarz w jej włosy. Wciąż unosiła się wokół niego woń eteru.

– Gdzie byłeś? Nie widziałam cię tyle dni.

– Mieliśmy pewne problemy. – Gdy na nią popatrzył, zauważyła ciemne półkola pod jego oczami. – Kochanie, nie ma dobrego sposobu, żeby ci to powiedzieć. Odsyłają Betha do Kanady, a ja muszę jechać razem z nim.

Walcząc z nagłą słabością, oparła się o półkę z surowego drewna.

– Wyjeżdżasz? Ja...

– Jedź ze mną, Freyo.

– Tom, nie mogę. Moja praca jest tutaj. – Pokręciła głową. – Kiedy zobaczysz, co oni zrobili w Guernice... A będzie jeszcze gorzej.

– Te sukinsyny próbują się wybielić, wiesz? Twierdzą, że atakowano cel wojskowy. Tylko dlaczego wobec tego czterdzieści trzy samoloty z Legionu Kondor bombardowały miasto? – Tom się skrzywił. – I walili z karabinów maszynowych do cywilów, którzy próbowali uciec.

Chwycił Freyę za ramiona.

– Będzie tylko gorzej, o wiele gorzej. Naziści używają hiszpańskich miast jako poligonu przed tym, co ma spaść na resztę Europy. Następne będą Barcelona, Madryt, Walencja, wszystkie zrównają z ziemią. Nie mogę cię tu zostawić.

Oparła czoło o jego wargi.

– Znasz mnie. Jestem odporna na bomby, tak wszyscy twierdzą.

– Freyo, mówię poważnie. – Ujął jej twarz w dłonie, zmusił, by spojrzała mu w oczy. – Kocham cię. Chcę spędzić resztę życia z tobą. Wyruszamy dopiero w końcu miesiąca. Muszę być teraz blisko Betha, więc nie będziemy się na razie często widywać, ale to ci da czas na zastanowienie. – Pocałował ją. – Proszę, jedź ze mną.

Gdy Freya wchodziła na oddział, serce biło jej w szarpanym rytmie. Zaczęła sprawdzać karty pacjentów, ale słowa rozmywały jej się przed oczami. Mogła myśleć tylko o tym, że Tom wyjeżdża. Jej krótki moment szczęścia dobiegł końca równie nagle, jak się zaczął.

– Siostro! – jęknął ktoś.

Podniosła wzrok. Ranny tym wołaniem przywrócił ją do rzeczywistości. Miał zabandażowaną całą głowę i dwa bezkształtne, krwawe zawiniątka w miejscu dłoni.

– Cześć... Simon – powiedziała, zerkając na kartę. – Zobaczmy, czy możemy ci trochę uprzyjemnić życie. – Wiedziała, że chłopak potrzebuje transfuzji, więc wyjęła z lodówki ostatnią butelkę. W czasie gdy krew podgrzewała się do temperatury ciała, Freya dwa razy sprawdziła grupę u chłopaka i wysterylizowała strzykawkę. Kilka minut później było po wszystkim. – Teraz lepiej?

– Mucha nie siada.

Freya się uśmiechnęła. Zawsze dziwiło ją, jak mężczyźni potrafią trzymać fason.

– No, sprawdzimy, jak się spisujesz. – Spróbowała wyczuć jego słaby puls.

– Paskudnie mi z tym – powiedział głosem stłumionym przez bandaże. – Jestem w Hiszpanii dopiero kilka dni. Nie zdążyłem nic zrobić dla sprawy.

– Nic? – zapytała. Poruszyła ją dzielność tego młodego człowieka. – Zrobiłeś wszystko. – Przykryła go czystym prześcieradłem. – Teraz odpoczywaj, jeśli możesz. Puls masz mocniejszy, nie jest źle.

Najchętniej położyłaby się i przespała cały tydzień bez przerwy. Znów spojrzała w głąb oddziału i zobaczyła dwa rzędy łóżek ciągnących się bez końca w półmrok. Gdy uświadomiła sobie, że na niektórych leży po dwóch ludzi, a każdy potrzebuje pomocy, omal się nie załamała.

Nazajutrz wczesną porą asystent doktora Jolly'ego zastał ją o brzasku siedzącą przed szpitalem. Obejmowała ramionami kolana i nieznacznie się kołysała.

– Co się stało, Freyo?

– Straciłam w nocy pięciu ludzi.

– O Boże, przykro mi.

Usiadł na ziemi obok niej, zapalił i podał jej papierosa.

– Sześciu umierało, a tylko ja byłam na dyżurze. Musiałam wybierać. – Przeczesała włosy palcami. – Jeden za drugim odchodzili. Biegałam od łóżka do łóżka, starałam się im ulżyć, próbowałam... – Z trudem powstrzymywała łzy.

– Freyo, posłuchaj – powiedział łagodnie. – Jesteś na froncie z zespołem transfuzyjnym już bardzo długo. Czas chyba, żebyś zrobiła sobie przerwę. – Uścisnął jej ramię. – Poproszę doktora Jolly'ego, niech wypełni dokumenty. Pójdziesz do centrum przyjęć Komitetu Pomocy w Walencji. Tak będzie dla ciebie lepiej. Zajmiesz się parzeniem mnóstwa herbaty i podtrzymywaniem ludzi na duchu. Tam są w większości rekonwalescenci, nie będziesz miała tylu strat, z którymi trzeba się pogodzić. Wróć zaraz do Madrytu, spakuj swój gramofon, piecyk i puszkę herbaty.

– Ten kraj... biedny kraj. W Kordobie palą książki, tysiące książek. Mali chłopcy maszerują ulicami z drewnianymi karabinami. Mężczyzn wybijają jak króliki. I jeszcze ten Queipo de Llano, którego krzyki słychać w całym kraju, odkąd Niemcy dali mu dostęp do radia. Co on powiedział? „Dziś wieczorem mam ochotę na sherry, a jutro na Malagę". Ohyda. Nienawidzę tej haniebnej wojny. Czuję się całkiem bezradna.

– Dlatego Hiszpania nas potrzebuje. – Odchodząc, poklepał ją jeszcze po ramieniu. – Żyj każdym dniem od nowa. Dla wielu z nas tutaj nie ma ani jutra, ani wczoraj. Jest tylko to, co właśnie możemy zrobić, co zdążymy osiągnąć dzisiaj. I w ten sposób możesz pomóc.

Rozdział 20

WALENCJA, WRZESIEŃ 2001

Pod deskami podłogi w sypialni Emmy leżała mała fotografia chłopaka z roziskrzonymi oczami. Czasem gdy słońce biło w okiennice, właśnie tak jak teraz, cienka smuga światła, wnikająca przez szczelinę do pokoju, trafiała między deski i oświetlała jego twarz. Fotografia leżała w kurzu z kilku dziesiątków lat obok szpilek i guzików, które ześlizgnęły się w szparę, oraz drugiej fotografii, odwróconej i muskającej chłopaka krawędzią. A on wyglądał tak, jakby na coś czekał.

– Ze mną wszystko dobrze – upierała się Emma, przytrzymując słuchawkę ramieniem, bo przypinała diamentowy kolczyk do ucha. – Co, dom? Wcale nie jest w takim złym stanie – powiedziała bez przekonania i wyciągnęła rękę ku wiekowej toaletce po drugi kolczyk.

– Czy masz przynajmniej odpowiednie łóżko? – spytała Freya. – Musisz uważać na kręgosłup.

– Zamówię sobie. – Emma po omacku przesuwała dłonią po blacie i usłyszała, jak kolczyk spada na podłogę. Zauważyła jeszcze jego błysk na wypastowanej podłodze, zanim zniknął w szparze. – Cholera!

– Co się stało?

– Nieważne, nie przejmuj się. Po prostu coś upuściłam. Kolczyk, który dostałam od Joego na Gwiazdkę. – Westchnęła. – Zadzwonię do ciebie później. Mam kilka spraw do załatwienia w mieście.

– Daj mi znać, jak było u lekarza, dobrze?

– Na pewno. Kocham cię, babciu.

Na czworakach sprawdziła, jak mocno trzyma się deska. Wydawała się obluzowana, bo pod naciskiem zaskrzypiała. Są jakieś korzyści z mieszkania w starej ruderze, pomyślała Emma.

W szopie znalazła zardzewiały łom, zabrała go i wróciła do domu. Aziz spojrzał znad kominka, w którym palił suche gałęzie gromadzone podczas usuwania chaszczy z ogrodu.

– Mogę jakoś pomóc? Pani nie wolno ciężko pracować, trzeba uważać na dziecko.

– Muszę podważyć deskę podłogi w sypialni. Umiałbyś to zrobić?

Aziz potrzebował ledwie kilku chwil, by uporać się z zadaniem.

– Jest do niczego – powiedział, odsuwając deskę na bok. – Wszystkie są stare, potrzebuje pani budowlańca.

– Wiem – przyznała Emma, kucając. Energicznym ruchem dłoni rozpędziła chmurę kurzu. – O, jest!

Podniosła kolczyk i starannie go oczyściła.

Aziz spomiędzy krokwi wyjął starą fotografię.

– Och, widziałam ją przez szparę w deskach – stwierdziła Emma. – Jest jeszcze jedna. – Wyjęła również tamtą i obejrzała. – Ciekawe, kto to był.

Czubkiem palca starła kurz ze zdjęć.

– Może zapyta pani agenta? Pewnie wie, kto tutaj mieszkał.

– To dobry pomysł. Po południu jadę do Walencji. Wpadnę po drodze do sklepiku i sprawdzę, czy jest Fidel.

Emmie bardzo się podobał nowy rytm życia. Po długich tygodniach zamętu doprowadzanie ogrodu do porządku sprawiało jej wiele przyjemności. W porze obiadu podchodziła do bramy i z uśmiechem zadzierając głowę, nasłuchiwała „udu-dud" dudka, który zamieszkał na starej dzwonnicy. Zawsze lubiła jesień, a zapach dymu z ogniska, unoszący się nad ogrodem, sprawiał, że czuła się tutaj jeszcze bardziej jak w domu.

Wyszła przez bramę i skierowała się do miejscowego centrum, trzymając w rękach bukiet białych róż. Przed kawiarnią siedzieli dziarscy, hałaśliwi dziadkowie i skupiająca na sobie uwagę wielka dama, najwyraźniej to towarzystwo zajmowało stół już od dłuższego czasu. Pogrzeb wstrzymywał ruch, więc samochody wlokły się w ślimaczym tempie. Emmie zaburczało w brzuchu, gdy ujrzała kobietę nakładającą sobie na talerz paellę z wielkiej patelni ustawionej na kawałku pogniecionego kartonu. Mężczyzna, który siedział samotnie przy innym stole, jedząc węgorza w sosie czosnkowo-paprykowym, umoczył kawałek chleba w oliwie i rzucił go zwinnemu czarnemu pieskowi, który zaraz potem odbiegł z powrotem do ulicznej bandy niewyrośniętych kundli, a po drodze jeszcze podniósł nogę przy butelce wody pozostawionej przez kogoś na rogu ulicy.

Przed ratuszem trzepotały na wietrze flagi Walencji. Emma ominęła starszego mężczyznę w kraciastej koszuli, który trzymając cygaro w ustach, pochylił się nad wózkiem, by przycisnąć dłoń do policzka leżącego w nim niemowlaka. *Qué bonita*, usłyszała jego głos i uśmiechnęła się do matki. Zaczynała rozpoznawać twarze mieszkańców La Pobli. Dochodząc do końca ulicy, wiedziała, że w drzwiach walącego się barokowego domu, na przewróconych skrzynkach od pomarańczy będzie siedzieć para staruszków obierających ziemniaki. Gdy mijała bar Musical, czekała na płynące stamtąd dźwięki orkiestry dętej ćwiczącej przed Świętem Ognia. Wyprzedziła zresztą dwóch członków zespołu, którzy bez pośpiechu szli spóźnieni na próbę. Ich instrumenty, obój i puzon, lśniły w słońcu.

Przystanęła na krawędzi chodnika, by poczekać, aż będzie mogła przejść przez ulicę. Nad jej głową święta figura podziwiała, jak miejscowy policjant niczym choreograf reżyseruje balet samochodów i skuterów i kolistymi ruchami ramion próbuje nadać kształt powietrzu. Dziewczęta w obcisłych, błyszczących spodniach i krótkich pikowanych kurteczkach obejmowały siedzących przed nimi na skuterach chłopaków, którzy mieli włosy postawione na żel i śmigali wśród stojących w korku samochodów, trzymając w kącikach ust nonszalancko dyndające papierosy. Drzwi pobliskiego domu ozdobiono palmowymi liśćmi i kwiatami, co zapowiadało wesele.

Na targu powitała ją woń tandetnych wyrobów ze skóry, potem uderzył w nozdrza gryzący, dymny zapach przypalonego mięsa. Piesek chihuahua przebiegł po kocach handlarzy sprzedających peruwiańskie poncha i tkaniny i przemknął obok jej stóp. Wkrótce pomiędzy głowami sprzedawców i mieszkańców miasteczka, tłumnie zmierzających na obiad, zobaczyła wejście do sklepiku córki Fidela. Natychmiast skojarzyła sobie, co przypomina jej ten widok.

Gdy była dorastającą dziewczyną, Liberty znała pewną kobietę, której córka zaginęła. Kobieta prowadziła sklepik w cichej, bocznej uliczce odchodzącej od Kings Road, prawdziwy skarbiec z hipisowską biżuterią i olejkiem paczulowym. Niezdrowa ciekawość ściągała do niego wszystkich nastolatków z okolicy. Prosto ze zgiełku Chelsea wchodziło się tam bardziej jak do wiktoriańskiego salonu przygotowanego na przyjęcie żałobników niż do miejsca handlu. Smutek przenikał wszystkie kąty. To bardzo poruszało dziewczęcą wrażliwość Emmy.

W trakcie swoich podróży Emma przekonała się, że każde miasteczko ma taki sklepik wyjęty spod władzy czasu, jakby zatopiony w bursztynie. Wszystkie wydawały się istnieć w otchłani bez klientów, tylko od czasu do czasu sprzedawały parę spodni lub zakurzone kapcie. Dodawała jej otuchy myśl, że dostrzega coś stałego na tym świecie. W Stanach uwielbiała sklepy wielobranżowe, gdzie można było kupić najrozmaitsze bibeloty, wyroby żelazne i paczkowaną żywność. W Europie wyszukała najprawdziwsze cuda – sklep z jednym, jedynym domkiem dla lalek w przeszklonym centrum handlowym w Paryżu i sklep z ikonami we Florencji. Branże bywały różne, ale wszędzie panowała atmosfera znana jej ze sklepiku w rodzinnym mieście: niemal kościelny bezruch i poczucie niepowetowanej straty.

W ciągu zaledwie kilku dni po sprowadzeniu się do Walencji zorientowała się, że w miejskich zaułkach jest wiele takich sklepików, oferujących wachlarze lub grzebienie do mantyl, ale tutaj tylko sklepik Fidela przetrwał modernizację, nadejście lśniących sklepów Mil Objets i sprzedaży w Internecie. Stał wciśnięty za ciąg kamiennych schodów sięgających bocznego wejścia do kościoła. Lśniące pomidory, pękate oberżyny i soczyste melony leżały wystawione przy półotwartych zielonych drzwiach, dyskretnie zapraszających do środka. Wewnątrz zbudowano czworokąt z blatów na kozłach, przykryto je tkaniną w biało-czerwoną kratkę i na tej konstrukcji wystawiono kosze ze świeżymi warzywami. W sklepiku, o dziwo, była klientka, stara kobieta o wyglądzie Cyganki. Kołysała koszykiem czerwonej papryki opartym o biodro i gawędziła z córką Fidela. Zerknęła na Emmę z posępnym zaciekawieniem.

– *Buenos* – powiedziała Emma, gdy klientka wyszła.

– Jest tu gdzieś pani ojciec?

– *Si*. Właśnie poszedł do domu zjeść obiad. Znajdzie go pani na zapleczu.

Dziewczyna odsunęła ciężką zieloną zasłonę i wskazała Emmie podwórze. Rozglądając się, Emma przypomniała sobie słowa Fidela, który mówił jej, że jego rodzina wciąż mieszka nad sklepem.

– O, Emma – powiedział, ukazując się na progu szopy.

– Jak się pani miewa? Przyszła pani w sprawie ekspozycji kwiatów? – Zapalił światło w starym składziku. – Może pani wziąć, co tylko sobie życzy. – Wskazał zardzewiały kuty stojak. – Ten sprzęt pamięta lepsze dni, ale jeśli się spodoba...

– Bardzo! Jest piękny.

– Moja żona, kiedy jeszcze żyła, sprzedawała z niego kwiaty przed sklepem.

Emma uśmiechnęła się współczująco, upewniona w przeświadczeniu, że instynkt jej nie mylił.

– Cieszę się, że ktoś w miasteczku znów będzie sprzedawał kwiaty – rzekł Fidel. – To dużo lepsze niż te żałosne wiązki goździków z supermarketu.

– Musi pan mi pozwolić jakoś się zrewanżować.

– E tam! – Machnął ręką. – Przecież pani wyświadcza mi przysługę. Mam tu stanowczo za dużo gratów.

Emma rozejrzała się po nieskazitelnym podwórzu z donicami pelargonii i tryskającymi fontannami.

– Nie wiem, co mam powiedzieć.

– To dla mnie przyjemność. – Przekrzywił głowę. – Ale nie wygląda mi pani na kwiaciarkę.

Emma parsknęła śmiechem.

– I słusznie. Z zawodu jestem perfumiarzem.

– Naprawdę? To znaczy, że przyjechała pani we właściwe

miejsce. Hiszpanie kochają piękne zapachy. Perfumeria jest w każdym miasteczku.

– Czy pan wie coś o przeszłości mojego domu? Jaką historię ma Villa del Valle? – Emma wyjęła z portfela fotografie. – Znalazłam to dziś rano pod podłogą.

– Wyglądają na bardzo stare. – Fidel pokręcił głową i odwrócił się do niej plecami. – Nie, nie wiem o tym domu niczego. Moja agencja zajmuje się nieruchomościami rodziny del Valle, ale to wszystko. Przez lata było kilkoro lokatorów, jednak dom długo stał pusty.

– Od jak dawna pan tu mieszka?

– Przyjechaliśmy z rodziną w latach czterdziestych. Przykro mi, nie mogę pomóc. – Na chwilę się zamyślił.

– Powinna pani porozmawiać z Immaculadą. Rodzina de Santangel mieszka w La Pobli od wieków. Kiedy Immaculada przyjdzie do sklepu, poproszę ją, żeby do pani zajrzała.

– Dziękuję.

– Podoba się pani Walencja?

– Jeszcze jej nie rozgryzłam. Chcę powiedzieć, że bardzo mi się podoba, ale mam poczucie...

– Pewnie trudno pani przebić się przez wierzchnią warstwę. Ludzie są ostrożni. Bardzo różnimy się od reszty Hiszpanii. Przez wiele wieków byliśmy w rękach muzułmanów i mamy więcej wspólnego z Katalonią niż z Kastylią.

Emma skinęła głową.

– To słychać po dialekcie. Na moje ucho mieszkańcy Walencji mówią bardziej jak Katalończycy albo Francuzi.

– Mam nadzieję, że z czasem nas pani polubi. Tu naprawdę żyją przyjaźni ludzie.

– Liczę, że zostanę – powiedziała Emma. – Chcę tutaj wyrabiać perfumy, używając hiszpańskich składników.

– To znaczy, że stanowczo powinna pani porozmawiać z Immaculadą. Rodzina de Santangel ma na własność największe grunty w okolicy. – Uścisnął jej dłoń. – Poproszę Macu, żeby panią odwiedziła.

Emma miała umówioną wizytę u lekarza mówiącego po angielsku, więc wrzuciła torebkę na siedzenie starego żółtego land rovera, którego kupiła już w Hiszpanii, i wyruszyła do Walencji. Gdy ciąg samochodów przejeżdżających przez wyschnięte koryto Turii zwolnił, opuściła szybę. Podmuch wiatru rozwiał jej włosy. Jednocześnie zawibrował telefon. Włożyła słuchawkę do ucha.

– Cześć, Freyo.

– Tylko sprawdzam, czy pamiętasz. Masz wizytę za dziesięć minut.

Emma się roześmiała.

– Już jadę. Przestań się zamartwiać.

– On jest podobno dobry. Twój dawny lekarz ze Sloane Street go polecał.

– Sama zadałabym sobie trud znalezienia lekarza...

– Nie warto ryzykować, moja droga. Poza tym bardzo się niepokoję. Znowu za dużo na siebie bierzesz. Co ty znowu sobie wyobrażasz, że otwierasz kwiaciarnię, ledwie przyjechałaś...

Emma włączyła migacz, by skręcić na parking przy arenie do walk byków.

– Po prostu pomagam młodemu Marokańczykowi.

– Och, Em, nie masz żadnego innego powodu? Jesteś tak samo okropna jak twoja matka.

– On bardzo dobrze się spisuje. – Emma zmarszczyła czoło. – I pomaga mi w ogrodzie. – Zamknęła drzwi samochodu i ruszyła w stronę cienistego zaułka. Przez chwilę zastanawiała się, czy nie spytać Freyi o radę, gdzie szukać firmy budowlanej, ale obawiała się zdalnego kierowania pracami z Londynu. – Radzę sobie. Dawno tak dobrze się nie czułam.

– Cieszę się. A jesz?

– Tak – powiedziała Emma ze śmiechem. – Przybrałam trochę na wadze. Brzucha dużego jeszcze nie mam, ale dziecko na pewno jest zdrowe.

– Libby miała mały brzuch, kiedy z tobą chodziła, aż do ostatnich miesięcy.

– No właśnie, skoro mowa o mamie, to chciałam cię o coś zapytać. – Emma przystanęła, by przepuścić samochód, i przeszła na drugą stronę ulicy.

– Słucham.

Emma wyczuła wahanie w głosie babci.

– Czy wiesz, dlaczego mama wybrała ten dom?

– Nie… Sama mogłaś się przekonać, jaka była impulsywna.

– Ciekawa byłam tylko, czy coś o tym wiesz. Znalazłam dzisiaj fotografie, stare fotografie… chłopaka i dziewczyny. W jednym z listów mama napisała…

– Bóg raczy wiedzieć, dziecko. To wiekowy dom, na zdjęciach może być każdy.

Emma zorientowała się, że Freya nie chce o tym rozmawiać.

– Nie pytałam, czy znasz te osoby. Pytałam o dom.

– Niczego nie wiem – odparła kwaśno Freya. – Zresztą co to właściwie ma być? Hiszpańska inkwizycja? – Obie zamilkły, a potem jednocześnie parsknęły śmiechem. – Ojej… – powiedziała Freya, gdy nieco się opanowała. – Twoja matka zawsze uwielbiała Monty Pythona, prawda?

Najwyraźniej nie była to odpowiednia chwila na wypytywanie Freyi o Liberty.

– U ciebie wszystko dobrze? – zapytała Emma.

– Pomalutku naprzód. Wróciła pani Stafford – powiedziała babcia, a w jej głosie pojawiła się szorstkość. – Ale dam sobie z nią radę.

Emma spojrzała na zegarek. Nie chciała teraz myśleć o Delilah.

– Muszę kończyć. – Zbliżyła się do drzwi z lśniącą mosiężną plakietką. – Przyślę ci potem mejlem swoje USG. Kocham cię.

Godzinę później Emma wyszła na rozświetloną słońcem ulicę, trzymając w ręce wydruk z niewyraźnym zarysem dziecka. Przystanęła przed drzwiami.

– Śliczny jesteś – powiedziała do synka.

Miała ochotę tańczyć i pokazywać wynik USG każdemu napotkanemu człowiekowi. Błękitne kopuły nad miastem wydawały jej się tego dnia bardziej lśniące, a piaskowiec cieplejszy.

Szła ulicami, liżąc lody waniliowe. Ciemny płaszcz swobodnie się kołysał w rytm jej kroków. Zobaczyła przed sobą katedrę i zaciekawienie Świętym Graalem przyciągnęło ją do masywnych wrót świątyni.

– *Perdóname* – powiedział wysoki, elegancko ubrany mężczyzna, który przecisnął się obok niej.

Gdy ją mijał, w nozdrza uderzyły ją zapachy Acqua di Parma, wyrobów ze skóry i krochmalonej bawełny. Natychmiast zwróciła nie niego uwagę, zwabiona znajomą cytrusową nutą, którą znała z wody kolońskiej Charlesa. Spacerując wzdłuż kolumnad, raz czy dwa jeszcze dostrzegła, jak szybko przechodził bocznymi nawami. Sama przystanęła obok grupki czarno ubranych kobiet modlących się przed relikwiarzem zawierającym ramię świętego Wincentego męczennika. Od ciszy wypełnionej zapachem kadzidła zakręciło jej się w głowie. Ruszyła dalej, stukając skórzanymi botkami o płyty posadzki. Gdy przecinała główną nawę, poczuła na sobie czyjeś spojrzenie, więc szybko się odwróciła. Gapił się na nią mały chłopiec stojący samotnie pod ołtarzem.

– *Hola*. – Przykucnęła przed nim. – Zgubiłeś się? – Chłopiec pokręcił głową. – Jak masz na imię?

– Paco! – zawołał ktoś.

Chłopiec odbiegł. Emma wstała. Przez okna w kamiennych obramowaniach niczym miód z plastra wlewało się do katedry złociste światło. Odniosła wrażenie, że czas na moment się zatrzymał. Mężczyzna, który ją niedawno minął w wejściu, uniósł rękę w geście podziękowania, chłopiec ściskał jego nogę. Choć poszła dalej, mimo woli zerkała co pewien czas w bok. Znów widziała tego mężczyznę, szedł równolegle do niej i rozmawiając z chłopcem, niekiedy zerkał w jej stronę.

Wreszcie odnalazła niedużą kaplicę Graala i przeczytała w przewodniku, który wzięła ze stojaka przy wejściu: „*Santo Caliz* jest dziełem powstałym przed dwudziestoma wiekami, nie sposób więc odrzucić koncepcji, że był w rękach Pana podczas Ostatniej Wieczerzy". Usiadła w ławce i zerknęła na inkrustowany klejnotami kielich w szklanej gablotce.

– *Me puedo sentar aquí*? Mogę tu usiąść? – spytał nieznajomy, stanąwszy nagle u jej boku razem z chłopcem, którego trzymał za rękę.

– *Si* – odpowiedziała i odsunęła się, by zrobić dla nich miejsce.

– Angielka? Amerykanka?

– Jedno i drugie – odrzekła ze śmiechem. – Właściwie pół na pół.

– Chcieliśmy pani podziękować.

Emma zmierzwiła chłopcu włosy.

– Ile lat ma pana syn?

– Syn? To mój siostrzeniec. Siostra zabiłaby mnie, gdyby wiedziała, że spuściłem go z oka. – Popatrzył na Graala. – Straszne, prawda? Co oni zrobili z tym pięknym kielichem!

Nieznajomy był wysoki, miał ponad metr osiemdziesiąt wzrostu. Ciemne włosy opadały mu na kołnierzyk płóciennej koszuli. Emma zauważyła u niego ślady siwizny na skroniach i próbowała się domyślić, ile ma lat. Pewnie około czterdziestu, pomyślała. Biła od niego energia, przez co wydawał się dużo młodszy, niżby wskazywały na to zmarszczki przy kącikach oczu.

– Czy to naprawdę jest Graal?

– Oczywiście, podobno pochodzi z Palestyny. Ma dwa tysiące lat. – Podał jej rękę. – Jestem Luca.

Żeby zmieścić się w ciasnej ławce, musiał się skulić. W niedużej kaplicy nie było innych miejsc siedzących, a Emma poczuła się jak morski ptak kryjący się w cieniu wielkiego klifu wśród rozgadanej gromady turystów i starych kobiet. Luca lekko rozchylił nogi i wysunął kolana do góry, a plecami zasłonił widok kilkunastu zwiedzających. Emma uśmiechnęła się uprzejmie, on zaś ciągnął konspiracyjnym szeptem:

– Zupełnie jakby prosty cieśla potrzebował kielicha udekorowanego złotem i drogimi kamieniami! – Jego słowa spływały po niej niczym woda. Przyglądała się dłoniom, gdy palcami przesuwał po polerowanym drewnie pulpitu. Ręce zawsze wydawały się Emmie znacznie bardziej wyraziste niż twarze, trudniejsze do zamaskowania. Te uznała za perfekcyjne: gładkie owalne paznokcie, długie opalone palce, silne dłonie. Ujrzała złote spinki w mankietach koszuli. – Raczej ten mały kielich z korali jest autentyczny – powiedział.

– Pst! – Kobieta w czarnej mantylce odwróciła się ku nim i wydęła wargi.

Emma przerwała rozmyślania. Pierwszy raz pochwyciła spojrzenie tego mężczyzny. Czuła się tak, jakby dotarła do celu długiej podróży.

– Niektórzy ludzie zawsze będą wierzyć w to, co chcą uważać za prawdę – szepnął do niej, gdy wstali, zbierając się do wyjścia. – Znam panią – powiedział nagle, gdy otworzył przed nią drzwi.

– Właśnie przed chwilą zobaczył mnie pan pierwszy raz w katedrze!

– Nie, z La Pobli. Pani jest kwiaciarką?

Przystanęła.

– Tak.

– Wspaniale. – Uśmiechnął się. – Zastanawiałem się...

– Nad czym?

– Nad szyldem. Ogród Wonności. Przyszła mi na myśl stara arabska książka przetłumaczona przez Richarda Burtona.

Emma wybuchnęła śmiechem.

– Nie pomyślałam o tym. Moja mama uwielbiała w Biblii Pieśń nad Pieśniami. – Uśmiech nadal igrał jej na wargach. – A panu chodzi o *Ogród rozkoszy*?

– Właśnie. O teksty należące do kanonu arabskiej literatury erotycznej. – Bez wątpienia był zadowolony, że skojarzyła.

– Cóż, w La Pobli nie będzie w ofercie ani konkubin, ani afrodyzjaków – powiedziała ze śmiechem.

Pochylił się ku niej.

– Szkoda. Tego właśnie potrzebujemy w naszym życiu. Odrobiny zmysłowości. – Spojrzał za siebie, na Graala. – Wierzy pani w cuda?

Emma zerknęła na niego. A jeśli to jakiś oszołom albo ewangelizator? – pomyślała. Wyobraziła sobie matkę mówiącą: „Nie, jest na to za dobrze ubrany".

– Kto by nie wierzył w takim miejscu? – spytała.

– To dobrze. Wie pani, że patronką Walencji jest Maryja?

– Matka Boża Opuszczonych?

– *Si*. Szalonych i nędzarzy.

– Czy ona czyni cuda?

– Tak. Figurę podobno wyrzeźbiła w czternastym wieku grupa pielgrzymów, która poprosiła o zapas żywności na cztery dni i izbę zamkniętą na cztery spusty. Towarzystwo dobroczynne spełniło ich życzenia. Kiedy drzwi ponownie otwarto, była w środku Matka Boża, ale pielgrzymi zniknęli.

– Jak?

– Oczywiście byli aniołami – powiedział. Na jego twarzy malowała się powaga, ale uśmiechnął się, gdy przekrzywił głowę. – Proszę spytać mojej matki.

– Pssst! – syknęła na nich ta sama kobieta co przedtem.

Gdy przepraszał, Emma przyglądała się jego profilowi. Nos miał jak rzymski posąg, niewykluczone że złamany. Było wczesne popołudnie, ale policzki zabarwiła mu już szarość odnawiającego się zarostu.

Wyprowadził ją z kaplicy, opierając dłoń na jej krzyżu. Obudziło się w niej pewne odległe wspomnienie. To właśnie takie doznanie, pomyślała. Znowu czuję pociąg do mężczyzny, choć go nie znam.

Gołębie zerwały się do lotu, gdy wyszli na zewnątrz. Minęli żebraków z ich woskowanymi kubeczkami po coca-coli i zaraz potem Luca wyciągnął paczkę papierosów z kieszeni marynarki. Poczęstował ją.

– Rzuciłam palenie – powiedziała.

– Szkoda. – Wzruszył ramionami. – My, palacze, jesteśmy na wymarciu.

– Właśnie dlatego rzuciłam.

– Wobec tego musimy znaleźć inny występek, który nas połączy.

Uśmiech poorał mu opaloną twarz zmarszczkami, papieros tkwił między równymi białymi zębami.

– Miło było pana poznać – powiedziała Emma, chowając dłonie do kieszeni luźnego płaszcza.

– Witam w Walencji. – Udawał oficjalny ton. – Jestem Luca de Santangel.

– Emma Temple.

– Emma – powtórzył cicho. Zegar zaczął wybijać godzinę. Luca przez chwilę szperał w kieszeni marynarki i wyciągnął wizytówkę. – Gdyby pani czegoś potrzebowała, proszę zatelefonować. Jesteśmy sąsiadami. Przepraszam, ale muszę zaopiekować się matką.

Doszli do bazyliki Matki Boskiej, z której wyłoniło się wiele kobiet w czerni. Przypominały mrówki.

– Miło mi było cię poznać, Luca de Santangel.

Zerknęła na jego wizytówkę. Santangel... Przypomniała sobie rozmowę z Fidelem.

– Mnie również, Emmo Temple. – Wytrzymał jej spojrzenie i uśmiechnął się. – To małe miasteczko, jestem pewien, że wkrótce znów się spotkamy.

Rozdział 21

Walencja, maj 1937

Freya przystanęła przy końcu ulicy, aby wyrównać oddech. Zachodzące słońce lśniło niczym klejnot nad lawendowymi górami, jakby ktoś przesłonił je żurawinowym szkłem. Okna jarzyły się pomarańczowym blaskiem, w którym złoto stapiało się z różem nieba. Podniosła z ziemi walizkę, pchnęła ramieniem furtkę Villa del Valle i ruszyła starannie wypielęgnowaną ścieżką ku domowi. Zapukała do świeżo malowanych niebieskich drzwi i usłyszała wewnątrz kroki w korytarzu, prawdopodobnie wyłożonym płytkami.

– *Si?* – Urodziwa dziewczyna z włosami zaczesanymi do tyłu wysunęła głowę przez drzwi. Pieprzyk między brwiami i ciemne oczy w kształcie migdałów nadawały jej orientalny wygląd.

– Rosa del Valle? – spytała Freya.

Smakowite kuchenne zapachy zachęcały do wejścia.

– Nie, ja jestem Macu. Proszę dalej, Rosa jest w kuchni.

Macu ją tam zaprowadziła. Młoda kobieta, bardziej śniada i surowiej wyglądająca, miażdżyła zioła w dużym kamiennym moździerzu. Była ubrana w czerń. Gdy wytarła ręce w fartuch, Freya dostrzegła jej zaawansowaną ciążę.

– *Hola, buenas.* – Podeszła do kobiety i wyciągnęła rękę. – Jestem Freya Temple z Komitetu Pomocy Medycznej dla Hiszpanii. Nie było miejsc w kwaterach dla pielęgniarek, ale powiedziano mi, że pani może mieć wolny pokój.

– *Si, si.*

Rosa pokazała jej, by poszła przodem, i zbliżyła się do walizki.

– Och, proszę nie dźwigać. W pani stanie... – zaprotestowała Freya.

Rosa się roześmiała.

– Gdyby mój mąż postawił na swoim, zbierałabym teraz kapustę w ogrodzie. – Wzięła walizkę. – Chodźmy, pokażę pokój, a pani zobaczy, czy jej się podoba.

Freya zerknęła na blat kuchenny i zauważyła sterty świeżo zebranych ziół.

– Coś ładnie pachnie. Co pani gotuje?

– To są lekarstwa. Dobry czas na zbieranie ziół. Macu i ja miałyśmy dużo pracy wczoraj w nocy. – Pokazała tak, jakby bolała ją głowa. – Pomagam ludziom we wsi, którzy nie ufają doktorowi.

– Obie więc jesteśmy pielęgniarkami?

Freya wyszła za panią domu do sieni. Stukając obcasami na schodach, Rosa prowadziła ją na górę.

– Może. Kiedy mam czas, pomagam w szpitalu.

– Czy to znaczy, że będziemy razem pracować? – zapytała Freya, gdy stanęły przed drzwiami pokoju. Natychmiast polubiła Rosę, wyczuwała, że w głębi jej smutnych ciemnych oczu kryją się oznaki pogody ducha.

– Są tylko trzy pokoje. W sąsiednim mieszka Macu, ten... ten jest teraz wolny. A ja z Vicente jestem tam – powiedziała, wskazując w głąb korytarza.

– Rosa! – zagrzmiał na dole męski głos.

Freya zobaczyła, że kobieta się wzdryga.

– Przepraszam, muszę iść. Vicente chce jeść i będzie… Cóż, obiad jeszcze niegotowy.

– Przyjdę pomóc.

– To nie jest konieczne.

Freya rozejrzała się po skromnie urządzonym, lecz czystym pokoju. Płócienne zasłony falowały przy otwartym oknie.

– Doskonale, chętnie tu pomieszkam. – Wręczyła Rosie czynsz za pierwszy miesiąc i energicznie popchnęła walizkę po podłodze ku nogom łóżka. – W porządku, pora gotować.

– Ujęła Rosę pod łokieć i razem zeszły na dół. – Cieszę się, że tu trafiłam. Na pierwszej linii jest mnóstwo krwi.

– Wiem – przyznała Rosa. – Walczyłam w Madrycie.

– U podnóża schodów przystanęła. Przez szybę z matowego szkła widać było mężczyznę, który nerwowo chodził po kuchni. – To się teraz zmienia. Tyle było optymizmu.

– Twarz jej spochmurniała. – Nic z niego nie zostało.

– Rosa! – ryknął jej mąż.

– Chodź – powiedziała Rosa i gestem zaprosiła ją do kuchni.

– Gdzieś ty była?! – wrzasnął Vicente, gdy tylko otworzyła drzwi. – To ja się pocę cały dzień w sklepie…

Z hukiem cisnął na blat kawał szynki z kością i dopiero potem zauważył nieznajomą.

– To jest Freya – odezwała się Rosa. – Będzie tutaj mieszkać. Zapłaci.

Przesunęła po blacie banknoty otrzymane od Freyi. Vicente wzruszył ramionami i schował pieniądze do kieszeni.

– *Encantado* – przywitała go Freya, podając mu rękę.

Ujął ją z ociąganiem.

– *Buenas*.

– Mój… mąż – powiedziała Rosa, a jej wahanie nie uszło uwagi Freyi. – Vicente del Valle. Jest tutaj *carnicero*.

– Rzeźnikiem?

– Tak, rzeźnikiem.

Vicente usiadł u szczytu stołu. Freya czuła, że się jej przygląda. Onieśmielała ją jego arogancja. Opłukała w zlewie kilka pomidorów, a krojąc je, w pewnej chwili podniosła głowę i pochwyciła jego spojrzenie. Bez wątpienia był przystojny, ale szpeciły go usta zniekształcone blizną. Wyglądał tak, jakby ssał sorbet przez słomkę.

– Tutaj? – spytała Freya, wskazując glinianą miskę stojącą na blacie.

– *Si, gracias* – przytaknęła Rosa.

Freya podała na stół pomidory, bochenek chleba świeżo wyjęty z pieca i trochę zimnej szynki.

– Zawsze pan był rzeźnikiem?

– Nie, Vicente był matadorem – powiedziała Rosa.

– Czy wciąż…? – Freya wykonała taki ruch, jakby robiła zwód muletą.

– Nie. – Roześmiał się, opierając łokcie na stole. W świetle lampy naftowej zabłysły jego złote zęby. – Teraz jestem rzeźnikiem. To jest moja zemsta na bykach.

Głośno odsunął krzesło i poszedł do spiżarni nalać sobie wina. Rosa pochyliła się do Freyi i szepnęła:

– Słaby był. Matador musi patrzeć śmierci prosto w twarz. – Skrzywiła się. – Ale jego brat Jordi…

– Dlaczego o nim mówisz? – Vicente wrócił i spiorunował ją spojrzeniem. – Mój młodszy brat był *recortadore*, jeździł na bykach. To co innego. Oni wskakują na byki, my z nimi walczymy. – Trzymając w ręku nóż do chleba, zainscenizował wbijanie szpady w grzbiet zwierzęcia.

– Jordi był w tym najlepszy – dodała cicho Rosa.

– Tak myślisz? – Vicente znieruchomiał z nożem w ręce. – Nie był jednak na tyle dobry, żeby zrobić unik przed pociskami nacjonalistów!

– Przestań! – Aż się skuliła.

– Jeśli był najlepszy, to dlaczego zrobił ci dzieciaka i zostawił cię tutaj, co? Dlaczego dał się zabić? Jeśli on był lepszy ode mnie, to dlaczego się z tobą nie ożenił?

– Oświadczył mi się – powiedziała cicho, a oczy zaszły jej mgłą. Zerknęła na Freyę. – Jeśli masz tu mieszkać, to lepiej żebyś rozumiała sytuację. Jordi, brat Vicente, zginął w Jaramie.

Wskazała ramkę ze zdjęciem Jordiego i Vicente na kredensie. Freya zaczęła się zastanawiać, czy dwaj bracia mogą różnić się jeszcze bardziej. Jordi del Valle, pomyślała. Z czym mi się to kojarzy?

– Mój brat zostawił tę kobietę samą z dzieckiem, więc się nią opiekuję – rzekł Vicente.

Właśnie widzę, pomyślała Freya, zdobywając się na wymuszony uśmiech.

– Rosa gada, że nie potrzebuje męża, ale przemówiłem jej do rozumu – mówił dalej.

Freya zmierzyła go wzrokiem. Wyczuwała głęboką żałobę Rosy, domyślała się, że za powierzchownością twardej kobiety kryje się słabość. Wiedziałeś, kiedy jest bezbronna, i rzuciłeś się na nią jak drapieżnik, pomyślała.

– Kto jest teraz twoim mężem? – spytał Vicente.

– Ty – szepnęła Rosa.

– Nie słyszę cię!

– Ty. Ty jesteś moim mężem – powiedziała Rosa wyzywająco, mając w oczach łzy.

Usatysfakcjonowany Vicente wziął do ręki widelec. Jedli w milczeniu, Vicente zmiótł większość szynki i pół bochna chleba. Wreszcie odsunął talerz i bez słowa wyszedł.

– Zawsze jest taki miły?

Freya odczekała, aż Rosa na nią spojrzy, i obie się uśmiechnęły.

– Vicente nie czuje się swobodnie w obecności kobiet. Jeśli nie jesteś jego żoną albo matką, albo kurwą, to właściwie nie wie, co o tobie myśleć.

Freya zmyła talerze.

– Nie, siedź – powiedziała, gdy Rosa chciała jej pomóc.

– Powinnaś trzymać nogi w górze, kiedy tylko masz okazję.

– Dziękuję.

Rosa z powrotem opadła na krzesło i pomasowała nabrzmiały brzuch.

– Kiedy rodzisz?

– Niedługo.

– To twoje pierwsze? Musisz być bardzo rozemocjonowana.

Rosa się zawahała. Rozpaczliwie pragnęła z kimś porozmawiać, a instynktownie wyczuwała, że tej Angielce można zaufać.

– Vicente... – Wykrzywiła twarz. – Zgorszyłam cię...

– Nie, skądże. – Freya usiadła przy stole i ujęła ją za rękę. – Nie płacz, proszę. Mamy straszne czasy. Postąpiłaś najlepiej, jak można dla dziecka.

– To takie okropne.

– Jestem pewna, że uda się wszystko ułożyć. Powiedz najpierw, gdzie trzymasz herbatę.

– W kredensie.

– Masz może rumiankową? Przygotuję dla nas coś do picia i będziesz mi mogła opowiedzieć całą historię. Kiedy twój mąż wróci do domu?

Rosa zaśmiała się gorzko.

– Nieprędko. Poszedł do knajpy, żeby się upić.

Freya wzięła dwie filiżanki.

– Znakomicie. To daje nam mnóstwo czasu na naprawianie świata. Może zaczniesz od początku i opowiesz mi, jak to się stało, że wpadłaś w takie tarapaty.

Historia ciągnęła się długo, rozmawiały do późnego wieczoru.

– To dziwne, ale nigdy nie miałam takiego poczucia, że on odszedł – powiedziała Rosa.

– Kto? Jordi?

– Czuję go tutaj. – Rosa przycisnęła pięść do serca.

– Czasem widzę więcej niż inni, ale nigdy nie widziałam, żeby umierał.

– Chcesz powiedzieć, że miewasz wizje?

Rosa skinęła głową.

– Moja matka, a wcześniej jej matka były mądrymi babami, znały się na ziołach. Tu nazywamy je *curanderas*, ale niektórzy mówią o nich *hechiceras*, czarodziejki, takie od białej magii. I to one nauczyły mnie leczyć ludzi. Pokazały mi, jak zbierać zioła o północy.

– Czyli ty również masz ich dar?

– *Si*. Byłyśmy dwie... miałam siostrę bliźniaczkę, ale umarła jeszcze jako niemowlę. – Rosa zamilkła na chwilę.

– I jeszcze to. – Podciągnęła rękawy czarnego rozpinanego swetra i pokazała Freyi palce, smukłe jak u dziecka. Przy obu małych palcach widać było jaśniejsze blizny. – Miałam ich po sześć na każdej ręce. Lekarz mi odjął te dodatkowe, kiedy się urodziłam.

Freya uniosła brwi.

– Sześć palców? Hm... Ludzie zawsze obawiali się zamawiaczek.

– Moja rodzina pochodziła z Gitanów mieszkających w grotach Sacromonte. Tam dorastałam.

– Słyszałam o Sacromonte. Tam jeździ się oglądać tancerzy?

– *Si*. Tańczymy nieustannie, dla pieniędzy i nie za pieniądze. Mogę ci opowiedzieć o tańczących derwiszach i muzułmańskich prorokach, którzy przybywali do nas o wiele, wiele wcześniej, zanim jeszcze ludzie zaczęli oglądać nasze tańce. Właśnie tam się uczyłam.

– Flamenco?

Rosa lekko się skrzywiła i poruszyła dłonią na boki.

– Za mało powiedziane. Muzyka, pieśni, *cante jondo*, to wszystko... – Wskazała podłogę i wykonała taki gest, jakby coś się z niej unosiło. – W tym wszystkim jest życie, *duende*...

– *Duende*?

– Duch. Niektórzy mówią, że to zło, upiór... ale to także magia. – Energicznie uderzyła się dłonią w pierś na wysokości serca. – Pasja. Znasz Lorcę? Tego poetę?

– Troszkę czytałam. Słyszałam, w jak straszny sposób zginął.

– Federico był moim przyjacielem – powiedziała z dumą Rosa. – Członkowie mojej rodziny pracowali dla jego rodziny. Jego stara gospodyni była moją kuzynką. Kiedy ją odwiedzałam, poznałam również jego. Przyjechał do Sacromonte patrzeć, jak tańczę.

– Naprawdę? To cudowne. Czy kiedykolwiek ci czytał?

– Tak. To był taki miły, taki dobry człowiek. Dał mi swoją książkę. – Rosa podeszła do toaletki i wyciągnęła tomik schowany za stosem starych książek kucharskich. – Nie czytam jej, bo nie umiem.

Freya otworzyła książeczkę, zobaczyła dedykację Lorki dla Rosy.

– Mogłabym ci pomóc, gdybyś chciała. Nauczyć cię podstaw.

– Zrobiłabyś to? – Rosie zapłonęły oczy. Wzięła tomik od Freyi i schowała w poprzednim miejscu. – Trzymam go tutaj, bo Vicente nigdy nie zagląda do książek kucharskich. – Puściła oko do Freyi. – Ja też nie. Nie interesują mnie książki kucharskie, ale gdybyś nauczyła mnie czytać

Lorcę... – Spuściła wzrok. – Zamordowali go. Te *hijos de puta* strzeliły mu tutaj. – Wskazała swoje plecy. – A wszystko przez to, że podobno kochał mężczyzn. – Pokręciła głową. – Co za różnica? Miłość to miłość. Lorca był geniuszem.

– Opowiadaj dalej – zachęciła ją delikatnie Freya.

– Kiedy zaczęli zabijać moich przyjaciół, uznałam, że czas zmienić miejsce pobytu. Pojechałam do Madrytu, ale moja rodzina wybrała Malagę. – Potrząsnęła głową. – Słyszałaś, co się stało w Maladze? Ludzie uciekali, setki, tysiące były na drogach, kobiety, dzieci... I co te faszystowskie sukinsyny zrobiły?

– Podobno ostrzeliwano uciekinierów z samolotów. Przyjaciel mówił mi, że widział, jak lotnicy wycinali wzory wśród ludzi na drodze.

– Tam była moja rodzina. Te wzory, które wycinali, ludzie, których zabili, to była moja rodzina. – Rosa z całej siły uderzyła się w pierś. – Czułam, kiedy ginęli.

– To nie do zniesienia. Co to za świat, że uzbrojeni mężczyźni w samolotach robią naloty na bezbronne kobiety i dzieci?

– To nie świat, to piekło. Urządziliśmy sobie piekło na ziemi. Może śmierć jest lepsza? Och, wiem oczywiście, że niektórzy republikanie też nie są bez winy. Moi towarzysze zabijają... Ale w porównaniu z tym, co robią faszyści... – Zarzuciła sobie szal na ramiona.

– Ty przeżyłaś, masz dziecko. To już coś – powiedziała Freya.

Rosa popatrzyła na nią z wyrazem trwogi.

– Przeżyłam, i co z tego? Tylko po to, by stracić kochanego mężczyznę, ojca mojego dziecka. – W oczach zaślśniły jej łzy. – Kiedy poznałam Jordiego w Madrycie, poczułam się dzięki niemu silna. Pierwszy raz w życiu zdawało mi się, że jestem wolna. On opowiadał mi dużo o polityce, pierwszy raz przejrzałam na oczy. Jak on mówił, jakie wrażenie wywierał na ludziach! Bez niego... – Uśmiechnęła się smutno. – Już nie czuję się silna. Nie jestem taka pewna siebie. Ale nadal go czuję. Vicente twierdzi, że on nie żyje, że widział papiery, które znaleziono przy jego ciele.

– Dlaczego poślubiłaś Vicente? Czy on cię zmusił, Roso? Chyba cię nie skrzywdził? Spotykałam już wcześniej podobnych mężczyzn jak on, można wyczuć, kiedy ktoś jest taki.

Rosa pokręciła głową.

– On... Vicente jest mądry. Źle ze mną było, kiedy mi powiedział, że Jordi nie żyje. Przez wiele dni nie mogłam jeść, spać. Chciałam umrzeć. Kiedy oświadczyłam to przy nim, kazał mi pomyśleć o dziecku. – Spojrzała na Freyę. – To złe czasy. Chcę dać mojemu dziecku jedyne, co mogę. Prawowite urodzenie.

– Rozumiem.

– Tu jest tymczasem bezpiecznie. Mam Macu do pomocy w domu. To dobra dziewczyna. – Rosa uśmiechnęła się do Freyi. – A teraz będziemy przyjaciółkami. To jest twoje miejsce. Mam takie przeczucie.

Rozdział 22

WALENCJA, PAŹDZIERNIK 2001

Po całym domu niósł się łoskot padającego deszczu. Emmie zabrakło garnków i patelni do łapania kropli. Siedziała, drżąc z zimna, przy stole w kuchni. Kiedy tego ranka chciała zaparzyć sobie kawę, kuchenka prychnęła i zgasła. Skończył się gaz w butli, a to znaczyło, że nie będzie ani śniadania, ani ciepłej wody do mycia, póki sprzedawca gazu nie pojawi się później na placu. Emma zerknęła ku tylnym drzwiom, gdzie usłyszała żałosne miauknięcie.

– Cześć, to znowu ty? – Kotka beznamiętnie do niej mrugnęła. – Głodna jesteś? – Emma zaczęła szperać w kredensie, w końcu wyciągnęła konserwę z tuńczykiem. – Przynajmniej z tobą wszystko w porządku. – Otworzyła puszkę, postawiła ją na kuchennym progu i przyglądała się, jak kotka je. – Gdzieś schowała swoje małe? – Przykucnęła obok i spróbowała pogłaskać ją po grzbiecie. Kotka syknęła i odbiegła przez ogród z kawałkiem ryby w pyszczku. – Nie musisz dziękować! – zawołała za nią Emma.

Oparła się o kuchenne drzwi i potoczyła wzrokiem po spłukanym deszczem ogrodzie. Odkąd został wypielony, wyglądał pod pewnymi względami gorzej. Trawnik wydawał się martwy jak ściernisko, a ogrodzeniu pilnie należało się malowanie.

Postanowiła sprawdzić, czy w szopie nie znajdzie zapasowej butli. Zapięła płaszcz zarzucony na piżamę, włożyła kalosze, chwyciła latarkę i w kląskającym błocie poczłapała przez ogród. Stary skład był ciemny i cichy, zakurzone pajęczyny zwisały z krokwi jak sprane szare majtki. Potoczyła dookoła snopem światła z latarki. Niewiele było tu rzeczy nadających się do użytku, jedynie kosiarka, którą kupiła dla Aziza, i kanister z benzyną. Skierowała światło na ścianę i ruszyła ku drzwiom w głębi, których wcześniej nie zauważyła, kryły się bowiem częściowo za starymi palikami i zardzewiałymi stojakami. Usunęła te rupiecie z drogi, zwalając je na zaplamioną betonową posadzkę. Drewno napęczniało od wilgoci, musiała więc mocno pociągnąć, żeby otworzyć drzwi. Najpierw widziała jedynie rzędy wyschniętych roślin zwisających z półek głębokiego regału. Przypominały skamieniały las. Potem zauważyła coś w głębi najwyżej położonej półki. Sięgnęła tam po omacku. Najpierw rozgarnęła palcami kurz, ale w końcu natrafiła na kamień. Podciągnęła się z nadzieją, że półka utrzyma jej ciężar, i wkrótce udało jej się zwlec na dół kamienny moździerz. Piękny, pomyślała. Musi być bardzo stary. Podciągnęła się jeszcze raz w poszukiwaniu tłuczka. Odtoczył się pod samą ścianę i leżał na kupce starych książek. Zdjęła wszystkie znaleziska i kasząc od pyłu, wyszła z powrotem do ogrodu.

Przy kuchennych drzwiach przystanęła. Staruszka, ubrana w czerń i krucha jak ptasi szkielet, chodziła po kuchni, raz po raz głaszcząc blat starego stołu. Siwe włosy miała upięte na karku w koczek, wdowi szpic na czole wskazywał pieprzyk między uczernionymi brwiami.

– *Buenos días* – powiedziała Emma. – W czym mogę pomóc?

Postawiła moździerz z tłuczkiem na stole. Książki zsunęły się i upadły obok.

Stara kobieta zbladła.

– *Madre mia!*

– Nic się nie stało? Przepraszam, jeśli panią przestraszyłam.

Staruszka już przyszła do siebie.

– Nie słyszałam, że ktoś wchodzi. – Niczym tarczę trzymała przed sobą torebkę z twardej lakierowanej skóry. – Jestem Immaculada. Wszyscy nazywają mnie Macu. Fidel powiedział, że pani chce mnie poznać.

– Och, bardzo się cieszę, że pani przyszła! Dziękuję. – Emma obmyła dłonie z kurzu. – Poczęstowałabym panią herbatą, ale skończył mi się gaz.

– Mieszka pani sama? Tutaj? – Macu pokręciła głową i usiadła na krześle, które podsunęła jej Emma.

– Nie jest tak źle. W każdym razie miło przyjmować tu gościa. Ludzie boją się tego domu.

– Domu? – Cmoknęła. – Domów nie ma się co bać, najwyżej ludzi. Albo duchów. – Wzruszyła ramionami i spojrzała na brzuch Emmy. – Czy pani...?

– Tak. Dziecko ma się urodzić w styczniu.

– Potrzebna pani pomoc, zwłaszcza w tym stanie. Ma pani tutaj rodzinę?

– Nie. Kiedyś kupiła ten dom moja matka, ale już nie żyje.

Staruszka podążyła wzrokiem za spojrzeniem Emmy ku fotografii w ramce stojącej na parapecie. Drgnęła zaskoczona.

– To pani matka? Jak miała na imię?

– Liberty.

– A kto był jej matką? – spytała Macu ze słyszalnym napięciem w głosie.

– Moja babka nazywa się Freya Temple.

– Freya? – Macu popatrzyła prosto na nią. – Ona jeszcze żyje? Ech, nigdy nie...

– Zna pani Freyę?

– Była tutaj bardzo dawno temu.

– Podczas wojny?

– Tak, podczas wojny – odparła Macu z wahaniem.

– Mogę panią o coś zapytać? – Emma wyciągnęła portfel i wyłożyła na dłoń dwie fotografie. – Czy zna pani tych ludzi?

Macu głośno odetchnęła, jakby została uderzona.

– Moi przyjaciele. To jest Rosa... – Głos jej się załamał.

Emma przykucnęła obok krzesła, by spojrzeć na zdjęcia.

– A ten chłopak?

– Jordi. Jordi del Valle.

– Czyli to był jego dom? Chciałabym usłyszeć więcej. Bardzo mnie interesuje historia tego domu. – Emma wyczuła opór Macu. – Nie mogę uwierzyć, że pani zna Freyę. Pracowałyście razem w szpitalach?

Macu zwróciła zdjęcia i zacisnęła na nich palce Emmy.

– Bardzo się cieszę, że panią poznałam. I że dowiedziałam się czegoś o Freyi i pani matce. – Spojrzała Emmie prosto w oczy. – Któregoś dnia porozmawiamy, najpierw jednak musi pani rozmówić się z babką. – Zamrugała i rozejrzała się dookoła. – Och, ten dom niejedno widział. A teraz się rozsypuje.

– Zamierzam go odnowić. – Emma z wysiłkiem wstała i oparła się o stół. – Fidel powiedział, że powinnam porozmawiać z panią również o miejscowych surowcach. Wyrabiam perfumy.

– Naprawdę? – Macu się uśmiechnęła. – Moja przyjaciółka, która tutaj mieszkała, Rosa, miała dobrą rękę do ziół. Robiła leki.

– O... Chętnie więcej się o niej dowiem.

– Czeka na mnie córka w samochodzie, więc muszę iść. Proszę nas odwiedzić. – Macu podniosła się z krzesła.

– Tymczasem przyślę pani córkę naszej gospodyni, Solé. Ona pomoże, a i na dzieciach też się dobrze zna.

– To niekonieczne.

– Wiem, ale pani jest tutaj sama. Nie powinno tak być.

– Dziękuję. To znaczy, że mam jedno strapienie mniej. Teraz muszę jeszcze znaleźć ekipę budowlaną – powiedziała Emma, otwierając drzwi.

– Niech pani poszuka mojego wnuka, Luki, najlepiej w barze. On zna różnych majstrów. – Macu cmoknęła Emmę w policzki. – Na pewno pomoże pani doprowadzić wszystko do porządku.

– Luca de Santangel jest pani wnukiem? – Emma się uśmiechnęła. – Już się poznaliśmy.

Emma zauważyła Lucę po drugiej stronie głównego placu. Siedział z grupką mężczyzn pod pasiastą markizą baru, przy stole wystawionym na dwór. Wyglądało na to, że spędzili tam już trochę czasu. Na blacie stały liczne butelki czerwonego wina i koniaku. Pomachała mu ręką, a on skinął głową w odpowiedzi, ale nie przerwał rozmowy. Podmuch zimnego wiatru szarpnął markizą i na chodnik przed barem chlusnęła porcja deszczówki. Emma postawiła kołnierz płaszcza i ruszyła w kierunku targu. Jeśli Luca jest źle wychowany i nie chce mu się normalnie przywitać, to ja na pewno nie podejdę, pomyślała.

Gdy przystanęła przed perfumerią, zauważyła w szybie, że Luca jednak do niej podchodzi.

– Dzień dobry, Emmo Temple. – Twarzy nie widziała. Pachniał alkoholem, tytoniem i mydłem z wetiwerii. Serce jej drgnęło.

– A ja myślałam, że tylko w Londynie zapomniano o dobrych obyczajach... Przecież jeszcze nie ma południa.

Spojrzał na nią pytająco.

– O co chodzi? O wino?

– Trochę na to wcześnie.

– No, no. – Pogroził jej palcem. – Niedoczekanie. Nigdy nie zobaczy pani pijanego Hiszpana. Nie tak jak w Anglii. Kiedy byłem w Londynie, widziałem kobiety... kobiety!... zataczające się na chodniku i wymiotujące do rynsztoka.

– Czyli nam nie wolno pić?

– Damie nie przystoi się upijać – poprawił ją.

– Co za mizoginia!

– Nie, to prawda. – Wzruszył ramionami. – Takie kobiety nie mają dla siebie ani krzty szacunku.

– A co z mężczyznami?

– Z nami jest inaczej.

– Wcale nie!

Odsunęła się, by przepuścić starszą kobietę z wózkiem na zakupy. Kobieta przyjrzała jej się z zainteresowaniem.

– *Señora* – powiedział Luca i ukłonił się przechodzącej.

– Pańskie maniery... – oburzyła się Emma.

– Staroświeckie, rycerskie...

– Niedzisiejsze, tradycyjne...

– Wystarczy, pani mi pochlebia! – Roześmiał się i oparł ramię o ścianę budynku. – Proszę mi powiedzieć – dodał, zniżając głos – co złego jest w mężczyźnie, który zapewnia kobiecie utrzymanie, adoruje ją, kocha tak, jakby była jedyną istotą na świecie...

– Nie potrzebuję, żeby mnie kochać – odparła Emma i na jej wargach zaigrał uśmiech. – Potrzebuję ekipy budowlanej. Babcia twierdziła, że pan będzie umiał mi pomóc.

Luca wzruszył ramionami i skinął głową w stronę baru.

– Siedzi tam dwóch Polaków szukających pracy. Są dobrzy. Można im zaufać. Pracowali u mojej siostry, Palomy.

– Dziękuję.

Luca zaplótł ramiona na piersi.

– Może uda im się uruchomić u pani podstawowe instalacje. Na przykład wodę w łazience.

Emma dotknęła swoich włosów. Były sztywne od pyłu.

– Bardzo zabawne. Z panem też chciałam porozmawiać o interesach.

– O interesach? Jestem rozczarowany. Najpierw ekipa budowlana, teraz interesy. Myślałem, że pani tak zalotnie na mnie patrzy, bo chce porozmawiać o przyjemnościach.

– Wcale nie patrzyłam zalotnie! – Miała nadzieję, że nie spiekła raka przy tych słowach.

– Owszem, patrzyła pani – powiedział i udał, że odchodzi. Zaraz jednak się zatrzymał. – O, proszę. Oczu nie może pani ode mnie oderwać, prawda?

Emma wybuchnęła śmiechem.

– Czy wszyscy Hiszpanie są tacy aroganccy?

– Przekona się pani. – Oddalił się o kilka kroków. – Dzwoniła do mnie Macu. Chce, żeby odwiedziła nas pani w sobotę na plantacji. Wtedy możemy porozmawiać o interesach.

W barze Emma skinęła na kelnerkę.

– Jest tu ktoś, kto zna się na robotach budowlanych? – spytała dziewczyny.

– Tam.

O grającą szafę opierał się szczupły, dwudziestokilkuletni mężczyzna, popijający coca-colę. Przy jego krześle leżał plecak. Emmie wydał się podobny do anioła, bo jasne loki otaczała mu neonowa błękitna aureola.

– Pan jest murarzem? – spytała.

– Mój przyjaciel Borys jest. Ja zajmuję się stolarką.

– Stolarza też potrzebuję – powiedziała i odruchowo wygładziła włosy. – Jak pan ma na imię?

– Marek.

Emma zapisała swój adres w notesie i wyrwała kartkę.

– Mieszkam w starym białym domu na szczycie wzgórza. Może wpadniecie dzisiaj z przyjacielem w południe?

– Jesteśmy umówieni – odrzekł i otworzył przed nią drzwi baru. Stał dostatecznie blisko, by wyczuła zapach mydła i gumy do żucia. – Do zobaczenia.

W południe przyjechał Fidel, właśnie gdy Marek i Borys pukali do drzwi. Emma z ulgą stwierdziła, że wszyscy się znają. Fidela poprosiła wcześniej, żeby pomógł zorganizować remont, bo chciała mieć również kogoś, kto nadzorowałby prace w czasie, gdy ona pójdzie do szpitala rodzić.

– Dobrzy z nich robotnicy – powiedział Fidel, gdy wszyscy usiedli razem przy stole w kuchni. – U mojego brata harowali codziennie od świtu do wieczora.

– Cieszę się, że *señor* Pons Garcia jest zadowolony – rzekł Borys. – Pomówmy teraz o tym domu. Kończyć będziemy w ogrodzie. – Sprawdził listę, którą wcześniej sporządził, i coś do niej dopisał. – Jest do zrobienia basen i taras. Tymczasem jednak rozbijemy tam obozowisko i rozstawimy namioty, okej?

– Okej! – Emma się roześmiała.

Fidel zerknął na deszczówkę skapującą z sufitu w kuchni.

– Może pani też byłoby lepiej w namiocie przed domem?

W trakcie omawiania planów remontu odkryła, że Borys jest nie tylko murarzem, lecz również hydraulikiem i elektrykiem. Marek zajmował się stolarką, tynkami i zdobieniami, poza tym był od noszenia ciężarów.

– Mam kłopoty z kręgosłupem – wyjaśnił Borys.

Emma zauważyła kawałek szerokiego skórzanego pasa wystającego mu spod kamizelki. Najwidoczniej zrobiła niepewną minę.

– Proszę się nie obawiać, pracuję jak superman – uspokoił ją.

– Nie wątpię.

– Razem tworzymy jednego wielkoluda! – Borys zmierzwił Markowi złociste loki. – Znam Marka od małego. Jego ojciec był moim najlepszym przyjacielem. Obiecałem mu, że się Markiem zaopiekuję.

– Sam potrafię o siebie zadbać – burknął Marek i zerknął na Emmę spod czarnogranatowych rzęs.

– W każdym razie cieszę się, że mam was tutaj. – Emma chciała zebrać kubki, ale Borys ją powstrzymał.

– Proszę iść odpocząć. Obiecujemy być bardzo cicho.

– Nie martwcie się. Kiedy śpię, można strzelać z armaty.

Zmywając kubki, Borys powiedział:

– Pani wie, że ma tutaj tajną komnatę?

– Właśnie coś mi się nie zgadzało, kiedy liczyłem okna – odezwał się Fidel. – Jesteś pewien?

– Między największą sypialnią a dzwonnicą.

– Może leży tam trup? – Marek uniósł rozłożone ramiona niczym zombi. – Ludzie w miasteczku mówią, że w tym domu straszy.

– Mnie nic nie straszyło – stwierdziła ze śmiechem Emma. – Ale to pasjonujące. Będziecie mogli otworzyć to pomieszczenie?

– Jasne. – Borys wytarł ręce. – Trzeba w tym celu skuć tynk w sieni, ale i tak nie da się tego uniknąć przy układaniu przewodów elektrycznych.

– Wspaniale. Może niedługo się do tego weźmiecie.

– Niedługo na pewno, ale najpierw trzeba załatwić prace hydrauliczne i elektrykę. Dziecko będzie potrzebować wody i światła, nie?

– Tajna komnata brzmi dużo bardziej interesująco.

– Może parę tygodni poczekać – rzekł Borys. – Moim zdaniem jest zamurowana od wielu lat.

Rozdział 23

WALENCJA, MAJ 1937

Rosa szła główną ulicą, starając się trzymać w cieniu, blisko ścian budynków. Wzdrygnęła się, gdy dziecko mocno kopnęło, wciskając się w jej kość biodrową. Wiedziała, że to już niedługo, najwyżej tydzień. W południowym upale drgało powietrze, wszystkie żaluzje od frontu były pospuszczane na sjestę. Przed nią opustoszałą ulicą zmierzał z baru do domu mały czarny pies. Cisza jej ciążyła, więc nuciła dziecku starą śpiewkę, którą znała od matki. *Mamá*, pomyślała, starając się odsunąć od siebie wyobrażenie okaleczonego, zakrwawionego ciała leżącego przy drodze. Próbowała przypomnieć sobie wczesne dzieciństwo, kiedy matka, szyjąc, śpiewała jej piosenki i kołysała ją w bujanym fotelu. Próbowała przypomnieć sobie ich wspólne spacery po wzgórzach w księżycowe noce, gdy zbierały aromatyczne zioła. Mimo to obraz twarzy matki, twarzy przerażonej i wykrzywionej cierpieniem, wracał do niej nieustannie.

Oplotła brzuch ramionami i w pośpiechu przeszła na drugą stronę drogi, zmieniając przy tym ułożenie koszyka. Strzępki rozmów podsłuchanych na targu nadal tłukły jej się po głowie.

– Anarchiści i POUM wywołali powstanie w Barcelonie – powiedziała starsza kobieta niedaleko kramu z rybami.

– I co teraz będzie?

– Słyszałam, że Baskowie wysyłają dzieci w bezpieczne miejsca. Zobaczy pan, Bilbao padnie następne – mówił sprzedawca ryb do jakiegoś mężczyzny, wkładając Rosie do koszyka kałamarnicę owiniętą w gazetę. Wymieniano plotki, obawy, domysły co do przyszłości Walencji.

Wysyłają dzieci w bezpieczne miejsca, pomyślała Rosa, dochodząc do bramy Villa del Valle. Wyglądało na to, że wojna dociera i tutaj. Bielony mur wypromieniowywał ciepło, dookoła unosił się zapach jaśminu. Rosa próbowała sięgnąć do krzaka i zerwać ukwieconą gałązkę, ale nawet gdy wspinała się na palce, nie mogła żadnej dosięgnąć.

Weszła w chłodny, niebieskawy cień. Ogród był piękny. Teraz, gdy pod jej stopami chrzęścił żwir alejki, zniknął uciążliwy żar, który bił od chodnika. Dookoła domu rozpościerała się łąka pełna białych kwiatów i drzewek pomarańczy. Rosa odniosła wrażenie, że nagle ubrano ją w wonną jedwabną pelerynkę. Po wszystkich ścianach pięły się ku niebu splątane gałązki bugenwilli. Szła ścieżką jak w transie, raz po raz trącając dłonią łodyżki lawendy. Na grządkach, wypielęgnowanych i niedawno podlanych, krople wody jeszcze lśniły na liściach. Urzeczona pięknem otoczenia i upojona aromatami nie zorientowała się, że doszła do sklepu Vicente. Stanęła jak wryta, zaskoczył ją bowiem wyraźny zapach krwi w powietrzu. W tej samej chwili usłyszała stłumione głosy i kobiecy śmiech dochodzący ze sklepu. Z mocno bijącym sercem doszła do drzwi i wstrzymując oddech, otworzyła je na całą szerokość.

Vicente stał za ladą, a kobieta z farbowanymi na rudo włosami zapinała sukienkę. Na widok Rosy szybko pozbierała torby.

Vicente powoli odwrócił się do Rosy.

– Tak?

– Usłyszałam śmiech. Byłam... po prostu byłam ciekawa.

– Wiesz, co mówią o ciekawości i piekle.

Rosa odwróciła się do niego plecami, twarz pałała jej wstydem.

– Czym mogę teraz służyć? – zwrócił się Vicente do kobiety.

– Myślę, że zrobiłeś już dość jak na jeden dzień – usłyszała jej odpowiedź Rosa.

Szybko wróciła na alejkę prowadzącą przez ogród. Jordi, myślała, siłą woli starając się przywołać przed oczy jakiś obraz. Jordi, co się stało? Dokąd odszedłeś?

Rozdział 24

WALENCJA, LISTOPAD 2001

Taksówka dowiozła ją pod wysoki bielony mur. Emma ruszyła bitą drogą z rudej gliny w kierunku plantacji rodziny Santangel. Opodal drogi płonęło ognisko z gałęzi drzewek pomarańczowych, przy którym robotnicy rolni rozgrzewali się i popijali koniak. Obok nich stały skrzynki z owocami.

Lekki podmuch podniósł jej rąbek płaszcza, odgarnęła z twarzy kosmyk. W oddali na drodze pojawiła się nieduża ciemna postać, a przy jej nogach podskakiwał biały piesek. Był za coś łajany, co Emma usłyszała, gdy się zbliżyła. Kobieta raptownie podniosła głowę i zamilkła. Odsunąwszy się na bok, zaczęła spod przymrużonych powiek przyglądać się Emmie.

– *Buenos, señora* – powiedziała niepewnie Emma. – Luca de Santangel, *por favor*?

– *Qué pasa, chica?* – Kobieta uśmiechnęła się, ale z jej spojrzenia bił chłód. – Czego chcesz od mojego syna?

– Luca de Santangel jest pani synem? – Emma wyciągnęła rękę. – Nazywam się Emma Temple. Fidel poradził, żebym porozmawiała z pani rodziną...

– Naprawdę?

– Właśnie wprowadziłam się do Villa del Valle.

Kobieta drgnęła. Dała Emmie znak, by szła za nią, i wskazała do góry. Emma popatrzyła na niebo. Niewielki biały samolot zatoczył nad nimi koło, słychać było, że zmniejszył obroty silnika i rozpoczyna podejście do lądowania. *Señora* podążała jego śladem ku polanie w pomarańczowym gaju. Zanim zdążyły tam dotrzeć, samolot już był na ziemi i wjeżdżał do hangaru. Stary człowiek wyszedł z cienia i powłócząc nogami, skierował się ku maszynie. Przed nim popędził wielki jak wilk husky z puszystym ogonem. Drzwi samolotu się otworzyły i Emma ujrzała lśniący brązowy but wysuwający się ku ziemi. Kiedy odwróciła się z powrotem do kobiety, przekonała się, że nikogo już przy niej nie ma, wróciła więc spojrzeniem do samolotu, przysłaniając oczy dłonią, by chronić je przed jaskrawym słońcem. Pies na dźwięk znajomego głosu posłusznie się położył, zaraz jednak pobiegł za panem. Tymczasem Luca rzucił kluczyki staremu i odszedł w poprzek lądowiska. Zbliżając się do Emmy, przekrzywił głowę.

– Emma Temple – powiedział, wyciągając rękę. Dłoń miał ciepłą.

– *Buenos...* Witam, *señor* de Santangel – odpowiedziała niepewnie.

– Jestem Luca. – Poprowadził ją ku domowi.

– Dziękuję za zaproszenie. – Uśmiechnęła się do niego i ściągnęła poły luźnego płaszcza.

– Zimno pani? – Zsunął z ramion kurtkę i zarzucił jej na ramiona. Zamsz zachował jeszcze ciepło jego ciała.

– Dziękuję. – Emma wciągnęła w nozdrza znajomy zapach Acqua di Parma. – Nie jestem przyzwyczajona do takich rycerskich gestów.

– Mówiłem już, że Hiszpanie wierzą w *la caballerosidad*.

– Czy to coś dobrego?

– Nie wiem. Może zapyta pani moją siostrę.

Zawołał smukłą śniadą kobietę, która przed frontowymi drzwiami domu opróżniała wnętrze seata, opierając na biodrze małą dziewczynkę. Jej dyskretna elegancja – lekkie, bardzo dobrze skrojone wełniane spodnie i kaszmirowy rozpinany sweter – wywierała duże wrażenie. Wyprostowaną postawą i gładkimi czarnymi włosami, związanymi w koczek z tyłu głowy, przypominała Emmie jej nauczycielkę baletu z dziecięcych lat.

– Hej! Czy sądzisz, że hiszpańscy mężczyźni są staroświeccy?

– A dlaczego twoim zdaniem poślubiłam Francuza? – spytała.

– Palomo, to jest Emma. Przysłał ją do nas w odwiedziny Fidel.

Cmoknął siostrę w oba policzki, ona natomiast pocałowała Emmę.

– Pani jest Angielką? – spytała.

– Tak, w każdym razie dorastałam w Wielkiej Brytanii, bo urodziłam się w Stanach. Mama była wtedy trochę zhipisiała. Haight-Ashbury, Woodstock i te rzeczy. – Emma poczuła, że Luca z uwagą jej się przygląda. – Mieszkałam w Londynie... do niedawna. I w zasadzie nie wiem, skąd jestem. – Odniosła wrażenie, że za dużo mówi. – Pomogę – zaofiarowała się, biorąc z bagażnika dwie firmowe torby z Carrefoura.

– Dziękuję. Chodźmy do środka, bo tu zimno. – Paloma zaprowadziła ją do kuchni, a Luca oddalił się w kierunku stajni. – Przyjechała pani zwiedzić Hiszpanię?

We wnętrzu powitał je miły zapach dymu.

– Nie, właśnie się tutaj przeprowadziłam. Odnawiam starą Villa del Valle. – Emma zawahała się, zobaczywszy przy kuchennym stole matkę Luki, lśniącym nożem odkrawającą szynkę od kości.

– Naprawdę? Tam od lat nikt nie mieszkał. – Paloma odłożyła zakupy na blat i posadziła dziewczynkę na wysokim krześle dziecinnym. – Mamo, znasz już Emmę?

– Tak, spotkałyśmy się na drodze – rzuciła Emma, gdy kobieta w milczeniu uniosła podbródek.

– Moja matka Dolores – powiedziała Paloma z przepraszającą nutą w głosie.

– Umieram z ciekawości, żeby poznać historię mojego domu. – Emma uśmiechnęła się z nadzieją. – Znała pani rodzinę del Valle?

– Ja? Nie, jestem na to za młoda. Musi pani porozmawiać z moją matką.

Dolores wytarła ręce w kraciastą ścierkę i wyszła na dwór. Luca minął się z nią w drzwiach.

– Przepraszam, ale musiałem zadbać o potrzeby Saszy, mojego psa.

– Jest piękny – powiedziała Emma. – Kiedy pierwszy raz go zobaczyłam, zdawało mi się, że widzę wilka.

– Proszę usiąść tutaj, ogrzać się, bo jest dziś bardzo zimno. – Luca poprowadził ją bliżej ognia. – Czy ktoś zaproponował pani coś do picia? Albo jakąś przekąskę?

Zapach kurczęcia pieczonego z cytryną i tymiankiem sprawił, że Emmie zaburczało w brzuchu z głodu.

– Naprawdę niczego mi nie trzeba, dziękuję…

– Bzdura! Palomo, kto dziś przychodzi na obiad?

Z sąsiedniego pokoju doszły Emmę odgłosy rozmowy dorosłych oraz dziecięcych dokazywań i śmiechów.

– Jak zwykle. Będzie Olivier, gdy skończy wykład.

– To mój szwagier, profesor. – Luca dorzucił polano do ognia, a potem pochylił się do Emmy i dodał ciszej: – Podziwiam tego człowieka. On to ma gadane. Kiedy się rozpędzi, akumulatorów ładować nie trzeba. – Ogień syknął i trzasnął. – Proszę dać mi płaszcz. Przyjechała tu pani z mężem? Z przyjacielem?

Emma odwróciła się, zsunęła z ramion jego kurtkę i zaczęła rozpinać płaszcz.

– Luca! – Paloma wybuchnęła śmiechem. – Proszę wybaczyć mojemu bratu. Subtelność nigdy nie należała do jego mocnych stron.

– Z nikim takim. – Emma zerknęła na Lucę przez ramię. W jego ciemnych oczach odbijały się płomienie. – Jestem sama.

Otworzył usta, by coś powiedzieć, ale gdy ponownie się do niego odwróciła, zatrzymał wzrok na jej brzuchu. Cienki jedwab sukni podkreślał krągłości ciała.

– *Ay dios mio...* – powiedziała od drzwi Dolores, wpatrując się w Emmę. Na jej ramieniu wspierała się Macu. – To jest moja matka Immaculada.

– Skończ z tymi ceremoniami – odezwała się Macu. – Już się znamy. – Sztywno podeszła do Emmy. Wyraźnie jednak złagodniała, gdy zobaczyła złoty medalion na jej szyi. – Piękny – szepnęła. – Jak tam dom?

Dolores wydęła wargi.

– To złe miejsce – oświadczyła. – W tym domu...

– *Callate!* Dość! – przerwała jej Macu. – Niczego nie wiesz. – Objęła Emmę i pocałowała ją w oba policzki. – Nie zwracaj uwagi na moją córkę – szepnęła. – Nie była z mężczyzną od trzydziestu lat i to widać.

Szurając nogami, podeszła do stołu i nalała sobie dużą sherry z karafki.

– Co za interesy ma pani z moim synem? – zapytała Dolores.

Luca wzruszył ramionami, jakby chciał powiedzieć, że nie ma z tym nic wspólnego.

Emma wstała dumnie wyprostowana.

– Właśnie, interesy. Moja rodzina ma firmę Liberty Temple...

– Oczywiście! – zawołała Paloma. – Pani jest Emma Temple. Tak mi się zdawało, że skądś panią znam. Zaopatruję w kosmetyki supermarkety El Corte Inglés. Nie mamy tyle szczęścia, żeby sprzedawać pani produkty, ale kiedy jestem w Nowym Jorku albo Londynie, zawsze uzupełniam prywatne zapasy.

– Dziękuję – powiedziała Emma. – Zakładam nową firmę. Chcę spróbować czegoś innego, oprzeć się na aromaterapii. Potrzebuję naturalnych składników, tych najlepszych.

– Albo jest pani genialna, albo szalona! – Paloma się roześmiała. – Owszem, część tego, co wytwarzamy, idzie do producentów perfum, ale po co robić własne? Może woli pani kupić olejki od jednej z wielkich hiszpańskich firm, na przykład od Destilaciones Bordas Chinchurreta?

Emma pokręciła głową.

– Chcę robić wszystko sama, początkowo na małą skalę. Jeśli pomysł wypali, wtedy rozpocznę współpracę z wielkimi firmami.

– No, no – mruknęła Dolores. – Dlaczego młodzi ludzie tak lubią utrudniać sobie życie, hm?

Emma wytrzymała jej spojrzenie.

– Po prostu mam parę nowych pomysłów.

Dziecko zaczęło szaleć w jej brzuchu. Musiało wyczuć napięcie. Na podwórzu zawył pies, nisko i żałośnie.

– Zostanie pani na obiad? – spytała Dolores.

– Dziękuję, bardzo chętnie.

– Proszę usiąść. Kobieta w pani stanie powinna odpoczywać. – Dolores zerknęła na ścienny zegar. – Zjemy, kiedy twój Francuz wreszcie przyjdzie – zwróciła się do Palomy i otworzyła drzwiczki piekarnika.

– *Ay, Mamá* – powiedziała cicho Paloma i szepnęła do Emmy: – Jesteśmy małżeństwem od dwudziestu lat, a ona wciąż nie potrafi wymówić jego imienia tak, żeby się przy tym nie przeżegnać.

W jadalni „można byłoby jeść z podłogi", jakby to określiła Freya. Panowała tu nieskazitelna czystość, masywne, ciemne drzwi były nawoskowane i wypolerowane na błysk, z krokwi zwisały lśniące mosiężne żyrandole. Długi stół nakryto dla dziesięciu osób, dzieci siedziały razem z dorosłymi.

Godziny mijały szybko, rodzina rozmawiała, a tymczasem na stole niepostrzeżenie zmieniały się dania. Olivier zdominował rozmowę, wszyscy pokładali się ze śmiechu, gdy opowiadał o kłopotach, w jakie pakowali się z Lucą w czasach studenckich.

– Zaczepiłem o rynnę, kiedy wychodziłem z jej pokoju – ciągnął kolejną opowieść. – Luca musiał przyjść mi z pomocą i przeciąć pas. Jak się nazywała ta dziewczyna, Luca? – zapytał nad stołem.

– Nie pamiętam – padła odpowiedź. – Miałeś ich tak wiele.

– Luca! – Paloma otoczyła męża ramieniem i mocno się skrzywiła.

– Och, teraz istnieje dla mnie tylko jedna dziewczyna – powiedział Olivier i cmoknął ją w czoło. – Ale wtedy...

Emma wyczuła, że milcząca dezaprobata Dolores ogarnia cały stół, jakby ktoś rozwinął drut kolczasty.

– Nie jest pani głodna? – spytała Dolores.

– Dziękuję bardzo, wszystko było pyszne, ale już więcej nie mogę. Nie pamiętam, kiedy ostatnio tyle zjadłam.

Tarta migdałowa w końcu ją pokonała. Emma odsunęła od siebie talerzyk po deserze i uśmiechnęła się, widząc, jak dzieci wybiegają na dwór. Immaculada przysnęła na swoim krześle u szczytu stołu i wciąż drzemała z zadowoloną miną, nieznacznie poruszając wargami. Słońce wisiało nisko nad gajami pomarańczowymi, ciepłe światło wlewało się przez drzwi z tarasu, złocąc srebrne lichtarze stojące na stole. Dolores zaczęła zapalać świece długą zapałką. Emma wciąż czuła zakłopotanie w jej obecności, ale uznała, że musi coś powiedzieć, gdy kobieta pochyliła się, by zapalić świecę tuż przed nią.

– Znakomity posiłek – zaryzykowała. – Doskonale przyrządzone kurczę, a tak smacznej paelli nie jadłam jeszcze nigdy.

– To nie paella – poprawiła ją Dolores. – *Arroz negro*, ryż z atramentem kałamarnicy.

– Ach, dlatego jest czarny. Bardzo chciałabym dostać przepis. – Emma upiła łyk wody, a jedna z dziewcząt tymczasem sprzątała talerzyki. – A więc, *señora*, czy pani rodzina będzie w stanie mi pomóc?

Dolores pokręciła głową.

– Niemożliwe.

– Nic nie jest niemożliwe – rzekł Olivier, dolewając im wina do kieliszków.

Emma polubiła go od pierwszej chwili. Był uprzejmy, pełen uroku, miał nos jak kartofel. I najwyraźniej wciąż się zachwycał swoją piękną żoną.

– Rzecz w tym, że zaczynam wszystko od nowa – powiedziała cicho. – Chcę się uwolnić od wszystkich... komplikacji. Mam zamiar pracować tylko z najlepszymi dostawcami. – Wytrzymała spojrzenie Dolores, a potem przeniosła wzrok na Lucę. – Słyszałam, że pan jest najlepszy. Może mi pan opowiedzieć o pomarańczach? – Oparła podbródek na dłoni i pochyliła się w jego stronę.

– Co pani chce wiedzieć?

– Wszystko. Kwiaty pomarańczy mnie zachwycają.

Wydają się całkiem nierzeczywiste, kiedy widzi się je w gajach. Są jak z rysunku dziecka, a ten zapach...

– Tak, pomarańcze najwspanialej kwitną w naszych gajach na południu Hiszpanii. Najlepsze kwiaty są po około dziesięciu latach, a szczyt drzewo osiąga około trzydziestego roku.

Emma jakoś oparła się pokusie, by dodać: „Zupełnie tak jak ja".

– Z każdego drzewa można zebrać w ciągu roku od pięciu do dwudziestu pięciu kilogramów kwiatów. Robotnik potrafi zebrać od ośmiu do dwudziestu kilo dziennie.

– Wspaniałe zajęcie.

Luca pokręcił głową.

– Nie, to ciężka praca. Zajmuje dużo czasu i trzeba za nią dobrze płacić.

– Prawdopodobnie wie pani, że olejek neroli działa odprężająco. Ludzie mówią, że spacer po gaju pomarańczowym jest jak... – Olivier poruszył palcami w pobliżu skroni. – Jak medytacja zen. Może dlatego wszyscy tutaj są tacy odprężeni.

– Mamy wiele różnych plantacji w całej Hiszpanii – powiedział Luca. – Drzewa na południu, na terenach pod Sewillą są najbardziej wonne. Kwiaty pachną wyjątkowo słodko i z nich właśnie pochodzi olejek neroli. Z liści i pędów wyrabia się olejek petitgrain, a owoce dają olejek z gorzkiej pomarańczy.

– Znakomicie. Czy mogę złożyć niewielkie zamówienie? – spytała Emma.

– To dobry rok. – Luca wziął butelkę od Oliviera i dolał wina matce, a potem również sobie do pełna. – Mamy więcej, niż potrzeba nam dla stałych klientów. Gdzie jest pani laboratorium?

– Laboratorium? – Emma pomyślała o sterylnych pomieszczeniach w Paryżu i się roześmiała. – Pracuję w domu, w kuchni. Nie mam miejsca na cały ten sprzęt, aparaty do destylacji, stojaki do enfleurage'u, prasy, więc będę musiała zlecać to na zewnątrz...

– Znam kogoś, kto może pani w tym pomóc – powiedziała Paloma. – Co sądzisz o Guillermie? – zwróciła się do Luki. – Słyszałam, że jego matka się wycofuje.

– Porozmawiam z nim. – Luca spojrzał na matkę. – Nic nie stracimy, a Emma się pobawi?

– Luca! – skarciła go Paloma. – Trudno nazwać to zabawą. Emma należy do najlepszych młodych nosów w branży perfumiarskiej.

– A więc, Emmo... – włączył się Olivier, wyczuwając rosnące napięcie. – Czy pani mąż też tutaj przyjechał?

– Nie... Straciłam mojego partnera.

– Co za niefrasobliwość!

– Rozstaliśmy się. A potem... – Okręciła medalion w palcach. – On był w Nowym Jorku, w World Trade Center, kiedy doszło do ataku.

Przy stole zapadła cisza.

– Przykro nam – powiedziała Paloma. – Zginął?

– Po prostu zniknął z powierzchni ziemi... Przez krótki czas mieliśmy jeszcze nadzieję, że się odnajdzie. Wciąż trudno nam w to uwierzyć.

Dolores spojrzała na nią łagodniej.

– Wiedział o dziecku?

Emma pokręciła głową.

– Joe był już wtedy żonaty z kim innym.

– Biedaczka, tak całkiem sama... – zaczął Olivier.

Ten przejaw życzliwości sprawił, że łzy zapiekły ją pod powiekami. Nagle zrobiło jej się gorąco.

– Olivier. – Paloma kopnęła męża pod stołem. – To nie nasza sprawa.

– Radzę sobie – powiedziała Emma szybko. – Potrafię zadbać o siebie i o dziecko też.

Wyczuła, że Luca bacznie jej się przygląda ze swojego końca stołu. Odchylił się na oparcie fotela, unosząc kieliszek wina, łokieć oparł na poręczy. W blasku świec rysy jego twarzy nabrały miękkości, jakiej wcześniej Emma w nich nie dostrzegała.

– Daj spokój – rzekł Olivier. – Przecież wszyscy kogoś potrzebujemy. – Otoczył Palomę ramieniem. – Może z czasem?

Emma pokręciła głową.

– Nie. I tak miałam szczęście. Przeżyliśmy z Joem ponad dziesięć dobrych lat. Teraz mam dziecko, nowy dom. Jestem zbyt zajęta...

– Zbyt zajęta na miłość? – Olivier parsknął śmiechem i zatkał sobie uszy, rozładowując tym napięcie. – Proszę tak nie mówić!

Paloma cmoknęła go w policzek.

– Mój mąż jest romantykiem starej daty.

– Gdzie się pani zatrzymała? – spytał Emmę Olivier.

– W Villa del Valle.

– Naprawdę? Postradała pani rozum?

– Chyba wszyscy tak uważają. – Roześmiała się, bardzo zadowolona ze zmiany tematu.

– Ten dom się wali. Nie mieszka pani chyba w ruinach?

– Nie jest aż tak źle, a robotnicy, których polecił mi Luca, są bardzo mili. Prawdę mówiąc, cieszę się z ich towarzystwa.

Dolores mruknęła coś pod nosem. Emma zerknęła na zegarek.

– Muszę już iść. Obiecałam, że po powrocie podejmę jeszcze kilka decyzji w sprawie stolarki – skłamała.

– Luca, odwieziesz Emmę do domu, prawda? – zapytała Paloma.

– Nie trzeba – odparła Emma. – Zadzwonię po taksówkę. Mój samochód stoi w garażu.

– Miałaby pani wielkie szczęście, gdyby taksówka teraz przyjechała – powiedział Luca. – A dla mnie to nie kłopot. Mogę panią podwieźć po drodze do domu.

Jechali w milczeniu, w snopach światła z reflektorów pojawiały się drzewa pomarańczowe, opuncje na poboczu, czasem błyskały oczy jakiegoś zwierzęcia. W ciepłym, wygodnym wnętrzu range-rovera Emma szybko się odprężyła.

– Sądziłam, że pan mieszka na plantacji – powiedziała.

– Nie wszyscy Hiszpanie mieszkają ze swoimi matkami. – Zerknął na nią z uśmiechem. – Trzymam tam dla siebie pokój, ale mieszkanie mam w El Carmen.

– Uwielbiam tę część miasta. Muzeum jest wspaniałe.

– Bary też są dobre. I poczucie spokoju.

Włączył aparaturę stereo. Gitara cicho grała flamenco, dźwięki pluskały jak kamyki wpadające do wody, hipnotyczne i zmysłowe. Emma poczuła, że głowa leci jej do tyłu. Po sutym posiłku ogarnęła ją miła ociężałość. Ciemne kąty samochodu zdawały się zbliżać, by ją pochłonąć. Znała to uczucie, często je u siebie obserwowała, gdy była zmęczona. Zaczynała wtedy inaczej doznawać przestrzeni, bardziej płynnie. Zerknęła na Lucę. Zatrzymała wzrok na wargach, pełnych i kształtnych. Był blisko niej. Pomyślała o Liberty recytującej w ogrodzie niczym inkantację Pieśń nad Pieśniami: „Niech mnie ucałuje pocałunkami swych ust (...). Miód i mleko pod twoim językiem”. Zastanawiała się leniwie, jak smakowałyby pocałunki Luki. A on pochwycił jej spojrzenie.

– Podoba mi się ta muzyka – powiedziała szybko.

– Jest dobra. On ma *duende*.

– Skąd pan wie, że gra mężczyzna?

– Wszyscy wielcy gitarzyści flamenco są mężczyznami.

– To oburzające!

– Taka jest prawda. Są wspaniałe tancerki... ale muzykę tworzą mężczyźni.

– Bzdura.

Luca wykonał nieznaczny gest ręką.

– *Duende* to... mroczne brzmienie, pewien rodzaj magii.

– Namiętność?

– Też, ale nie tylko... jest jak duch.

– Kobiety też potrafią być namiętne.

– Oczywiście, ale to nie to samo. Lorca powiedział, że *duende* jest jak korzenie... – Dłonią z rozcapierzonymi palcami zatoczył łuk w powietrzu. – Korzenie wnikające w ziemię. Twierdził, że to jest tutaj. – Dotknął serca. – Czujemy *duende*. W muzyce czujemy dotyk ziemi i duchów tych, którzy żyli przed nami.

Znów zamilkli. Żadne z nich nie czuło potrzeby dalszej rozmowy. Luca skręcił na skrzyżowaniu. Wspominał pierwszą chwilę, gdy zobaczył Emmę w katedrze. Poczuł wówczas więź. Czas dla niego nagle zrobił mały przystanek. Wiedział, że choć tyle momentów swojego życia zapomniał, ten zapamięta na zawsze. Zerknął na Emmę. Było w niej ciepło, któremu nie umiał się oprzeć. Jednak odkąd zauważył, że Emma spodziewa się dziecka, starał się o niej nie myśleć. Dziś powiedziała, że chce się uwolnić od wszelkich komplikacji. Czuł pociąg między nimi, rozumiał jednak, co ją powstrzymuje.

– Przepraszam za matkę – rzekł wreszcie i skinął głową w kierunku jej brzucha. – Chyba pomyślała, że znowu zostanie babcią.

– Dlaczego? Czyżby miał pan w okolicy tak dużo dzieci?

Luca zerknął na nią i uśmiechnął się leniwie.

– Nic o tym nie wiem. Myślałem o dzieciach Palomy. Mama przy nich ma pełne ręce roboty. – Zatrzymał samochód przed Villa del Valle. – No, jest pani na miejscu.

Wysiadł i otworzył drzwi po jej stronie.

– Dziękuję – powiedziała, gdy pomagał jej wygramolić się z samochodu.

– Zawsze lubiłem ten dom – stwierdził. – Któregoś dnia znów będzie piękny.

– Będzie, na pewno. Jeszcze raz dziękuję. Cieszę się na wspólne interesy.

– Cała przyjemność po mojej stronie. – Zmrużył oczy, wyraźnie rozbawiony. – Porozmawiam z kilkoma przyjaciółmi. Myślę, że możemy pomóc we wszystkim, co jest pani potrzebne.

Emma oparła się o bramę i przez chwilę patrzyła śladem oddalających się świateł samochodu Luki. Ludzie przechodzili pod latarniami, zręczne nastolatki o śniadej skórze przejeżdżały na skuterach, a lśniące włosy powiewały za nimi jak proporce. Gdy światła samochodu znikły, poczuła się nagle całkiem sama. Dziecko poruszyło się, więc drgnęła i pomasowała brzuch. Nie jestem sama, tylko samotna, pomyślała. Odwróciła się ku domowi.

– Chodź, malutki – powiedziała do dziecka. – Czas się położyć.

Rozdział 25

WALENCJA, MAJ 1937

O zmroku Rosa zapaliła lampę nad stołem. Wiosenna burza grzechotała oknami w kuchni, do mrocznej sieni wślizgnął się czarny kot. Rosa usiadła u szczytu stołu i potasowała karty. Złoty medalion lśnił jej na szyi w świetle lampy.

– Nie wiem, czy potrafię. Jestem w ciąży, więc nie widzę dobrze.

– Wciąż nie masz żadnych przeczuć na temat Jordiego? – spytała Freya.

– Nie. Nie widzę niczego. To wyłącznie moja wina. On poszedł na wojnę, żeby zostać bohaterem, dowieść, że jest lepszym człowiekiem od swojego brata. Wiadomo że jest lepszy, sto razy. – Spojrzała na talię. – Szkoda, że nie zatrzymałam go przy sobie.

– Jordi postąpił słusznie. – Macu zabębniła palcami po stole. – A skoro o tym mowa, to chcę wiedzieć, czy powinnam przyjąć oświadczyny Ignacia de Santangela.

– To porządny człowiek, nawet jeśli bogaty. – Rosa ostatni raz przełożyła karty.

– Matka Ignacia mówi, że nie jestem dla niego dość dobra – tłumaczyła Freyi Macu. – Ale on chce postawić na swoim.

– Sądziłam, że na samym początku wojny republikanie wywłaszczyli posiadaczy ziemskich – stwierdziła Freya.

– Albo i gorzej – mruknęła pod nosem Rosa. – Rodzina Ignacia przeżyła tylko dlatego, że dobrze postępują ze swoimi robotnikami. Powinnaś go poślubić, Macu. To mogę ci powiedzieć nawet bez zaglądania w karty.

– A jeśli nie będzie... bum?! – spytała Macu, gestami pokazując wybuchy fajerwerków.

– Popatrz sobie na stare pary w miasteczku – odpowiedziała Rosa, stukając kartami o blat. – Myślisz, że wciąż mają jakieś „bum"? Jak długo to może trwać twoim zdaniem?

Freya pomyślała o Tomie. Całe życie.

– „Bum" mija, życzliwość zostaje. – Rosa zaczęła wykładać karty.

Freya wpatrywała się zafascynowana w kartoniki z oślimi uszami, ozdobione dziwacznymi wizerunkami, które pod palcami Rosy tworzyły rzędy i kolumny.

– Postawisz mi kiedyś karty? – spytała. – Ja też mam ważną decyzję do podjęcia. – Usłyszały bicie zegara na wieży kościelnej. Freya zerknęła na zegarek. – Cholera, autobus! Spóźnię się na dyżur. – Objęła chude ramiona Rosy i pocałowała ją w czubek głowy. – Nie czekaj na mnie.

– Uważaj na siebie – powiedziała Rosa. – Wieczorem znowu ma być nalot. Aha, ktoś szukał cię w szpitalu. Młoda fotografka. Podobno przyjaźni się z twoim bratem. Gerda ma na imię.

– Nie znam jej. – Freya włożyła płaszcz przeciwdeszczowy.

– Przyjechała tutaj robić zdjęcia żołnierzy wojsk Frontu Ludowego. – Rosa zmarszczyła czoło, przyjrzawszy się układowi kart na stole. – Pokazała mi kilka gotowych. Pomyślałam o Madrycie, o zdjęciach dzieci na barykadach.

– Z pewnością jest lepiej, przecież dzieci już ewakuowano.

Rosa wzruszyła ramionami.

– Słyszałam, że baskijskie dzieci też mają ewakuować.

– Potarła kciukiem dolną wargę, zafrasowana kartami.

– W każdym razie ta Gerda mówi, że pobędzie tutaj kilka dni, zanim spotka się ze swoim partnerem, jakimś Robertem.

– Capą? – spytała Freya. – To on zrobił to wspaniale zdjęcie padającego żołnierza. Jeśli Charles go poznał, musi sobie dobrze radzić.

Pracowała całą noc, przywieziono bowiem ofiary bombardowań. Czuła się tak, jakby przygniatała ją góra okaleczonych ciał, robiła jednak co tylko w jej mocy, by jakoś ulżyć cierpieniom rannych. Wczesnym rankiem robiła obchód wśród żołnierzy, którzy odzyskiwali siły po operacjach. Słowa na karcie, którą właśnie trzymała, rozmywały jej się przed oczami, siłą woli jakoś jednak nad tym zapanowała.

– Jim Brown – przeczytała głośno, a resztę zapisu przebiegła wzrokiem.

Rana klatki piersiowej, paraliż lewego ramienia, możliwe uszkodzenie nerwu? – nabazgrał jeden z lekarzy. Freya zerknęła na twarz chłopca. Miał nieco więcej kolorów niż poprzednio, gdy go widziała. Transfuzja krwi cofnęła go o krok od przepaści.

– No, popatrzymy na ciebie, Jim – powiedziała. – Zaraz zmierzę ci puls.

Jim nagle uniósł lewe ramię, a Freya odskoczyła zdumiona.

– Ale masz minę! – rzekł ze śmiechem.

– Jak długo możesz już ruszać ręką?

– Mrowienie poczułem przed kilkoma dniami. Ćwiczyłem. Chciałem ci zrobić niespodziankę.

– Udało ci się.

Roześmiała się. Zmęczenie i pełne wyrzutu spojrzenie siostry przełożonej zamieniły jej śmiech w atak chichotu.

– Tęskniłem za tym śmiechem – powiedział ktoś.

Freya odwróciła się nagle i ujrzała na progu Toma trzymającego czapkę w dłoni.

– Tom! – Podbiegła do niego, zerknęła na siostrę przełożoną i wciągnęła go do dyżurki pielęgniarek. – Co za wspaniała niespodzianka!

Poderwał ją z ziemi i pocałował.

– Ale za tobą tęskniłem! – Wtulił twarz w jej włosy. – Jak ci się tu żyje?

– Sam wiesz, jak to jest. Myślałam, że tutaj będzie spokojniej, ale bombardują miasto co wieczór.

– Byłem u ciebie w domu. – Urwał. – Frey, mam nadzieję, że dobrze zrobiłem. Dziewczyna, która tam mieszka…

– Rosa?

– Ma zdjęcie w kuchni. Męża i jego brata. Rozmawiałem z nią trochę, kiedy parzyła kawę. Powiedziała mi, że ten brat zginął. Jordi del Valle… – Tom zmarszczył czoło. – Powiedziałem jej, że leczyłem kogoś, kto tak się nazywał, ale to na pewno nie był ten chłopak z fotografii.

– Stąd znałam nazwisko! – Freya klepnęła się dłonią w czoło. – Transfuzja. Jak Rosa przyjęła tę wiadomość?

– Nie wiem. Najpierw wybuchnęła śmiechem, potem zaczęła płakać. Mam nadzieję, że nie zrobiłem nic złego?

– To skomplikowane. – Pogłaskała go po twarzy, zatroskana jego mizernym wyglądem. – Z tobą wszystko w porządku? – Zdjęła pielęgniarski czepek, by uwolnić włosy.

– W Madrycie atmosfera robi się napięta. Beth odszedł. Niedawno rzucił szklaną popielniczką w Culebrasa, jednego z hiszpańskich lekarzy. Nawet ja zdążyłem mu się narazić.

Włożyła płaszcz przeciwdeszczowy i wzięła Toma pod ramię. Idąc w dół po schodach, minęli młodą pielęgniarkę, która przejmowała dyżur.

– Ty też przeszedłeś do obozu „niedojdów i zasrańców"? – spytała cicho Freya.

– Obawiam się, że tak.

Trzymając się za ręce, wyszli ze szpitala. Przy fontannie Tom przystanął.

– Rzecz w tym, Freyo, że tak jak powiedziałem, odsyłają go do Kanady. Tacy ludzie jak Beth są bohaterscy, w odpowiedniej sytuacji dają innym nadzieję, ale tutaj jest przez niego mnóstwo kłopotów. Cała dobra robota, którą robimy, idzie na marne. W Kanadzie będziemy mogli przynajmniej zbierać pieniądze dla Komitetu Pomocy.

– My? – Freya spojrzała mu w oczy. – Ty też wyjeżdżasz, ostatecznie i definitywnie, tak?

– Chciałem powiedzieć ci to osobiście. Muszę pomóc mu jakoś się z tego wykaraskać. Ostatnio doszło do potwornej sceny. Beth schował się za zasłoną w pokoju, w którym zebrała się komisja dyscyplinarna. Dokładnie usłyszał, co kto o nim myśli. Kiedy Ted Allan nazwał go sukinsynem, Beth wyszedł z kryjówki i złożył rezygnację. Nawet nie chcą, żeby został w brygadach jako chirurg.

– Ale ty mógłbyś zostać – powiedziała błagalnie Freya. – Przecież będzie teraz potrzebny ktoś, kto pokieruje transfuzjami.

Tom pokręcił głową.

– Culebras wygrał. Wszystko przeszło w ręce Hiszpanów. Jutro wracam do Kanady.

– Jutro? Chyba musi być jakiś sposób, żebyś mógł zostać?

– Beth potrzebuje pomocy, Freyo. On jest świetny, niestety jednak ludzkich przywar ma aż nadto. Ilekroć upada, podnosi się i otrzepuje z kurzu, ale coraz trudniej mu to robić. Jest zmęczony, załamany i zły. Potrzebuje mnie.

– Ja cię potrzebuję, Tom. – Położyła mu głowę na piersi.

– Ile mamy czasu?

– Najwyżej godzinę. Do mojego pociągu. – Odchylił jej głowę, wsuwając palec pod brodę. – Przyszedłem cię przekonać, żebyś ze mną pojechała.

– Nie mogę. Moja praca też się liczy. – Pomyślała o wszystkich mężczyznach i kobietach, których pielęgnowała, i o tych, którzy jeszcze znajdą się pod jej opieką. O Rosie, dziecku i Charlesie. – Jestem tutaj potrzebna, Tom. – Zobaczyła migający neon hotelu. – Chodź.

– Jesteś tego pewna?

– Kocham cię, Tom. Nie wiem, czy jeszcze kiedyś się spotkamy.

– Nie mów tak. Proszę, nie mów.

– Jestem zmęczona, Tom. Chcę być z tobą, choćby przez godzinę. Tylko we dwoje.

W wyblakłym luksusie hotelowego pokoiku bez pośpiechu rozebrali się wzajemnie, starając się zachować w pamięci każdą linię, każdą krągłość, zapach i dotyk swoich ciał. Freya jeszcze nigdy nie doświadczyła takiej namiętności, jaką wyzwoliły ich pieszczoty. Właśnie te minuty połączyły ich razem na zawsze. Wiedziała, że dla niej nie będzie już nikogo innego oprócz Toma. Leżeli jak dwie muszle, jej blade plecy tuliły się do jego torsu, a oplatające ją ramiona Toma pilnowały, by była blisko. Rozpaczliwie walczyła z sennością, z niesamowitym zmęczeniem, które zamykało jej powieki. Nie chciała stracić ani chwili.

– Muszę iść – powiedział w końcu Tom, całując ją w kark.

– Nie! – Przytrzymała jego ramiona.

– Kocham cię, Freyo. Kiedy to się skończy...

Pokręciła głową. Łzy cisnęły jej się do oczu, gdy Tom wstał z łóżka i zaczął się ubierać.

– Nie mogę tego znieść, Tom.

– Nie stracę cię, Freyo – powiedział, energicznie wkładając marynarkę. – Szkoda, że nie mam niczego, co mógłbym ci dać, pierścionka...

– Będziemy jeszcze mieć dla siebie wiele czasu, kiedy to się skończy.

Zerknął na zegarek.

– Do diabła, spóźnię się!

Ostatni raz ją objął.

– Uważaj na siebie. Uważaj – szepnęła, wtulając mu twarz w szyję.

– Przyjadę po ciebie – obiecał. – Gdy tylko będę mógł, odnajdę cię. Tylko ostrzegam, że do pisania listów nie mam melodii.

– I dobrze. Widziałam twój charakter pisma. Typowo lekarski – powiedziała ze śmiechem, starając się powstrzymać łzy. Nie chciała, żeby zobaczył ją płaczącą.

– Czekaj na mnie. Nie pozwól, żeby oczarował cię inny mężczyzna. Obiecujesz?

– Obiecuję. – Głos jej drżał.

– Nie będę już prosił, żebyś ze mną wyjechała, chociaż wiesz, jak bardzo tego pragnę. – Włożył czapkę i lekko ją przekrzywił. – I nie mówię do widzenia...

– Tom, poczekaj! – Freya usiadła na łóżku. – Ja... – Coś ścisnęło ją za gardło. To była jej chwila. Mogła teraz zdecydować, że z nim jedzie, pobiec na stację, popłynąć do Kanady. Mogła uciec, nie oglądając się za siebie. Jestem tu potrzebna, pomyślała. Nie mogę tego zrobić. – Kocham cię. Będę czekała na ciebie, nawet bardzo długo.

Ostatni raz na nią spojrzał.

– Boże, ale jesteś piękna!

Drzwi zamknęły się z trzaskiem i Freya została sama. Popatrzyła na swoje odbicie w lustrze toaletki. Kobieta w półleżącej pozie, z białym prześcieradłem okrywającym krągłość biodra i potarganymi jasnymi włosami rozsypanymi na poduszce. Dotknęła warg nabrzmiałych i czerwonych od pocałunków. Piękna, pomyślała. Taka się przy nim czuła. Piękna.

Rozdział 26

WALENCJA, GRUDZIEŃ 2001

Emma usiadła na swoim nowym łóżku i oparła się na sprężystych poduszkach z gęsiego puchu. Puste pudełka i torby ze sklepu El Corte Ingles walały się po podłodze. Zamknęła oczy, podskoczyła na próbę i westchnęła z rozkoszą. Nawet przy zamkniętych drzwiach słychać było budowlańców przy pracy, jęk piły i drżenie ścian, kiedy Borys kładł nową instalację elektryczną. Nad jej głową kabel zwisał z sufitu, czekając na zamontowanie żarówki. Płomienie tańczyły w kominku świeżo pomalowanego białego pokoju.

Wybrała numer Freyi. Spojrzała na kotkę, która siedziała w ciepłej plamie słońca na parapecie. Potem zerknęła na świeże zadrapania na nadgarstku.

– Nie chcesz złagodnieć, co? – powiedziała do kotki. – Zobaczysz, jeszcze się zmienisz.

Światło na zewnątrz było czyste, zimowe. Rano Emma nabijała pomarańcze goździkami i kokardkami ze wstążki w czerwoną kratkę, a potem ozdobiła choinkę, którą Marek przyniósł z targu. Nie planowała żadnych dekoracji – myśl o pierwszych świętach bez Liberty i Joego sprawiała, że krajało jej się serce – ale zmieniła zdanie, kiedy zobaczyła, z jaką dumą Marek i Borys pokazują jej drzewko ustawione w rogu kuchni. Teraz jej palce trzymające słuchawkę pachniały pomarańczą i przyprawami.

Freya nie odbierała. Emma ściągnęła wargi. Chciała porozmawiać z nią o podejrzeniach Liberty, a także zapytać o Macu i Rosę. Próbowała już kilka razy, ale babci zawsze udawało się zmienić temat. Zorientowała się, że chce porozmawiać także o Luce, chociaż Freya nie znała się chyba na sprawach sercowych. Ciekawe, czy kiedykolwiek kogoś kochała...

Jej myśli przerwał komunikat automatycznej sekretarki.

– Cześć, babciu, tu Em. Nic wielkiego się nie dzieje, chciałam tylko pogadać. W każdym razie ucałowania dla ciebie i Charlesa. Zadzwonię niedługo.

Opadła z powrotem na łóżko. Po raz pierwszy zdała sobie sprawę, że zza wypukłości brzucha nie może dojrzeć swoich palców u nóg, poruszających się w grubych wełnianych skarpetkach. Teraz odliczała czas do porodu w tygodniach, nie w miesiącach. Żałowała, że nie ma z nią matki. Chętnie posłuchałaby jej rad. Zawsze tak było. Wyobraziła sobie Liberty siedzącą w nogach łóżka, rozprawiającą o czymś z ożywieniem, pełną pomysłów i planów.

Jednak pod koniec życia mama nie była taka, pomyślała Emma. Wróciła myślami do ostatniego razu, kiedy widziała się z matką. Po wielkanocnym obiedzie Joe niósł Liberty na rękach do jej pokoju jak ptaka ze złamanym skrzydłem. Zmieniła się nie do poznania, z zapadniętą twarzą, bez włosów. A mimo to do końca była sobą i nalegała, by uczestniczyć w uroczystościach. Zawsze uwielbiała święta. Freya pomogła jej zawiązać kobaltową chustę Tuaregów w turban i pociągnęła jej blade wargi czerwoną szminką. Gdy wszyscy jedli i pili z wymuszoną wesołością, Emma spoglądała przez stół na matkę podpartą poduszkami, siedzącą pomiędzy Charlesem a Freyą. Uśmiechała się do nich, chociaż nie mogła jeść ani pić. Odchodziła na ich oczach. Freya kiwnęła głową do Joego, kiedy Liberty zamknęła powieki.

Wziął ją na ręce, ułożył w łóżku i po raz ostatni pocałował w czoło, po czym wyszedł z pokoju z oczami pełnymi łez i wzrokiem wbitym w ziemię. Emma umyła matce twarz i ręce, a pielęgniarka podała jej morfinę pod czujnym okiem Freyi. Wiedzieli, że to już nie potrwa długo. Charles przyczłapał do sypialni i siedział przy Liberty przez jakiś czas. Trzymając ją za rękę, opowiadał bajki z jej dzieciństwa, śpiewał stare piosenki.

Tej nocy Freya i Emma położyły się przy Liberty i czuwały aż do jej ostatniego tchu. Emma zwinęła się przy boku matki, a Freya leżała z jej głową w ramionach, gładząc ją po policzku i tuląc do snu, tak jak przed wielu, wielu laty, kiedy burze i potwory nie dawały przestraszonemu dziecku spać.

Nawet teraz Emma czasami myślała: muszę zapytać mamę, gdzie znalazła ten materiał, albo chciała podzielić się z nią mało istotną informacją na temat jakiegoś domu czy wioski. Nadal trudno jej było uwierzyć, że matka nie żyje. Zamrugała powiekami i popatrzyła na czarne lakierowane pudełko na szafce nocnej. Kiedy podniosła pokrywkę, w pomarańczowym wnętrzu zajaśniał odblask ognia. Przebierała koperty, dopóki nie znalazła tej, której szukała: „O miłości". Rozerwała ją.

Em, co mogę Ci powiedzieć o miłości? Nie czuję się upoważniona do mówienia Ci o romantycznym uczuciu, skoro Ty i Joe zbudowaliście lepszy związek, niż kiedykolwiek mi się to udało.

Emma westchnęła i czytała dalej.

Zawsze umiałaś wspaniale kochać, Em. Jesteś najżyczliwszą osobą, jaką znam. Chcę Cię prosić, żebyś pozwoliła się kochać. Otwórz drzwi miłości. Może Freya i ja jesteśmy winne temu, że uczyniłyśmy Cię silną i niezależną. Czasami myślę, że Joe z trudem za Tobą nadąża. Daj mu odczuć, że go potrzebujesz. Mam nadzieję, że Ty i Joe przezwyciężycie to, co się teraz dzieje między Wami, a o czym mi nie mówisz.

Emma uniosła brwi.

Tak, oczywiście, że wiem. Jestem Twoją matką. Wiem wszystko. Kiedy byłaś mała, udało mi się Ciebie przekonać, że naprawdę mam oczy z tyłu głowy. Któregoś razu przyłapałam Cię, jak rozgarniałaś mi włosy, żeby znaleźć te oczy, kiedy drzemałam.

Em, nauczyłam się jednej rzeczy: romantyczna miłość przychodzi i odchodzi. Czasem ci, którym Twoje serce najbardziej ufa, są tego najmniej warci. Ludzie są ułomni, marnują życie sobie i innym. Czy potrafisz to znieść i wybaczyć, czy odejdziesz, zależy od Ciebie. Czasami zarówno w życiu, jak i w miłości chodzi o decyzję, kogo zostawić, a kogo zabrać ze sobą w dalszą podróż. Mam nadzieję, że Joe jest tego wart. Nigdy nie pozwól, aby uczynki innych upośledziły Twoją zdolność kochania. Pozostań wierna swojemu sercu. Ostatnio byłaś taka smutna, zamknięta w sobie. Może coś bardzo Cię bolało? Em, proszę, nie poddawaj się. Możesz mieć cudowne życie, nawet jeśli ta miłość dobiega końca. Jeśli Joe nie jest tym właściwym, gdzieś żyje mężczyzna, który dotrzyma Ci kroku, chociaż może przez jakiś czas będziesz musiała iść sama.

A miłość macierzyńska... cóż, jest bardzo silna i bezgraniczna, wybacza wszystko. Jak wiesz, nigdy nie planowałam dziecka. Moje relacje z Freyą nie należały do najłatwiejszych... może to ona mnie od tego odwodziła. Nigdy nie zapomnę jej słów. Mówiła, że budził ją rano mój płacz i zastanawiała się, jak przetrwa kolejny dzień. Być może nie była stworzona do macierzyństwa – wiem, że są takie kobiety, i na pewno nie było jej łatwo. Jednak kiedy zorientowałam się, że spodziewam się Ciebie – och, byłam taka szczęśliwa! Oczywiście byłam też przerażona, bo zostałyśmy same, tak jak Freya. Martwiłam się, że nie będę dla Ciebie dostatecznie dobrą matką. Ale myślę, że jakoś nam się udało.

Byłaś i jesteś największym cudem, jaki zdarzył się w moim życiu. Tak mi przykro, że nie będę mogła trzymać Cię za rękę podczas Twojej podróży. Oddałabym wszystko, żeby zostać babcią, tulić dziecko i znowu kochać. Och, kiedy pomyślę o Tobie jako niemowlęciu... o tych cudownych tłuściutkich rączkach i nóżkach, tych oczkach bez piętna wieku. Zobaczysz. Nie wiedziałam, czym jest miłość w całej swojej przerażającej bezbronności i wspaniałości, dopóki nie urodziłaś się Ty. Patrz, zakładam, że będziesz miała dzieci! Nie umiem sobie wyobrazić, że może być inaczej. Będziesz cudowną matką, Em, o wiele bardziej konsekwentną ode mnie. Ale obiecaj mi, że będziesz je trochę rozpieszczać. Pozwól im zjeść całą tabliczkę czekolady naraz, zrób to dla mnie.

Kocham Cię na zawsze.

Mama x

Rozdział 27

WALENCJA, MAJ 1937

Vicente pchnął drzwi tak mocno, że odbiły się od ściany.

– Gdzieś ty była?

– Pojechałam z Freyą i Macu do miasta, żeby posłuchać przemówienia La Pasionarii.

Rosa szczotkowała rozpuszczone włosy. Kiedy Freyi nie było w domu, nadal przebierała się w pokoju Jordiego, nie chcąc, aby Vicente oglądał ją nago. Teraz podszedł i stanął za jej plecami.

– Spędzasz za dużo czasu z tą Angielką.

– Lubię ją. Wykonujemy ważną pracę…. – Poczuła na szyi jego gorący oddech przesycony zapachem koniaku.

– To ja jestem tu ważny.

Vicente odwrócił ją i brutalnie rozchylił jej sukienkę. Zaczął wodzić ustami po jej uchu, przykrył dłonią jej nabrzmiałą pierś. Wzdrygnęła się, czując gładki metal jego zębów.

– Jestem twoim mężem, Roso. Twoje dziecko nie będzie okryte hańbą. Zajmę się tobą…

– Sama mogłam się sobą zająć.

– Nie. – Odwrócił ją tyłem, przyciskając jej pośladki do swych bioder. Brzeg toaletki mocno uciskał jej brzuch i dziecko zaczęło się wiercić. – Zobaczysz. Widzisz, w jakim kierunku toczy się wojna. Franco wygra i wszystko wróci do normalności. – Zacisnął dłoń na jej ramieniu. – W Walencji jest bezpiecznie. I przyzwoicie.

– Proszę, Vicente – błagała, kiedy rozepchnął jej nogi na boki. – Nie teraz...

– Skoro czujesz się na tyle dobrze, żeby iść i słuchać przemówienia tej kobiety, to równie dobrze możesz zadowolić swojego męża.

Rosa próbowała myśleć o czymś innym – o pięknym głosie La Pasionarii, o jej ciepłym wzroku, oczach, które roziskrzyły się, kiedy mówiła o wolnej, demokratycznej Hiszpanii. Wydawała się bardziej królową niż córką górnika.

– Chcę wrócić do Madrytu i walczyć.

– Nie. Twój dom jest teraz tutaj, a wkrótce wszystkie kobiety będą siedziały w domach z dziećmi.

– Jak za dawnych dobrych czasów?

– Uważaj, Roso. Twoje czerwone dziecko jest chronione, bo zostałaś moją żoną. Zrobiłem to, czego wymagała przyzwoitość. Poślubiłem kobietę mego zmarłego brata. Żaden del Valle nie będzie bękartem.

– Przyzwoitość?! – krzyknęła Rosa. – To nazywasz przyzwoitością?

Vicente wzmocnił uścisk na jej karku, zmuszając ją do pochylenia głowy.

– Jestem dobrym człowiekiem. Będę po właściwej stronie. Po stronie wygrywających. – Szarpnięciem podciągnął jej ubranie i wcisnął się w nią, stękając. – Jordi powinien był o tym pomyśleć – powiedział, obserwując swoje odbicie w lustrze. – Był z ciebie taki dumny. Obnosił się z tobą jak z trofeum. Powinien był się domyślić, że będę chciał cię mieć od chwili, kiedy cię zobaczyłem...

Mówił coraz mniej wyraźnie, a w końcu znieruchomiał i wydał przeciągły jęk.

Rosa zepchnęła go z siebie.

– Ty świnio! – Chciała go uderzyć, ale Vicente chwycił jej nadgarstek i ścisnął tak, że krzyknęła. – Z tobą przynajmniej szybko jest po wszystkim.

Vicente zbliżył twarz do jej twarzy.

– Wydaje ci się, że mój zmarły brat był lepszym kochankiem, co? Biorę cię jak sukę, bo nią jesteś.

– On żyje. – Rosa naciągnęła na siebie sukienkę i objęła brzuch rękami.

– Widziałem papiery, były całe we krwi.

– Czyjej krwi? – Rosa stanęła przed nim z uniesionym podbródkiem. – Oszukałeś mnie. Uwierzyłam ci, ale on na pewno żyje. – Uderzyła się pięścią w pierś. – Wiem, że żyje.

Rozdział 28

WALENCJA, GRUDZIEŃ 2001

Luca w zamyśleniu obserwował wodę w fontannie rozpryskującą się na zmysłowych pośladkach półleżącej kamiennej figury. Przypomniał sobie Emmę idącą przez plac tego ranka, kiedy się poznali; jesienne słońce łagodnie prześwietlało brzeg jej bawełnianej sukienki. Widział niewyraźny zarys jej ud, pamiętał kołysanie bioder...

– *Luca, qué pasa?*

– *Joder! Mamá...* – Odwrócił się gwałtownie.

– *Joder?* Mówisz *joder* do swojej matki? Wymyję ci usta mydłem. – Dolores zakryła ucho małej dziewczynki, którą prowadziła za rękę, pociągnęła ją w ciszę swoich spódnic. – Ja ci dam *joder*...

– Przestraszyłaś mnie. – Luca skrzywił się, gdy wolną ręką uderzyła go w ramię. Ukucnął i połaskotał siostrzenicę, robiąc pocieszną minę. – Zamyśliłem się. Myślałem... – Wstał.

– O tej kobiecie. – Dolores ściągnęła usta i zapięła ostatni guzik swojego ciężkiego czarnego płaszcza. – Znam cię.

– Emma jest tylko znajomą.

– A ty jesteś tylko mężczyzną. – Wzięła go pod ramię, kiedy otoczył ich tłum wychodzący z bazyliki. – Takie sprawy właśnie tak się zaczynają.

– Mamo, ja nie szukam miłości. – Luca wcisnął wolną rękę do kieszeni. – Nie mam czasu na miłość, pracując na plantacji, zajmując się naszym majątkiem, tobą i rodzinami, które wspieramy.

Pomyślał o śmiechu Oliviera przy obiedzie i własne słowa wydały mu się puste, pozbawione znaczenia. Spojrzał w dół na delikatny jasny przedziałek w ciemnobrązowych kędziorkach siostrzenicy. Kochał ją i jej braci jak własne dzieci. Był czas, kiedy pragnął mieć dzieci rozpaczliwie, ale już mu to przeszło. Postanowił nie myśleć o tym więcej.

– Widzę, jak na nią patrzysz! – ciągnęła Dolores. – Mam oczy. Pamiętaj, Luca, ona jest w ciąży z innym mężczyzną. I mieszka w tym domu. Będą z tego tylko kłopoty.

Luca szedł wolno, żeby matka mogła mu dotrzymać kroku. Emma zburzyła jego spokój. Dni, dotychczas pełne treści, wydawały mu się nagle puste. Wieczorami zawsze jadł kolację z rodziną albo spotykał się z przyjaciółmi w barze w mieście. Gdy czuł się samotny, było kilka kobiet, które nie oczekiwały od niego więcej, niż mógł im dać. Lubił spokój samotnego życia – miał wygodne, obszerne mieszkanie z książkami, biurkiem, kanapą, ogromnym telewizorem i łóżkiem na tyle dużym, żeby pomieścić niemal dwumetrowego użytkownika. Zbudował sobie życie, które mu odpowiadało. Nie zdawał sobie sprawy, że mu czegoś brakuje, dopóki nie spotkał Emmy.

Dolores zatrzymała się na ulicy, żeby pozdrowić starą znajomą. Luca przyjrzał się krytycznie swemu odbiciu w witrynie piekarni. Jego ciało było nieco cięższe niż w młodości, ale czuł się w nim dobrze, nie przytył jak wielu jego kolegów, których brzuchy wciskały się w biurka

218

i kawiarniane stoliki. Skronie mu posiwiały, ale włosy jeszcze nie zaczęły się przerzedzać, a każdego ranka przed spacerem z Saszą w gajach pomarańczowych był w stanie zrobić dwieście przysiadów. Co wieczór niezależnie od pogody pływał. Podczas burz matka patrzyła z niepokojem przez kuchenne okno, jak tnie powierzchnię wody, pływając tam i z powrotem, obojętny na błyskawice. Sądził, że jest w niezłej kondycji. Zastanawiał się, co widziała Emma, patrząc na niego.

Nie zamierzał wpadać tego ranka do Ogrodu Wonności, ale pod wpływem impulsu kupił dla Emmy na targu śpiewającego ptaszka. Wiedział, że jej się spodoba. Ostatnio kilka razy dziennie przychodziło mu do głowy, że Emma ucieszyłaby się z czegoś, albo też zapamiętywał różne historyjki, żeby opowiedzieć je Emmie przy najbliższym spotkaniu. Dziś miał wrażenie, że jego dusza unosi się i płynie przed nim w powietrzu do willi na wzgórzu.

– *Buenos días, señor* – powiedział Aziz, gdy Luca pchnął drzwi i zadźwięczał stary dzwonek.

– *Buenos.* – Luca rozejrzał się po sklepiku rozczarowany, że nie ma Emmy. – Czy są może gardenie?

Aziz podrapał się po głowie.

– Nie wiem. Zapytam Emmę.

– Nie, nie przeszkadzaj… – Luca urwał i podążył za Azizem do ogrodu z rozśpiewanym ptaszkiem w klatce.

Dom rozbrzmiewał buczeniem wiertarek, kakofonią drgań i pisków.

– Emma! – Aziz spróbował przekrzyczeć harmider.

Emma tańczyła przed piecem kuchennym do muzyki z radia, długim błękitnym szlafrokiem zamiatała podłogę. Pod szlafrokiem miała kraciastą męską piżamę, której nogawki wepchnęła w ciepłe skarpetki i kalosze.

Odwróciła się gwałtownie z łopatką w ręce.

– Luca? Jak długo tam stoisz? Próbowałam się rozgrzać. Wejdź!

Śmiała się do utraty tchu. Aziz wpuścił gościa i wrócił do sklepu. Emma pocałowała Lucę w oba policzki. Włosy miała rozpuszczone i wilgotne. Była zarumieniona, a nałożony w pośpiechu tusz do rzęs rozmazał się pod jednym okiem.

– Masz tu trochę... – Zawahał się, nie wiedząc, czy może dotknąć jej twarzy.

– O kurczę! – Przesunęła palcem pod okiem. – Chciałam wyglądać w miarę po ludzku. Mamy w końcu nowy bojler, nie wyobrażasz sobie, co to za rozkosz wziąć normalny prysznic.

– Nie chcę ci przeszkadzać. – Luca podał jej klatkę. – Zobaczyłem tego ptaszka i pomyślałem, że może nadawałby się na prezent gwiazdkowy.

– Dziękuję. – Emmie rozbłysły oczy. – Co za cudowny pomysł! W Tajlandii robiłam tak... – Podeszła do drzwi i otworzyła klatkę, a ptaszek wyfrunął do ogrodu, śpiewając radośnie. Pręgowana kotka z błyskiem w oku obserwowała jego lot spośród wysokich traw.

– Myślałem, że będzie dla ciebie miłym towarzyszem. – Luca wyszedł za nią na zewnątrz.

Emma zorientowała się, co zrobiła.

– Och, przepraszam cię.

Ptaszek usadowił się na drzewie pomarańczowym.

– Jeśli tu zostanie, to znaczy, że jest ci przeznaczony – rzekł Luca.

Emma postawiła klatkę na murku, zostawiając drzwiczki otwarte.

– Jadłeś śniadanie? – zapytała, kiedy weszli z powrotem do kuchni. W rogu pomieszczenia stała mała choinka oświetlona białymi lampkami.

– To jest śniadanie?

Na kuchence płonęła patelnia. Luca zdusił ogień mokrą ścierką.

Emma uniosła ściereczkę i dziabnęła papryki widelcem.

– Skusisz się?

– Oczywiście – skłamał. Żołądek miał pełen gorącej czekolady i *churros* z kawiarni, ale chciał zostać z Emmą.

– Mógłbyś dołożyć trochę drew? Mam nadzieję, że skończą dzisiaj robić ogrzewanie, ale na razie jest lodowato.

Emma kręciła się po kuchni, wyjmując talerze i sztućce. Świeżo wyczyszczony moździerz i tłuczek stały dumnie obok deski do krojenia.

Luca dołożył do ognia, wzniecając złote, trzaskające iskry ulatujące z sykiem do komina. Potrzymał dłonie nad płomieniami, by je ogrzać. Podniósł starą książkę leżącą na stole i otworzył.

– Znalazłam to w szopie – powiedziała Emma.

– Wiersze Lorki. – Luca kartkował książkę.

– Z dedykacją Lorki dla Rosy. Nie mogę uwierzyć, że go poznała. Jest też coś w rodzaju notesu z przepisami. Niewiele udało mi się odcyfrować, ale sądzę, że też należał do Rosy. Muszę zapytać Macu.

Kiedy przeglądał wiersze, Emmie udało się dokonać w kuchni alchemicznych czarów. Przypalone śniadanie zamieniło się w soczystą i ociekającą oliwą grillowaną paprykę, szynkę i świeżo upieczony chleb.

– Jesteś czarodziejką – powiedział, kiedy postawiła przed nim talerz.

– Chyba w porę przyszliśmy na ratunek. Moja matka zawsze mówiła, że dziewięćdziesiąt procent gotowania to miłość, przyciemnione światło i dobre składniki. – Odwróciła wzrok. – Jeśli chodzi o pozostałych dziesięć procent, to sam widzisz, jaka jestem beznadziejna...

– Piękne pudełko. – Luca wskazał czarną lakierowaną kasetkę na stole.

– Kiedyś były w nim perfumy. – Emma uniosła pokrywkę. – Mama przed śmiercią włożyła tu listy do mnie. Na razie przeczytałam tylko kilka. Chcę, żeby starczyły mi na długo.

– Chcesz mieć ją przy sobie na dłużej?

– Tak.

– Wiem. – powiedział Luca. – Wiem, jak trudno jest pozwolić komuś odejść.

Luca czuł ciężar matki uwieszonej mu na ramieniu, kiedy szli ulicą. Wciągał w nozdrza zapach gardenii, które Emma ułożyła dla niego w bukiecik, teraz przypięty do płaszcza Dolores. Odurzająca woń przywodziła mu na myśl dłonie Emmy przy pracy, szczupłe i pełne gracji. To za jej przyczyną wszystko było teraz inne. Jego samotna sypialnia nagle wydała mu się celą. Szafa była pełna tych samych ubrań, które nosił przez lata, ale teraz nie mógł już znaleźć w niej nic odpowiedniego. Nadal co wtorek siadywał przy tym samym stoliku w barze w El Carmen, żeby zagrać w szachy i napić się z Olivierem, ale coś się zmieniło. Kiedy szedł przez miasto, obserwując siostrzenicę biegającą wśród gołębi, wyglądał tak samo jak każdy inny mężczyzna. Dziewczynka co chwila zjawiała się przy nim z rozpostartymi ramionami, a śmiech tryskał z niej jak woda z fontanny. Dla niej również świat był nowy i pełen cudów. Po Luce nic nie było widać. Nikt by się nie domyślił, że w myślach biegł przez plac, śmiejąc się jak dziecko, z sercem wypełnionym miłością.

Rozdział 29

Walencja, maj 1937

– Nigdy nie sądziłam, że będę się bała księżyca – powiedziała Freya.

Paliła oparta o okno w magazynku. Zgasiła papierosa i starannie schowała go na później do metalowego pudełka, które nosiła w kieszeni. Zabłysło samotne światło reflektora.

Czyste nocne niebo zdawało się ciemnieć od wschodu, gęstniało od drgania, pulsowania na przenikającą wszystko pojedynczą nutę.

– Chryste, znowu nadlatują! – zawołał ktoś w ciemności.

Freya zesztywniała. Czekała spokojnie, pewna nadchodzącej masakry. Pierwszy nalot bombowy przeraził ją, ale teraz wiedziała już, że są bezradni. W myślach śledziła tor lotu samolotów krążących nad Plaza la Reina. Zmierzały w stronę szpitala, były coraz bliżej. Potem usłyszała narastający świdrujący dźwięk mknących w dół bomb. Czy tym razem kolej na nią? Skuliła się pod najsolidniejszą ścianą magazynku. Miała wrażenie, że jej ciało staje się kilka razy większe, wręcz ogromne, łatwe do zranienia. Wydawało jej się, że bomby lecą prosto na nią.

– Zgaś latarkę! – usłyszała czyjś krzyk na ulicy. – Milicja pomyśli, że dajesz znaki samolotom.

A potem huk i eksplozje wprawiające wszystko w drgania – jedna, druga, trzecia... Ściana za plecami Freyi zatrzęsła się, ale wytrzymała. Nad ich głowami popękał sufit i tynk zaczął opadać jakby w zwolnionym tempie. Spojrzała na mężczyznę leżącego obok niej na noszach, z twarzą przykrytą białym płótnem dla ochrony przed odłamkami szkła i gruzem. Czy to już koniec? Czwarta eksplozja, głośniejsza od poprzednich, rozdarła budynek.

– *Madre mia!* – wykrzyknęła hiszpańska pielęgniarka. Pomieszczenie rozjaśnił błysk wybuchu i Freya, upadając, zobaczyła jej przerażoną twarz uchwyconą w świetle jak na fotografii.

Nocne naloty są zazwyczaj lżejsze, pomyślała, gramoląc się na nogi. Było coś nierzeczywistego w obserwowaniu ataków lotniczych, ciemnych sylwetek, tańczących świateł. Trudniej było jej znieść ponurą rzeczywistość dziennych nalotów, widzieć zrezygnowane twarze dorosłych, potworny strach dzieci. Zasłoniła uszy przed histerycznym terkotem wystrzałów. Kolejny wybuch. Okna otworzyły się gwałtownie, szkło poleciało kaskadą na ziemię. Przez ziejące otwory zobaczyła pociski smugowe, wyglądające jak spadające gwiazdy, jak srebrna koronka na tle nieba. Jednostajny warkot faszystowskiej armii nie ustawał, wciąż nienasycony.

Na zewnątrz rozbrzmiało wycie syren karetek. Przytłumione niebieskie światło kogutów omiatało ulice. Cisza zapadła nad miastem oczekującym na powrót bombowców. Freya usłyszała pośpieszne kroki ludzi biegnących do *refugios*.

Uważała, że nie ma sensu chować się w piwnicach. Widziała już olbrzymie budynki walące się jak konstrukcje z drewna balsa, kiedy uderzyła w nie bomba. Co wtedy? Powolna, długotrwała śmierć, bez światła, bez tlenu? Na samą myśl o tym jej twarz skurczyła się w grymasie. Po co się kryć? Wszystko było koszmarną loterią. Podniosła wzrok, kiedy usłyszała, że ktoś woła ją po imieniu.

– Tutaj! – odkrzyknęła.

Niewysoka kobieta z aparatem dyndającym na szyi przedarła się przez gruz.

– Freya Temple? Jestem Gerda, koleżanka twojego brata.

– Miło cię poznać.

– Chodź prędko! Ta mała Hiszpanka, Rosa...

– Gdzie ona jest? – Strach przemknął przez żyły Freyi jak bryłka lodu. Rosa nie przyszła tego wieczoru na swój dyżur.

– Nie, wszystko w porządku. – Gerda się uśmiechnęła. – Jest parę ulic stąd. Rodzi.

Samoloty zanurkowały nisko. Spadła kolejna bomba, ziemia się zatrzęsła, zadrżała. Freya i Gerda skuliły się w drzwiach, czekając na przerwę w bombardowaniu. Freya spojrzała na ulicę i zobaczyła, że pobliska willa unosi się w całości ponad fundamenty, po czym opada chmurą pyłu i gruzu przy akompaniamencie dźwięku przywodzącego na myśl morskie fale rozbijające się o klif.

Odkaszlnęła, bo dławił ją dym.

– Jak daleko stąd?

– Jest w restauracji na rogu. Właściciel mówił, że zatrzymała się tam w drodze do pracy, żeby napić się wody. – Gerda podniosła głos, bo samoloty znowu zaczęły krążyć nad ich głowami. – Zbombardowali dworzec! – krzyknęła. – Akurat wtedy, kiedy nadjechał pociąg z brygadierami.

– Trafiło w nich?

Gerda potrząsnęła głową.

– Nie. Ale jest dużo ofiar. Widziałam kobiety stojące pod gołym niebem, trzymające w ramionach martwe dzieci. Na peronie był lekarz, ale mógł tylko potwornie bluźnić...

Freya sama zaklęła ze zdenerwowania.

– Czemu to wszystko się dzieje? Co to da?

Gerda uniosła aparat do oka i sfotografowała samolot pikujący na tle płonącego nieba.

– Chodźmy.

Pobiegły.

– Większość dnia spędziłam w kostnicy – mówiła Gerda. – Fotografowałam ludzi stojących w kolejce, chcących sprawdzić, czy wśród zmarłych są ich zaginieni bliscy. Ależ oni są twardzi! W ich rozmowach o bombowcach słychać pogardę, nie strach.

– Wiele wytrzymali. Przetrzymają i to.

Buty Freyi ślizgały się na potłuczonych cegłach rozrzuconych wokół brukowanego wejścia do restauracji. Gerda pchnęła drzwi. Powitał ich przenikliwy krzyk kobiety.

– Rosa, jestem! – zawołała Freya.

– Gdzie się podziewałaś?! – wrzasnęła Rosa. Klęczała na czworakach pod kamiennym łukiem obok sali jadalnej, wsparta ręką o marmurową kolumnę. – Wszyscy uciekli! Tchórze, chowają się w piwnicy. Powiedziałam im, że zaryzykuję i zostanę tutaj...

– Teraz jestem z tobą. – Freya szybko umyła ręce za barem. – Gerda, sprawdź, czy w kuchni jest gorąca woda, dobrze? Może są jakieś ręczniki?

– Mówię ci, nigdy więcej nie dopuszczę do siebie żadnego mężczyzny... – Rosa złapała ją za rękę, bo nadszedł kolejny skurcz.

Freya pogładziła rodzącą po spoconej skroni.

– Zbadam cię teraz. – Usadowiła się pomiędzy nogami Rosy i podniosła jej spódnicę.

– Jest woda. – Gerda wróciła z kuchni. – O rany! – Wzdrygnęła się, kiedy zobaczyła ukazującą się główkę dziecka.

– Od jak dawna masz skurcze? – zapytała Freya Rosę.

– Od jakiegoś czasu. Nie chcę rodzić dziecka w tym domu, kiedy on tam jest. Myślałam, że jakoś dostanę się do szpitala. – Rosa ściągnęła wargi i oddychała płytko.

– Świetnie sobie radzisz. Teraz to już nie potrwa długo. Masz całkowite rozwarcie i dziecko jest gotowe do przyjścia na świat.

Freya złożyła ręczniki na pół i umieściła je na podłodze. Głaskała przyjaciółkę po udzie, jakby uspokajała przerażone zwierzątko.

– Oddychaj spokojnie...

– Oddychaj spokojnie? Ciekawe, jak ty byś...

– A teraz przyj – powiedziała Freya, gdy słowa Rosy przeszły w krzyk. – Teraz, Roso!

Spędziły we trzy całą noc w pełgającym świetle lampy, aż w końcu wysiadła elektryczność, spowijając wszystko w ciemności. Huk bomb przerywały krzyki Rosy. Gerda zapaliła świeczki i ustawiła w pobliżu rodzącej. Przy każdym wybuchu szklanki nad barem drżały i dzwoniły o siebie. Przed świtem, kiedy samoloty zawróciły znad miasta, powietrze przeciął ostatni, rozdzierający krzyk Rosy i przenikliwy płacz dziecka.

– To dziewczynka! – powiedziała Freya, układając noworodka w ramionach matki. – Piękna, wspaniała dziewczynka.

– Oczywiście, że jest wspaniała – odparła Rosa. Łzy płynęły po jej policzkach. Popatrzyła w ciemne oczy córeczki. – Wygląda zupełnie jak jej ojciec.

– Byłaś bardzo dzielna. – Gerda otuliła matkę i córkę płaszczem.

– Dziękuję – wyszeptała Rosa. – Dziękuję wam.

– Nigdy tego nie zapomnę. – Gerda podniosła aparat do oka, kadrując zdjęcie Rosy z dzieckiem przy piersi. – Cholera! Film się skończył.

– Mogę cię o coś poprosić? Zostaniesz matką chrzestną mojej córeczki? – zapytała Rosa Freyę.

– Będę zaszczycona.

Gerda ucałowała końce palców i dotknęła nimi policzka dziecka.

– Obyś miała dobre życie. Spraw, żeby miało wartość – powiedziała. Wyjrzała przez szybę restauracji na jaśniejące niebo. – Tylko na to możemy mieć nadzieję. – Wstała, upchnęła aparat pod kurtkę i zapięła ją. – Muszę już iść.

– Dziękuję ci – powiedziała Freya. – Kiedy zobaczysz Charlesa, pozdrów go ode mnie, dobrze?

– Oczywiście – odparła Gerda z szerokim uśmiechem. – Ucałuję go od ciebie.

Rozdział 30

WALENCJA, STYCZEŃ 2002

– Czuję się dobrze, to był fałszywy alarm, skurcze Braxtona-Hicksa – powiedziała Emma, wkładając do ucha słuchawkę zestawu głośnomówiącego. Zmieniła bieg i nacisnęła pedał gazu, pędząc przez gaje pomarańczowe.
– Myślę, że na dniach możemy spodziewać się nowego miotu kociąt.
– Kociąt? – zdziwiła się Freya.
– Kicia zniknęła na parę tygodni po ostatniej ciąży, nie udało mi się złapać jej dostatecznie szybko i wysterylizować. Jest zabawna. Pozwala się karmić, czasem bywa w domu, ale nadal nie da mi się wziąć na ręce.
– Tylko nie nadawaj jej imienia, Em. Znam cię.
– No cóż, biedaczka jest znowu w ciąży i ani śladu ojca.
– Nie obchodzą mnie kociaki, o ciebie się martwię. Za dużo pracujesz. Nie ryzykuj, Em. – W głosie Freyi pobrzmiewała troska. – Kiedy przypomnę sobie noc, w której twoja matka przyszła na świat... bardzo szybko to poszło, a i ty nie namyślałaś się długo.

Emma zwolniła przy krzyżówce i włączyła migacz, żeby skręcić w prawo na główną drogę.

– Babciu, chciałam cię zapytać o mamę i o ten dom. Poznałam...

– Wolałabym raczej posłuchać, co u ciebie, kochanie.

– Proszę, przestań się martwić. Wszystko jest pod kontrolą. Dom uporządkowany, mam ciepłą wodę i prąd...

– Czyli wszystkie luksusy?

– Nie bądź taka. – Emma usłyszała ciężkie westchnienie Freyi. – Co się stało?

– Delilah dowiedziała się o dziecku.

Emma zesztywniała. Kierunkowskaz cykał, a jej żołądek skręcał się z niepokoju.

– Jak?

– Czuję się taka winna. Bałam się ci o tym powiedzieć.

Słysząc trąbienie, Emma spojrzała we wsteczne lusterko.

– Jestem pewna, że to nie była twoja wina. – Ruszyła.

– Mówi, że szukała segregatora w moim biurze. Cóż, wszyscy wiemy, jaka ona jest... – Emma usłyszała, że Freya na chwilę zakrywa słuchawkę dłonią i zamyka drzwi gabinetu. – Znalazła kopię twojego USG w moim biurku.

– Nie wierzę. To znaczy, że ona teraz myszkuje po biurze i ogląda prywatne papiery?

– Em, nie chcę cie martwić, ale strasznie się wściekła. Poskładała sobie wszystko w głowie i domyśliła się, że musiałaś spać się z Joem już po waszym zerwaniu.

– A niech się wścieka. Po tym wszystkim, co mi zrobiła... Gdzie teraz jest?

– W Tokio, próbuje uratować umowę. Można by pomyśleć, że zbudowała Liberty Temple własnymi rękami, sądząc po tym, jak się obnosi ze swoim poświęceniem dla firmy.

– Już mnie to nie obchodzi. Delilah może dostać wszystko. – Emma uśmiechnęła się na myśl o spotkaniu z Lucą. – Mam tu wszystko, czego potrzebuję.

Nie widziała go od tego dnia po Nowym Roku, kiedy wpadła do gospodarstwa z poinsecją w prezencie dla Dolores. Pokojowy gest, pomyślała. Zastała ją w kuchni skubiącą gęś na rodzinny obiad z okazji święta Trzech Króli. Ptak zwisał głową w dół z dziobem kołyszącym się tuż nad podłogą jak pręcik jakiegoś dziwnego kwiatu wśród fałd czarnej spódnicy Dolores, której wnuki i ich kuzyni biegali z pokoju do pokoju, przekrzykiwali się rozentuzjazmowani. Tuż obok Emmy przemknął Paco w papierowej złotej koronie z ciasta *Roscón de Reyes* na głowie.

Emma czuła ciepło ich wielkiej rodziny i tym bardziej odczuwała samotność swoich świąt i Nowego Roku. Chciała, by okres świąteczny minął jak najszybciej. Żeby za wiele nie myśleć, zajęła się malowaniem mebli do pokoju dziecinnego i szyciem zasłon. Odmówiła Palomie, która zaprosiła ją na noworoczne przyjęcie.

– Emma? – powiedział Luca z zaskoczeniem, wchodząc do kuchni i rzucając klucze na kredens. – Jaka piękna roślina.

– Twoja przyjaciółka przyniosła ją dla mnie – wyjaśniła Dolores. Powróciła do skubania gęsi. Pióra rzucała na podłogę.

Wtargnięcie dzieci przerwało niezręczną ciszę w kuchni. Luca złapał najmniejszego chłopca i odwrócił głową w dół, trzymając za kostki.

– Zostaniesz na drinka? – zapytał Emmę, kołysząc chichoczące dziecko w przód i w tył. – Paloma gdzieś tu jest... wiem, że by się ucieszyła.

Emma spojrzała niepewnie na Dolores i podeszła do drzwi.

– Dziękuję, ale widzę, że macie państwo dużo gości.

– To tradycja, cała rodzina zbiera się razem – powiedział, zgarniając chłopca na ręce. – Patrz, jakie masz szczęście – rzekł do niego. – Dostajesz prezenty na mikołaja i na Trzech Króli.

Emma uśmiechnęła się, wyszła na ścieżkę i postawiła kołnierz płaszcza dla ochrony przed zimnym wiatrem.

– Życzę miłego przyjęcia. Muszę już iść.

– Zadzwonię do ciebie po świętach! – zawołał za nią Luca. – Chyba będę miał dla ciebie dobre wiadomości.

Mam nadzieję, pomyślała teraz, manewrując land roverem w wąskich uliczkach El Carmen. Znalazła miejsce na Calle Museo niedaleko starego klasztoru i obeszła kwartał, szukając domu Luki. Wreszcie znalazła, nacisnęła guzik domofonu. Weszła z ulicy przez ogromne drewniane drzwi, przemierzyła ocieniony dziedziniec i zaczęła wstępować po jasnych kamiennych schodach, starając się trzymać blisko ściany i nie wyglądać przez otwarte łuki na podwórze. Męczyły ją zawroty głowy.

Luca otworzył drzwi mieszkania, owinięty w biały ręcznik.

– Dzień dobry. – Pocałował ją w oba policzki i wpuścił do środka. Odwrócił się, strzepując wodę z włosów. – Przepraszam, myślałem, że to Guillermo.

– Przyjechałam za wcześnie?

Mocno biło jej serce, ale uspokojało się, kiedy szła za Lucą przez ciemny korytarz do salonu. Jego bose stopy plaskały o parkiet. Światło z tarasu padło na szerokie męskie ramiona i wąskie biodra. Ręce, uniesione, by przygładzić włosy, wyglądały teraz jak rogi byka. Jego zapach zniewalał Emmę; kremowy aromat migdałowego mydła, woń czystej skóry sprawiły, że przeszył ją dreszcz.

– Nie, nie. To ja mam opóźnienie. – Grzebał w torbie ze świeżo wyprasowanymi ubraniami z pralni w poszukiwaniu koszuli.

– Wieczór się przedłużył? – zapytała Emma.

Rozglądała się po jego wielkim, wysokim mieszkaniu. Wydawało się ascetyczne – ciemne, nowoczesne meble, monochromatyczna paleta barw. Na biurku, obok srebrnego noża do papieru, dostrzegła fotografię ciemnowłosej kobiety.

– Interesy – powiedział ze śmiechem. – Napijesz się kawy?

Z dołu dobiegały odgłosy ulicy. Na wpół wypalone cygaro tliło się w kryształowej popielniczce stojącej obok dzbanka z kawą na balkonowym stoliku.

Emma wyszła na zewnątrz przez otwarte drzwi, popatrzyła w dal na dachy i błękitne kopuły miasta. Przesunęła się ostrożnie w stronę stolika.

– Niezły widok...

– O, dziękuję bardzo – roześmiał się Luca, oparty o futrynę.

– Miałam na myśli miasto.

– No oczywiście.

Emma zarumieniła się i sięgnęła po dzbanek z kawą. Przy drzwiach frontowych zadzwonił dzwonek.

– Jesteś niepoprawny.

– Nalej sobie. Otworzę drzwi.

Emma rozsiadła się na wiklinowej kanapie, zadowolona, że nie musi patrzeć na panoramę miasta, przyprawiającą ją o zawroty głowy. Usłyszała męskie głosy w holu. Na balkonie było zimno, ale świeże powietrze działało orzeźwiająco. Ujęła kubek w obie dłonie i wciągnęła w nozdrza dymny aromat.

– Wejdź, napij się kawy. – Luca wprowadził na balkon niewysokiego, atletycznie zbudowanego mężczyznę. – Emmo, to mój przyjaciel Guillermo. Pójdę tylko się ubrać.

Guillermo potrząsnął jej dłonią i usiadł na krześle, a Emma nalała mu kawy.

– Nie musisz się dla nas ubierać, Luca – powiedział, unosząc brwi. – Całkiem niezły jak na takiego staruszka, co? – zwrócił się do Emmy.

– Kogo nazywasz staruszkiem? – oburzył się Luca.

– Co o tym myślisz, Emmo? – Guillermo nachylił się ku niej.

Wychodząc z pokoju, Luca obrócił się przez ramię.

– Oceniacie mój tyłek? – Uśmiechnął się i wszedł w chłodny cień mieszkania.

– Chyba w twoich snach! – odkrzyknęła Emma żartobliwie.

– A więc, Emmo – powiedział Guillermo, kiedy zostali sami – jesteś perfumiarzem?

– Tak. Z tego, co mówił Luca, rozumiem, że twoja matka także tworzy kompozycje zapachowe.

Guillermo upił łyk kawy.

– Raczej tworzyła. Moja matka, jej matka, w rodzinie od wieków byli perfumiarze, ale ku wielkiej rozpaczy mamy żadne z jej dzieci nie chce kontynuować tradycji. – Spojrzał na Emmę. – I dlatego moglibyśmy pomóc sobie nawzajem. Concepción, czyli moja matka, nie chce przekazać swojego warsztatu komuś przypadkowemu, a Luca powiedział mi, że jesteś jednym z najlepszych nosów w tej branży. I wkrótce będziesz mamą? – Położył dłoń na jej brzuchu. – Kiedy ma się urodzić?

– Za miesiąc.

– To cudowna sprawa.

– Masz dzieci?

– Tak, Bóg pobłogosławił nas trójką.

Wrócił Luca już ubrany w zamszowe mokasyny, świeżo wyprasowane bawełniane spodnie i ciemnoróżową koszulę z podwiniętymi rękawami.

– Przepraszam, że musieliście na mnie czekać.

– Już za późno. – Guillermo puścił oko do Emmy. – Postanowiliśmy nawiązać romans. Po co tracisz czas z Lucą, dziewczyno?

Emma zmusiła się do śmiechu. Podniosła wzrok i zobaczyła, że Luca jej się przygląda.

– Po prostu robimy interesy. Przyszłam zobaczyć, co jest w ofercie.

– I jesteś pod wrażeniem, rzecz jasna. – Luca sięgnął po cygaro i usiadł obok niej, kładąc rękę na oparciu sofy.

Emma odwróciła się w jego stronę.

– A więc?

Nachylił się ku niej.

– Od kiedy przyszłaś na kolację, Paloma nie daje mi spokoju. Zawsze miała obsesję na punkcie kosmetyków i perfum, więc z początku nie traktowałem tego serio.

– Pomyślałeś, że to babskie sprawy? – Na wargach Emmy igrał uśmiech.

– Nigdy tego nie zrozumiem – powiedział Guillermo. – O co kobietom chodzi z tymi perfumami?

– Nie tylko kobietom – odparła Emma. – W niektórych kulturach mężczyźni kupują tyle samo perfum co kobiety.

Guillermo wzruszył ramionami.

– Wystarczy odrobina wody kolońskiej, żeby poczuć się świeżo.

Emma potrząsnęła głową.

– Nie, perfumy to coś więcej. Perfumy to… – Pomyślała o liście matki. – To miłość, klucz do naszej przeszłości…

– Zmarszczyła czoło, bo Guillermo wybuchnął śmiechem.

– Perfumy sprawiają, że czujemy się żywi. – Z trudem dobierała odpowiednie słowa. – Wiesz, kiedy uczysz się zapamiętywać zapachy, każą ci prowadzić notatnik ze skojarzeniami. Każdy zapach jest połączony ze wspomnieniem. – Przypomniała sobie ostatnie notatki Liberty: „Jaśmin? Kwiat pomarańczy, tak!". – Kiedy łączy się w zapach nuty głowy, serca i bazy, to jest tak, jakby się wyczarowywało jakiś moment w czasie, utrwalało wspomnienie za pomocą zapachu.

– Aaa... – mruknął Guillermo. – Spodoba ci się moja matka. Gdzie się uczyłaś?

Emma wyczuła, że Guillermo chce ją wybadać.

– Matka nauczyła mnie wszystkiego, co sama wiedziała. Studiowałam też w Grasse.

– Uczyłaś się od matki? Tak jest najlepiej, warto przekazywać wiedzę z pokolenia na pokolenie.

– Przyjrzałem się twojej pracy – powiedział Luca. – Jesteś geniuszem, Emmo.

Poczuła, że krew napływa jej do twarzy.

– Tak mówi Paloma? Bo mnie nic na ten temat nie wiadomo...

– Myślę, że ludzie z twojej branży nie zgodiliby się z tobą. – Luca spojrzał na Guillermo. – Przez pół nocy czytałem w Internecie o firmie Emmy.

Emma popatrzyła na niego zaskoczona.

– To nie tylko moja firma. Pracowałyśmy razem z matką. Nie wiem... nadal nie wiem, jak sobie bez niej poradzę.

– No cóż, Paloma twierdzi, że masz przed sobą wielką przyszłość. Uważa, że twoja kariera dopiero się zaczyna, niezależnie od tego, co stanie się z firmą twojej matki, a my bylibyśmy głupcami, gdybyśmy ci w tym nie pomogli. Mówiła też, że któregoś dnia będziesz naszym głównym klientem. Mamy kontakty w całej Europie i w swoim czasie możemy przedstawić cię dostawcom, laboratoriom, jednym słowem trochę ci pomóc. Odniesiesz sukces, jestem tego pewien. Twoja matka byłaby z ciebie dumna.

– Dziękuję. – Emma poczuła ściskanie w gardle. – To dziwne... zaczynać znowu od zera. Cały czas myślę, jak bardzo mama by się z tego cieszyła.

Luca wyczuł jej wzruszenie i chciał jej pomóc się opanować.

– Emmo, a jak ja pachnę, zdaniem twojego eksperckiego nosa?

Spojrzała na niego z zaskoczeniem.

– Ty?

– Ha! – wykrzyknął Guillermo. – Ty pachniesz długimi wieczorami i złamanymi sercami. – Uśmiechnął się szeroko, kiedy Luca wykrzywił się groźnie w jego stronę.

– Pachniesz Acqua di Parma. Natychmiast zwróciłam na to uwagę przy pierwszym spotkaniu – powiedziała Emma. – Mój cioteczny dziadek Charles używa tej samej wody.

– Aj! – Luca się skrzywił, przeciągając dłonią po włosach. – Więc według ciebie pachnę jak stary człowiek?

– Nie to miałam na myśli...

– Już za późno – odparł Luca, kładąc dłoń na sercu. – Jestem zdruzgotany.

Zerknął na Emmę i się uśmiechnął. Trąciła go łokciem.

– Zawrzyjmy umowę. Ty pomożesz mi rozkręcić firmę, a ja stworzę dla ciebie zapach. – Popatrzyła mu prosto w oczy. – Coś wyjątkowego, takiego jak ty.

– Szczęściarz z ciebie, Luca – westchnął Guillermo.

– Po prostu potrzebuję królika doświadczalnego dla moich eksperymentów – odparła Emma, przechylając głowę w oczekiwaniu na ciętą ripostę. – Obawiam się, że to może trochę potrwać.

– Tak to już jest z wielką sztuką. Zawsze chciałem być muzą. – Luca uśmiechnął się, przytrzymując jej spojrzenie. – My ci pomożemy. A Concepción? – Spojrzał na Guillermo, który skinął głową.

– Załatwimy wszystko – rzekł. – Moja matka cię pokocha, Emmo. Będzie oczekiwała cię w Cuenca, kiedy tylko będziesz mogła przyjechać. Sprzedaliśmy dom, a matka musi pozbyć się wszystkich swoich zapasów. Przekaże ci całą wiedzę, listę dostawców i recepty czy też formuły, czy jak tam się one nazywają... Przepraszam, jestem biznesmenem. Niewiele wiem o jej pracy.

W wyobraźni Emmy pojawił się cały wachlarz możliwości. Myślała o starych aptecznych kredensach wypełnionych ziołami i przyprawami korzennymi, o lśniących szklanych flakonikach z etykietami wypisanymi ręcznie. O notesie z recepturami, który znalazła w swoim nowym domu.

– Cudownie! – wykrzyknęła podekscytowana. – Mam stary notatnik, który chciałabym pokazać Concepción. Myślę, że dawna właścicielka mojego domu robiła perfumy albo lekarstwa z ziół rosnących w jej ogrodzie. Chciałabym spróbować zrekonstruować kilka z nich, ale nie mogę rozszyfrować składników.

– Jestem pewien, że będzie mogła ci pomóc.

– Proszę, podziękuj swojej matce. Przyjadę, jak tylko będę mogła.

– Dzięki, Guillermo. – Luca uścisnął mu dłoń. – Polubisz Concepción – zwrócił się do Emmy. – Jest najlepszym perfumiarzem w całej Hiszpanii. – A po namyśle dodał: – No, może teraz jest na drugim miejscu.

Rozdział 31

BRUNETE, LIPIEC 1937

Charles obudził się o świcie, gdy promienie słońca zajrzały przez otwarte okno. Z ulicy dochodził odgłos kroków i rozmów mieszkańców Madrytu śpieszących do pracy. Był, jak zwykle, od razu czujny. W dzieciństwie Freyę zawsze zadziwiało, że brat otwiera oczy jak po naciśnięciu przełącznika i jest natychmiast gotów do działania. Dokuczała mu, że jest półautomatem. Dziś chciał być bardziej ludzki, bardziej żywy niż kiedykolwiek przedtem. Tego dnia zamierzał powiedzieć Gerdzie, co do niej czuje.

Przedarł się przez śpiących mężczyzn leżących na podłodze, łóżku i sofie. Tworzyli znajomy krajobraz miękko unoszących się klatek piersiowych i dryfującej ciepłej warstwy oparów z wczorajszych papierosów i whisky. W łazience szybko dokonał ablucji i stanął przed lustrem. Rozmyślnie zrezygnował z golenia – uzyskanie czegoś przypominającego dwudniowy zarost zajęło mu kilka dni, w nadziei że będzie sprawiał wrażenie starszego i bardziej hardego, takiego jak mężczyźni śpiący w pokoju obok. Pogrzebał w kosmetyczce, znalazł pomadę i rozprowadził odrobinę na swych jasnych włosach. Chciał sprawić, żeby wyglądały choć w połowie na tak gęste i nieokiełznane jak włosy Capy. Wokół szyi luźno zawiązał jedwabny krawat. Może przesadzam? – zastanawiał się. Gerda nawet na linii frontu prezentowała się bardzo elegancko, miał więc nadzieję, że doceni odrobinę dandyzmu, szczyptę koloru. Mężczyźni dokuczali jej z powodu szminki i wysokich obcasów na polu bitwy. Przeżył rozczarowanie, widząc, że ostatnio stale nosiła buty na sznurkowych podeszwach. Od powrotu ze spotkania z Capą w Paryżu wydawała się zmęczona. Charlesa ogarnęło poczucie winy. Wiedział, że Capa kocha Gerdę. Ale ja też ją kocham, pomyślał. Jeśli jej nie powiem, będę tego żałował do końca życia. Skoro Capy nie było, miał okazję z nią porozmawiać. Nie wierzył, że ma jakieś szanse u Gerdy, dopóki go nie pocałowała.

Przyglądając się swojemu odbiciu w lustrze, wrócił myślami do tego cudownego wieczoru na początku czerwca. Wszyscy spędzili cały dzień na przełęczy Navacerrada, kończyli zdjęcia, po czym zjedli obiad z generałem Walterem przed jego bunkrem. Tego dnia Gerda nie okazywała strachu. Na tle drżącej od rozgrzanego powietrza linii horyzontu szczupła dziewczyna w ciemnym berecie, biegnąca przez otwartą przestrzeń z pięścią wzniesioną ku niebu, krzycząca „Naprzód!", wydawała się Charlesowi uosobieniem wolności. Wszyscy mężczyźni byli nią zauroczeni. Walter żartował, że jeszcze nie widział tylu gładko ogolonych w swoim oddziale.

Kiedy później pili wieczorem w barze na Gran Via w Madrycie, Charles ze smutkiem obserwował Capę i Gerdę.

– Co on ma takiego, czego mi brakuje? – zapytał cicho Hugona.

Hugo podniósł wzrok znad notesu.

– Capa? Oprócz nieodpartego uroku i rzadko spotykanego talentu...

– W porządku, w porządku, już łapię. – Charles potarł nadgarstkiem czoło między brwiami i pociągnął łyk whisky.

Hugo z namysłem obgryzał końcówkę ołówka.

– Capa jest jednym z tych, którzy rzucają życiu wyzwanie. Mężczyźni chcą być tacy jak on, kobiety nie mogą się w nim nie zakochać.

– Chciałbym tylko...

– Mały rudy lisek nie wychodzi ci z głowy, co?

– Hej, Charles! – zawołał Capa. – Zrób coś dla mnie. Gram dzisiaj w karty. Mógłbyś przypilnować, żeby Gerda dotarła bezpiecznie do Alianzy?

Serce podskoczyło Charlesowi w piersi.

– Oczywiście.

Gerda podeszła do niego z zarzuconym na ramię aparatem.

– André niepotrzebnie się o mnie martwi. Skoro daję sobie radę na polu bitwy, to na pewno trafię do swojego pokoju.

– Dokąd wybieracie się jutro? – zapytał Charles.

– Chcemy pobyć trochę w Madrycie, a potem może pojedziemy znowu na południe. Pojedź z nami.

– Dzięki. Pomyślę o tym – mruknął Charles, zastanawiając się, czy zniósłby wyrafinowaną torturę przebywania przez cały czas z nią i Capą.

– W przyszłym miesiącu będę relacjonować Międzynarodowy Kongres Pisarzy w Walencji i sesje wyjazdowe w Barcelonie i Madrycie. Wszyscy tam się zjawią: Neruda, Hemingway. Malraux ma przeprowadzić przez Pireneje grupę pisarzy, którzy nie dostali wiz.

– Brzmi interesująco. – Charles tracił głowę nawet podczas rozmowy z Gerdą. – Dla kogo teraz pracujesz?

– Dla „Ce Soir" i magazynu „Life". Mam nadzieję, że moje zdjęcia z Walencji pomogą mi wyjść z cienia Capy.

– Moja siostra Freya jest w Walencji, pracuje w Pomocy Medycznej.

– Nie mówiłam ci? Wspomniałeś kiedyś, że powinnam poszukać jej w szpitalu. Poznałam ją parę dni temu w niesamowitej sytuacji... Młoda Hiszpanka zaczęła rodzić, a Freya odebrała dziecko.

– Tak? – Charles uśmiechnął się na myśl o siostrze.

– Kochana Freya.

– Zabrakło mi filmu. Byłam na siebie wściekła. Właśnie takie zdjęcia chciałabym robić... kobiety i dzieci z dala od linii frontu.

– Zrobiłem niedawno kilka niezłych zdjęć. W wiosce parę kilometrów za frontem odbywało się nabożeństwo żałobne. Kobiety ubrane na biało niosły kwiaty na cmentarz. Wyglądało to okropnie ponuro, ale kiedy otworzyli bramę, wszyscy zobaczyli mnóstwo błękitnych irysów. Jakby niebo zstąpiło na ziemię. A na środku był placyk poznaczony czarnymi krzyżami poległych żołnierzy. Kobiety sypały kwiaty na każdy grób i alejkę. Właściwie było to piękne.

– Szkoda, że mnie tam nie było.

Szkoda, że nie jesteś ze mną na zawsze, pomyślał Charles. Podniósł ciężką kamerę Eyemo sprzed drzwi baru.

– Mogę ci z tym pomóc?

– Dziękuję. – Gerda uśmiechnęła się do niego. – Bezużyteczny grat. Chociaż nie, nie całkiem bezużyteczny. Ted mówi, że to świetna ochrona przed kulami.

Szli opustoszałą ulicą, po bruku śliskim od ciepłego deszczu.

– Gdzie się nauczyłaś robić takie dobre zdjęcia?

Deszcz przybrał na sile. Gerda uniosła wzrok w niebo.

– André nauczył mnie wszystkiego, co umiem.

– André?

– Bob, jak go nazywacie – roześmiała się. – Capa. Rany, rzeczywiście prawiczek z ciebie, co?

Charles się zarumienił. Gerda spojrzała na niego i odgarnęła mokre włosy z twarzy.

– Hej – powiedziała. – Przepraszam.

Charles zatrzymał się i zwrócił w jej stronę. Stali tak we dwoje w letnim deszczu bębniącym o dachy.

– Jesteś bardzo przystojny – szepnęła. – Dlatego poprosił cię, żebyś się mną zaopiekował.

– Nie rozumiem.

– Uważa, że jesteś zbyt porządny, żeby sobie na cokolwiek pozwolić teraz, kiedy jesteś moim opiekunem. Widział, jak patrzyłam na ciebie któregoś wieczoru...

– Ale dlaczego? Przecież jesteście razem, nie mógłbym...

– André i ja jesteśmy razem, i to wszystko. Owszem, prosił mnie o rękę ze sto razy, ale nie wiem, czy chcę się już ustatkować...

Wskoczyli na chodnik, kiedy obok nich przejechała z łoskotem ciężarówka, wzbijając fontannę wody. Gerda ze śmiechem skryła się pod markizą sklepu. Była intrygująco zwiewna, lekka. Miał wrażenie, że gdyby wyciągnął rękę i dotknął dziewczyny, jego dłoń przeszłaby przez nią na wylot, jak przez obraz z projektora.

– Poczekamy chwilkę? Niedługo przestanie padać.

Zadrżała, kiedy Charles stanął obok niej.

– Chcesz mi powiedzieć, że jesteś zwolenniczką wolnej miłości?

Gerda się roześmiała.

– Zabawny jesteś. Wy, Anglicy, jesteście tacy sztywni. – Spojrzała na niego z tak bliska, że poczuł jej oddech na policzku. – Jestem zwolenniczką miłości, życia i pogoni za szczęściem.

Dotknęła palcem jego powieki i przesunęła opuszką po rzęsach. To samo zrobiła z drugą powieką. Potem obrysowała kontur jego ust. Ogarniało go coraz większe pożądanie. Miał wrażenie, że jej dotyk naznaczył go na całe życie.

– Gerda, nie możemy... – O Boże, nie przestawaj, proszę, nie przestawaj, myślał. – Jesteś z Capą.

– Nie rozumiesz? – Zaśmiała się. – To ja jestem Capą, a przynajmniej jego połową. Beze mnie André nie byłby Capą.

– Nadal nie rozumiem.

– Capa to więcej niż André, więcej niż ja. Capa stanie się legendą.

– To znaczy, że jest wymyślony?

– Tak. Wymyśliliśmy najlepszego fotografa wojennego na świecie i podwyższyliśmy ceny. Zadziałało! A jeśli chodzi o André, to wiesz... nie chcę być kobietą tylko jednego mężczyzny, tak samo jak on nie jest mężczyzną jednej kobiety. Nie potrafi być sam... Nie mam złudzeń co do chwil, które spędzamy oddzielnie.

Charles zobaczył, że przez jej twarz przemknął cień ulotny jak chmura przesłaniająca słońce.

– Ale go kochasz?

– Czy go kocham? Oczywiście. Ale po kongresie pisarzy André jedzie do Paryża, a ja wrócę tutaj, do Alianzy. – Zawahała się. – Nie potrafię sobie wyobrazić, że będzie samotny w Paryżu. Więc dlaczego ja miałabym być samotna tutaj?

Kiedy podeszła bliżej, Charles ostrożnie się odsunął. Nie chciał, żeby zauważyła, jak bardzo jest podniecony.

– Gerda...

– To cię szokuje, Charles?

– Nie, ja...

Wtedy go pocałowała i był zgubiony.

Gerda, Gerda, Gerda... Czuł tęsknotę całym sobą, podniecało go samo myślenie o niej i jej pocałunku, tym jedynym, krótkim, cudownym...

– Wyłaź, stary, czekamy w kolejce! – zawołał ktoś, bębniąc w drzwi. Charles szybko wtarł odrobinę pasty w zęby i otworzył drzwi.

– O rany, Temple, tu pachnie jak w buduarze jakiejś dziwki. Co ty masz zamiar zrobić? Powalić buntowników swoją wodą po goleniu?

– Zamknij się – odrzekł Charles, odpychając starszego kolegę.

Po drodze do wyjścia chwycił swój aparat Contax i zbiegł do lobby. Zgarnął gazetę, szybko przebiegł wzrokiem po nagłówkach. Znów toczyły się ostre walki w pobliżu Brunete. Wiedział, że wioska została dwukrotnie zdobyta i utracona, a faszyści zbliżali się znowu.

– Gerda! – zawołał.

Zobaczył ją i Teda pakujących się do samochodu tuż obok. Gerda miała na sobie kombinezon khaki. Wyglądała pięknie. Ma twarz anioła, pomyślał. Zdał sobie sprawę, że się na nią gapi, więc przeszedł obok, siląc się na obojętność.

– Dokąd się wybieracie? Cześć, Ted.

– O, Charles. – Ted uniósł brwi i otoczył Gerdę ramieniem w opiekuńczym geście, pomagając jej wsiąść do samochodu. – Jedziemy do Brunete.

– Kto tam teraz jest?

– Líster, oddziały Waltera i parę innych.

– Potrzebują jak najwięcej ludzi. Żołnierze Franco znowu prą do przodu – stwierdziła Gerda. – Nie mogę tego znieść. Nie wolno nam pozwolić, żeby przeszli.

– Macie miejsce w samochodzie dla jeszcze jednej osoby? – zapytał Charles z nadzieją.

– Oczywiście – odpowiedziała Gerda.

– Przykro mi, stary – rzucił Ted. – Jak załadujemy kamerę, będziemy mieli komplet. Pojedź za nami drugim autem.

Charles wybałuszył na niego oczy.

– Aha, rozumiem.

Doskonale cię rozumiem, pomyślał. Capa wyjechał, a ty koniecznie chcesz mieć Gerdę tylko dla siebie. Wsiadł do drugiego samochodu razem z reporterami, których mgliście pamiętał z baru.

Kiedy jechali po wyboistych wiejskich drogach do Brunete, wstawał piękny lipcowy dzień. Wschodzące słońce zatopiło krajobraz w złocie. Można było odnieść wrażenie, że świat okrył się złocistym jedwabiem odwijanym z rolki. Przez całą podróż Charles wpatrywał się w tył głowy Gerdy. Dobiegały do niego urywki pieśni *Los Cuatro Generales*. Gerda jak zawsze była radosna, roześmiana. Charles nigdy nie zazdrościł nikomu tak jak Capie, a teraz Tedowi. Zastanawiał się, czy Ted jest jej kochankiem. Od czasu tego jedynego, cudownego pocałunku nie udało mu się spotkać z Gerdą sam na sam. Wyobrażał sobie, że trzyma jej delikatną, jasną dłoń i patrzy w oczy koloru morskiej zieleni. „Kocham cię, Gerdo", powiedziałby wtedy. Pragnął jej tak mocno, że sam jej widok sprawiał mu ból. Nie mówiąc już o wyobrażaniu sobie, jak trzyma ją w ramionach, kocha się z nią...

Potężna eksplozja przerwała jego marzenia, na horyzoncie uniosła się ogromna chmura dymu i pyłu.

– Wcześnie zaczęli! – krzyknął siedzący obok reporter.

Samochód przed nimi się zatrzymał. Najwyraźniej toczyła się tam jakaś sprzeczka. Kierowca wysiadł i podszedł do kolegi.

– Dalej nie – powiedział kierowca drugiego auta, dając gestem do zrozumienia, że mają wysiadać.

– Co? Bzdury! Zapłaciliśmy ci, żebyś zawiózł nas do Brunete – powiedział Charles.

– Nie. – Kierowca z uporem potrząsnął głową. Otworzył drzwi z ich strony.

– Dobra, pójdziemy pieszo! – zawołał Ted.

Charles wyskoczył z auta i ruszył obok Gerdy przez łan pszenicy.

– Pomóc wam z czymś?

– Dzięki, Charles – powiedział szybko Ted i wręczył mu ciężką kamerę Eyemo. Wysforowali się z Gerdą naprzód. Gerda obejrzała się przez ramię i posłała Charlesowi przepraszające spojrzenie.

– Będziemy mieli dziś dobrą okazję zrobić trochę zdjęć z akcji! – zawołała.

– Boisz się? – spytał Charles.

– Jak zawsze! – odparła ze śmiechem.

Kiedy dotarli do biura generała Waltera, pot zalewał Charlesowi oczy i spływał po kręgosłupie. Walter podniósł głowę.

– Co wy tu, u diabła, robicie? Właśnie odesłałem paru waszych kolegów. Nie jest bezpiecznie. Oddziały Franco mogą tu być w każdej chwili.

– W takim razie przybyliśmy na czas – powiedziała Gerda.

Charles skulił się w ziemiance. Dwupłatowiec przeleciał nisko nad nimi, terkot broni maszynowej ciął powietrze, kule świstały nad głowami. Hałas był ogłuszający; stukasy i heinkele Legionu Kondora przelatywały z łoskotem przez niebo czarne od dymu, zasypując wycofujące się oddziały republikańskie bombami i ogniem karabinów.

– Gerda! – krzyknął Charles. – Obiektyw chwyta światło, idą prosto na nas!

Charles przylgnął do ziemi obok Gerdy i Teda, uświadamiając sobie z przerażeniem, że jego siedzenie wystaje z ziemianki. Nie mógł znieść myśli o postrzeleniu w to miejsce, pragnął, aby pośladki skurczyły mu się i zniknęły w głębi ziemi.

– Nie możemy stracić Brunete... – Gerda zaciskała pięści. Filmowali przez cały ranek, odpakowywała właśnie ostatnią rolkę. – Cholera, to jedna z najlepszych rzeczy, jakie nakręciłam, ale nie możemy przegrać bitwy.

Zerwała się na nogi, żeby sfotografować formację dwunastu bombowców.

– Na miłość boską, Gerda, schyl się! – krzyknął Ted, próbując ściągnąć ją w dół. Podmuch kolejnej eksplozji uderzył ją w plecy. Ziemia przed nimi zafalowała jak morze, fontanny piasku wystrzeliły w powietrze.

– *Scheisse!* – zaklęła, wypluwając z ust piasek. Schyliła się. – Było blisko.

Spokojnie przetoczyła się na bok i sfotografowała sunący nisko w ich stronę dwupłatowiec siekący ogniem spomiędzy łopat śmigła, kule leciały na nich jak deszcz.

– Nie poddawajcie się! – wrzasnęła do cofających się republikanów.

Charles spojrzał na zegarek. Było wpół do szóstej. Otaczali ich mężczyźni uciekający z frontu. Zobaczył człowieka zwalonego z nóg przez siłę uderzeniową wybuchu.

– Powinniśmy stąd iść...

– Walczcie dalej, towarzysze! *No pasarán!* Nie przejdą!

Głos Gerdy utonął w grzmiącym odgłosie ataku z powietrza.

– Mój Boże! – powiedziała, osuwając się na ziemię. – Kiedy pomyślę o tych wszystkich wspaniałych ludziach zabitych tylko w tej jednej bitwie, wydaje mi się niesprawiedliwe, że wciąż żyję.

– Gerda, on ma rację. Zrobiliśmy wszystko co w naszej mocy. Wynośmy się stąd. – Ted podźwignął ją na nogi, osłaniając własnym ciałem, po czym przewiesił aparat przez ramię. – To jak? Idziesz? – zapytał, odwracając się do Charlesa.

Charles pobiegł za nimi, ciężko dysząc. Uciekał na oślep z linii frontu przez pole, potykając się o trupy i umierających. Wydawało mu się, że biegnie przez rozpalony piec, przez wizję piekła o wiele straszniejszą niż na obrazach Goi. Wrzaski, krzyki i łoskot jadących za nimi czołgów grzmiały mu w uszach. Wiedział, że w każdej chwili może znaleźć się na ziemi, ranny, krwawiący, czując, jak uchodzi zeń życie. Gnał coraz szybciej, dopędził Teda i Gerdę, którzy dobiegali do szosy Villanueva. Wycofujące się z dużą szybkością czołgi i dżipy podskakiwały na pożłobionym koleinami gruncie. Jeden z czołgów zwolnił, żeby mogli się na niego wspiąć, z czego natychmiast skorzystali.

Charles z trudem łapał oddech, czując w ustach obrzydliwy metaliczny smak bitwy, dymu i paliwa, potu, strachu i śmierci. Powoli dochodził do siebie. Oczy nadal piekły go od dymu, ale teraz było znacznie spokojniej. Po obu stronach drogi łany pszenicy falowały łagodnie w podmuchu upragnionego chłodnego wiatru znad gór. Po przeżyciach z pola bitwy miał wrażenie, że dookoła panuje niemal idealna cisza.

– Jak się już stąd wydostaniemy, jedziemy do Madrytu! – krzyknął Ted.

Charles zamknął oczy. Drżał od nadmiaru adrenaliny i strachu. Zastanawiał się, co go podkusiło, żeby jechać do Hiszpanii. To nie był świat, który pamiętał. Tęsknił za wzgórzami nad Yegen, gdzie na zalanej słońcem łące chwytał w siatkę błękitne modraszki. Przejrzyste światło, czysta pościel, spokojne niebo... Szarpnięcie czołgu wjeżdżającego na główną drogę przywróciło go do rzeczywistości.

– Tam! – krzyknęła Gerda. – To samochód Waltera!

Zeskoczyli z czołgu i przebiegli obok pobielanych budynków gospodarstwa w kierunku odjeżdżającego samochodu. Charles usłyszał, jak Ted pyta, czy mogą się zabrać do El Escorial. Chmury płynęły leniwie po kobaltowym niebie. Widział, że auto jest już pełne rannych żołnierzy. Tamci dwoje byli przed nim; zobaczył, jak Gerda pochyla głowę w skupieniu, podbiega do samochodu i wskakuje na stopień. Ted wskoczył z drugiej strony. Odwrócili się do Charlesa, prezentując triumfalne uśmiechy. Są tutaj w swoim żywiole, pomyślał. W tym momencie zdał sobie sprawę, że nigdy nie będzie należał do ich świata.

– Masz pecha! – wrzasnął Ted.

– Do zobaczenia w hotelu, Charles! – zawołała Gerda.

– Muszę zaraz przesłać te zdjęcia do Paryża. Wieczorem urządzimy sobie w Madrycie przyjęcie pożegnalne, przywiozłam szampana! – Pomachała do niego, uśmiechając się szeroko.

Nie mógł nic zrobić. Uszkodzony czołg, którym załoga nie mogła już kierować, na pełnym gazie wjechał w samochód. Charles patrzył bezradnie, jak czołg miażdży pojazd, a Gerda wypada z niego jak szmaciana lalka. Ted wyleciał w powietrze z bezwładnymi kończynami. Pogruchotany dżip potoczył się wzdłuż drogi jak połamana tandetna zabawka.

Zwaliła się na nich dudniąca falanga samolotów. Charles pociągnięty przez kogoś wpadł do rowu. Kucnął, wstrząsany falami dreszczy, podczas gdy grad pocisków wbijał się w ziemię wokół nich. Poprzez hałas słyszał krzyki Gerdy... i nie mógł do niej podejść. Ted wołał do niej, że nie może się poruszać. Charles zamrugał powiekami, głowę wypełniły mu roztańczone światełka. Skulił się i robił wszystko, by nie zemdleć, zmuszał się do oddychania. Miał ochotę zwymiotować.

Samoloty odleciały i ludzie wokół niego zaczęli wyłaniać się z okopów. Trzęsąc się na całym ciele, stanął niepewnie na nogi. Zobaczył grupę mężczyzn skupionych wokół Teda, ładowali go na nosze.

– Moje nogi! – krzyknął Ted. – Nie mogę ruszać cholernymi nogami. Gerda! – Charles podbiegł do niego. – Gdzie ona jest? Znajdź ją!

Twarz miał wykrzywioną bólem. Charles skinął głową. Zobaczył przed sobą karetkę i znajome drobne stopy na noszach przykrytych prześcieradłem. Podbiegł tam, bojąc się tego, co może zobaczyć.

Gerda miała bladą twarz, a spod przyciśniętych do brzucha rąk sączyła się na prześcieradło ciemna krew. Charles poczuł ściskanie w gardle, kiedy przykrywali ją kocem.

– Charles – wyszeptała, uśmiechając się do niego. – Gdzie są moje aparaty? Rozbiły się?

– Nie wiem. – Walcząc ze łzami, pochylił się i pocałował ją w czoło. – Nie martw się o nie. Poszukam ich, obiecuję.

– To były moje najlepsze zdjęcia – powiedziała, odpływając w nieświadomość.

Patrzył bezradnie, jak ładowali ją do karetki, która zaraz szybko odjechała. Stał samotnie. Wokół niego nieprzerwany strumień ludzi i pojazdów płynął w stronę Madrytu.

– Gerda – szeptał. – Gerda…

Rozdział 32

WALENCJA, STYCZEŃ 2002

Luca przeglądał płyty CD na półkach w sklepie FNAC. Sklep był pełen ludzi – weekendowych amatorów zakupów, nastolatków flirtujących i słuchających muzyki przez słuchawki na końcu każdej alejki. Poprzez taneczny rytm z głośników dobiegł go głos Emmy.

– Nie mieszka już z matką... – Usłyszał jej śmiech. Wystawił głowę zza półki i zobaczył Emmę buszującą w sekcji jazzowej, ze słuchawką przyciśniętą do ucha ramieniem.

– Tak czy owak wygląda na to, że troczki od maminych fartuchów są tutaj różnej długości, przypominają automatyczne smycze... Ale myślę, że dobrze jest mieć rodzinę wokół siebie.

Luca się uśmiechnął. Głos Emmy oddalał się, więc podążył za nim w pewnej odległości, starając się pozostać niezauważony.

– Freya, on nie jest maminsynkiem. Wiem, mówiłaś, że każdemu Hiszpanowi wydaje się, że od urodzenia jest małym bogiem.

Oparł się o kolumnę i założył ręce na piersiach; na ustach błąkał mu się uśmieszek rozbawienia. Emma wybrała płytę i czytała tekst z okładki. Miała na sobie czarny rozkloszowany płaszcz i kozaki na płaskich obcasach, a na ramieniu torebkę z jasnobrązowej skóry. Włosy, związane w węzeł na karku, były spięte lakierowaną na czerwono drewnianą szpilą. Luca wyobraził sobie, że wyjmuje ją i przesuwa palcami przez te lśniące ciemne fale.

– Wiem, wiem. To ostatnia rzecz, której w tej chwili potrzebuję. – Luca zobaczył, że Emma odłożyła płytę. – Nie chcę związku. Poza tym on nie jest mną zainteresowany. Ani trochę. No wiesz, wystarczy na mnie popatrzeć. Kto by się chciał angażować w takiej sytuacji? Ja po prostu... – usłyszał jej westchnienie – lubię go. Sprawia, że czuję się... – Potarła czoło. – No nie wiem. Minęło tyle czasu. – Przesunęła torebkę. – Nadal nie ma żadnych wiadomości o Joem? Jakoś nie mogę uwierzyć, że zniknął bez śladu.

– Uśmiech Luki zgasł. Żałoba Emmy była wciąż świeża.

– Daj mi znać, jeśli czegoś się dowiesz. Czegokolwiek.

Jako dziecko Luca był święcie przekonany, że świat jest jedynie iluzją, magiczną sztuczką, która może zniknąć. Ten osobliwy pogląd filozoficzny usadowił się w nim jak niedojrzała śliwka i nawet teraz, w chwilach napięcia, Luca pragnął wierzyć, że jeśli zamknie oczy naprawdę mocno na dostatecznie długo, to świat i wszystkie jego troski znikną. Nadal zaciskał powieki, kiedy podczas samotnych nocy już-już miały go dopaść okropności z wieczornego dziennika, obraz uśmiechniętej twarzy Emmy albo samotność. Wiedział, co czuje ta dziewczyna.

Podszedł do niej. Pochylała się teraz przy regale z anglojęzycznymi książkami, szukając czegoś na dolnej półce. Wyciągnął dłoń i delikatnie klepnął ją w pupę. Okręciła się w miejscu, a gniew, który odmalował się na jej twarzy, pomału ustępował.

– Przepraszam, nie mogłem się powstrzymać – powiedział.

– Tylko spróbuj to powtórzyć! – Uśmiechnęła się wbrew sobie, całując go w policzek. – Nie spodziewałam się ciebie tutaj.

Luca wzruszył ramionami.

– Mówiłem ci, że to małe miasto. Wpada się na ludzi. – Wyjął jej książkę z ręki. – *Skafander i motyl*? Bardzo dobra książka.

– Czytałeś?

– Olivier postawił sobie za punkt honoru, żeby utrzymać mój mózg w dobrej kondycji – rzekł z uśmiechem.

– Podpowiada mi, co mam czytać. Sam zapomniał więcej na temat literatury, filozofii i polityki, niż ja kiedykolwiek będę wiedział.

– Nie bądź taki skromny. Paloma mówiła, że poznałeś Oliviera w czasie studiów na Sorbonie.

– Tak mówiła? To było dawno temu. – Wsunął rękę do kieszeni. – Mój ojciec był Francuzem. Wydawało mi się, że studia w Paryżu to dobry pomysł.

– Twój ojciec był Francuzem? To dlaczego nosisz nazwisko de Santangel?

– Nazwisko? – Luca wzruszył ramionami. – W Hiszpanii przyjmuje się nazwisko matki i ojca, ale w tych stronach de Santangel wiele znaczy. Po odejściu ojca matka po cichu wyrzuciła jego nazwisko z naszego.

– Odszedł? Przykro mi. – Emma milczała przez chwilę. – Wiem, jak to jest żyć bez ojca.

– Jakoś sobie poradziliśmy. Zawsze w pobliżu było dużo krewnych. Kochałem mojego dziadka Ignacia. Był dobrym człowiekiem i lepszym ojcem niż mój prawdziwy.

– W takim razie miałeś szczęście. – Emma przeszła dalej i spojrzała na plakat reklamujący serię płyt *Jazz in Paris* z czarno-białymi postaciami zakochanych obejmujących się pod wieżą Eiffla. – Och, Paryż… Tak marzyłam o tym, żeby jechać tam na studia. Ale mama chciała, żebym przejęła rodzinny biznes. Po studiach w Grasse wysłała mnie do Ameryki. Myślę, że chciała mnie zahartować.

– I podziałało?

– Sam mi odpowiedz.

Uśmiech Emmy zgasł. Uwielbiała Grasse z jego stromymi wzgórzami spowitymi zapachem mimozy. Czasami zastanawiała się, co by było, gdyby została we Francji.

– W każdym razie poznałam Joego, a teraz... – Pogładziła ręką brzuch. – Naprawdę niczego nie żałuję.

– Olivier i ja świetnie się bawiliśmy. – Luca przesunął się nieznacznie, by przepuścić grupę nastolatków. – Mieliśmy małe mieszkanko z widokiem na Sacré-Cœur. Wszystkim się dzieliliśmy...

– Winem, chlebem i kobietami?

Luca się uśmiechnął.

– Ale potem Palomie udało się wymknąć mamie strzegącej jej dziewictwa jak jastrząb. Przyjechała do Paryża. Szczęśliwie dla Oliviera byłem tamtego wieczoru na randce, a kiedy wróciłem, on zdążył już poprosić ją o rękę. To była miłość od pierwszego wejrzenia.

– Paloma mówi, że jej zdaniem Olivier chciał mieć ciebie za szwagra tak samo, jak ją za żonę.

– Wspomniała, że poszłyście ostatnio razem na lunch. – Dał gestem znak, żeby poszła za nim przez tłum. – Jestem szczęściarzem. Kocham moją rodzinę. Może jestem zepsuty. – Pomyślał o jej rozmowie telefonicznej.

Emma popatrzyła na płyty w jego dłoniach.

– Co kupujesz?

– Nie wiem. Myślisz, że to się spodoba nastoletniemu chłopakowi?

Przejrzała płyty.

– A czego ty słuchałeś, kiedy miałeś...

– Siedemnaście lat. To dla Benita, najstarszego syna Palomy.

– Na urodziny? – zapytała Emma.

– Tak, w sobotę. Powinnaś przyjść.

– Nie chciałabym się wpraszać, jeśli to rodzinna uroczystość.

– Jestem pewien, że Paloma byłaby zachwycona. Nie będzie jakiejś szczególnej uczty. Robimy z Olivierem paellę.

– Chętnie przyjdę, dzięki. Okej, więc czego słuchałeś, kiedy byłeś w jego wieku?

– Punka, jeśli mi się udało – rzekł Luca ze śmiechem.

– No to jesteśmy w domu. – Emma poprowadziła go do półki z płytami Sex Pistols i wręczyła mu album *Never Mind the Bollocks*. – Wszyscy siedemnastoletni chłopcy to uwielbiają. I dokup mu kartę podarunkową, żeby mógł sobie wybrać to, co mu się naprawdę podoba.

Przy kasie powiedziała:

– Teraz ty musisz mi pomóc kupić prezent dla Benita. Co mógłby chcieć ode mnie dostać?

– Nie mam pojęcia – odparł Luca. – Może napijemy się czegoś i zastanowimy się nad tym?

– Jak tam kwiaciarnia? – zapytał Luca, kiedy szli wzdłuż sklepików Mercado Central. Rynek tętnił życiem, chłodne, sklepione hale wypełnione były głosami, tupotem nóg oraz aromatami słonych małży i słodkich owoców. – Ostatnio we wsi było tyle ślubów i pogrzebów, że pewnie świetnie prosperuje, to znaczy kwitnie?

Emma się roześmiała.

– Ogród Wonności radzi sobie bardzo dobrze, dziękuję – powiedziała, zatrzymując się przy stoisku z warzywami i owocami.

Wybrała melon i wdychała kuszący letni aromat. Uciskała warzywo palcami, ciesząc się jego jędrnością.

– Sama czuję się, jakbym połknęła taki melon. – Pogładziła swój twardy, okrągły brzuch.

– Już niedługo – rzekł Luca, podając sprzedawcy pieniądze. – A wyglądasz pięknie.

– Dziękuję. – Nie chciała, żeby spostrzegł, jaką jej sprawił przyjemność, więc zajęła się wpychaniem melona do torby. Przeszli do następnego stoiska. – Mówiłam ci już, że eksperymentuję z wyrobem perfumowanych świec dla kwiaciarni? Znalazłam wspaniałą starą firmę do współpracy i gdy tylko odpowiednio skomponuję zapachy, zaczniemy produkcję.

– Nie nadążam za tobą. – Ustępując na bok, żeby przepuścić tragarza niosącego skrzynki ryb na lodzie, Luca zobaczył na twarzy Emmy przelotny wyraz napięcia. – To niewiarygodne, jak bardzo jesteś twórcza. Widzisz wokół siebie tyle możliwości.

– Naprawdę? – spytała z wyraźną ulgą w głosie. – Dziękuję. Mama… cóż, w jednym z listów, które mi zostawiła, napisała, że może jestem zbyt… nie wiem. Zbyt aktywna.

– Nic dobrego nigdy nie wynikło z tego, że ktoś starał się nie być sobą. Bądź tym, kim jesteś.

– To wydaje się łatwe, kiedy o tym mówisz.

– Bo to jest łatwe. Mój dziadek zawsze mówił: rób to, co kochasz, i najlepiej jak umiesz. Dla mnie nie ma innej drogi.

– Zabawne, zawsze myślałam, że byłoby wspaniale mieć kwiaciarnię, a teraz ją mam we własnym domu. – Zamyśliła się na chwilę. – Po tylu latach prowadzenia dużej firmy to niewielkie przedsięwzięcie sprawia mi ogromną radość.

– Ale wrócisz do zawodu perfumiarza?

– Tak, oczywiście – odparła. – Kiedy w Londynie wszystko będzie załatwione. – Przerwała na moment. – Lecz miło jest patrzeć, jak kwiaty sprawiają ludziom przyjemność. Przy perfumach zawsze tkwiłam w studiu albo w laboratorium. Potem, kiedy mama zadecydowała, że mam przejąć firmę, podróżowałam na spotkania z naszymi głównymi odbiorcami. Straciłam kontakt z klientami. – Rozłożyła ręce. – Teraz uwielbiam patrzeć, jak ludzie przychodzą i odchodzą z kwiatami, które sprzedaje Aziz. Wyobrażam sobie, jak obdarowani cieszą się z wiązanki gerber albo z wielkiego bukietu róż.

– Lubisz uszczęśliwiać ludzi. – Musnął delikatnie jej dłoń. – Ale ta nazwa... masz bardzo perwersyjne poczucie humoru. Gdyby tylko te poczciwe kobieciny z wioski wiedziały, że kupują goździki dla Najświętszej Panienki od sensualistki.

– Sensualistki?

Emma spojrzała na Lucę sięgającego po koszyk z truskawkami. Pochylił głowę i powąchał je. Podał Emmie, by też powąchała. Nakrył jej dłoń swoją.

– Pamiętasz naszą rozmowę o Pieśni nad Pieśniami i o arabskiej literaturze erotycznej w tłumaczeniu Burtona?

– Cóż, pamiętam z książek, że dawniej ludzie znali się na afrodyzjakach. Nie uwierzyłbyś, co można zdziałać odrobiną imbiru i kardamonu. – Emma posłała mu szybki uśmiech.

– Będę o tym pamiętał.

– Mówisz takim tonem, jakbyś już od dawna o tym myślał – powiedziała wesoło.

Nie myślałem prawie o niczym innym, przemknęło mu przez głowę. Odwrócił się do sprzedawcy i podał mu owoce.

– Ja zapłacę. – Emma sięgnęła po portmonetkę. – Chcesz
coś jeszcze?

Owszem, chciałbym, pomyślał, kiedy poszła dalej. Ale
ty wciąż kochasz innego mężczyznę.

Rozdział 33

MADRYT, SIERPIEŃ 1937

– Capa? – Charles przytrzymał słuchawkę ramieniem i ścisnął palcami grzbiet nosa. Miał zaczerwienione oczy. Przed nim na barze leżało kilka francuskich gazet otwartych na stronach z artykułami o pogrzebie Gerdy. – Możesz rozmawiać? Nie przeszkadzam?

– Nie, nie... dobrze usłyszeć twój głos, Charlie.

Słońce z trudem wciskało się przez żaluzje, wychwytując przygarbione sylwetki zmęczonych mężczyzn i puste kieliszki zalegające na stołach. Pomimo duszącego upału Charles miał na sobie stary czarny golf.

– Tak mi przykro z powodu Gerdy, Bob. Przepraszam, że nie mogłem przyjechać do Paryża na pogrzeb... – Czuł, że się garbi, przytłoczony ciężarem smutku.

– Co się stało, do cholery? – Głos Capy był niski, dławiony żalem. – Nigdy nie powinna była się tam znaleźć. Gdybym ja tam był, zaopiekowałbym się nią.

– Przepraszam. – Charles zwiesił głowę. – To wszystko zdarzyło się tak szybko. Starałem się.

– Nie winię cię za to. Tylko ja potrafiłem jej przemówić do rozumu. Mogłem ją ocalić.

Charles sięgnął po paczkę papierosów.

– Cholera – mruknął i rzucił puste opakowanie na podłogę. Opróżnił szklankę i dał znak barmanowi.

– Czuję się tak... – mówił Capa. – Trochę mi odbiło od kiedy...

Charles pomyślał o reportażach z pogrzebu Gerdy w Paryżu, o tym, jak Capę musiano odciągnąć od grobu.

– Teddie powiedział mi, co się działo w szpitalu – ciągnął Capa. – Wiesz, że zrobili jej transfuzję krwi, a ona powiedziała: „Fiuu, teraz czuję się lepiej". Przeżyła operację... Do cholery, co się stało, Charles? Powinienem być przy niej. To nigdy by się nie zdarzyło, gdybym z nią był.

Capa ciągnął swe wynurzenia. Charles przyłapał się na tym, że się boi. Bał się, że Capa może go zaatakować, oskarżyć o próbę uwiedzenia kobiety, którą kochał. Poczucie winy zacisnęło się w jego sercu jak zbyt mocno nakręcony zegarek, gdy Capa zaczął szlochać.

– Ona cię kochała – powiedział cicho Charles. A ja kochałem ją, pomyślał, ale ona o tym nie wiedziała. Nikt się nigdy tego nie dowie.

– Oczywiście, że mnie kochała! – wykrzyknął Capa. – Ona była moja, a ja byłem jej. Należeliśmy do siebie.

Charles czekał w milczeniu, aż Capa się opanuje.

– Przepraszam, Charlie, nie powinienem był się na tobie wyładowywać.

– Mów dalej. – Zasługuję na to, pomyślał Charles. Żałował, że nie ma przy nim Freyi. Siostra zawsze wiedziała, co powiedzieć, a on nie umiał wykrztusić słowa.

– Wszyscy kochali Gerdę. Ale ona wybrała mnie. Mieliśmy się pobrać.

– Wiem, stary. Przykro mi.

– Pogrzeb miała piękny. Było całe morze kwiatów.

Capa opowiedział o tym, co działo się w Paryżu. Charles miał wrażenie, że o wszystkim już wie.

Patrzył na zdjęcia w rozłożonych przed sobą gazetach. Od śmierci Gerdy katował się czytaniem wszystkich artykułów na temat jej życia i pogrzebu. Wcześniej nie miał pojęcia, jak bardzo ceniono jej prace. Partia Komunistyczna ogłosiła ją męczennicą walki przeciwko faszyzmowi, współczesną Joanną d'Arc. Dziesiątki tysięcy ludzi wyległy na ulice Paryża, gdy pierwszego sierpnia jej ciało przewożono na cmentarz Père-Lachaise przy dźwiękach marsza żałobnego Chopina. Był to dzień jej dwudziestych siódmych urodzin. Jedna z gazet obok zdjęć z pogrzebu – tłumów, transparentów, kwiatów – wydrukowała zdjęcia autorstwa Gerdy, łącznie z tym, które, jak doskonale wiedział, zrobił Capa. Czy to ma jakieś znaczenie? – pomyślał. Zawsze mieli być razem, André i Gerda, Gerda i Capa, dwie strony tej samej monety. „Wymyśliliśmy najlepszego fotografa wojennego – powiedziała, gdy chowali się przed deszczem. – Capa będzie legendą". Teraz wiedział, że ta legenda zwiąże ich na zawsze, a jego w niej nie będzie. Nigdy nie miałem do niej przystępu, pomyślał. Mocno zacisnął powieki. Idioto, głupku! Jak mogłeś kiedykolwiek pomyśleć, że to się może zdarzyć? Dla niego Gerda po śmierci zyskała status mityczny. Jeden jedyny wspaniały pocałunek sprawił, że jego życie legło w gruzach.

Capa kontynuował swe zwierzenia, a Charles wpatrywał się w gazetę. Na wojennych fotografiach Gerdy widział jasne, pełne nadziei twarze młodych milicjantek ćwiczących manewry na plażach Barcelony w tysiąc dziewięćset trzydziestym szóstym roku, aragońskich chłopów zbierających słomę, sieroty wojenne z Madrytu. Na tych ludziach jej zależało, pomyślał. Zawsze świetnie potrafiła uchwycić ludzki aspekt sytuacji. Kiedy radość z oglądania własnych reportaży w druku spowszedniała, Charles zrozumiał, że w jego pracach nigdy nie będzie ani magii zdjęć Gerdy i Capy, ani siły słów Hemingwaya. W porównaniu z nimi czuł się dyletantem. Omiótł wzrokiem dziennikarzy w barze. Ilu z nich przejdzie do historii? Ilu poniosą ulicami jak męczenników w morzu kwiatów? Oparł głowę na dłoni. Zdjęcia Gerdy raniły mu serce, odbierały oddech. Przerzucił stronę z fotografiami Armii Ludowej maszerującej po arenie w Walencji i zobaczył zdjęcie ofiary nalotu bombowego, której krew spływała z koca na posadzkę z wzorem szachownicy. Natychmiast zobaczył w pamięci Gerdę, ranną, krwawiącą na noszach. Zrobiło mu się słabo, kiedy przypomniał sobie, jak stał bezradnie obok niej.

– Była taka piękna – powiedział cicho Charles, kiedy Capa zamilkł. Przesunął się na brzeg stołka. – Taka piękna. Jej fotografie… Może dawała z siebie zbyt wiele, za bardzo ryzykowała…

– Dlaczego nikt do mnie nie zadzwonił, na Boga?! Natychmiast bym przyjechał, gdybym wiedział, że znowu planuje wyjazd do Brunete. – Capa mówił przytłumionym głosem, jakby trzymał głowę w dłoniach. Charles zdał sobie sprawę, że go nie słucha. Czuł, że Capa jest we własnym piekle i wyobraża sobie śmierć Gerdy po raz kolejny, tak jak on. Zawsze to „co by było, gdyby…", pomyślał. Co by było, gdyby Capa uparł się, żeby Gerda została z nim w Paryżu? Co by było, gdyby nie wskoczyła na ten samochód? A gdyby uszkodzony czołg nadjechał ułamek sekundy później?

– Dowiedziałem się o tym z gazety, możesz w to uwierzyć? W poczekalni u dentysty, Charlie. Przeczytałem o tym w cholernej gazecie! Nigdy nie powinienem był jej tam zostawić, nigdy! Mieliśmy się pobrać, wiedziałeś o tym? – powiedział Capa znowu.

– Wiedziałem. – Charles z goryczą pomyślał o ich pocałunku, o jej bliskości z Tedem. Zastanawiał się, czy odeszłaby z Capą i poskromiła swego niespokojnego ducha.

Wychylił szklaneczkę whisky i gestem nakazał barmanowi podać całą butelkę.

– Wiesz, Charles, w trzydziestym piątym spędziliśmy parę miesięcy na Wyspie Świętej Małgorzaty. To był najszczęśliwszy czas w moim życiu. – Capa westchnął. – Owszem, lubię się zabawić... poker, butelka szkockiej i ładna dziewczyna. Ale Gerda była moim światem. Nigdy przy nikim innym nie zaznałem takiego spokoju i szczęścia. I nigdy nie zaznam.

– Mam nadzieję, że za jakiś czas zaznasz, Bob. – Charles wstał i zebrał gazety.

– Na razie muszę trochę pobyć sam. Wybieram się do Stanów, chcę odwiedzić rodzinę w Nowym Jorku.

– Rozumiem. – Charles zwiesił głowę. – A co potem?

– Kto wie? Sytuacja w Chinach się zagęszcza. Może tam pojadę. Trzeba być blisko, żeby zrobić dobre zdjęcie, Charlie.

– No tak. – Ale Gerda podeszła zbyt blisko, pomyślał Charles. – Gdybyś czegoś potrzebował, to wiesz, gdzie jesteśmy.

– Straciłem jedyną osobę, na której naprawdę mi zależało. Dobrze, że zadzwoniłeś.

– Do zobaczenia, Capa. Uważaj na siebie.

– Ty też, młody. Niech ci szczęście sprzyja.

Charles usłyszał, jak Capa odkłada słuchawkę. To ty masz szczęście, Bob, pomyślał. Ona cię kochała. Po raz ostatni spojrzał na zdjęcie Gerdy na stronie „Ce Soir". Niektórzy z nas mogą tylko marzyć o takiej miłości.

Rozdział 34

WALENCJA, STYCZEŃ 2002

– Nie ma pośpiechu. Możemy pojechać do Cuenca, kiedy dziecko przyjdzie na świat – powiedział Luca. Ku skrywanej radości Emmy nabrał zwyczaju wpadania do Ogrodu Wonności co kilka dni, czasem po kwiaty, a czasem tylko na pogawędkę. – Concepción nawet się cieszy, że rozmowy o sprzedaży interesu jeszcze poczekają. Guillermo ją do tego zachęca, ale ja odnoszę wrażenie, że ona nie ma ochoty przestać pracować.

– Dobrze, cieszę się, że możemy odłożyć to spotkanie. – Emma wstała ze stołka i przeciągnęła się, trzymając rękę w okolicy kości krzyżowej. – Akurat teraz długie podróże samochodem nie sprawiają mi przyjemności.

– Tego tu nie było, prawda? – Luca wskazał ozdobny stojak na kwiaty.

– Dostałam od Fidela. Właśnie skończyłam go odnawiać. – Przesunęła palcem po świeżo pomalowanym kutym żelazie.

– Jego żona sprzedawała kwiaty.

– Mówił mi o tym.

– Tak? Widać, że zaczynasz poznawać miejscowych.

– Prowadzimy firmę, są naszymi klientami.

Emma zgarnęła obcięte łodygi kwiatów i wrzuciła do śmietnika.

– A skoro o tym mowa, to gdzie jest ten chłopak? Nie powinnaś pracować...

– Nic mi nie będzie. Aziz musiał zabrać siostrę do lekarza. Po prostu mu pomagam.

– Nie pozwól się wykorzystywać.

– Sama potrafię o siebie zadbać.

– Wiem, że potrafisz. – Luca podał jej wiaderko pełne pachnących frezji.

– Dziękuję. – Włożyła pojemnik w jeden z otworów stojaka i odeszła kilka kroków, żeby zobaczyć, jak się prezentuje. – Kiedy zmarła żona Fidela?

– Wiele lat temu. To była wielka tragedia.

– Co się stało?

– Podczas Święta Ognia, Fallas... Wiesz, ten festiwal w marcu, kiedy w Walencji i okolicznych miejscowościach panuje szaleństwo.

– Widziałam zdjęcia. Czy naprawdę podpalają te wielkie figury?

– Tak.

– Wygląda to dość niebezpiecznie.

Luca wzruszył ramionami.

– Normalnie ludzie są ostrożni. Polewają wszystkie budynki wodą. Tamtego roku we wsi zdarzył się wypadek...

– Z fajerwerkiem?

– Nie, z jednym z ognisk.

– Spłonęła żywcem? To straszne!

Emma wyobraziła sobie dionizyjskie sceny, o których czytała, ogień buchający w niebo, huk wybuchów, a potem samotną postać w płomieniach.

– Była z wizytą u matki w starszej części wsi. Słyszałem, że jeden ze stosów ułożyli za blisko domu i wszystko się spaliło.

– Jej matka też zginęła? – Emma zadrżała. – Fidel wydaje się taki szlachetny...

– Bo taki jest. Byli udaną parą.

– Musi mu być ciężko.

– Chyba tak.

– Nie jesteś tego pewien?

– Zawsze mi się wydawało, że ludzie, którzy mieli udane związki, jakoś sobie później radzą. A ci, którzy czegoś żałują, grzęzną w smutku.

Emma milczała przez chwilę.

– Nigdy o tym w ten sposób nie myślałam.

Podbiegł do nich Marek.

– Proszę zobaczyć, przebiliśmy ścianę na górze.

Emma podreptała przez ogród do domu i wstąpiła na schody. Mężczyźni udali się za nią. Borys stał nad zwaloną ścianą, od stóp do głów pokryty pyłem. Marek podniósł młot.

– Proszę popatrzeć.

Pod warstwą gipsu znajdowały się drzwi zabite deskami. Zahaczył o deski młot i mocno pociągnął. Emma nie mogła nie zauważyć zdradzającej siłę krzywizny jego pleców i mięśni napinających się pod białą koszulką.

Luca zakaszlał.

– Emma, chodź. Poczekaj, aż skończą. Ten pył ci zaszkodzi.

– Nie, nie.

Podeszła bliżej. Mrużąc oczy, wyciągnęła dłoń i poczuła chłód mosiężnej gałki. Przekręciła ją, a Marek pomógł jej otworzyć drzwi. W półmroku dostrzegła niebiesko-białe *azulejos*, płytki z wijącymi się kwiatowymi motywami ułożone w bordiurę na ścianach pokoju.

– Jakie piękne!

Podtrzymując brzuch dłonią, szybko zeszła na parter i po niedługim czasie wróciła z latarką. Kiedy światło omiotło pokój, ujrzała pościelone łóżko, toaletkę i szafę. Skierowała światło latarki dalej i nagle krzyknęła.

– Co się stało? – Luca natychmiast znalazł się przy niej, odpychając Marka na bok.

Emmie serce mocno waliło z podniecenia.

– Nie wiem… – Starała się przeniknąć wzrokiem ciemność. W pewnej chwili zaczęła się śmiać. – Och! To stary plakat.

Wstała i odwróciła się do Borysa.

– Dobra robota, chłopaki. Możecie rozwalić całą ścianę? Nie mogę się doczekać, kiedy zajrzę do środka.

Jakieś dwie godziny później Marek przyszedł po nią. Emma siedziała samotnie w kwiaciarni, rozmyślając o swojej rozmowie z Lucą. Zapatrzona w przestrzeń, obracała w palcach łodygę peonii. Czy to może być to? Luca ma jakieś zahamowania. Może nie potrafi jeszcze odejść od tego kogoś, kogo stracił?

– Zrobione – powiedział Marek.

Emma podskoczyła.

– Pokój? Przepraszam, myślami byłam bardzo daleko stąd.

Udali się na górę. Emma przeszła przez postrzępiony otwór drzwiowy i przekroczyła kupę gruzu, w chwili gdy Borys otworzył okiennice i światło słoneczne zalało pokój. Plakat na ścianie utrzymanego w biało-niebieskiej tonacji pokoju przedstawiał toreadora na arenie. U jego stóp leżały róże. Starła kurz z papieru. „Jordi del Valle" – przeczytała.

– To ten chłopak z fotografii, którą znalazłam pod podłogą! To musiał być jego dom, jego pokój!

Marek wskazał toaletkę.

– Skoro to był mężczyzna, co tu robią buteleczki z perfumami?

– Może miał żonę?

Emma uniosła jeden z flakoników, wyjęła korek i powąchała. Irys?

– Moglibyście wyjść? Chciałabym zostać tu przez chwilę sama.

Kiedy budowlańcy wyszli, powoli obeszła pokój, zaznajamiając się z nim.

– Dlaczego ktoś ten pokój zamurował? – zapytała na głos.

Zatrzymała się przed szafą, trochę bojąc się tego, co może znaleźć w środku. Jej dłoń spoczęła na ozdobionym pomponem kluczyku tkwiącym w zamku. Drzwi otworzyły się ze skrzypnięciem, w wyszczerbionym lustrze mignęło jej odbicie. Wiszące w szafie ubrania były proste, skromne, w ciemnych kolorach, z wyjątkiem czerwonej jedwabnej sukni z długim trenem.

– Kim byłaś? – szepnęła Emma.

W toaletce znalazła sznur korali, czarny papierowy wachlarz i haftowany jedwabny szal. W środkowej szufladce leżała zużyta czerwona szminka. Szufladka nie dawała się zamknąć. Coś ją blokowało. Emma włożyła rękę do środka, badając górną ściankę. Wymacała palcami okładkę notatnika włożonego pomiędzy rozpórki.

Usiadła na łóżku, z którego podniósł się tuman kurzu, dobrze widoczny w słońcu. W dłoniach miała kalendarzyk na rok tysiąc dziewięćset trzydziesty ósmy. Podpisany „Rosa Montez" dziecinnymi, pochyłymi literami. Niektóre daty były zaznaczone – krzyżyk co cztery tygodnie, co pewien czas urodziny i rocznice. Przy siedemnastym maja zauważyła notatkę: „Pierwsze urodziny Loulou".

Loulou? Głośno wciągnęła powietrze. Urodziny jej matki. Rozejrzała się po pokoju i poczuła się tak, jakby w jej umyśle otworzyły się jakieś drzwi.

Rozdział 35

WALENCJA, SIERPIEŃ 1938

Rosa nuciła kołysankę, kiwając się przód i w tył w świetle lampy. Obrysowywała palcem kontury buzi śpiącego dziecka.

– Mała Loulou – powiedziała. – Może cię ochrzcić Lourdes, po swojej matce, jeśli chce, ale dla mnie jesteś Loulou.

Freya pochyliła się nad nimi z uśmiechem.

– Jak się czujesz?

– Doskonale – odpowiedziała Rosa. – Jestem tylko trochę zmęczona. Mała lubi chyba czuwać przez całą noc i spać w dzień. A ty? Żołądek już nie boli?

– Jest o wiele lepiej, dziękuję. Twoja ziołowa herbatka podziałała.

– Na pewno nie jesteś... – Rosa pokazała gestem zaokrąglony brzuch.

– Ja? W ciąży? – Freya roześmiała się głośno. – Nie żartuj.

Patrząc na twarz dziecka, czuła, jak ogarnia ją tęsknota. Liczyła dni. Jutro będzie pierwszy września, pomyślała. Od dawna nie miała miesiączki, ale inne dziewczyny też nie. Czy to głupie mieć nadzieję, że mogłabym... mogłabym nosić dziecko Toma?

Rosa wstała i podała niemowlę Freyi.

– Potrzymasz ją przez chwilę?

– Z przyjemnością.

Macu siedziała przy kuchennym stole i haftowała pieluszki. Rosa zaczęła rozcierać zioła w moździerzu. Freya usadowiła się wygodnie na krześle i odsunęła okulary do czytania na czoło. Była wyczerpana. Gdy tylko zamykała oczy, powracały do niej potworności, które widziała tego dnia w szpitalu. Cieszyła się, że jest w domu, ma spokój i może być w towarzystwie dziewczyn, a chłodne, wąskie, białe łóżko już na nią czeka.

– Miło tu, kiedy Vicente nie ma w domu – mruknęła, zamykając oczy. Niemowlę leżało na jej piersi. Głaskała je po pleckach, rozkoszując się ciepłym ciężarem.

Macu się zaśmiała.

– Tobie jest miło? Wyobraź sobie, jak biednej Rosie jest miło. Nikt jej nie bije i nie napastuje w sypialni.

– Przestań! – zbeształa ją Rosa.

– Ale to prawda! – broniła się Macu. – Domaga się swoich praw tak szybko po urodzeniu dziecka. Nie powinno tak być...

– Dość! – Rosie zaróżowiły się policzki. – To mój mąż. Wiedziałam, czego mogę się spodziewać, kiedy za niego wychodziłam.

Freya popatrzyła na młodą mamę.

– Wiem, dlaczego wyszłaś za Vicente. Wydawało ci się, że to ma sens, bo chciałaś zapewnić bezpieczeństwo swojemu dziecku. A dlaczego on chciał się z tobą ożenić?

Rosa opuściła wzrok na miseczkę.

– Jordi miał coś, czego on nie mógł mieć. Jordi ma coś, czego on nigdy nie będzie miał – poprawiła się. – Któregoś dnia...

Przerwało jej walenie do drzwi. Kobiety popatrzyły po sobie z zaskoczeniem.

– Spodziewasz się kogoś? – zapytała Freya.

– Nie.

Freya włożyła dziecko do trzcinowego koszyka i przeszła do korytarza, sięgnąwszy po drodze po ciężki mosiężny lichtarz.

– Zostańcie tam.

– Poczekaj. – Macu chwyciła pogrzebacz. – Pójdę z tobą.

Kiedy Freya odsuwała rygle, Macu stała w gotowości z pogrzebaczem uniesionym nad głową.

– Zostaw założony łańcuch.

Freya uchyliła drzwi i wyjrzała. Na zewnątrz stał mężczyzna zgięty wpół. Nie potrafiła rozpoznać sylwetki na tle rozgwieżdżonego nieba. Po niebieskim mundurze poznała, że to republikanin. Cykady brzęczały wściekle wśród ciepłej nocy.

– *Que pasa?* – zapytała.

– Freya? – Nieznajomy postąpił niepewnie o krok.

– Dzięki Bogu, powiedzieli mi, że tu jesteś.

Osunął się na próg, gdy Freya zdejmowała łańcuch z drzwi.

– Pomóż mi – poprosiła.

Macu upuściła pogrzebacz i otworzyła drzwi szerzej. Mężczyzna upadł na wznak. Księżyc oświetlił jego urodziwą, pokrytą kurzem twarz.

– Kto to jest? – zapytała Rosa, podchodząc do drzwi.

– Mój brat – odparła Freya. Przyklękła i odgarnęła mu włosy z oczu. – To mój brat, Charles.

Zaniosły go do łóżka, zdjęły z niego brudny, zawszony mundur i dziurawe buty. Chociaż w ostatnich miesiącach Freya widziała setki rannych i nagich mężczyzn, oglądanie

Charlesa w takim stanie wydawało jej się niestosowne, poprosiła więc Macu, żeby go umyła, a sama z Rosą spaliły mundur na podwórzu. Z obrzydzeniem marszczyła nos, dźgając płonącą tkaninę kawałkiem drewna pomarańczowego.

– Uch, co za smród. Czasem wydaje mi się, że nigdy się od niego nie uwolnię.

– Krew, pot i jeszcze gorsze rzeczy. Dzięki Bogu za perfumy, co?

Rosa pokiwała głową.

– Dzisiaj twoja kolej na kąpiel. Dam ci mój olejek różany.

– Och, nie! Nie to miałam na myśli...

– Proszę cię. – Rosa poklepała ją po ręce. – Przeżyłaś szok. To pomoże ci zasnąć. Musisz być silna dla brata. On cię teraz potrzebuje.

– Bóg jeden wie, gdzie się podziewał. Ostatnia wiadomość od niego była taka, że utknął w Madrycie i nie może pojechać na pogrzeb Gerdy. – Twarz Freyi stężała. – Wygląda, jakby był w drodze od miesiąca. Musiał przejść przez piekło.

Charles leżał w łóżku przy świetle świecy, bezbronny jak dziecko. Macu niepewnie podeszła bliżej z emaliowaną miednicą pełną parującej wody.

– *Señor?* – zapytała poważnym tonem. Charles się nie poruszył. Odstawiła miednicę i łagodnie potrząsnęła go za ramię. – *Señor?*

Przez chwilę miała wrażenie, że brat Freyi nie żyje, i ogarnęła ją panika. Położyła mu głowę na piersi, słuchając równomiernego bicia serca. Nie, nie umarł, ale chyba był tego bliski. Wlała do gorącej wody olejki, które dała jej Rosa, i zabrała się do pielęgnacji chorego. Kilka razy wracała do kuchni po świeżą wodę, żeby zmyć wszystkie warstwy brudu z jego skóry. W szpitalu Macu pomagała Rosie i Freyi zajmować się rannymi żołnierzami, ale po raz pierwszy była sam na sam z mężczyzną. Kiedy zaczęła myć mu twarz, sięgnęła po nowy ręcznik. Starła brud z policzków i warg młodzieńca. Podtrzymując jego głowę, umyła mu włosy, połyskujące złotawo spod błota i brudu. W końcu cofnęła się o krok i przykryła leżącego czystym białym prześcieradłem. Wygląda jak anioł, pomyślała. Przeżegnała się, zawstydzona myślami, które kłębiły się w jej głowie.

Rosa stanęła w drzwiach.

– *Cómo está?* Co z nim?

– W porządku. – Macu uniosła miednicę, najwyraźniej zakłopotana.

– Spisałaś się doskonale. – Rosa zgasiła świecę. – Będziesz za niego odpowiedzialna. Jeśli Vicente wróci do domu... – Zamyśliła się na chwilę. – Powiemy mu, że brat Freyi przyjechał z Anglii, że był na konferencji pisarzy, zachorował i został u nas. – Wyciągnęła z kieszeni fartucha bursztynową buteleczkę olejku. – Rano i wieczorem wetrzesz mu to w skórę. Wymieszaj parę kropli z olejkiem migdałowym i masuj w ten sposób. – Pokazała ruchy. – Zrobiłabym to sama, ale mam dziecko, a Vicente by się to nie spodobało.

Macu się zaczerwieniła.

– *Si*, Rosa. Zrobię to. Sprawię, że znowu poczuje się lepiej.

– Grzeczna dziewczynka – odparła Rosa, zamykając drzwi.

Rozdział 36

WALENCJA, STYCZEŃ 2002

Siedząc na Plaza la Reina w sercu Walencji, Emma myślała o tym, że wszyscy ludzie obecni znaleźli się dlatego, że przez jedną noc, czy też jedną wykradzioną chwilę, ich rodzice się kochali. Seks, czysty i prosty, ożywiał świat, zarówno na zachodzie, jak i na wschodzie. Wszystkich nieznajomych przechodzących obok jej stolika matki urodziły w bólu, byli podnoszeni do góry z okrzykiem „to chłopiec" lub „to dziewczynka", wycierano im pupy i karmiono kwilących z głodu, prano im ubranka i ścielono ich łóżka, żeby mogli się znaleźć tam, gdzie są dzisiaj – w drodze do pracy, z telefonem przy uchu albo przy śmietniku w poszukiwaniu skórki chleba.

Ponieważ zbliżała się data porodu, Emma bardzo aktywnie spędziła ostatni tydzień. Poprzedniego wieczoru wstąpiła do niej Paloma, żeby zaprosić ją na lunch.

– Co ty wyczyniasz?! – krzyknęła.

Emma stała na chwiejącym się krześle z naręczem muślinu przewieszonym przez ramię.

– Ależ mnie przestraszyłaś!

– Złaź mi stamtąd natychmiast! – Paloma podała Emmie rękę. – Nie masz porządnej drabiny?

– Próbowałam tylko zawiesić firanki. Mam lęk wysokości. Myślałam, że dosięgnę...

– W takim razie to jeszcze jeden powód, dla którego nie powinnaś tam włazić. Marek! – zawołała. – Borys!

Paloma skarciła budowlańców i jasno dała im do zrozumienia, że do czasu porodu Emmie nie wolno nawet ruszyć palcem.

Emma skupiła się więc na gromadzeniu zapasów na pierwsze tygodnie życia dziecka. Zapełniła zamrażarkę jedzeniem kupionym w Mercado Central. Targ zamykano na czas przerwy obiadowej, a sprzedawcy gotowali z pozostałych tego dnia resztek paellę w wielkich rondlach nad ogniem z płonącego drewna pomarańczowego; wonny dym unosił się wysoko. Emma się zatrzymała. Niosła paczuszkę z szylkretowymi grzebieniami do upinania mantyli i wachlarzami, które zamierzała posłać Freyi w podziękowaniu za czuwanie nad firmą w Londynie. W Prénatalu nie mogła sobie odmówić kupna maleńkiego pajacyka zawiązywanego na kokardki. Kiedy teraz oglądała śpioszki, nie potrafiła sobie wyobrazić, że wkrótce będzie je wkładać swojemu dziecku.

– Och, jakie słodkie! – zawołała Paloma, podchodząc do Emmy. – Prześliczne! Trudno uwierzyć, że dzieci na początku są takie malutkie! Mam jeszcze trochę niemowlęcych ciuszków, dam ci je, tylko muszę poszukać.

– Cudownie. Po tym wszystkim, co się działo przez ostatnie miesiące, nie chciałam kusić losu i kupować za dużo. – Emma spuściła wzrok zawstydzona. – To głupie. Normalnie wcale nie jestem przesądna.

Paloma poklepała ją po ręce.

– Dobrze cię rozumiem. Zapakuję torbę z ubrankami.

– A jeśli będziesz miała jeszcze dzieci?

– Nie. – Paloma pokręciła głową. – Troje mi w zupełności wystarczy. Olivier chciałby mieć drużynę piłkarską, ale ja muszę teraz myśleć o swojej pracy. Benito pojawił się bardzo szybko, ale na Paco i maleńką musieliśmy poczekać. Olivier już ma swoją wymarzoną córeczkę.

Paloma zamówiła kieliszek wina.

– Przepraszam za spóźnienie. Długo czekałaś? – Wyjęła komórkę z torebki. – Mama... no cóż. Już ją poznałaś. Miała zająć się dziećmi dziś wieczorem, żebyśmy mogli pójść z Olivierem do teatru, ale się pokłóciłyśmy. – Pokazała gestem eksplodującą bombę. – Więc poprosiłam Lucę, ale nie wróci z Madrytu tak wcześnie. Muszę zadzwonić do Oliviera i odwołać...

– Ja się nimi zaopiekuję – powiedziała Emma.

– Nie, nie śmiałabym cię prosić.

– Ależ z chęcią. Może przywieź je koło piątej, przyszykuję je do spania, a Luca później je odbierze?

– Naprawdę mogłabyś? – Twarz Palomy się rozjaśniła. – Już tak dawno nie wychodziliśmy nigdzie wieczorem. Zapomniałam, jak wygląda randka z moim mężem.

– To będzie dla mnie dobre ćwiczenie. – Emma oparła się wygodnie na krześle. – No i jak, udało ci się wyciągnąć z Macu coś o tym domu? Bardzo chciałabym wiedzieć, dlaczego zamurowali pokój.

Paloma pokręciła głową.

– Macu chce o tym opowiedzieć, jestem pewna, tylko coś ją powstrzymuje. Mama też wie, ale mi nie powie. Myślę, że kryje się za tym coś wstydliwego, jakaś rodzinna tajemnica.

– Nie chcę przysparzać ci kłopotów. Pytałam Freyę, lecz ona też nie chce nic mówić. – Emma uniosła szklankę z wodą, przyglądając się lśniącym w słońcu bąbelkom. – Szkoda. Mam wrażenie, że od wielu lat dźwiga jakiś ciężar.

– Wydaje mi się, że dużo ludzi, którzy przeżyli wojnę, sądzi, że powinni zabrać swoje wspomnienia do grobu.

– Po której stronie była wasza rodzina?

Paloma zamrugała powiekami, zdumiona bezpośredniością pytania.

– To nie takie proste. Wiele rodzin chciało po prostu przetrwać, żyć w spokoju. Mój dziadek Ignacio był dobrym człowiekiem, ale było im ciężko, bo... – Odchyliła się do tyłu i westchnęła. – Chyba wszyscy wiedzieli, że Macu jest z czerwonymi, tak samo jak Rosa. Zdaje się, że miały jakieś kłopoty. To mała miejscowość, ludzie plotkują, wszystko wiedzą. *Mamá*... ona lubi spełniać swoją powinność. Bardzo dba o dobre imię rodziny Santangel. Przeszłość to przeszłość.

– Czy dlatego twoja matka mnie nie lubi? Przez to, że mieszkam w tym domu, że odżywają stare wspomnienia? – spytała Emma. – Dlatego nie podoba jej się moja współpraca z Lucą?

– *Mamá* stara się go chronić, ale mój brat jest już dużym chłopcem – odparła Paloma. – To dzięki niemu rodzinie Santangel dobrze się powodzi. Podwoił nasz majątek, mamy nowe posiadłości.

– O?

– Tak, mój brat okazał się czarnym koniem. – Paloma upiła łyk wina. – Może przez ostatnie lata pracował zbyt ciężko...

Wiem, jak to jest, pomyślała Emma.

– Opowiedz mi o Luce – poprosiła.

– A co chcesz wiedzieć?

Emma zarumieniła się i zaczęła obracać szklankę w palcach.

– Spotyka się z kimś? To znaczy, wiem, że nie jest mną zainteresowany, ale... dlaczego nie ma przy nim kochającej żony i gromadki dzieci?

– Widzisz, on prowadzi wiele spraw. Ma bardzo dużo obowiązków. – Paloma spojrzała Emmie w oczy. – Niektórzy faceci tacy już są... ich życiem jest praca...

– Ale on jest przecież taki... Musiał mieć jakieś kobiety.

– Chodzi ci o seks? Oczywiście, miewał i miewa jakieś dziewczyny, ale nie jest typem domatora.

– Nieprawda. – Emma pokręciła głową. – Kiedy bawił się z twoimi dziećmi, widziałam coś w jego oczach... Miłość, ale z odcieniem czegoś... może smutku. Został zraniony. Znam to uczucie, rozpoznaję je.

– Wiele kobiet pragnęło zdobyć jego serce i przegrało. Lubię cię, Emmo. Nie zadawaj sobie jeszcze większego bólu. Za dużo przeszłaś. Jeśli pragniesz związku, ojca dla swojego dziecka, znam tłumy mężczyzn, którzy będą cię uwielbiali. Tylko nie wiąż swoich nadziei z Lucą.

– Nie potrzebuję nikogo. Trwało prawie rok, zanim znowu poczułam się silna. Nie zamierzam ryzykować...

Paloma podparła głowę dłonią.

– Zakochałaś się w nim, prawda?

– Nie! – Emma poczuła, jak na jej policzki wpełza ognisty rumieniec. – To znaczy, może w innych okolicznościach...

– Ludzie się starzeją, czekając na idealne okoliczności – stwierdziła Paloma sentencjonalnie. – Mój brat jest wspaniałym człowiekiem, ale wiele wycierpiał. – Zawahała się. – Ma wiele duchów z przeszłości.

– Wszyscy je mamy. – Emma zapatrzyła się na gołębie wzlatujące z placu ku kobaltowym kopułom i błękitnemu niebu. – Czy gdybym nie była w ciąży, zachowywałby się wobec mnie inaczej?

– Nie o to chodzi. Jeśli Luca ci ufa, może opowie ci o wszystkim, kiedy będzie na to gotowy. Nie chcę mówić o tym za jego plecami. Bardzo cię lubię, Emmo, mam nadzieję, że będziemy przyjaciółkami...

Emma wyciągnęła rękę i chwyciła dłoń Palomy.

– Ja też.

– Jeśli Luca nie wyjaśnił ci, dlaczego jest sam, to ja nie mogę, po prostu nie mogę tego zrobić.

Tego wieczoru Emma rozkoszowała się rozbrzmiewającym w domu śmiechem, kreskówkami w telewizji i tupotem małych stóp po korytarzu na piętrze. Taki dom potrzebuje dziecięcego śmiechu, pomyślała. Po kolacji, kiedy maleństwo już spało, wykąpała dwoje dzieci, przebrała w bawełniane piżamki i uczesała je, tak jak robiła to Paloma. Najcieplejszym pomieszczeniem w domu była kuchnia, więc otuliła je kocami na sofie i opowiedziała historię o magicznych stworzeniach, które żyły w gajach pomarańczowych przed pojawieniem się człowieka, o jednorożcach i lwach, mówiących tygrysach i śnieżnobiałych latających koniach.

Kiedy skończyła opowiadać, napawała się ciszą, widokiem śpiących dzieci i ciepłem. Niski, żałosny krzyk poderwał ją na nogi.

– Kicia?! – zawołała.

Odgłosy zaprowadziły ją pod kuchenny zlew. Odsunęła zasłonki i ujrzała kotkę wylizującą pierwszego kociaka w legowisku ze szmat.

– Zuch dziewczyna! – powiedziała. – Zawołaj, jeśli będziesz potrzebowała pomocy, dobrze?

Zaciągnęła zasłonkę i zostawiła rodzącą kotkę w spokoju. Usadowiła się z powrotem na sofie i zapatrzyła w roztańczone płomienie. Wiatr szarpał oszklonymi drzwiami prowadzącymi na taras.

Musiała przysnąć, a kiedy się ocknęła, zobaczyła Lucę opartego o futrynę.

– Nie ruszaj się – szepnął. – Wyglądacie tak rozkosznie.

Wziął Paco na ręce i wcisnął się na sofę. Potem wyciągnął rękę na oparciu i Emma poczuła, jak musnął jej ramię. Uśmiechnęła się do niego sennie.

– Miałeś miły dzień?

– Tak. Ale nie bawiłem się tak dobrze jak ty. – Spojrzał na stosy rysunków na stole i porozrzucane po podłodze zabawki.

– Jest bałagan. Chciałam posprzątać, zanim przyjdziesz.

Dziewczynka przy boku Emmy westchnęła przez sen. Luca z czułością pogładził małą rączkę.

– Zgadnij, co się stało – szepnęła Emma. – Mamy kocięta! Myślisz, że Paloma wzięłaby parę dla dzieci, kiedy już będą odchowane?

– Na pewno. Przydadzą się nam koty w gospodarstwie. Nasz stary kocur gdzieś zniknął.

– Czasem tak robią, kiedy się zestarzeją.

– Może tak, a może to sprawka bezpańskich psów.

– Miejmy nadzieję, że odszedł w spokoju w jakimś słonecznym miejscu po drzewkiem pomarańczowym. – Emma stłumiła ziewnięcie.

– Jesteś zmęczona. Zabiorę te małpki do domu.

Zgarnął siostrzeńca i siostrzenicę na ręce i wstał.

– Wielka szkoda, że przerywam tę sielankę. Wszyscy mężczyźni marzą o tym, żeby zastać taki obrazek po powrocie do domu.

– Jaki? Kobietę z ciastem w piekarniku, gromadką dzieci i obiadem na stole? – Emma ze śmiechem podniosła się z kanapy.

– Nie. – Sprawiał wrażenie urażonego. – Wiem, że jesteś bizneswoman. Może nasze pragnienia się różnią.

– Luca… – Chwyciła go za rękaw.

– Dziękuję, Emmo. – Znów przedzielił ich niewidzialny mur. – *Hasta luego*.

Rozdział 37

WALENCJA, LISTOPAD 1937

O zachodzie słońca Freya powlokła się pod górę do Villa del Valle. Szczelnie otuliła się płaszczem, bo wokół świstał zimny wiatr, przynosząc znad pól ostry zapach cebuli. Bolały ją wszystkie kości i mięśnie. Marzyła o tym, by porządnie się wyspać.

– *Buenos!* – zawołała, otwierając kuchenne drzwi. Pochyliła się i ucałowała czubek głowy niemowlęcia, które siedziało przy stole w wysokim drewnianym krzesełku.

– Pracowity dzień? – zapytała Rosa. Naklejała etykietki na buteleczki z esencjami, połyskujące bursztynowo w świetle lampy.

– Kompletne szaleństwo w szpitalu. Chciałabym, żeby hiszpańscy lekarze przestali nas tak męczyć.

– Oni mają swoje metody, wy macie swoje. Niedługo wrócę do pracy. Teraz, kiedy Loulou jest starsza, Macu będzie mogła więcej przy niej pomagać.

– A gdzie jest Macu?

Rosa uniosła wzrok ku sufitowi. Kiedy na chwilę zamilkły, Freya usłyszała nad głową charakterystyczne skrzypienie łóżka.

– Chyba się żegnają.

Freya się zarumieniła. Przez ostatnie tygodnie widziała, jak Charles przemienia się z wraku człowieka z powrotem w siebie.

– No tak. Charles wyjeżdża dziś wieczorem do Barcelony.

– Wszyscy wyjeżdżają do Barcelony – powiedziała Rosa z goryczą. – Rząd najpierw uciekał tutaj, teraz wieje do Barcelony. – Spojrzała na córeczkę i pomyślała o dzieciach wysyłanych za granicę. – Freyo, chciałam cię prosić...

– Tak?

– Jeśli tutaj stanie się coś złego, zaopiekujesz się Loulou?

– Oczywiście. Ale nic się nie stanie.

– Kto wie? Wszystko zmierza w złym kierunku. Codziennie mam nadzieję, że Jordi zastuka do drzwi. Na próżno.

– Vicente nic o nim nie mówił?

Rosa potrząsnęła głową.

– Nie wiadomo, co on knuje. Nie ufam mu. To dobrze, że twój brat wyjeżdża.

– Cieszę się, że Charles i Macu są...

– Kochankami? – Rosa odłożyła pióro i wskazała stojące przed nią buteleczki. – Miłość to najlepsze lekarstwo. Macu przeżyła swój spacer w chmurach, a twój brat wyzdrowiał. Kiedy Charles wyjedzie, Macu będzie mogła spokojnie poślubić Ignacia.

Freya założyła ramiona na piersi i się roześmiała.

– Zaplanowałaś to, prawda?

– Nie wiem, o czym mówisz... – Uśmiech zaigrał Rosie na wargach. – No, może trochę pomogłam losowi. Widziałam, jak Charles przeżywa to, że Gerda zginęła. Może był w niej trochę zakochany?

– Kto wie? Macu sprawiła, że znów jest szczęśliwy, pisanie książki też mu dobrze robi. – Freya popatrzyła na pracę Rosy. – Robisz duże postępy w nauce pisania. – Przyjrzała się schludnemu, dziecinnemu pismu.

– To wszystko dzięki tobie i twojemu bratu. – Rosa wyciągnęła nowiutki notatnik. – Popatrz, zapisuję moje receptury. Może któregoś dnia Loulou też będzie robić lekarstwa.

Uderzenia łóżka o ścianę na piętrze stały się szybsze. Freya odkaszlnęła.

– Zaparzę herbatę. Napijesz się?

Charles wyciągnął się na poduszkach z Macu w ramionach.

– Będę za tobą tęsknił – wyszeptał w jej włosy.

– Zabierz mnie ze sobą, Carlos.

– Nie mogę. Wiesz przecież. Tutaj będziesz bezpieczniejsza.

– Nie sprawię ci kłopotu, obiecuję. Mogę się tobą opiekować, mogę walczyć razem z tobą tak jak Rosa z Jordim...

Charles zamknął oczy i ją pocałował.

– Już się mną zaopiekowałaś, Macu. Bez ciebie... – Pomyślał o tygodniach rekonwalescencji spędzonych wśród tych wspaniałych kobiet, o ostatnich ciepłych dniach jesieni. – Poskładałaś mnie z powrotem w całość.

– I wszystko po to, żebyś poszedł dalej walczyć, może nawet zginąć?! – Przytuliła go mocniej. – Właśnie to robią kobiety, tak jak Freya i Rosa w szpitalu. Naprawiają mężczyzn, żeby mogli wrócić z powrotem na front.

– Tak to już jest. – Charles rzucił okiem na zegar. – Przykro mi, ale muszę się zbierać. Samochód niedługo przyjedzie.

Wysunął się z łóżka i spakował swój skromny dobytek. Ręka zadrżała mu nad nieużywanym od tygodni aparatem fotograficznym.

– Macu, mogę zrobić ci zdjęcie?

– Nikt nigdy nie robił mi zdjęć. – Leżała na łóżku z ciemnymi włosami połyskującymi na tle biało-błękitnych kafli *azulejos*. Białe prześcieradło, którym była owinięta, podkreślało jej kobiece krągłości.

– Taką chciałbym cię zapamiętać.

– Zaczekaj – powiedziała ze śmiechem. Sięgnęła do nocnego stolika i otworzyła z trzaskiem czarny wachlarz. Zbliżyła go do twarzy, patrząc uważnie w obiektyw i na Charlesa stojącego nago naprzeciw niej.

Zeszli na dół ramię w ramię.

– Będę za tobą tęsknić – powiedziała Macu.

– A ja za tobą. – Charles pocałował ją w czoło. – Dziękuję. Dziękuję za wszystko.

– Nie bądź niemądry.

– Mówię poważnie. – Popatrzył jej w oczy. – Uratowałaś mi życie. Uważaj na siebie, Macu. – Na dworze rozległ się klakson samochodu. – Jeszcze pożegnam...

Głos zamarł mu w krtani, gdy usłyszeli otwierane z hukiem drzwi od tarasu i wrzask Vicente.

– Zostawcie te mikstury! – ryczał. – Czarownice!

Charles odłożył torbę na bok.

– Przepraszam, Macu.

Vicente podszedł chwiejnym, pijackim krokiem przez kuchnię do Rosy i zmiótł ze stołu starannie opisane buteleczki. Dziecko zaczęło płakać ze strachu.

– Gdzie się podziewałeś?! – wrzasnęła Rosa.

– Nie twój interes. – Odepchnął ją brutalnie na bok.

– Nie dotykaj jej! – krzyknęła Freya.

Vicente gwałtownie odwrócił się w jej stronę.

– Ty angielska dziwko, zdziro...

Charles poklepał go po ramieniu. Vicente się odwrócił i dostał cios w szczękę. Upadł.

– To, proszę pana, jest moja siostra, a dżentelmen nie powinien tak do niej mówić. – Charles poruszył ręką. – Cholera, zabolało mnie.

Rosa spokojnie przeszła nad leżącym Vicente i objęła Charlesa.

– To nie jest dżentelmen. To mój mąż. – Pocałowała go w policzek. – Idź już. Lepiej, żeby cię tu nie było, kiedy oprzytomnieje.

Rozdział 38

WALENCJA, STYCZEŃ 2002

Tej nocy panowała absolutna cisza. Nawet psy nie szczekały. Światło księżyca przenikało przez muślinowe draperie, spowijając łóżko Emmy srebrnobłękitnym blaskiem. Leżała z otwartymi oczami, podczas gdy dziecko w niej chyba fikało koziołki. Głaskała brzuch, uspokajając maluszka łagodnymi słowami.

– Już dobrze. – Głos jej się załamał, kiedy przypomniała sobie wyraz twarzy Luki tego wieczoru. Zraniła jego uczucia. – Już dobrze. – Masowała brzuch wzdłuż linii pleców dziecka; nieruchomiało pod dotykiem jej dłoni. Odechciało jej się spać i poczuła, że znowu musi iść do toalety. Z trudem spuściła nogi z łóżka i wsunęła stopy w skórzane marokańskie pantofle, otuliła się grubym wełnianym szlafrokiem. W domu panował chłód. Nie zapaliła światła w łazience – odbywała swe nocne wędrówki tak często, że czuła się pewnie nawet w ciemności. Tego dnia wnętrze wypełniała piękna, jakby nieziemska poświata. Herbata i grzanka, pomyślała Emma, myjąc ręce naprzeciwko swojego świetlistego odbicia w lustrze.

W kuchni rozgarnęła żar w piecu i dorzuciła kilka gałęzi drewna pomarańczowego. Czajnik zagwizdał, gdy spoglądała w stronę oświetlonych księżycem gór. Z nieba leciały wielkie płatki śniegu.

– Patrz – powiedziała do dziecka. – Śnieg w Hiszpanii, kto by pomyślał?

Zadrżała z zimna. Uniosła kubek z herbatą i zasiadła przy ogniu. Oparła twarz na dłoni i spod opadających powiek obserwowała tańczące płomienie.

– Rzeka Księżycowa... – zanuciła cicho.

– Szersza niż mila... – Do jej głosu dołączył głos mężczyzny.

Podniosła wzrok. Ktoś siedział w cieniu przy ogniu.

– Joe? Jak mnie...

– Z kim rozmawiałaś?

– Z naszym dzieckiem – wyszeptała. – Joe, jak mnie znalazłeś? Myślałam, że... Zaginąłeś tyle miesięcy temu.

– Byłem zajęty, kochanie. – Ukląkł i położył dłonie na jej brzuchu. – Aleś ty wielki! – Przyłożył głowę. – Czuję, jak kopie.

– Skąd wiesz, że to chłopiec?

– Oczywiście, że to chłopiec!

– A może dziewczynka.

– Nie! Tam jest mały Joe, prawda? – Dziecko w odpowiedzi dwukrotnie kopnęło.

– Tak bardzo za tobą tęskniłam. Za naszym życiem...

– Ej, gdzie się podziała moja dzielna dziewczyna? – powiedział miękko. – Nic cię nie ruszy, Em. Jesteś twardsza od wszystkich, których znam.

– Nieprawda. – Zagryzła wargi. – Nie wiem, jak żyć bez ciebie.

Twarz Joego w świetle płomieni wydawała się delikatniejsza niż dawniej – była złotawa, promienna.

– To niepodobne do dziewczyny, którą znam. Pamiętam pierwszy raz, kiedy cię zobaczyłem. Byłaś taka pewna siebie, szłaś przez dziedziniec w długim czarnym płaszczu.

Emma odsunęła się od niego.

– To nie byłam ja, Joe, tylko Lila. To ona miała długi płaszcz, nie ja.

– Ach... – Posłał jej swój firmowy uśmiech zagubionego chłopczyka. – Znasz mnie i moją pamięć. Zabawne, to nie tak... Ej, nie płacz. – Wziął ją za rękę.

– Dlaczego to zrobiłeś, Joe? Dlaczego związałeś się właśnie z nią?

Joe wzruszył ramionami.

– Pewnie zmęczyło mnie to, że ciągle jej odmawiam. Ona mnie potrzebowała... a ty chyba już nie.

– To nieprawda.

– Jeśli mam być szczery, chcesz wiedzieć, dlaczego uległem Lili? Seks...

– Zaryzykowałeś wszystko, co mieliśmy, dla seksu?

– Prosiła mnie wcześniej wiele razy.

– Więc co się zmieniło tym razem?

– Ty.

Emma potrząsnęła głową.

– Nie możesz mnie za to obwiniać.

– To kiedy ostatni raz się kochaliśmy?

Emma opuściła wzrok na brzuch.

– Prawie dziewięć miesięcy temu.

– Musisz iść dalej, kochanie. Było nam dobrze razem...

– Było nam cudownie razem. Kochałam cię, Joe.

Poczuła, że wzbiera w niej gniew, przypomniała sobie wszystko, co chciała mu powiedzieć. Musiała wyrzucić z siebie tłumione pretensje.

– Straciłeś wiarę we mnie, w nas. Miałeś coś, czego ludzie szukają przez całe życie, i to zlekceważyłeś. Nawet gdybyśmy znowu byli razem dla dobra dziecka, nic nie byłoby już takie jak przedtem.

– Mogłoby być lepiej.

– Nie. Nic nie mogłoby być lepsze niż to, co mieliśmy. Kochałam cię, Joe. Ufałam ci. Nie kochałeś mnie wystarczająco mocno.

– Em, ludzie czasem błądzą. Bywają samolubni i impulsywni.

– Nie mówię tylko o twoim romansie. Okłamywałeś mnie, nawet kiedy miałam w ręku dowody i dawałam ci kolejne szanse, żebyś się przyznał. Powiedziałeś, że to była tylko jedna noc. Traktowałeś mnie jak idiotkę. Nie starczyło ci przyzwoitości, żeby być uczciwym wobec mnie.

– Miałem nadzieję, że się nie dowiesz.

– Poniżyłeś mnie.

– Nie każdy jest ideałem.

– Co masz na myśli? Że ja nim jestem?

– Nie, kochanie…

– Tak powiedziała Lila. Że jestem Panną Reprezentantką Szkoły, zbyt doskonałą, zbyt zamkniętą w sobie. Że dla mnie liczy się przede wszystkim biznes. A teraz… nie mam ani firmy, ani związku, tylko dziecko.

– Przykro mi, Em. – Wziął ją za rękę. – Ale widzisz, gdybym wtedy, kiedy się poznaliśmy, wiedział, co się stanie, nic bym nie zmienił. – Łzy napłynęły mu do oczu. – Przeżyliśmy tyle cudownych chwil. Wspaniałych, najwspanialszych. Kochałem cię, Em, ale nasz czas się wypełnił. Musisz znaleźć nowe życie, dla siebie i małego Joe.

– Dla Josephiny.

– Nie! – Roześmiał się łagodnie. – Zobaczysz. Teraz wszystko zależy od ciebie. Dasz sobie radę. Będę nad tobą czuwał. Zrób wszystko, żeby nasz syn wyrósł na lepszego człowieka niż jego ojciec. – Joe starł łzę z jej policzka.

– Przepraszam, że nie byłem takim mężczyzną, na jakiego zasługujesz, Emmo.

– Oboje jesteśmy winni. Traktowaliśmy naszą miłość jak coś oczywistego.

– Nie popełnij tego błędu następnym razem.

– Następnym razem?

– Och, tak. Tylko trochę musisz poczekać. – Joe zdjął z sofy koc i otulił Emmę. – Jeszcze wszystko przed tobą, a on będzie najszczęśliwszym facetem na świecie.

– Dzięki, Joe. – Emma westchnęła sennie.

– Za co?

– Że przybyłeś z tak daleka.

Ucałował ją w czubek głowy.

– Nie masz pojęcia, z jak daleka, kochanie, nie masz pojęcia.

Dźwięk syreny dobiegający od szosy przeciął ciszę nocy i Emma gwałtownie się obudziła. Zamrugała zdziwiona, że jest sama.

– Joe?! – zawołała. W odpowiedzi usłyszała miauknięcie kotki spod zlewu. – Ojej – powiedziała, podnosząc się z kanapy. – To było... – Popatrzyła na płatki śniegu za oknem. – To było takie dziwne. – Objęła się ramionami. – Tęsknię za tobą, Joe – szepnęła. Po raz pierwszy czuła, że naprawdę odszedł. Tak mówiło jej serce. Już nie miała wątpliwości.

Sięgnęła po pudełko z listami matki. Usadowiła się z powrotem na sofie i pogładziła wieczko. Było pokryte pyłem z remontu. Zdmuchnęła go, a jej ciepły oddech sprawił, że lakierowana czarna powierzchnia zaparowała na chwilę. Otarła ją rękawem piżamy. Otworzyła pudełko. Blask ognia odbił się w pomarańczowym wnętrzu. Emma przejrzała nieotwarte jeszcze koperty.

– „O samotności" – powiedziała na głos i spojrzała na kotkę. – Tak, to się chyba nadaje na dzisiaj.

Em, chciałabym opowiedzieć Ci o czymś, czego sama uczyłam się przez sześćdziesiąt cztery lata. Mam nadzieję, że dzięki temu nie zmarnujesz tyle czasu co ja.

To złudzenie, że jesteśmy zupełnie sami. Jesteśmy złączeni z innymi mocniej, niż nam się wydaje. Spędzając ostatnio tyle czasu w szpitalach, widzę wyraźnie, jak bardzo potrzebujemy siebie nawzajem. Jesteśmy wszyscy połączeni w jakimś pierwotnym sensie, ale ludzie o tym zapominają. Zapominają się łączyć. Dają się zwieść iluzji „ja" i „ty", podczas gdy w życiu najbardziej liczy się „my". Czułam się taka szczęśliwa, mogąc przejść tę ostatnią drogę razem z Tobą i wszystkimi najbliższymi. Widziałam tylu samotnych ludzi, Em, strach w ich oczach. Jeśli fundusze zdrowia przepisywałyby pacjentom przyjaźń, oszczędziłyby miliony na lekach. Patrzyłam na starych ludzi, których nikt nie odwiedzał przez wiele dni, i myślałam: „Kiedy ostatni raz ktoś cię przytulił, trzymał cię za rękę?". Więc to właśnie robiłam, kiedy byłam w szpitalu – rozmawiałam z nimi, przytulałam ich. I wiesz co? Dzięki temu ja też mniej się bałam i czułam się lepiej. Samotność to plaga, nie jesteśmy stworzeni do samotnej drogi przez życie.

Tego się nauczyłam. Ludzie przez całe życie szukają – swojego miejsca, domu, osoby, która ich dopełnia. Ale dom jest w nas, niesiemy w sobie własne miejsce na świecie. Zawsze byłam wolnym duchem, przez lata żyłam sama w tradycyjnym znaczeniu tego słowa – nie miałam poczucia bezpieczeństwa, domu, męża, zawsze szukałam czegoś nieokreślonego, czego nie potrafiłam nawet nazwać. Potem pojawiłaś się Ty, wspaniała, cudowna niespodzianka. Nauczyłaś mnie tego, czego nie nauczyły mnie wszystkie aśramy w Indiach i ośrodki medytacji w Kalifornii – nauczyłaś mnie, że najważniejsze jest dawanie, miłość wyzbyta egoizmu i nieznająca strachu. Nauczyłaś mnie, że należy w pełni otworzyć się na życie. Samotność ogranicza ludzi; gdy czują ból albo strach, zamykają się w sobie. Dotyczy to wszystkich w jakimś momencie życia. Kiedy Twój ojciec nas opuścił, myślałam, że się nie podniosę, że nie przeżyję. Ale zmobilizowałam się dla Ciebie. Sądzę, że takie sytuacje zdarzają się po to, by nas sprawdzić. To czas próby. A wtedy albo się wewnętrznie zamykamy, albo stajemy się twardsi, silniejsi niż przedtem.

Jako matka chciałabym, żebyś mogła oszczędzić podobnych przeżyć swoim dzieciom. Nie mogę znieść myśli o tym, że jesteś sama, Em. Pamiętam, jak odeszłaś ode mnie pierwszego dnia szkoły. Sprawiałaś wrażenie kruchej, niepewnej siebie. Chciałam chwycić Cię w ramiona i chronić Cię, ale musiałam pozwolić Ci odejść. Czułam to samo na każdym etapie Twojego życia; kiedy chłopak złamał Ci serce, kiedy wyjeżdżałaś do Francji. Nauczyłaś mnie, że kochać to pozwolić odejść. Musiałam odsunąć się na bok. A teraz odsuwam się na bok po raz ostatni.

Pozwól mi odejść, Em. Znam Cię... Będziesz za mną tęskniła tak bardzo, jak ja już teraz tęsknię za Tobą, kiedy myślę, że nie będzie mnie przy Tobie. Ale pogódź się z tym, przyjmij cały ból, poczucie utraty i samotność i oddaj je światu w postaci miłości. Niech miłość prowadzi Cię w pracy, w rodzinie i w domu, który stworzysz. Uśmierz swój ból, Em, odrzuć samotność. Połącz się ze swoim życiem, z ludźmi, których spotykasz, z pięknem wokół siebie. Idąc przez życie, łapczywie chłoń wszystkie magiczne doznania. Bóg jeden wie, po co tu jesteśmy i co to wszystko znaczy. U kresu mojej ziemskiej wędrówki jestem pewna, że wcale nie musimy wszystkiego rozumieć, wystarczy mieć wiarę i doceniać codzienny cud życia. Żałuję, że nie wiedziałam tego wcześniej.

Miałam wielkie szczęście, że dane mi było żyć, kochać i być kochaną przez Ciebie.

Kocham Cię, Em, z całego serca.

Całuję Cię mocno
Mama x

Rozdział 39

Teruel, styczeń 1938

Charles pisał przy świeczce, w porzuconym czołgu. Podniósł wzrok, kiedy ziemią wstrząsnęła kolejna eksplozja.

Wygląda na to, że skończyła się przerwa w bombardowaniu. Jak wiesz, podczas sjesty między drugą a czwartą nic się nie dzieje. Tego jednego się nauczyłem – jeśli jest gorąco, znajdziesz nacjonalistów w cieniu, a jeśli pada, zajrzyj pod dach. Przynajmniej pod tym względem są przewidywalni.

Walki w Teruel są krwawe, Freyo. Byli tu wszyscy starzy znajomi – Capa, Hemingway i Hugo. Co wieczór wracamy do hotelu w Walencji, sto kilometrów stąd, żeby wysłać sprawozdania. Przepraszam, że nie miałem okazji wpaść i zobaczyć się z Wami, Kochane Dziewczyny. Ucałuj ode mnie Rosę i Macu.

W Wigilię Hemingway wyjechał do Ameryki. Nakręcił film i zamierza za jego pomocą zbierać fundusze dla republikanów. Obawiam się, że już za późno. Przegrywamy wojnę przez ekstremistów zaślepionych dogmatami, niezdolnych do poszerzenia horyzontów. Wielka szkoda, że frakcje popierające republikańską lewicę – anarchiści, komuniści i związki – nie potrafią zapomnieć o tym, co je różni. Będę załamany, jeśli przegramy z faszystami z powodu nieistotnych konfliktów wewnątrz partii politycznych.

Dziękuję za świąteczną paczkę z czekoladkami i papierosami. Byłem tak szczęśliwy, że prawie się popłakałem. Myślałem o Tobie w Nowy Rok. Obudziłem się wcześnie i wyszedłem na dziedziniec na papierosa. Padał śnieg, a nade mną trzepotały skrzydłami gołębie. Było jak w bajce. Przypomniałem sobie szklaną kulę ze śniegiem, którą tak lubiłaś w dzieciństwie. Tę, którą stłukłem, pamiętasz? Kiedy wrócimy do domu, kupię Ci nową.

Okolica wygląda teraz jak wnętrze tej szklanej kuli. Teruel to skute lodem miasto pełne rozmaitych wieżyczek, nad którymi dominuje wieża katedry. Kiedy spadają bomby, śnieg unosi się w górę jak duchy zmarłych. Musieliśmy użyć ciągników z dźwigami, żeby przenieść samochody nad najbardziej stromym odcinkiem jedynej górskiej drogi. Zmarli leżą jak sterty drewna na poboczach, porzuceni jak połamane meble i spalone ciężarówki. Wojna tworzy takie potworne, straszne obrazy.

Na szczęście utrzymaliśmy linię i miasto jest w naszych rękach. Walki trwają. Właśnie widziałem milicjantów, którzy wyprowadzili w bezpieczne miejsce pięćdziesiąt osób ukrywających się od dwóch tygodni w piwnicy. Myślałem, że serce mi pęknie.

Mówią, że na froncie najgorszych jest pierwszych dziesięć dni. Jeżeli przeżyjesz, jesteś potem *jak automat. Za dużo wspaniałych ludzi zginęło na twoich oczach. Hemingway mówi, że we współczesnej wojnie nic się nie zgadza – ludzie mrą jak muchy bez żadnego powodu. Jednak kiedy patrzę na ludzi wokół siebie – na zdecydowanych, twardych komunistów i słabowitych intelektualistów takich jak ja, a wszyscy, batalion za batalionem, stają oko w oko ze śmiercią – odnoszę wrażenie, że są w ekstazie. Mężczyźni, którzy walczą razem, połączeni wspólną nadzieją, mają w sobie szlachetność i siłę, której nigdy nie osiągnęliby sami. Wojna jest krwawa, ale wydobywa prawdę o ludziach. Jak w bajce, wyraźnie widać tu walkę dobra ze złem, tyle że na moich oczach umiera honor.*

Jakiś czas później Charles powrócił do listu i dopisał innym piórem:

Bombardowania są się coraz cięższe. Już niedługo koniec.

Walczyliśmy wręcz. Freya, zabiłem człowieka.

Nigdy nie zapomnę wyrazu zaskoczenia i gniewu w jego oczach. Był starszy ode mnie, około czterdziestki. Był groźnym przeciwnikiem. Nigdy nie czułem się bardziej samotny. Wiedziałem, że albo on, albo ja. To koszmarne przepychanie, krzyki, upiorny błysk bagnetu. Wcześniej strzelałem do ludzi, skryty w ziemiankach i okopach. W tej wojnie wielu celowało tak, aby chybić. To, co się stało, obciążyło moje sumienie na całą wieczność.

Staram się chronić prawdziwego siebie, te cechy, które znasz. Zmieniłem się, ale nie pozwolę, żeby to zabiło we mnie ducha. Nadal chcę dostrzegać

piękno świata, Freyo. Muszę. Nie jestem taki jak
Capa. On swoimi zdjęciami pisze poezję wojenną,
tragiczne strofy. Przy nim czuję się dyletantem. On
jest szalony, pełen pasji, impulsywny – ma wszyst-
ko, czego mi brak. Żałuję, że nie jestem bardziej
podobny do niego, Frey. Chciałbym nie wiedzieć,
jak to jest zabić człowieka. Nie rozmawiajmy o tym
nigdy więcej.

Szczęśliwego Nowego Roku.

Twój kochający brat

Charles złożył list i siedział przez chwilę z głową ukrytą w dłoniach. Wygramolił się z czołgu, czując zimny metal pod pokrytymi zaschniętą krwią palcami. Zeskoczył w śnieg i pstryknął zapalniczką. Zapalił ostatniego papierosa, a potem róg listu. Puścił go z wiatrem, patrząc, jak złoty płomień liże papier, który zwija się i czernieje, unosząc się w powietrzu na tle zamarzniętego miasta.

Rozdział 40

WALENCJA, STYCZEŃ 2002

Emma siedziała przy biurku z notatnikiem Liberty przed sobą. Za oknem powoli padał śnieg. Przez kilka godzin rozpakowywała fiolki z zapachami zgromadzone przez matkę, ustawiając je w grupach: cytrusowej, korzennej, ziołowej, kwiatowej, drzewnej i skórzanej. Pozostałe pudła z Londynu, nadal nieotwarte, zagracały dom. Emma chciała tylko zestawić organy, żeby w pewnym sensie znowu mieć matkę przy sobie.

Ostrożnie odwinęła ostatni pojemniczek, zawierający absolut z boronii. Dołączyła go do setek innych flakoników i buteleczek z esencjami i absolutami. Na jednej z półek umieściła puste butelki i etykietki, na innych pojemniki ze składnikami. Na koniec ustawiła w środku pomiędzy półkami wagę, a na niej pustą szklaną zlewkę gotową do użycia. Wahała się, od czego zacząć. Wiedziała, jaki zapach chce stworzyć, czuła się tak, jakby nie do końca zapamiętała melodię. Nie potrafiłaby jej zanucić, chociaż rozpoznałaby natychmiast, gdyby tylko ją usłyszała. Nie mogła znaleźć sobie miejsca. Chwyciła notatnik i przechadzała się tam i z powrotem przy oknie, stąpając w ciepłych skarpetkach po świeżo polakierowanych deskach podłogi. Odczytała to, co przed chwilą napisała:

Hiszpania – coś cudownego
Czar białych kwiatów
Dym palonego drewna i szafran
Lawendowe góry i żurawinowe zachody słońca
Błękitne kopuły
Drzewka cytrynowe
Pływające mosty
Bezmierne nocne niebo usiane gwiazdami

Nadgarstki Luki, pomyślała. Zagłębienie jego szyi. Jego włosy falujące na wietrze. Zmarszczyła brwi i wybrała kilka fiolek z piętrowych półeczek na biurku. Zapragnęła przeobrazić swoje uczucia w zapach. Zamknęła oczy, myśląc o kwiatach, cedrze... Kiedy pomyślała o Luce, zapach pogłębił się, zmieszał z ziemią. Szklanymi pipetami odmierzyła po kilka kropli z każdej buteleczki, odstawiając je na miejsce po zanotowaniu użytej ilości. Kiedy powąchała mieszankę, w jej umyśle zawirowały wspomnienia i skojarzenia – kolory, aromaty i faktury. Od czasu studiów w Grasse potrafiła wyobrazić sobie trójwymiarowy obraz cząsteczek zapachu łączących się, przekształcających i przenikających nawzajem. Zawsze widziała zapach w procesie tworzenia, jak na ruchomym modelu w laboratorium chemicznym.

Czegoś jeszcze brakowało. Sięgnęła po trzy buteleczki: z olejkami neroli, gorzkiej pomarańczy i petitgrain. Z lubością, czując cudowne odprężenie, wciągała w nozdrza zapach nad każdą po kolei i za każdym razem „oczyszczała nos", wąchając ziarna kawy. Zanotowała kilka uwag. Przypomniała sobie słowa Oliviera, że zapach kwiatu pomarańczy kojarzy się z medytacją zen. Nadal nie była jednak w pełni zadowolona.

Powróciła myślami do niedawnego spaceru z Lucą w gaju pomarańczowym, kiedy niemal pieszczotliwie przesunął dłonią po ziemi. Wciągnęła wysokie buty i wyszła na zewnątrz, w biel śniegu. Nocne powietrze zdawało się tętnić życiem, niemal błyszczeć. Kopnęła butem w ziemię. Luca mówił: „To jest moja ziemia. Ona mnie stworzyła". Emma ukucnęła, wydrapała spod śniegu trochę ziemi opuszkami palców i powąchała ją. Czego brakowało? Dotknęła medalionu na szyi. Czego potrzebowała?

Wtedy góry wydawały się bliskie na wyciągnięcie ręki, połyskiwały świeżym śniegiem pod kobaltowym niebem. Luca podał jej dłoń. Podmuch zimnego wiatru przeniknął ją na wskroś, kiedy zeszła z drogi i znalazła się w zaczarowanym świecie gaju pomarańczowego.

– Co za dzień. – Czuła wyraźnie bicie swojego serca. Stukało jakby w rytmie alfabetu Morse'a. Olivier z Palomą szli ramię w ramię przed nimi. Dzieci biegały, obrzucając się śnieżkami. Luca zagwizdał na Saszę.

– Ten pies ma własny rozum – powiedział. – To prawdziwy Hiszpan. Nienawidzi wstawać rano, nie je zbyt dużo przed obiadem, ale kiedy wychodzi na swój wieczorny *paseo*, staje się innym zwierzęciem. Dopiero wtedy jest w swoim żywiole.

– Nigdy nie widziałam psa, który sprawia wrażenie tak zmęczonego. – Emma wtuliła nos w miękki różowy szal.

– Owszem, rano wygląda, jakby miał potężnego kaca – przytaknął ze śmiechem. – Kiedy się budzi, ma wory pod oczami.

– Wyobrażam go sobie, jak pociera przed lustrem podbródek i zaczyna się golić – dodała Emma.

– Albo jak codziennie rano zamawia mocną czarną kawę w tej samej kafejce, żeby jakoś przeżyć poranek.

Nieświadomy ich rozmowy pies biegał wśród drzew z postawionym ogonem, tropiąc coś z nosem przy ziemi.

– Dobrze się czujesz? – zapytał Luca. – Nie jesteś zmęczona?

– Nie, nie, wszystko w porządku. – Bolały ją biodra, ale nie chciała, żeby cokolwiek zepsuło to wspaniałe popołudnie. – Nudzę się w domu, czekając na narodziny dziecka. Cudownie jest być na dworze i odkrywać świat. – Spojrzała na Lucę. – Nigdy nie chciałeś stąd wyjechać, podróżować?

– Podróżowałem po całym świecie. Wystarczająco długo, by się dowiedzieć, że chcę tu wrócić. – Uśmiechnął się, przykucnął i rozgrzebał śnieg, odkrywając ziemię o barwie ochry.

– To jest moja ziemia. Ona mnie stworzyła. Kiedy umrę, chcę być tutaj.

Sasza przebiegł obok i powąchał jego twarz. Luca wybuchnął śmiechem. Rzucił śnieżkę pomiędzy drzewa i pies odbiegł.

– Tu jest nasze miejsce.

– Masz szczęście. – Emma odsunęła gałąź, która zagradzała jej drogę. – Chciałabym się tak czuć. Czasami nie wiem, kim jestem, szczególnie teraz, po śmierci mamy.

– Twój ojciec żyje?

– Tak, ma inną rodzinę. Ostatnio spędziłam z nim trochę czasu, ale nie jesteśmy sobie bliscy. Wiesz, on... No cóż, przestał przysyłać mi kartki urodzinowe, kiedy miałam dziewięć lat, ujmijmy to w ten sposób.

– Może więc teraz jest czas, żebyś wybrała własne życie?

Popatrzyła na niego.

– Otworzyła nowy rozdział? Może masz rację.

– Udało ci się dowiedzieć czegoś więcej o domu? – zapytał po chwili.

Emma pokręciła głową.

– Freya nie chce ze mną o tym rozmawiać, a wolę nie naciskać Macu. – Schowała ręce w kieszeniach. – Ale bardzo chciałabym poznać prawdę.

– Prawdę? – Luca się uśmiechnął. – Czasami są różne prawdy. To zależy od punktu widzenia.

Milczeli jakiś czas.

– Jesteś tu szczęśliwa? – zapytał.

– W Walencji? Tak, jestem szczęśliwa.

– Cieszę się. Myślałem, że nie zabawisz tu długo.

– Wygląda na to, że zostanę tu na stałe. – Emma mówiła cicho, wyczuwając, że Luca próbuje powiedzieć jej coś ważnego.

– Byłoby mi przykro, gdybyś wyjechała. – Zawahał się.

– Emmo, wiem, że... – Nagle Sasza szczeknął. Był to niski, żałosny szczek, podobny do wycia wilka. Po chwili rozległo się szczeknięcie drugiego psa.

– Sasza! – zawołał Luca i wbiegł w głąb gaju. Emma udała się za nim, przedzierając się przez śnieg i zaczepiając o zielone gałązki. Ujadanie psów przybierało na sile.

Wielki czarny owczarek alzacki krążył wokół Saszy z obnażonymi zębami i uszami stulonymi przy głowie. Sasza stanął na tylnych łapach ze zjeżoną srebrzystą sierścią i skoczył owczarkowi na grzbiet. Psy zwarły się w walce. Luca rzucił się w ich stronę, by odciągnąć Saszę. Owczarek ugryzł go w rękę. Luca kopnął czarnego psa, który uciekł między drzewa.

– Krwawisz! – zatrwożyła się Emma.

Wyciągnął z kieszeni chusteczkę i próbował zatamować krew.

– To nic wielkiego.

– Powinieneś pójść do lekarza.

Tylko prychnął. Owinęła mu rękę ciasno chusteczką.

– Ten pies mógł mieć wściekliznę.

– Nie, jest oznakowany. Ci dwaj zawsze się gryzą. – Spojrzał na Saszę, który leżał teraz z głową płasko ułożoną na łapach, czekając, co się stanie. – Ty łobuzie! – zwrócił się do niego Luca. Pies przewrócił się na plecy.

– Ech, mężczyźni – westchnęła Emma. – Nigdy nie wiecie, kiedy odpuścić, prawda?

Skrzywiła się i chwyciła oddech, czując nagły skurcz w brzuchu.

– Co się stało? – Luca dotknął jej ramienia.

Wypuściła powietrze i się uśmiechnęła.

– Nie martw się. To tylko skurcze Braxtona-Hicksa, fałszywy alarm. Dziecko urodzi się dopiero za dwa tygodnie.

Wykrzywiła twarz w grymasie bólu, gdy nadszedł następny skurcz. Powoli wciągała i wydychała powietrze, które przybierało postać białego obłoczka, i patrzyła na uśpiony gaj. Wyobraziła sobie następne lato i wszystkie kolejne, kiedy rośliny będą ożywały na nowo. W myślach komponowała perfumy o zapachu kwiatów, patrzyła na cętkowane cienie drzew na świeżej trawie, słuchała odgłosu wody tryskającej z fontanny. Przypomniała sobie słowa Luki: „Może teraz jest czas, żebyś wybrała własne życie". Spojrzała na księżyc z niemym „dziękuję" skierowanym do matki. Wybieram, pomyślała. Wybieram to miejsce, to życie.

Rozdział 41

WALENCJA, LIPIEC 1938

Rosa kołysała się w hamaku w ogrodzie z dzieckiem w ramionach, osłonięta cieniem liści przed lipcowym słońcem. Podczas sjesty w wiosce panowała cisza, słychać było tylko plusk fontanny. Wydawało się niemożliwe, że wojna zbliża się do nich, że jest już nad rzeką Ebro. Rosa zamknęła oczy i odgarnęła dziecku z czoła wilgotne ciemne kędziorki, czując pod ręką miarowe unoszenie i opadanie jego klatki piersiowej. Bała się teraz – nie o siebie, ale o córeczkę. Podskoczyła na dźwięk odsuwanego rygla przy bramie. Podniosła dłoń do oczu, żeby osłonić je od słońca.

– *Quién está ahí?* Kto tam jest? – zapytała. Usłyszała chrzęst żwiru pod butami i podniosła się na nogi, odkładając dziecko do hamaka. Kiedy się odwróciła, jakiś mężczyzna chwycił ją w ramiona.

Odepchnęła go, próbując się wyrwać. Dojrzała jego brudną brodę i wyczuła smród złachmanionego ubrania.

– Rosa, nie poznajesz mnie?

Na dźwięk jego głosu znieruchomiała, serce omal nie wyskoczyło jej z piersi.

– Jordi?!

Dygocąc, zaniosła się szlochem. Ujęła twarz ukochanego w dłonie i zajrzała mu w oczy.

– Boże, żyjesz! Wiedziałam, że żyjesz!

Przylgnęli do siebie. Obok spało ich dziecko.

Zza rogu domu wyszła Macu, niosąc tacę z brzoskwiniami. Kiedy ich zobaczyła, opuściła ręce; owoce potoczyły się na ziemię.

– Czujesz się, jakbyś zobaczyła ducha, Macu, prawda? – rzekł Jordi i pochylił się nad śpiącą Loulou.

Rosa obserwowała jego twarz.

– To twoja córka – powiedziała, a po jej policzku potoczyła się łza.

Wyciągnął rękę, ciemną na tle bladej buzi Loulou i jej białej sukienki. Zawahał się, dłonie mu drżały.

– Nie mogę... – wyszeptał głosem nabrzmiałym od łez. – Jest zbyt piękna.

Rosa podała mu dziecko.

– Jest twoja, nasza.

Jordi zanurzył twarz w jej włosach.

– Bardzo piękna. – Pocałował Rosę w czubek głowy. – A ty nic się nie zmieniłaś.

– Ale ty tak. – Rosa pociągnęła go za brodę i szturchnęła w pierś. – Gdzie się podziewałeś? Powiedzieli mi, że nie żyjesz. Pokazali mi twoje dokumenty.

Jordi wrócił pamięcią do miesięcy walki. Mgliste wspomnienia nakładały się na siebie.

– Zgubiłem papiery. Dałem kurtkę koledze, który został ciężko ranny.

– Żyjesz. Tylko to się liczy.

Pomyślała o Vicente.

– Jordi, jest coś, co musisz wiedzieć...

Okiennice na górze otworzyły się z trzaskiem i na

balkonie pojawił się Vicente w różowym szlafroku. Przeciągał się i ziewał po sjeście.

– Rosa! – ryknął. – Rosa!

Jordi przeniósł wzrok z jej niespokojnej twarzy na brata i zrozumiał.

– Powiedzieli mi, że nie żyjesz – powtórzyła, chwytając go za koszulę.

Jordi wcisnął jej dziecko w ramiona.

– Ty i on? Jak mogłaś?!

– Proszę cię, on powiedział, że tak będzie najlepiej dla naszej córki, dla Loulou.

Vicente wychylił się z balkonu i spojrzał w dół.

– Kto tam jest?

Jordi posłał mu spojrzenie pełne gniewu i bólu. Vicente zaczął się śmiać.

– Patrzcie no, toż to syn marnotrawny!

– Kochasz go? – zapytał Jordi.

Przeraził ją. Wyglądał jak mężczyzna, którego kochała, miał jego głos, ale jego oczy były jak martwe. To spojrzenie przywodziło na myśl zbite zwierzę, w którym złamano ducha.

– Oszalałeś? – odparła. – Kocham tylko ciebie, Jordi. Zawsze cię kochałam. Powiedział mi, że muszę za niego wyjść, żeby chronić nasze dziecko.

– Wyszłaś za niego? – Jordi odsunął się o krok.

– Si – odparł Vicente, krzyżując ramiona.

Jordi wcisnął czapkę na głowę.

– W takim razie nic tu po mnie.

– Rozwiodę się z nim! – szepnęła Rosa, chwytając go za rękę. – Jordi, nie było od ciebie żadnej wiadomości, nic, przez ponad rok. Gdybyś napisał...

– Nie umiem pisać. Wiesz o tym.

– Mogłeś przekazać mi wiadomość.

– Walczyłem w całej Hiszpanii, Roso – odpowiedział łamiącym się z gniewu głosem. – A teraz, niedaleko stąd, Ebro wyrzuciła na brzeg moich przyjaciół.

Wzdrygnął się na myśl o spuchniętych ciałach leżących wzdłuż brzegów rzeki wśród rojów much.

Wówczas dojrzała w jego oczach przebłysk szaleństwa, piętno wojny.

– Przez wiele dni byliśmy uwięzieni na dnie doliny. – Otarł usta wierzchem dłoni. Gardło ścisnęło mu się znowu, kiedy przypomniał sobie tamten upał i kurz. – Brat Marca został zabity, kiedy próbował przeprawić się przez rzekę. Przynieśliśmy go do domu.

– Wracasz tam? – zapytała Rosa z niedowierzaniem.

– Oczywiście, bitwa dopiero się zaczyna. Opór oznacza zwycięstwo. – Zacisnął pięści. – Możemy stracić pięć tysięcy ludzi, ale oni stracą czterokrotnie więcej.

– To za wiele. Za wiele ofiar! – wyszlochała Rosa. – Nie zniosę już więcej.

O zmierzchu usiedli w milczeniu wokół kuchennego stołu. Jordi wykąpał się po raz pierwszy od miesięcy i włożył świeże ubranie. Ciemne włosy opadały mu w nieładzie na kołnierzyk białej koszuli, a tam, gdzie zgolił brodę, skóra miała jaśniejszy, karmelowy odcień. Siedział u szczytu stołu ze śpiącym dzieckiem w ramionach. Po przeciwnej stronie Vicente czyścił sobie paznokcie czubkiem noża.

– Napijesz się wina, Jordi? – zapytała Freya, podając mu dzbanek.

– Nie piję – odparł. Spojrzał na nią, jakby widział ją po raz pierwszy. – Wy, pielęgniarki, jesteście wspaniałe. Takie dzielne. Widzę, jak dziewczyny pracują w pociągach, w tunelu niedaleko linii frontu, w jaskiniach nad rzeką, gdzie nie można wyprostować pleców. Tam, gdzie próbowały ratować brata Marca, było ciemno. Właśnie tam umarł mój przyjaciel, w jaskini. Angielska pielęgniarka trzymała go za rękę do samego końca.

– Nie pozwalamy chłopcom umierać w samotności – powiedziała cicho Freya.

– W takim razie w najbliższych miesiącach twoje pielęgniarki będą trzymały za rękę wielu chłopców. – Vicente założył ramiona na piersi i gapił się na brata.

Jordi odsunął z hałasem krzesło, podszedł do Rosy i podał jej dziecko.

– Na mnie już czas.

– Tak szybko? – Błagała spojrzeniem, aby został.

– Uważaj na siebie, braciszku – rzekł Vicente, nie wstając od stołu.

Jordi chwycił kurtkę i ruszył w kierunku drzwi. Rosa wepchnęła dziecko w ramiona Macu i wybiegła za nim.

– Zaczekaj! Nie możesz tak po prostu odejść.

– Nic mnie tu już teraz nie trzyma.

Chwyciła go za ramię.

– Jordi, przecież ja tu jestem. Twoje dziecko tu jest.

W świetle księżyca wydał jej się znowu młodszy.

– Myślałem, że poczekasz.

– Gdyby chodziło tylko o mnie... – Ujęła jego twarz w dłonie. – Powiedziałam ci, wyszłam za niego tylko po to, żeby nasze dziecko było bezpieczne.

– Sama myśl o tobie z nim...

– Nie jestem jego. – Przytuliła Jordiego. – Tylko twoja. Twoja.

Tuż przy niej biło jego serce.

– Przyjdź jutro do Sagunto. Obozujemy w ruinach. Będę tam na ciebie czekał, zanim wrócę na front.

– Jutro?

– Boisz się?

– Przy tobie nigdy. – Pocałowała go, czując, jak znowu budzi się w niej życie.

Drzwi frontowe otworzyły się z hałasem i Jordi ujrzał w nich brata.

– Rosa! – wrzasnął Vicente. – Wracaj do domu!

Rosa się zawahała. Miała ochotę uciec z Jordim, biec i nie zatrzymywać się. Jednak Vicente trzymał w ramionach dziecko. Z ulicy dochodziły krzyki matki Marca, błagającej go, by został.

– Przyjdę jutro – powiedziała głosem zniżonym do szeptu.

Jordi objął ją i wyszeptał:

– Lepiej być kochanką bohatera niż żoną tchórza.

– Chodź ze mną – namawiał.

Przyciągnął Rosę do siebie pod szorstkim kocem, dotykając policzkiem jej gładkiej piersi. Czuła, jak jego serce się uspokaja, kiedy tak leżeli spleceni ze sobą, nasyceni. Pod nimi ruiny Sagunto spały w świetle księżyca.

– Nie mogę, wiesz, że nie mogę. – Ukryła twarz w zagłębieniu jego ramienia. – Jeśli odejdę z tobą, on nie da mi spokoju. Będzie mnie ścigał. I nie mogę zostawić naszego dziecka.

– Nie pozwolę na to, żebyś z nim była. – Położył dłoń na jej policzku. – Gdy myślę o tobie z nim...

– To jedyne wyjście, przynajmniej teraz. – Jej oczy napełniły się łzami. – Kocham cię, Jordi. Zawsze będę cię kochała.

– Prędzej umrę, niż będę żył bez ciebie. – Głos mu się załamał. – Obiecaj mi, że jeśli nie wrócę, nigdy go nie pokochasz. – Jordi zacisnął powieki. Nagle ujrzała w nim młodego chłopaka. Nie był żołnierzem, a ona nie była wspaniałą tancerką, dla której stracił głowę. Byli tylko zakochanymi chłopcem i dziewczyną.

– Obiecuję. Nigdy go nie pokocham.

– Nie mogę tego znieść. Mój własny brat! Jak mógł...

– Powiedział, że robi to z poczucia przyzwoitości.

– Przyzwoitości?! – Jordi uniósł się gniewem. – Powinienem go zabić. W dzieciństwie zawsze było tak samo. Kiedy coś zrobiłem, on to niszczył.

– Nie może nas tknąć. – Położyła jego rękę na swoim sercu. – Kiedy będzie bezpiecznie, prześlij mi wiadomość, przyjadę do ciebie.

– A co z dzieckiem?

– Jeśli będę mogła, przywiozę naszą córeczkę. Jeśli nie... – Rosie głos się załamał. – Dzieci przez cały czas są wysyłane w bezpieczne miejsca. Freya mówi, że niedługo odeślą ją do szpitala przy granicy. Jeżeli będę musiała, zawiozę tam Loulou. – Poczuła ucisk w piersi na myśl o rozstaniu z dzieckiem. Zamrugała powiekami, by powstrzymać łzy cisnące się do oczu. – Jeśli przegramy wojnę, żadne dziecko nie będzie tu bezpieczne.

– Możesz zaufać tej Angielce?

Rosa spojrzała na niego z powagą.

– Tak. Freya zaopiekuje się Loulou do czasu, aż odzyskamy wolność. Możemy uciec razem. Mamy jeszcze czas.

Sięgnął pomiędzy jej piersi. W świetle ogniska obejrzał złoty medalion.

– Widzisz? – powiedziała. – Włożyłam go dzisiaj. Liczymy się tylko ja i ty. Zawsze będę z tobą. Zawsze.

Ucałował jej oczy, kiedy płacz pozlepiał jej rzęsy.

– Za kilka dni idziemy dalej, na północ. Będziemy walczyć do końca.

– Jeżeli zostały nam tylko dni, musimy sprawić, żeby trwały całą wieczność.

Pochylił się i pocałował ją w szyję. Położyli się z powrotem na ziemi.

– Kocham cię, Roso – szepnął i zapadł w sen.

Rosa nie spała przez całą noc, aż do zimnego, szarego świtu. Nie chciała utracić ani chwili spędzonej z ukochanym. Myślała o wierszu Lorki, który przeczytała jej Freya. Cali jesteśmy z tej ziemi... Pogładziła Jordiego po twarzy i przypomniała sobie jego słowa: „Być może mamy dla siebie godziny, nie lata – ale to są godziny pełne ciebie i mnie, i naszej miłości". Jordi przewrócił się na bok we śnie, zadrgały mu mięśnie. Wciągnęła zapach połamanych gałązek sosnowych, na których leżeli, i twarz stężała jej na wspomnienie końca jego wypowiedzi: „Stoję twarzą w twarz ze śmiercią. Teraz, kiedy znowu trzymam cię w ramionach, nie czuję już strachu".

Rozdział 42

LONDYN, STYCZEŃ 2002

Freya umyła pędzel w benzynie lakowej i wytarła włosie do czysta. Słuchała radiowej audycji *Godzina kobiet* i dyskusji o Afganistanie, przebierając w leżących obok tubkach farb olejnych. Wycisnęła na szklaną paletę żywy, ultramarynowy błękit i odwróciła się w stronę stojącego na sztalugach dużego płótna.

Charles zastukał do drzwi.

– Chcesz coś z Waitrose'a? Wychodzę po gazetę.

Podszedł i popatrzył na obraz znad okularów.

– Podoba mi się to. Wychodzi naprawdę ładnie. – Położył jej rękę na ramieniu.

– Dziękuję. – Freya przechyliła głowę, patrząc na górski pejzaż przybierający kształt na płótnie. – Przez tyle lat nie miałam ochoty na malowanie Hiszpanii...

– Pamiętam ten widok. Z twojego pokoju w willi, tak?

– Jestem zaskoczona, że pamiętasz. – Freya uniosła brwi. – O ile sobie przypominam, widok z okna był ostatnia rzeczą, o której myślałeś, kiedy dochodziłeś do siebie w tym pokoju. – Poklepała Charlesa po ręce. – Mógłbyś kupić kilka żółtych papryk? Wieczorem zrobię gazpacho.

Charles zapiął zimowy płaszcz, wciskając pusty rękaw za pazuchę.

– Jakieś wieści od Em?

– W porządku. Ma trochę skurczy – powiedziała Freya.

– Już niedługo.

Zatrzymał się przy drzwiach, patrząc na pozaginaną na rogach fotografię Rosy z maleńką Liberty. Freya ostatnio oprawiła zdjęcie i powiesiła na ścianie.

– Pamiętam, jak robiłem to zdjęcie.

– Wydaje się, że to było wczoraj.

– Wiesz, że Emma będzie chciała poznać całą historię, prawda?

Pędzel zawisł nad płótnem.

– Wiem. I myślę, że już czas, żeby się dowiedziała.

– Freya pomyślała o górach, o jasnym świetle. Poruszyła ręką i zaraz się skrzywiła.

– Reumatyzm się odzywa? – domyślił się Charles.

Kiwnęła głową.

– Myślę, że to od prania prześcieradeł w lodowatych strumieniach. Po Hiszpanii nigdy już w pełni nie doszłam do siebie.

– Chcesz tam wrócić, prawda?

– A moglibyśmy? – Odwróciła się do niego.

– Nie wiem.

– Pomyśl o dziecku, Charles. Pomoglibyśmy Emmie.

– Raczej plątalibyśmy jej się pod nogami. – Zakaszlał, zaczerpnął tchu.

– Ona nie wie, czego się spodziewać, jak bardzo jest się zmęczonym na początku. Pamiętasz, jak było z Libby i Em? – W jej wzroku pojawiła się czułość. – Też nie myślała, że będzie nas potrzebować, ale nie miała, biedulka, pojęcia, co ją czeka.

– Liberty nigdy nie myślała, że kogokolwiek potrzebuje,

zawsze mierzyła się z życiem, próbując panować nad wszystkim. Pomyśl o tym pudełku listów, które zostawiła dla Em. Nie daje córce spokoju nawet zza grobu.

– Sądzę, że te listy przynoszą Emmie jakąś pociechę.

Charles zaśmiał się pod nosem.

– Bóg jeden wie, jakie mądrości tam wypisała. Zawsze była uparta.

– Cóż, taka była. – Freya usiadła i popatrzyła na swój obraz. – Może za bardzo chciałam ją chronić?

– Libby cię kochała. Przybiegła do ciebie, jak tylko Pan Wolna Miłość zrobił jej dziecko i zniknął. Pomogłaś jej się pozbierać, tak jak zawsze. – Charles uniósł podbródek. – Robiliśmy to, co było dla niej najlepsze. Zrobiłbym to samo jeszcze raz bez zastanowienia.

– Ja też.

Freya podniosła laskę. Podeszła powoli do Charlesa i poprawiła mu kołnierz.

– Nie żałujesz?

– Żal to bezużyteczne uczucie.

Pomyślała o nocach, w czasie których znajdowała go z głową na biurku, otoczonego fotografiami Gerdy, Hugona i ich przyjaciół.

– Już czas, Charles. Przynajmniej pomyśl o Hiszpanii.

– O Hiszpanii? Prawie o niczym innym nie myślę.

Pocałowała go w suchy, pomarszczony policzek.

– To jest nas dwoje.

Rozdział 43

Szosa barcelońska, styczeń 1939

– No i dokonaliśmy tego. Jesteśmy ostatni z tych, co walczą do końca. – Charles odwrócił głowę do Hugona, kiedy samoloty znowu zanurkowały. – Kto by pomyślał, dwóch takich prawiczków jak my, którzy mieszkali w hotelu Florida z Hemingwayem i Capą...

Jego głos utonął w terkocie karabinów maszynowych, w dobiegającym z szosy szaleńczym tupocie stóp i krzykach. Czterysta tysięcy ludzi zmierzających w stronę granicy francuskiej usiłowało znaleźć jakieś schronienie. Wyglądali jak kolumna upadających na siebie kostek domina.

– Miałeś rację. Czas wracać do domu. Rzygać mi się chce od frytek ze skórki pomarańczowej i tytoniu z sałaty. Pomyśl tylko, przez cały ten czas miasta w strefie nacjonalistów nie zmieniły się ani na jotę. Bogaci są dobrze ubrani, mają pełne żołądki, kościoły i areny. Życie jest takie jak zawsze. Po co było to wszystko? – Chwycił Hugona za rękę, splatając palce z jego palcami, i zdławił szloch. – Pamiętam, jak żartowałeś, kiedy się zaciągnęliśmy, że może po prostu powinniśmy teraz przestrzelić sobie stopy. Może trzeba było właśnie tak zrobić. Może było trzeba.

Wstrząsnął się na wspomnienie scen, których świadkami byli niedawno w Barcelonie: ranni wypełniający ze szpitali, młodzi we łzach i starsi ciskający przekleństwa. Mocno zacisnął oczy, kiedy ujrzał w pamięci oszalałą z rozpaczy kobietę osłaniającą kocem szczątki swego dziecka.

– Jak te bękarty Mussoliniego mogły zrzucić na ulice bomby w paczkach z napisem „Czekolada", wiedząc, że niewinne dzieci będą je podnosić?

Opuścił głowę. Patrzył przez łzy na dzieci z ramionami i stopami zawiniętymi w zakrwawione szmaty, brnące z wysiłkiem przed siebie, płaczące z bólu i głodu. Niektóre kurczowo trzymały się rodziców. Wiele było samotnych. Naprzeciw niego kuliła się kobieta z noworodkiem przy odkrytej piersi. Obok niej stara babina, utraciwszy już nadzieję, położyła się przy szosie w oczekiwaniu na śmierć. Ludzie zeszli z drogi, odciągając na bok swoje osły i muły, żeby przepuścić rozpędzone ciężarówki, wywożące w bezpieczne miejsce obrazy Goi, El Greca i Velasqueza z muzeum Prado.

– Spójrz na to, Hugo – powiedział. – Ratują cholerne malowidła, a co z ludźmi?

Wrócił myślami do października, kiedy Brygady Międzynarodowe przemaszerowały przez Barcelonę w drodze do domu. Tysiące Katalończyków ustawiło się wzdłuż alei Diagonal, czekając, aż nadejdą. W mieście wrzało od obaw i podejrzeń, Gwardia Szturmowa ściągnięta przez rząd z Walencji utrzymywała spokój, demonstrując swą siłę. Wszyscy wiedzieli, że koniec jest bliski; znikła wszelka nadzieja.

Tuż po wpół do piątej po południu usłyszał odgłos butów maszerujących po kwiatach i serpentynach rzucanych z balkonów. Zagotowało się w nim, dostał gęsiej skórki. Najpierw przeszła gwardia honorowa żołnierzy republikańskich, a po nich setki marynarzy śpiewających na całe gardło.

– To nie może być koniec, Hugo – powiedział wtedy, podnosząc aparat fotograficzny do oka.

– Dla nas to koniec. Brygady Międzynarodowe zostają odesłane do domu.

Hugo uniósł w górę pięść, kiedy pierwsi brygadziści, Niemcy, przechodzili obok. Ich buty miażdżyły sięgającą kostek warstwę kwiatowych płatków.

– Nie mam pojęcia, o co chodzi Komitetowi Nieinterwencji – rzekł Charles z rozpaczą. – Każą Hiszpanom nas odesłać, a co z nazistami i włoskimi faszystami, którzy walczą dla Franco? Oni też odejdą? To już koniec. Jaką szansę mają teraz republikanie przeciwko niemu?

Przełknął łzy, patrząc na maszerującą Brygadę imienia Abrahama Lincolna. Fotografując ich, powrócił myślami do Jaramy. Czy to naprawdę trwało tylko półtora roku?

– Nie mogę sobie przypomnieć, jaki przedtem byłem. – Głos mu drżał. – Zostawiłem w Hiszpanii cząstkę siebie.

Capa miał na sobie obszerny płaszcz z wielbłądziej wełny z szerokimi klapami i perłowymi guzikami.

– Zbierz się do kupy, chłopie. – Podał Charlesowi chusteczkę.

– Przepraszam. – Charles wydmuchał nos. – Po prostu nie mogę uwierzyć, że to koniec.

– Dla nich to nie koniec. – Capa wskazał chłopczyka siedzącego na ramionach ojca. – Dla nas też nie. Nadal mamy coś do zrobienia. Musimy opowiedzieć o tym światu. – Poprawił Charlesowi kołnierz i strzepnął pył z jego ramion. – Zadbaj o siebie, Charlie. Gerda nauczyła mnie, że zawsze trzeba porządnie wyglądać. Dzięki niej jestem ostrzyżony, noszę krawat i mam czyste buty. Dzięki niej...

– Jego oczy posmutniały, gdy patrzył na maszerujących mężczyzn. – Gerda byłaby tym zachwycona.

Na trybunę weszła Dolores Ibárruri z partii komunistycznej.

– La Pasionaria – powiedział cicho Charles, kiedy jej silny, ciepły głos rozbrzmiał nad tłumem. Nawet w blaszanych głośnikach brzmiał porywająco.

– Ci mężczyźni trafili do naszego kraju jako krzyżowcy wolności, aby walczyć i umierać za niepodległość Hiszpanii zagrożoną przez niemiecki i włoski faszyzm. Porzucili wszystko... swoich bliskich, swój kraj, dom i szczęście...

Charles popatrzył na Hugona i przypomniał sobie, jak wygłupiali się razem w łodzi na rzece Cam. Wyjazd do Hiszpanii wydawał im się wtedy wielką przygodą.

– Przybyli i powiedzieli nam: Oto jesteśmy. Wasza sprawa, sprawa Hiszpanii, jest także nasza. To sprawa wszystkich patrzących w przyszłość.

Tysiące ludzi zgromadzonych na ulicach wydało zgodny okrzyk aplauzu. Charles popatrzył na poważną, pełną smutku twarz dziecka siedzącego na ramionach ojca.

– Możecie odejść dumni. Przeszliście do historii. Staliście się legendą! – krzyknęła La Pasionaria.

– Nigdzie nie idę – powiedział Charles. – Spójrz na tych ludzi. Nie możemy tak po prostu zostawić Katalończyków. Warunki w Barcelonie lada chwila się pogorszą.

– Słyszałem, że część brygadzistów zostaje – odparł Hugo. – Nieoficjalnie. Wstępują do oddziałów republikańskich.

– Więc musimy iść z nimi. – Charles nachylił głowę do Hugona jak dziecko wyjawiające tajemnicę. – Razem do końca?

Hugo ścisnął go za ramię.

– Do końca.

– Już po wszystkim, Hugo – powiedział Charles, skulony w rowie przy szosie barcelońskiej, kiedy samoloty znowu zanurkowały. Zacisnął oczy, słuchając, jak nadlatują. Ostatni atak ich zaskoczył. Biegł obok Hugona, kiedy zobaczył samolot lecący coraz niżej, prosto na nich. Tłum przed nimi rozdzielił się jak ciemna fala przypływu, krzyki mieszały się z metalicznym terkotem broni maszynowej, bez litości szyjącej kulami.

– Tam! – krzyknął Hugo, ciągnąc Charlesa w stronę płytkiego rowu.

– Czekaj! – Charles zauważył przez ramię małego, może trzyletniego chłopca. Dziecko stało pośrodku drogi, zapłakane, z buzią otwartą ze strachu. W jego stronę biegła szosą krzycząca kobieta. Charles puścił się biegiem, słyszał tuż za sobą kroki Hugona. Samoloty były już tak blisko, że czuł dudnienie, wibracje kul uderzających w ziemię. Chwycił dziecko, a Hugo pociągnął kobietę w bezpieczne miejsce, skacząc do rowu, kiedy samoloty przelatywały nad nimi.

Matka i dziecko, bladzi ze strachu, kryli się teraz nieopodal, kołysząc się w milczeniu. Kobieta nie potrafiła spojrzeć na Charlesa. Przypomniał sobie lądowanie w rowie, głuchy odgłos piersi uderzającej o ziemię, wilgoć szlamu przesączającą się przez płaszcz. Pamiętał, że Hugo upadł na niego.

– To koniec – wybełkotał. – Teraz, kiedy nacjonaliści przeszli ulicą Ramblas, zaczną się represje. – Jego lewe ramię pulsowało tępym bólem. Spróbował poruszyć ręką, ale okazało się, że nie może. – To była nasza wojna, prawda, Hugo? Taka malownicza wojna, dziki, krwawy bałagan, ale ten kraj... taki wspaniały. I kobiety... Tęsknię za kobietami, Hugo. Bogu nie udali się mężczyźni, ale kobiety wyszły mu doskonale. Czy jest coś równie pięknego? – To tracił, to odzyskiwał przytomność; czasami widział nagą Macu, po czym zapadał w mrok. Czuł się jak pod wodą; odgłos kłębiącego się wokół chaosu był przytłumiony i odległy.

Przypomniał sobie, jak w listopadzie ukrywał się w stajni nad rzeką Ebro. Miał teraz wrażenie, że znalazł się tam znowu z Hugonem. Zwierzęta zniknęły na długo przedtem, stajnia stanowiła teraz schronienie dla mężczyzn, którzy przeżyli ostatnią wielką bitwę tej wojny. Siedzieli ciasno jeden obok drugiego, przykryci słomą, żeby się ogrzać. Hemingway zawinął się z głową w gruby wełniany koc, widać było tylko jego brodę i okulary.

– Znaleźliśmy czterech wieśniaków, chudych i wygłodzonych... – mówił.

Oni wszyscy tacy są, pomyślał Charles, drżąc z zimna obok Hugona.

– Szacują, że ofiar jest sto tysięcy, więc kiedy Lister kazał nam się wycofać, nie podejmowałem dyskusji. Władowaliśmy się do płaskodennej łodzi – ciągnął Hemingway. – Wszystkie mosty były zniszczone, więc jedynym sposobem ucieczki było pokonanie bystrzy na rzece...

Lepiej byś się zamknął! – pomyślał Charles. Głos Hemingwaya działał mu na nerwy.

– Dwóch wioślarzy zdezerterowało, więc sam chwyciłem wiosło. – Hemingway wykonał obrazowy gest. – To była walka! Ręce zesztywniały mi z zimna. Płynęliśmy z prądem w kierunku mostu w Mora. Był zbombardowany, przełamany...

Charles schował głowę w ramionach. Dobry stary Papa, ratuje sytuację... Podskoczył, kiedy w cieniu przemknął szczur.

Capa zaśmiał się cicho i przysunął do Charlesa. Wiatr i śnieg uderzały w drzwi stajni, drewniane ściany trzeszczały.

– Ten to ma gadkę, co? Widać, jak trybiki mu pracują, na naszych oczach zamieniają wszystko we wspaniałą historię. – Spojrzał na Charlesa. – Dobrze się czujesz?

– Ja? Świetnie. Chcę się tylko stąd wydostać.

– Nadal jesteś zły, że nie zrobiłeś tego zdjęcia?

Byli nad rzeką Segre, podążali za jednym z ostatnich batalionów gotowych na wszystko republikanów. Była to zgraja wieśniaków w panterkach, uzbrojona w stare rosyjskie strzelby. Kiedy bez strachu parli do przodu, rozległ się ogłuszający huk eksplozji. Jakiś żołnierz postąpił niepewnie naprzód z wyrazem przerażenia na twarzy, gdy opadała kaskada ziemi i odłamków skał. Capa ze spokojem uniósł aparat i uchwycił ten moment.

– To zdjęcie będzie czuć prochem – mruknął.

Właśnie wtedy Charles zorientował się, że nie założył filmu.

– Igrasz ze śmiercią, Capa – powiedział, zakopując się głębiej w słomie, bo wiatr przenikał go na wskroś.

Capa roześmiał się i zamknął oczy.

– Może i tak. Słuchaj, jedziemy do Barcelony. Jedziesz z nami?

Charles splótł palce za głową, układając się do snu.

– Nie przegapiłbym tego za żadne skarby.

Przykucnął przed nim republikański żołnierz.

– *Disculpe, compañero*, przepraszam, towarzyszu, umiecie pisać?

Charles otworzył oko i zobaczył siedzącego przed nim młodego chłopaka o gęstych czarnych włosach.

– *Si.*

– Nasz przyjaciel… – Żołnierz wskazał mocno obandażowanego mężczyznę leżącego na noszach w kącie. Inny chłopak trzymał go za rękę. – Chce podyktować wiadomość dla żony.

– Oczywiście.

Charles poszedł za młodzieńcem, stąpając ostrożnie pomiędzy rozciągniętymi na podłodze ludźmi. Wyciągnął z tylnej kieszeni notatnik i ołówek.

– Dziękuję – powiedział chłopak. – Chodź, Marco – zwrócił się do kolegi klęczącego przy rannym.

– Nie macie chyba zamiaru wychodzić w taką pogodę? – spytał Charles. – Zaczekajcie chociaż do rana.

– Jordi, on ma rację – powiedział Marco. – To wariactwo. Poczekajmy, potem wrócimy do domu.

Jordi pchnął drzwi. Oczy płonęły mu szaleństwem.

– To jeszcze nie koniec. Będziemy walczyć do końca. Nie wracam do domu.

– Do domu – wymamrotał Charles, odzyskując przytomność. Pulsowanie w ramieniu przerodziło się w ból, gdy próbował się poruszyć. – Chcę jechać do domu... do moich motyli. Są cudowne. Bóg miał dobry dzień, kiedy wymyślał motyle... – Przewrócił oczami. – Chyba można wiedzieć, że prawda o świecie jest przerażająca, a mimo to nadal doceniać cud życia. Co o tym sądzisz, Hugo?

– Ten jeszcze żyje! – usłyszał czyjś głos, a potem tupot nóg.

– Ciekawe, jak o tym napiszą, co, Hugo? – powiedział Charles. – Co robić, kiedy my obaj widzieliśmy tak wiele, znamy prawdę, a oni powiedzą coś innego? Mam szczerą nadzieję, że to koniec obłudy. Wyobraź sobie świat zbudowany na kłamstwach i krętactwach... Czy o to walczyliśmy?

– Zaczekajcie! Ja go znam! – krzyknął z szosy jakiś mężczyzna. – Dajcie tu nosze!

Charles poczuł, że ktoś podchodzi do niego i odciąga coś na bok. Nagły, obezwładniający ból ogarnął jego ciało od strony ramienia.

– Już czas, Charlie – powiedział Capa.

– Poczekaj… – wymamrotał Charles półprzytomny z bólu. – Hugo…

– On odszedł. – Capa pochylił się nad nim. – Szukałem cię wszędzie.

– Oberwałem. Zrobiłem zdjęcie…

Capa spojrzał ze współczuciem w twarz Charlesa.

– Charlie, myślę, że tym razem to ty podszedłeś za blisko. – Pomógł kierowcy karetki przenieść go na nosze. – Zabieramy cię stąd. Zobaczymy się we Francji.

– Tak… Francja. – Światło zamigotało Charlesowi przed oczami. – Zaczekaj…

Capa odwrócił się i pomógł Charlesowi, który próbował odpiąć aparat.

– Chciałbyś, żebym wysłał film do twojej gazety?

– Tak. I weź aparat. Ja nie będę miał z niego teraz pożytku.

– Nie mogę…

– Proszę, weź. To contax. Powinienem był kupić samochód, tak jak mówił Hugo.

– Dziękuję. – Capa uścisnął mu prawą dłoń.

– Zrób nim fantastyczne zdjęcia. Pokaż świat.

Medyk przypiął Charlesa do noszy, delikatnie zakrywając jego poszarpane kulami lewe ramię.

– Chodź, chłopcze, zabieramy cię stąd.

– Czekaj!

Kiedy go podnosili, Charles odwrócił głowę i po raz ostatni spojrzał w niewidzące oczy Hugona.

Rozdział 44

WALENCJA, STYCZEŃ 2002

Po przejściu przez miasto Emmie brakowało tchu. Zanurzyła rękę w fontannie koło kościoła, ochłodziła nadgarstki. Gołębie zlatywały się na plac, białe na tle malowanych ochrą ścian i oślepiająco błękitnego nieba, poznaczonego już żółtymi smugami zachodu. Usiadła na niskim białym murku i odszukała w koszyku butelkę z wodą. Napiła się, otarła usta. Wyciągnęła z koszyka ramkę odebraną dopiero co z punktu oprawy. Złocenia błyszczały w słońcu, kiedy rozrywała opakowanie z folii bąbelkowej. Fotografie Rosy i Jordiego były teraz razem, bezpieczne za szkłem.

– Kim byłeś? – odezwała się cicho. Popatrzyła na twarz Jordiego, dumną, o mocnych rysach, a potem na Rosę.

Podniosła wzrok, kiedy jakaś elegancko ubrana kobieta wyszła z kościoła. Kobieta odwróciła się, żeby coś powiedzieć do kelnera z kawiarni znajdującej się tuż obok. To była Macu. Pod zimowym płaszczem miała na sobie białą jedwabną bluzkę, luźne wełniane spodnie i mokasyny. Gdy Emma, zarzuciwszy torebkę na ramię, ruszyła w jej stronę, Macu otworzyła szeroko oczy ze zdziwienia.

– Co tu robisz na tym zimnie? Powinnaś odpoczywać przed porodem.

– Strasznie mnie nudzi ciągłe siedzenie w domu. – Emma ją ucałowała. – Poszłam tylko do ramiarza, żeby to odebrać.

– To są te zdjęcia, które znalazłaś w domu?

Emma zauważyła, że Macu nie patrzy na nią, tylko na medalion.

– Tak. Były pod podłogą.

Wreszcie Macu spojrzała Emmie w oczy.

– Miałam nadzieję, że cię spotkam. Chodźmy się czegoś napić – zaproponowała, po czym wzięła ją pod ramię i stukając laską o chodnik, poprowadziła do kawiarni.

Usiadły przy stoliku niedaleko baru; Macu pociągnęła łyk koniaku, zanim sięgnęła po torebkę. Wyjęła kopertę i przesunęła ją po blacie do Emmy.

– Chciałam, żebyś to miała. Będzie ci potrzebna jeszcze jedna ramka.

Syk ekspresu do kawy i gwar rozmów jakby zamarły, gdy Emma otwierała kopertę. W środku było zdjęcie. Natychmiast rozpoznała Rosę.

– Kiedy zostało zrobione?

– Jesienią tysiąc dziewięćset trzydziestego siódmego. Niedługo po tym, jak urodziła się Loulou.

Emma przyjrzała się zniszczonej fotografii. Rosa siedziała w ogrodzie Villa del Valle z niemowlęciem w ramionach.

– Spójrz uważnie na Rosę – odezwała się Macu, biorąc ją za rękę. – Nie widzisz?

Emma patrzyła na niewyraźną twarz Rosy. W końcu dostrzegła.

– Medalion – powiedziała. Odruchowo podniosła dłoń do szyi. – Ma na sobie mój medalion.

Macu z miną wyrażającą współczucie dotknęła jej ręki.

– Jordi dał go twojej babci.

– Freyi?

– Nie, *cariño*, dał go Rosie.

Rozdział 45

Walencja, luty 1939

Oleander, jakaranda, oleander, jakaranda... – powtarzała w myślach Freya; wchodziła na wzgórze do Villa del Valle. Błyszczące ciemne liście czekały na pojawienie się pięknych różowych i białych kwiatów, gotowe tworzyć im tło. Zaczynało zmierzchać. Dotarłszy do ogrodzenia, Freya westchnęła ze znużeniem. To miała być jej ostatnia noc spędzona w domu, spakowane bagaże czekały już na wyjazd do hiszpańskiego szpitala na granicy. Myślenie o tym, czemu wkrótce miała stawić czoło – o rozpaczliwej sytuacji uchodźców, o szarym, deszczowym Londynie – wprawiało ją w przygnębienie. Wiedziała, że będzie tęsknić za Hiszpanią mimo tych strasznych przeżyć. Dostrzegła smugę światła padającą ze sklepu Vicente, usłyszała, że jacyś mężczyźni prowadzą szybką przyciszoną rozmowę. Rozejrzała się po ulicy, by sprawdzić, czy nikogo nie ma w pobliżu, po czym zbliżyła się do drzwi.

– Już po wszystkim – powiedział ktoś. Ton miał arogancki, jakby się przechwalał. – Czerwoni uciekają jak szczury. Wkrótce Madryt i Walencja padną.

– I będziemy gotowi powitać wielkiego generała. – Freya

rozpoznała głos Vicente. – Nadchodzi nasz czas, przyjaciele.

– Nic mi nie będzie – powiedziała Rosa tamtego popołudnia, kiedy Freya oznajmiła jej, że musi wyjechać. Choć zachowywała się buntowniczo, Freya wyczuwała w niej niepewność. Rosa pogładziła główkę dziecka śpiącego w jej ramionach; drobne paluszki niemowlęcia zaciskały się na koronkowym kołnierzyku matczynej bluzki. – Mogłabyś mi dać wody? – Freya ściągnęła z dzbanka wyszywany koralikami pokrowiec i napełniła szklankę. – Dziękuję. – Widząc, że Freya ją obserwuje, Rosa powtórzyła: – Naprawdę, nic mi nie będzie.

Freya spojrzała jej prosto w oczy.

– To... – Wskazała bliznę na policzku Rosy. – To się jeszcze pogorszy.

Rosa odwróciła głowę w stronę ognia i utkwiła wzrok w płomieniach.

– Od tamtej pory mnie nie uderzył. Wściekł się, że zniknęłam. Powiedziałam mu, że byłam z Macu, pomagałam jej w przygotowaniach do ślubu, ale mi nie uwierzył. Zabiłby mnie, gdyby wiedział, że byłam z Jordim. Vicente obiecał... – Zasępiła się, gdy Freya parsknęła z niedowierzaniem.

– Vicente jest bandytą!

A teraz okazuje się, że należy do piątej kolumny, pomyślała Freya. Muszę ostrzec Rosę.

– Któż to taki? – Potężna męska ręka wysunęła się z cienia bocznej uliczki, złapała Freyę za ramię i wciągnęła ją do sklepu. – Patrz, Vicente, pielęgniarki od czerwonych składają teraz wizyty domowe. – Mężczyzna pchnął ją w stronę lady, zastawiając sobą wyjście.

Vicente, odwrócony do niej plecami, układał noże na drewnianym blacie. Obok niego stał człowiek, którego Freya widywała we wsi; sięgał do ustawionego na ladzie talerza z migdałami i serem *manchego* i jadł, nie spuszczając z Freyi ciemnych oczu.

– Słyszałem, że nas opuszczasz? – odezwał się Vicente. Jego mięśnie pod obcisłą białą koszulą drgały, noże połyskiwały w świetle naftowej lampy.

– Tak, to prawda. – Serce tłukło jej się w piersi jak oszalałe.

– Podsłuchiwała pod drzwiami – powiedział mężczyzna stojący przy drzwiach.

Vicente cmoknął językiem.

– Głupia dziewucha. Co usłyszałaś?

– Nic. Nic nie słyszałam. Przyszłam tylko się pożegnać.

Podszedł do niej bardzo powoli. Rozdymał nozdrza.

– Wiesz, walcząc z bykami, człowiek się uczy wyczuwać zapach strachu.

– Strachu? – Zmierzyła go gniewnym spojrzeniem. – Dlaczego miałabym się ciebie bać?

– Powinnaś. – Błysnęło światło odbite w ostrzu krótkiego noża, który wciąż trzymał w ręce.

– Już mówiłam, przyszłam się pożegnać.

– Wiesz, że tylko kłamcy za każdym razem powtarzają tę samą opowieść.

– Nie słyszałam...

Vicente naparł na nią, przyciskając do lady, wepchnął się udami między jej nogi. Poczuła na szyi najpierw jego gorący oddech, a potem ostrze.

– Zanim cię zabiję, trochę się zabawimy.

Mężczyzna przy drzwiach zarechotał. Freya słyszała, jak wyjście na ulicę się zamyka, zazgrzytał bolec zasuwy.

– Proszę, nie! – błagała, próbując się wyswobodzić. Siłą wcisnął jej do ust język, sztywny i gorzki od migdałów.

Ściągnęli ją na podłogę. Freya zacisnęła powieki i starała się nie krzyczeć.

– Vicente! – Rosa załomotała pięściami o tylne drzwi sklepu. – Vicente!

Chrząknął, odwrócił głowę, żeby spojrzeć w stronę, skąd dobiegał hałas. Freya poczuła, że się z niej podnosi, poderwała się szybko i mocno ugryzła go w ucho. Vicente wrzasnął i odskoczył.

– Puść mnie – powiedziała Freya głosem drżącym, lecz stanowczym. Obciągnęła na sobie spódnicę. – Wypuść mnie, to nic nikomu nie powiem. Natychmiast sobie pójdę. – Uniosła rękaw do ust, żeby wytrzeć krew z rozciętej wargi.

Vicente zapiął spodnie i skinięciem dał znak mężczyźnie przy ladzie, żeby otworzył drzwi. Rosa wmaszerowała do sklepu z dzieckiem na biodrze; popatrzyła na obecnych tam mężczyzn z obrzydzeniem. Następnie wzięła Freyę za rękę i zaprowadziła do domu.

– Tak mi przykro. Widziałam – szepnęła. – Widziałam w duchu, co on ci zrobił.

– Rosa! – usłyszały za sobą ryk Vicente.

– Jedź ze mną. – Freya cała się trzęsła. – Nie mogę cię zostawić z tym... tym potworem. Konwój medyczny wyjeżdża dzisiaj.

– Nie – odpowiedziała Rosa, kiedy razem wbiegały na górę.

– Dlaczego?

Rosa zamknęła na klucz drzwi sypialni, w której się skryły.

– Nie mam nic. – Przytuliła Loulou. – To był dom Jordiego, a teraz należy do niej.

– Zostaniesz tu z powodu domu? – spytała Freya z niedowierzaniem.

– Chodzi o coś więcej. Nie zrozumiesz tego. Jej życie
będzie inne niż moje. Moje dziecko, *tiene ángel*, jest
obdarzone łaską. – Rosa dotknęła swojej głowy końcami
palców. – To nie jest zwykły dom. Widziałam, widziałam,
że tu jest przyszłość naszej rodziny. Kobieta z naszej
krwi będzie tu długo po tym, jak ten bydlak Vicente
scześnie.

– Jak ty w ogóle możesz mu ufać? W każdej chwili jest
zdolny zwrócić się przeciwko tobie, powiedzieć im, że wal-
czyłaś po stronie republikanów...

– Wiem! – wykrzyknęła Rosa. – Wiem – powtórzyła ciszej. – Ale muszę czekać na powrót Jordiego... – Zawahała
się. – Znów jestem w ciąży.

– O Boże, Rosa! – jęknęła Freya. Wywróciła oczami,
ramiona jej opadły. – Zastanawiałam się, dlaczego nosisz
takie stroje. Nic nie zauważył?

– Vicente? Nie, jestem ostrożna... z Loulou też niewiele było widać do samego końca. Powiedział, że tyję, a ja
potwierdziłam.

– Przecież mogłaś uważać!

– Uważać? – Rosa zaśmiała się z goryczą. – To dziecko
Jordiego, nie Vicente. – Poprawiła sobie niemowlę na biodrze. – Nie jest jego, ja to wiem. W najbardziej płodne
dni mówię mu, że mam okres. Jak na rzeźnika jest bardzo
wrażliwy na krew. Kiedy indziej jest zbyt pijany, by zauważyć, a ja jestem ostrożna, mówię mu, że jest taki duży, że
ociera mnie do krwi...

– Rosa! – darł się Vicente u stóp schodów.

– Już idę! – odkrzyknęła.

Freya szybko podążyła za nią. W drzwiach do kuchni stanęła jak wryta. Vicente wieszał nad piecem portret

Franco. Zszedł z krzesła, odwrócił się i popatrzył na nią wyzywająco, mrużąc oczy. Zranione ucho miał oblepione zakrzepłą krwią.

– Wkrótce wszystko będzie tak, jak należy. – Objął Rosę i szorstko przyciągnął ją do siebie. – Barcelona już się poddała, a my jesteśmy gotowi na ich przybycie. Chciałbym powiedzieć, że będzie mi ciebie brakowało... – zwrócił się do Freyi.

– Ale nie możesz?

– Tylko dlatego, że przyjaźnisz się z Rosą, nie zabiję cię teraz.

– Nie zdołasz mnie przestraszyć – powiedziała spokojnie Freya. Rosa rzuciła jej ostrzegawcze spojrzenie. – Jestem pielęgniarką, nie żołnierzem.

– Skąd niby mamy to wiedzieć, co? – zadrwił. – Możesz być szpiegiem. Mamy sposoby, żeby to sprawdzić.

– Chciałbyś, prawda? – judziła. – Podnieca cię krzywdzenie kobiet, Vicente? Jest zabawniejsze od drażnienia byków?

– Ty...! – Podniósł rękę do ciosu.

– *Señor!* – przerwała im Macu. Weszła do środka, niosąc wielki garnek parującej paelli ugotowanej na zewnątrz. Za jej plecami, w ogrodzie, widać było skaczące płomienie; szczapy pomarańczowego drewna żarzyły się, trzaskały, dymiły.

– Vicente – odezwała się Rosa. – Musimy jeść.

– Do diabła z jedzeniem. – Kopniakiem strącił garnek na podłogę. Ryż, żółty od szafranu, rozsypał się dokoła. Przestraszona Macu opadła na kolana.

– Spójrz na siebie – wysyczał Vicente, przysuwając twarz do twarzy Freyi. – Jaki mężczyzna by cię zechciał? Koścista dziwka...

– Vicente! – Rosa szarpnęła go za ramię.

Pchnął ją na szafkę.

– Odczep się, kobieto. Nie jesteś wcale lepsza.

Rosa zgięła się wpół, dysząc głośno.

– Ty bydlaku! – zawołała Freya. – Jak możesz bić kobietę w ciąży... – Słowa zamarły jej na ustach, kiedy napotkała przerażony wzrok Rosy.

Vicente wykrzywił się w chytrym uśmieszku.

– To prawda? – Przyciągnął Rosę do siebie i zgniótł jej usta szorstkim pocałunkiem. – Ha! – Poruszył wymownie biodrami. – Ha! – Wypiął pierś, odginając głowę do tyłu z arogancką miną matadora. – Teraz naprawdę jesteś moja.

Loulou zaczęła płakać.

– Muszę się zająć dzieckiem – powiedziała Rosa.

– Zostaw ją. Zostaw tego małego bękarta. – Vicente chwycił ją za nadgarstek, nie pozwalając się oddalić. Rosa wyraźnie się wzdrygnęła.

– Zadajesz jej ból! – krzyknęła Freya.

Roześmiał się z drwiną.

– To dopiero początek. – Zacisnął palce na ramieniu Rosy tak mocno, że zbielały mu kostki. – Codziennie będziesz płacić... a kiedy ona wystarczająco podrośnie... – Grymas okrucieństwa zmienił mu twarz. – ...też będzie płacić.

Freya poczuła, że dławią ją gniew i przerażenie.

– Nie! – wydukała. – Nie pozwolę ci!

– Ty? – Odepchnął Rosę na bok. – A niby co ty możesz zrobić? Jesteś nikim. Wynoś się stąd! – Podniósł walizkę Freyi i wyrzucił na ścieżkę. – Robię, co chcę. To mój dom.

– Według prawa dom należy do Jordiego tak samo jak do ciebie – powiedziała cicho Rosa. Podeszła do Freyi i ją objęła. – Tak mi przykro. Przepraszam za to, co ci zrobił. Zapomnij. Zapomnij o nas wszystkich.

– Nie. – Freya zamknęła oczy, przytulając Rosę mocno.

– Nigdy nie zapomnę ciebie i Loulou. Będę na was czekać. Szpital w Cerbère – dodała szeptem. – Tam będę na was czekać.

Rozdział 46

Walencja, styczeń 2002

Macu odchyliła się na oparcie krzesła, ściskając w dłoniach pusty kieliszek. Za oknami kawiarni światła wiejskiego placu błyszczały jak klejnoty w ciemności.

– Wtedy po raz ostatni widziałam Freyę.

Emma siedziała z głową opartą na rękach.

– Nie miałam pojęcia.

Macu wyglądała na zmęczoną. Myślami błądziła gdzieś daleko.

– Była dobrą kobietą, dzielną kobietą. Rozumiem, dlaczego chciała ci tego wszystkiego oszczędzić.

– Biedna, biedna Freya. Nadal nie pojmuję, jak jej i mamie udało się uciec. Co się stało z Rosą?

– Trafiła do Meksyku.

– Do Meksyku? – zdziwiła się Emma.

– Nie znam historii Freyi, będziesz musiała sama ją wypytać, ale w więzieniu spytałam Rosę...

– W więzieniu?

– *Si.* – Macu spojrzała na zegarek i w tym samym momencie usłyszały na ulicy głos Dolores. – Powiem ci innym razem. Teraz przyszła po mnie córka.

– Ale czekaj, skąd Rosa się wzięła w Meksyku? – Myśli wirowały Emmie w głowie, gdy patrzyła, jak Macu ciężko wstaje od stolika.

– Opiekowała się tam dziećmi uchodźców, uczyła je czytać i pisać. – Macu zawiesiła głos. – Zmarła w klasztorze. Nie była stara.

Emma popatrzyła na zdjęcie Rosy i Liberty.

– W klasztorze? Myślałam, że republikanie odeszli od Kościoła?

– Kościół popierał Franco, a wielu republikanów było ateistami, ale zwrócenie się przeciwko Bogu stanowiło wielki błąd. Prości, ciężko pracujący ludzie, tacy jak Rosa i ja, dorastali z miłością do Boga w sercach. Nie mogliśmy się jej wyrzec. Kiedy Rosa straciła wiarę w człowieka, może... może pozostał jej tylko Bóg.

– *Mamá!* – Dolores weszła do kawiarni. – Czemu tu jesteś? – Niechętnie skinęła Emmie głową.

– Rozmawiałyśmy. Opowiadałam o jej rodzinie.

– Przepraszam – powiedziała Emma na widok kwaśnej miny Dolores. – Robi się późno.

– Porozmawiamy kiedy indziej. – Macu poklepała ją po ręce.

– Proszę... jeszcze tylu rzeczy nie rozumiem. Co się stało, kiedy Walencja się poddała?

– To był niedobry czas, bardzo niedobry. Gdy upadła Katalonia i Madryt, i nasza Walencja... – Macu wzięła głęboki oddech. – Pamiętam, jakby to było wczoraj. Dzień był zimny, choć słoneczny. Pamiętam, że kiedy czołgi wjeżdżały do miasta, słońce odbijało się w bagnetach nacjonalistów. Przed nimi biegły tysiące ludzi próbujących uciec. – Zamilkła na chwilę. – Ci, którzy zostali, powitali Franco. Nie było wyboru.

– A ty, Macu, zostałaś?

– Ja? Tak, zostałam. Wyszłam za Ignacia tuż przed przybyciem nacjonalistów.

– A Jordi?

– Nie wiem. Wrócił z frontu, ale Rosy nie było. Wyjechała do Freyi z dzieckiem, twoją matką. Słyszałam, jak Jordi i jego brat kłócili się któregoś wieczoru w kuchni. Vicente mówił, że dopilnuje, by Jordi i jego towarzysze byli bezpieczni, jeśli zostawi w spokoju jego i Rosę. W przeciwnym razie był gotów wydać ich nacjonalistom.

– Nie rozumiem. Myślałam, że Vicente był zwykłym rzeźnikiem...

– Rzeźnikiem? Ha! Był nim, a jakże. Należał do piątej kolumny, wewnętrznego wroga. Przez cały czas popierał Franco i faszystów. Cały czas.

– Co się potem stało?

Dolores wzięła matkę pod ramię.

– Musimy iść. Natychmiast.

Macu niezgrabnie odsunęła się od stolika; nogi krzesła zazgrzytały o ceramiczną posadzkę.

– Nie mogę teraz o tym rozmawiać. Moja córka... ona mną rządzi.

Emma nagle coś sobie uświadomiła.

– Zaczekaj! Mówiłaś, że rozmawiałaś z Rosą w więzieniu?

Macu powiedziała coś szybko, gniewnym tonem do córki.

– Tak – zwróciła się do Emmy. – Tak, widziałam Rosę. Byłam z nią w więzieniu. Wkrótce przyjdę się z tobą zobaczyć. Powiem ci wszystko, co wiem. – Wzięła Emmę za rękę. – Rozumiem, dlaczego Freya nie chciała o tym rozmawiać. Po tym, co jej zrobił ten *hijo de puta*, zanim wyruszyła w stronę granicy...

– *Mamá!* – krzyknęła Dolores.

Macu uścisnęła Emmę.

– Zanim znów porozmawiamy, zadzwoń do Freyi. Jest dobrą kobietą. Nie miej jej za złe, że ukrywała to wszystko przed tobą.

Rozdział 47

CERBERE, MARZEC 1939

Wciąż pojawiali się nowi. Od tygodni nieustający strumień uchodźców podążał Pirenejami w kierunku francuskiej granicy; szare, pochylone sylwetki wyłaniały się z mgły i deszczu niczym duchy, okutane kocami, przyginane do ziemi przez zimny wiatr od morza. Freya robiła dla nich, co mogła. Dawała chleb w zamian za broń porzuconą przez żołnierzy na granicy. Otulała kocami drżące matki z cichymi, ciemnookimi dziećmi w ramionach. Myła ich zimne, krwawiące stopy lodowatą wodą z potoku. I czekała, dzień po dniu, na tę jedną drogą jej twarz w tłumie; czekała na Rosę.

Podeszwa jednego jej buta kłapała głośno, kiedy szła korytarzem starego *château*, w którym urządzili szpital polowy. Nie spała od czterdziestu ośmiu godzin i gwar ludzkich głosów docierał do niej jakby stłumiony. Oparła dłoń o zimną kamienną ścianę, zachwiała się lekko. Przy wejściu zawahała się, jeszcze raz wodząc wzrokiem po tłumie, bo może wcześniej ją przeoczyła. Ludzie stłoczeni wokół wielkiego kamiennego kominka pożywiali się cienką zupą z blaszanych kubków. Jakiś ojciec przybliżał trzymaną na ręku córeczkę do mizernego ognia, próbując ogrzać jej nóżki; jego szorstka dłoń była bardzo ciemna przy bladej dziecięcej łydce. Wszędzie unosił się ten zapach, okropny zapach, którego, jak sądziła, już nigdy nie miała się pozbyć ze swej skóry i wspomnień. Zapach krwi, brudu i dymu – zapach klęski. Zamrugała, czując, że zapada się w ciemność; korytarz zafalował jej pod nogami.

– Mam nadzieję, siostro, że idziesz się położyć?

Freya odwróciła się do kobiety, która ją zagadnęła.

– Tak... ja...

– Jesteś wyczerpana. Nie będzie z ciebie żadnego pożytku w sali operacyjnej, jeśli nie wypoczniesz.

– Jeszcze...

– Wiem, że się martwisz o przyjaciółkę, ale nie możesz jej cały czas wypatrywać.

Freya tylko pokiwała głową i chwiejnym krokiem weszła do sali noclegowej. Inna pielęgniarka właśnie się ubierała w świetle parafinowej lampy. Stary gramofon Freyi grał cicho, z cienia dobiegały dźwięki wiolonczeli Casalsa.

– Mam nadzieję, że nie masz nic przeciwko? – odezwała się dziewczyna. – Nie mogłam znieść ciszy.

Freya padła na łóżko, nie zdejmując ubrana.

– Zabawne, jak człowiek się przyzwyczaja do hałasu – mruknęła. Powieki jej się kleiły. – Mimi?

– Hm? – Dziewczyna, trzymając spinki w ustach, upinała ciemne kosmyki.

– Obudzisz mnie, jak ją zobaczysz? Ma ze sobą dziecko, niemowlę.

– Pokaż mi jeszcze raz ich zdjęcie. – Mimi wzięła do ręki wymiętą czarno-białą fotografię Rosy stojącej z dzieckiem na rękach w ogrodzie. – Kim ona jest? Przyjaciółką?

– Są dla mnie bardziej jak rodzina – powiedziała Freya i zamknęła oczy.

O świcie obudził Freyę łomot pięści walących o drzwi. Miała cudownie kolorowy sen – biegła z Tomem przez gaj pomarańczowy, wyciągniętą dłonią trącała kwiaty na drzewach, zapach olejku neroli unosił się w czystym, błękitnym powietrzu. Wyraz błogości zniknął z jej twarzy, gdy tylko na dobre się ocknęła.

– Tak? Proszę. – Podniosła się z trudem.

– Mimi mnie przysłała – oznajmił chłopiec stojący w progu. – Twoja przyjaciółka...

Freya wybiegła na zewnątrz; podeszwy jej znoszonych skórzanych butów ślizgały się po stopniach. Poza osłoną kamiennej arkady śnieg tłumił odgłos jej stóp. Minęła młodą matkę z dzieckiem przy piersi, stara kobieta osłaniała je połatanym kocem przed podmuchami wiatru. W poprzek zbocza ciągnął się łańcuch obozowisk wyznaczanych płonącymi ogniskami. Właśnie tam, przy samej granicy, dostrzegła skuloną sylwetkę.

– Rosa! – zawołała.

– Znalazłam cię... – Rosa kręciła głową z niedowierzaniem, kiedy się obejmowały, uważając, by nie zgnieść dziecka przytroczonego do jej piersi.

– Żyjesz! Dzięki Bogu, żyjesz! A jak ona się miewa? – Freya pogłaskała główkę śpiącego dziecka; ciemne włoski były miękkie niczym jedwabna przędza.

– Jest zmarznięta, ale zdrowa. Udało nam się złapać okazję i większą część drogi przejechałyśmy ciężarówką.

– Chodź. – Freya odebrała od strażnika dokumenty Rosy. – Znajdziemy dla was koc i coś do jedzenia. – Rosa zaczęła odwiązywać na szyi pas nosidełka. – Co ty robisz? – Freya poczuła ściskanie w gardle. – Nie...

– Idę. – Rosa popatrzyła na córeczkę, zamrugała gwałtownie, próbując powstrzymać łzy. – Tylko przyniosłam ją do ciebie. Muszę odnaleźć Jordiego. Jeśli żyje...

– Nie! Jeśli żyje, może sam o siebie zadbać. Pomyśl o swoim dziecku.

– Myślę o niej. Jak mam pozwolić, by myślała, że matka tak po prostu zostawiła jej ojca? Negrín zażądał, by Franco nie stosował represji, ale temu człowiekowi nie można ufać.

– Lecz co będzie, jak cię złapią?

– Co jeszcze mogą mi zrobić? – Rosa ucałowała główkę Loulou. – Tu będziesz bezpieczna, *cariño* – wyszeptała i podała ją Freyi.

– Proszę, nie rób tego. Nie mogę...

Rosa potrząsnęła głową.

– Powiedziałaś, że zrobisz dla mnie wszystko. Nie mam nic. – Uderzyła pięścią w otwartą dłoń. – Wszystko mi zabrali, mój dom, życie, miłość. Mam tylko dziecko.

– Proszę cię, zostań. Przydzielili mnie do szpitala położniczego w Elne, będziesz mi pomagać aż do porodu...

– Nie. Obiecaj mi, że ją stąd zabierzesz. Wyjedź szybko. Zabierz ją ze sobą do Anglii.

– Nie mogę! Nie jestem zamężna, ja...

– Musisz! Po to tu przyjechałam. Powiedziałaś, że nam pomożesz...

– Miałam na myśli was obie. Odpływają stąd statki do Meksyku. Mogłybyście mieć nowe życie. Nie możesz jej tak po prostu opuścić.

– Opuścić? – żachnęła się Rosa. – Kocham to dziecko nad życie, więc przywiozłam je do ciebie. – Otarła policzek wierzchem dłoni. – Byłaś przy jej narodzinach. Nikomu poza tobą bym jej nie powierzyła.

– Nie jedź. – Freya zadrżała na myśl o Vicente. – Nie możesz wrócić do tego domu, do niego.

– Nie mam wyboru. – Rosie łamał się głos. – Robię to dla Jordiego. Nie mam wyboru.

Freya wytrzymała jej spojrzenie. Pokiwała głową.

– Dziękuję. – Rosa zdjęła z szyi medalion, wyjęła ze środka swoje zdjęcie z Jordim, schowała je do kieszeni, po czym wcisnęła medalion do ręki Freyi. – Tylko tyle mam dla niej. – Delikatnie ujęła w dłonie główkę dziecka. Szeptem wypowiedziała błogosławieństwo i ostatnie słowa pożegnania. W końcu przytknęła wargi do małego czółka; łzy ciekły jej po policzkach i wsiąkały w puszyste włoski. – Bądź bezpieczna – powiedziała. Podniosła wzrok na Freyę. – Zadbaj o to – poprosiła. – Daj jej nowe imię, nowe życie. – Chwiejnym krokiem zaczęła się przepychać przez tłum uchodźców.

– Nowe imię?! – zawołała za nią Freya. – Jak mam ją nazwać?

Rosa przystanęła.

– *Libertad*. Nazwij ją Liberty. – Uniosła w górę zwiniętą pięść i skierowała się z powrotem do Hiszpanii.

Freya patrzyła na samotną postać znikającą w śniegu, mgle i tysiącach ludzi idących z naprzeciwka. Dziecko w jej ramionach się poruszyło. Opuściła wzrok, odchyliła kołderkę; dziewczynka objęła jej palec drobną, lecz silną rączką.

– Cześć, Liberty – powitała ją Freya.

Rozdział 48

WALENCJA, STYCZEŃ 2002

Luca oparł się o kuchenny stół, splótł ramiona na piersi.

– Jak się czujesz?

– Dobrze... – Emma miała czerwone, zapuchnięte oczy.
– Tylko źle spałam tej nocy. Wczoraj wieczorem telefonowałam do Freyi.

– Macu mówiła mi, że z tobą rozmawiała. Martwi się
o ciebie. – Luca wziął ją za rękę. – Ja też się o ciebie martwię.

Emma mruganiem osuszyła świeże łzy.

– Powiedziała mi. Powiedziała mi, jak Rosa oddała jej
córkę na francuskiej granicy. – Objęła się za brzuch. – Jak
można zrobić coś takiego? Jak można zostawić swoje
dziecko?

Luca westchnął.

– To były straszne czasy. Macu pomoże ci to zrozumieć.
Przyjdzie tu prosto z zakupów. Chce wszystko wyjaśnić.
– Uścisnął jej dłoń i się odsunął. – Pracowałaś? – Popatrzył
na rozrzucone po blacie notatniki z wzorami chemicznymi
i wykresami.

– Trochę eksperymentowałam, próbowałam czymś
się zająć, żeby nie myśleć. – Emma zwróciła jego uwagę

na stary notatnik leżący na stole. – Sądzę, że należał do Rosy. Z początku byłam przekonana, że to przepisy kulinarne, ale kiedy zaczęłam przeglądać, okazało się, że to receptury mieszanek ziołowych.

– Wyglądają jak jakieś zaklęcia. – Luca parsknął wymuszonym śmiechem. – Może była uzdrowicielką? Powinnaś zapytać moją babcię. – Zatrzymał się przy stronie z rysunkiem jakiejś kwitnącej rośliny. – Mam nadzieję, że nie używasz tego?

Emma zerknęła mu przez ramię.

– Co to za roślina?

– Oleander. Jest trujący. – Zamieszał tłuczkiem w wielkim moździerzu. – Pachnie cudownie. To mięta?

– Do masowania zmęczonych stóp – wyjaśniła Emma. – Dają mi się we znaki.

Twarz mu złagodniała.

– Po porodzie jest lepiej. Pamiętam, że Paloma też była ciągle zmęczona. – Luca podwinął rękawy. – Daj, spróbuję.

Emma oblała się rumieńcem.

– Nie, nie mogę pozwolić...

– Ależ tak. Do przyjścia Macu zostało trochę czasu.

Usadowił ją w starym fotelu przy kominku, przysunął taboret, okrył sobie kolano ręcznikiem i położył na nim jej stopę. Emma poruszyła nogą, żeby zrzucić botek z miękkiej baraniej skóry.

– Dziś bez kaloszy? – spytał Luca, pomagając jej wyswobodzić stopę.

– Jest za zimno. Och, jak przyjemnie. – Odchyliła głowę na oparcie fotela, czując ciepły olejek spływający między palcami.

– Wkrótce będziesz miała wrażenie, że unosisz się w powietrzu – obiecał. – Lepiej? – Ujął jej stopę w obie dłonie. – Wszystko będzie dobrze.

– Naprawdę tak sądzisz?

– Wyobrażam sobie, że to musiał być wielki szok.

– Sama już nie wiem, kim jestem. – Emma ściągnęła brwi na wspomnienie wieczornej rozmowy. – Czuję się okropnie i chyba przelałam swoją złość na babcię... na Freyę. – Po chwili milczenia dodała: – Nie mogę uwierzyć, że okłamywała nas przez te wszystkie lata.

– Może was chroniła?

– Może. – Emma popatrzyła na niego; skupiony, z pochyloną głową, kciukami masował jej piętę. – Mogłabym się do tego przyzwyczaić.

Marek wpadł do środka.

– Przepraszam, przeszkadzam? – Włożył do zlewu kubki po kawie.

– Absolutnie nie – odpowiedziała Emma, odchylając głowę, żeby na niego spojrzeć. – Luca właśnie pomaga mi wypróbować nowy eliksir.

Luca zmierzył chłopaka spojrzeniem pełnym złości, następnie wyraźnie skrępowany wytarł ręce.

– Powinienem pójść sprawdzić, co z Macu.

– Jeśli będzie pani chciała, żeby się zająć drugą nogą później, wystarczy powiedzieć! – Mijając Emmę, Marek mrugnął do niej porozumiewawczo.

– Może by tak trochę szacunku! – rzucił ostro Luca.

– Hej, hej... – Marek wycofał się, unosząc ręce w geście poddania.

Luca patrzył za nim z gniewem, dopóki nie usłyszeli hałasu koparki.

– Kiedy się wreszcie wyniosą?

– Niedługo, został już tylko ogród. – Emma oparła głowę o fotel.

– Traktuje ten dom jak własny.

Wytarła stopę i wsunęła z powrotem do buta.

– Jest okej, naprawdę – zapewniła, kładąc dłoń na ramieniu Luki.

– Nie. Wcale nie jest okej – powiedział z przesadnie starannym angielskim akcentem.

– Ubiorę się. – Popatrzyła na niego niepewnie. – Nie chcę, żeby Macu musiała czekać.

Rozdział 49

WALENCJA, MARZEC 1939

Rosa biegła; szybko zaczęło jej brakować tchu, odezwał się kłujący ból w boku. Wysiadła z ciężarówki na drodze, więc biegła przez pomarańczowy gaj co sił w nogach, uciekając przed burzą nadciągającą od gór. Niebo raz po raz przecinały błyskawice. Zardzewiała tylna brama do Villa del Valle tłukła się szarpana wiatrem. Rosa otworzyła ją, dysząc ciężko z wysiłku.

– Dzięki Bogu, że jesteś! Nacjonaliści świętują zwycięstwo w mieście. – Macu podbiegła i ją podtrzymała. – Vicente już tam idzie. Oczekuje od ciebie, że będziesz tańczyć.

– Tańczyć? Czy on zwariował?

– Rozsądniej będzie mu się nie sprzeciwiać na razie. – Macu zajrzała jej w oczy. – Gdzie się podziewałaś?

– Powrót zabrał mi mnóstwo czasu. Drogi są zapchane przez uchodźców zmierzających na północ. Często musiałam iść na przełaj, łapać okazje.

– Jordi tu był. Szukał cię.

– Był tu? Gdzie on jest? – dopytywała gorączkowo Rosa. – Muszę iść do niego!

Macu pokręciła głową.

– Pojechał na wybrzeże.

Usadziła Rosę na kamiennej ławce pod wieżą, nabrała do miski wody z pompy. Zmyła krew i ambrowy kurz ze stóp przyjaciółki, cały czas modląc się w duchu do świętego Wincentego, żeby je ocalił.

– Chodź. – Pociągnęła Rosę na górę, rozebrała ją, uczesała jej włosy. Rosa poddawała się tym zabiegom bezwolnie jak szmaciana lalka. – Słyszałam kłótnię. Vicente powiedział, że jeśli z nim zostaniesz, pozwoli Jordiemu odejść. Załatwił wejście na łódź wypływającą z plaży koło Albufery. Zabierze Jordiego i Marca w bezpieczne miejsce. – Lekko szarpiąc, rozczesała kosmyk splątanych włosów Rosy. – Nie mogę uwierzyć, że Walencja się poddała.

– Przegraliśmy, Macu. Przegraliśmy wszystko.

– A Loulou?

– Jest bezpieczna. Z Freyą.

– To dobrze. Nigdy się nie poddamy. – Macu dumnie uniosła podbródek. – Będziemy ich zwalczać od środka. Jestem teraz żoną dobrego człowieka. – Trzymając ręce na ramionach Rosy, skierowała ją ku toaletce. – Przygotuj się. Vicente nie będzie zadowolony, jeśli każesz mu czekać. – Pocałowała ją w czubek głowy, zamykając przy tym oczy. – Pamiętaj, co mówią: my, Hiszpanie, umieramy, tańcząc. Nie pozwól, żeby cię złamał, Roso. Nigdy.

Świeca zaczęła migotać, odbita w lustrze twarz pociemniała, znikła. Rosa przekręciła złotą rurkę szminki, paznokciem wydobyła ostatnie grudki ciemnoczerwonej masy i wolno rozsmarowała ją po ustach, zahaczając ostrym wyszczerbieniem w paznokciu o wargę. W resztkach zamierającego światła przesunęła językiem po zadrapaniu. Ręka jej drżała, kiedy odkładała szminkę na toaletkę; metal brzęknął cicho o szklany blat. Pomyślała o dniu, kiedy kupiła w Madrycie ten swój pierwszy i zarazem ostatni luksusowy kosmetyk, o tym, jak dzięki niemu poczuła się kobieco. Wspaniała Rosa Montez, muza Lorki, największa tancerka w całej Andaluzji... Kim jestem teraz? Nikim. Cieniem. Upinając włosy, w zarysie sylwetki widocznej dzięki światłu wpadającemu z korytarza dostrzegła znajomą linię swego profilu, ramion, piersi, ciemny połysk czerwonej sukni, ale jej serce, jej dusza gdzieś przepadły. Były przy Jordim.

– Rosa! – zawołała z dołu Macu. – Chodź! Nie możesz się spóźnić! – Zaraz potem rozległ się stukot kroków zmierzających po schodach na górę. Kiedy przyjaciółka stanęła w drzwiach, Rosa zamrugała gwałtownie raz i drugi. – Nie jesteś jeszcze gotowa? – W głosie Macu pobrzmiewał strach. Weszła do pokoju. – Już pora! Nabiorą podejrzeń, jeśli się spóźnisz. Daj, pomogę ci. – Wzięła do ręki wysoki grzebień od mantyli i wpięła go Rosie we włosy, tak że szylkretowe zęby mocno uciskały jej skórę. – Dobrze się czujesz? – Rosa tylko pokiwała głową, w obawie, że jeśli się odezwie, troska Macu nie pozwoli jej powstrzymać łez. – Pamiętaj, tańczysz dla Jordiego. I dla nas wszystkich – powiedziała Macu.

Aż podskoczyły, gdy przed bramą trzasnęły drzwi samochodu. Rosa słuchała z szybko bijącym sercem, jak żwir na ścieżce chrzęści pod butami.

– Macu! – wrzasnął z dołu Vicente. – Gdzie jesteś?

Rosa zesztywniała. Wciąż jeszcze mogła uciec. Odruchowo podniosła dłoń do złotego medalionu na szyi. Już go tam nie było.

– Powiedz, że zaraz zejdę. – Uścisnęła dłoń przyjaciółce.

– Macu! – ryk się powtórzył. – Ignacio na ciebie czeka!

Znów sama, Rosa otworzyła szeroko okiennice, wyjrzała na ogród, który z czasem zdążyła pokochać. Sięgnęła do kieszeni starej czarnej sukienki, wyjęła zdjęcia swoje i Jordiego. Z jej spojrzenia skierowanego w obiektyw biły pasja i wyzwanie, po których w tym momencie nie został nawet ślad. Zdjęcie Jordiego było jedynym, jakie posiadała. W jego przepełnionych miłością oczach tańczył uśmiech. Przesunęła po śliskim papierze opuszką kciuka, przypominając sobie dotyk kręconych włosów Jordiego; kiedy go ostatni raz widziała, sięgały mu aż do ramion. Przypomniała sobie, jak łaskotał ją rzęsami w podbródek, kiedy całował jej szyję. Kocham cię, pomyślała. Zawsze będę cię kochać. Nie wiedziała, co zrobić ze zdjęciami, teraz, gdy nie mogły już być ukryte bezpiecznie w medalionie. Vicente je zniszczy. Przypomniała sobie obluzowaną deskę w podłodze w jej pokoju. Bezszelestnie przebiegła przez dom. Przy łóżku nachyliła się i wsunęła zdjęcia za odchyloną deskę. Wpadły w ciemność. Mogła je odzyskać później.

Słysząc lekki stukot jej obcasów na schodach, Vicente się odwrócił. Kiedy się do niej zbliżał, złość wyraźnie go opuszczała, wyparta pożądaniem.

– Rosa, Rosa... – wyszeptał, gładząc jej brzuch, delikatnie zaokrąglony pod obfitą spódnicą czerwonej sukni.

– Zatem moja mała gołębica przyleciała do domu. Zdążyłaś na czas. Generał przysłał samochód – oznajmił z dumą.

– Gdzie się podziewałaś tym razem? Długo cię nie było.

– Nie twój interes.

– Wywiozłaś dziecko do tej Angielki, zgadza się? Wszystko jedno. Wkrótce będziemy mieli własne. – Cofnął się. – Jak ci się podoba? – Przejechał ręką po swym nowym mundurze.

– Wyglądasz jak faszystowska świnia.

Zawahał się, już nie bohater, tylko niezgrabny starszy syn właściciela ziemskiego z Walencji. Jednak jak każdy drapieżnik wyczuł strach, dojrzał wyraz niepewności w jej oczach. Teraz on był górą. Zdecydowanym ruchem położył jej rękę u dołu pleców i poprowadził ją do drzwi, gdzie czekała Macu; pod szeroko rozpostartymi palcami wyczuwał kołysanie bioder w rytm kroków. Kobiety wymieniły ostatnie spojrzenie, pełne niewypowiedzianych słów i marzeń, które spełzły na niczym. Rosa uniosła podbródek i wyszła w noc.

Kiedy jechali do centrum miasta, Rosa zastanawiała się, czy tak właśnie czuje się skazaniec w swej ostatniej drodze. Samochód mijał pogrążone w ciemności domy, które kiedyś rzęsiście oświetlone rozbrzmiewały muzyką, gwarem ludzkich głosów. Wszystko się zmieniło. Ci ludzie uciekli albo zniknęli. Im bliżej centrum, tym mocniejszy stawał się zapach spalenizny, rzezi.

– Zamknij okno, Rosa, to nie jest...

– Nie. Chcę to zapamiętać.

Przy pierwszym posterunku kontrolnym auto zwolniło. Żołnierze sprawdzili dokumenty, przyjrzeli się pasażerom.

– Szybciej – warknął Vicente, wychylając głowę przez okno. – Usuńcie z drogi tych ludzi. Generał nas oczekuje.

Rosa widziała, jak młody żołnierz otwiera szeroko oczy za zdumienia.

Mijali szeregi uciekinierów bladych z wyczerpania i strachu. Nagle serce zabiło jej mocniej – a gdyby tak ujrzała pośród nich Jordiego? Co by go czekało, gdyby nie zdążył na czas dotrzeć na wybrzeże?

Piękne niebieskie budowle w centrum miasta jak zwykle lśniły w półmroku, Turia niewzruszenie toczyła swe wody. Jednak wszystko wokół się zmieniło. Kiedy dołączali do konwoju pojazdów wojskowych, Rosa zobaczyła mężczyznę, którego wyciągano siłą z jednego z domów; żona, uczepiona kurczowo jego nogi, krzyczała wniebogłosy.

Żołnierze wepchnęli ją z powrotem na podwórko, odgonili przerażone dzieci kryjące się w cieniu koło wejścia. Samochód pojechał dalej, lecz Rosa obejrzała się, wyciągając szyję. Usłyszała krzyki kobiety: „Nie, nie, nie!", widziała, jak żołnierz w ciemnym mundurze unosi kolbę karabinu i z całych sił uderza mężczyznę w skroń. Skulona ofiara padła na ziemię.

– To dopiero początek – odezwał się Vicente. – Wyrwą wszystkie chwasty z korzeniami.

– Grozisz mi?

– Tobie, moja droga? – Ujął jej twarz w dłonie. – Nie. Ty jesteś moja. A Macu? Cóż, jeśli twoja przyjaciółeczka spuści z tonu, to też będzie bezpieczna przy swoim de Santangelu. – Poklepał się po kieszeni, po czym wyjął z niej skórzane etui. – Nie możesz jechać szybciej? – zwrócił się z irytacją do kierowcy, jednocześnie zapalając cygaro.

– Przykro mi. – Kierowca wskazał jadące przed nimi ciężarówki i czołgi.

Vicente spojrzał na zegarek.

– Pójdziemy dalej na piechotę. Zatrzymaj się.

– Jest pan pewien, że to bezpieczne?

– Przesłuchujesz mnie?

– Nie, proszę pana. – Spoglądając prosto przed siebie, kierowca powoli zjechał na pobocze.

Vicente obszedł samochód dookoła i stanął przy drzwiach od strony Rosy. Kiedy się rozglądał po ulicy, Rosa patrzyła na kaburę u jego pasa. Mogłabym go zastrzelić, pomyślała. Wyobraziła sobie, jak zmierzają bocznymi uliczkami do pałacu, ona się odwraca, całuje go, wciąga w mrok przy którymś z domów... a potem rozlega się pojedynczy strzał. Zobaczyła siebie, jak biegnie boso ulicami, porywa bawełnianą koszulę ze sznura z praniem. Wyobrażała sobie, jak idzie nocą, chowając się przed patrolami, i o świcie dociera na wybrzeże, pędzi plażą ku Jordiemu, padają sobie w objęcia... Zamrugała gwałtownie i sztywno wysiadła z auta. Zauważyła, że z samochodu jadącego za nimi wysiadło czterech żołnierzy. Oczywiście, mieli eskortę.

Spoglądając w głąb ulicy, Vicente ostentacyjnie wyciągnął pistolet z kabury i wziął Rosę pod ramię. Poprowadził ją znajomymi bocznymi uliczkami i zaułkami do Palacio del Marqués de Dos Aguas. Pomyślała, że o tej porze kawiarnie powinny być otwarte, pełne ludzi siedzących pod gołym niebem, rozmawiających przy *tapas* i winie, obserwujących dzieci bawiące się z rozbieganymi pieskami. Tymczasem ulice były dziwnie ciche. W powietrzu wisiał ciężki zapach spalenizny. Sklepy i lokale miały pozamykane okiennice. Rosa słyszała jedynie tupot maszerujących za nią żołnierzy i własny oddech więznący w gardle.

– Jest bezpieczny? – zapytała cicho.

– Nie teraz...

Szarpnięciem cofnęła ramię.

– Czy Jordi jest bezpieczny?

Wzrok mu stężał.

– Zawarłem układ, tak?

– Jeśli się dowiem, że go zdradziłeś...

– To co?

Rosa umyślnie się potknęła, nachyliła się, żeby poprawić coś przy bucie. Vicente wolno przykucnął obok niej, lufa jego pistoletu zazgrzytała o bruk.

– Dopilnuję, żebyś za to zapłacił – powiedziała cicho, nie patrząc na niego. Dopiero po chwili spojrzała mu w oczy. – Teraz należę do ciebie. Masz moje słowo. Kupuję dla niego wolność swoim ciałem. Ale nigdy, przenigdy nie oddam ci duszy.

Vicente zacisnął palce na jej nadgarstku, mocno, do bólu.

– Głupia kobieto. – Nachylił się ku niej tak blisko, że gorącym oddechem owiewał jej ucho, czuła odór tytoniu. – Nigdy nie chciałem mieć twojej duszy czy serca, czy miłości... – Próbowała mu się wyrwać. – Tę noc i każdą następną spędzisz w moim łóżku. Przy mnie zapomnisz, że mój brat w ogóle istniał. – Poczuła nagłe mdłości, kiedy swymi złotymi zębami chwycił płatek jej ucha, a potem polizał ją po karku. – Mam ciebie. I urodzisz nasze dziecko. – Puścił ją, a ona, drżąc, odsunęła się od niego. – Zimno ci? – spytał na tyle głośno, by żołnierze usłyszeli.

Minęli dziedziniec oświetlony migoczącymi płomieniami. Ciężkie podwójne drzwi stały otworem, Rosa widziała żołnierzy nacjonalistów śmiejących się i palących papierosy wokół ogniska, a za nimi ciało leżące na ziemi, gołe brudne stopy wystawały z cienia muru poznaczonego dziurami po kulach.

Vicente objął ją w pasie i poprowadził dalej.

– Jesteś rozsądną kobietą, Roso. Możesz sobie myśleć, że robisz to z miłości, ale mój brat był głupcem, młodym głupcem. Jesteś od niego mądrzejsza. Umiesz przetrwać.

– Nie. – Potrząsnęła głową.

– Ależ tak. – Poczuła jego palce na swym biodrze, kiedy przyciągnął ją bliżej. – Nadeszła nowa era, Roso, i opłaca się być po stronie zwycięzców. – Zatoczył ramieniem krąg, wskazując miasto. – Wszystko to będzie nasze. Nasze wielkie miasto znów się podniesie i tym razem my będziemy nim rządzić. Będziemy mieć pozycję, bogactwo.

Rosa popatrzyła na misterne dekoracje pałacowych drzwi: rzeźby poskręcanych ciał i wymyślne stiukowe formy przywodziły na myśl zdobienie jakiegoś upiornego weselnego tortu. Żołądek skurczył jej się ze strachu.

– A cóż to, del Valle? – odezwał się jakiś oficer ze śmiechem. – Bez samochodu?

– Taki piękny wieczór aż się prosi o spacer z żoną.

– Żoną? – Przyjrzał się Rosie z zaciekawieniem i otwartą pożądliwością. – Gratulacje. Gdzie dotąd ukrywałeś tę piękność? – Skłonił się nisko, ucałował jej rękę.

– Przezorny człowiek trzyma swoje skarby w domu – odpowiedział Vicente.

Rosa zmrużyła oczy, kiedy drzwi pałacu się otworzyły na ciemną ulicę. Światła żyrandoli wręcz oślepiały, odbijały się migotliwie w fontannie na wyłożonym kaflami dziedzińcu. Uniosła rąbek sukni, gdy wchodzili po schodach w tłumie wojskowych.

– Generał jest w *fumoir* – powiedział wartownik, kierując ich do jednego z bocznych pomieszczeń. – Wejdźcie, złóżcie mu wyrazy uszanowania.

Rosa usłyszała męskie głosy i rubaszny śmiech, poczuła wydostający się z pokoju dym cygar. Uniosła dłonie do ust, wierzchem ku górze, i powąchała je, wdychając świeży zapach kwiatu pomarańczy.

– Nie odzywaj się pierwsza – syknął Vicente.

Pokój przypominał Rosie szachownicę, ponieważ wszystko w nim było czarno-białe: podłoga z ceramicznych płyt, hebanowe sprzęty inkrustowane kością słoniową, mundury żołnierzy. Na środku siedział zwycięski generał w otoczeniu swej świty.

– Generale. – Oficer strzelił obcasami. – Pozwoli pan, że przedstawię: Vicente del Valle z żoną. Znacząco wspomagali nasze działania wojenne zza linii wroga.

Rosa się wzdrygnęła. Nie mogła ścierpieć, że przypisywano jej udział w niegodziwościach Vicente.

Generał przyglądał się jej, strzepując popiół z cygara do marmurowej popielniczki.

– Właśnie się zastanawiałem, czemu tancerki tu jeszcze nie ma.

Rosa rzuciła mu gniewne spojrzenie. Wiedziała, że się domyślał. Domyślał się, że jest Cyganką i republikanką. Wyobraziła sobie, jak wywlekają Jordiego z sąsiedniego pokoju, rzucają jej do stóp zakrwawionego i złamanego, a ona przypada do niego, całuje ukochaną twarz, gotowa umrzeć, byleby tylko pozostali razem. Buntowniczo zadarła podbródek.

– Moja żona jest słynną tancerką, generale. – Vicente skłonił się nisko. – Ma się rozumieć, będzie zachwycona, mogąc dla pana zatańczyć.

– Muszę ci pogratulować, del Valle. Wygląda na to, że udało ci się poskromić dzikuskę. Jest bardzo piękna, ale może powinieneś podciąć jej skrzydła? Wyrwać pazury? – Zebrani wokół mężczyźni zaśmiali się pobłażliwie. Rosa miała wrażenie, że ich ambicje i żądze unoszą się w powietrzu wokół niej niczym mazut na wodzie.

– Dziękuję, generale. – Vicente pokraśniał z zadowolenia.

Franco powoli wypuścił smużkę szarego dymu.

– Zatańczy pani dla nas dzisiaj.

– Zatańczę – powiedziała Rosa – ale dla Hiszpanii.

Generał zmrużył oczy, słysząc afront. Dłonie Vicente zrobiły się lepkie od potu. Wszystko się skończyło, zanim jeszcze się zaczęło. Mógł się piąć po szczeblach kariery, zyskać niesłychane bogactwo, ale sądząc po minach obecnych, mógł być pewien, że to nigdy nie zostanie mu zapomniane. Będą mieli szczęście, jeśli wkrótce nie zostaną „zabrani na przejażdżkę". Rosa przeszła do sali balowej, gdzie kobiety już zajmowały krzesła rozstawione wokół parkietu.

Kiedy szła przez salę, wokół zapadła cisza. Jej obcasy stukały o podłogę. Przebiegła wzrokiem po twarzach, wiele z nich rozpoznała. Żony właścicieli ziemskich, żony bankierów, kobiety, które znała z kościoła i z targu. Pomyślała, że ma przed sobą zwyczajne miejscowe kobiety, które wreszcie pokazują swe prawdziwe oblicza. A może po prostu się bały, tak jak wszyscy? Skupiły na niej spojrzenia, niektóre smutne i zalęknione, inne zazdrosne i pełne jadu. To były te, które potrafiły wydać sąsiadów, a nawet rzucić oskarżenie na niewinnych za dawne długi czy zniewagi. Nagle, na skraju kręgu, dostrzegła Macu. Don Ignacio de Santangel prowadził ją do krzesła. Rosa wiedziała, że nie kolaborował z generałem ani nie przyłączył się do nacjonalistów jak Vicente, ale się nie wychylał, więc miał szansę zachować znaczną część swego majątku. Mężczyźni w cywilu i żołnierze ruszyli za Rosą tłumnie, żeby dołączyć do kobiet, aż w końcu sala całkowicie się wypełniła. Kiedy generał zajmował swoje miejsce, Rosa zauważyła, że Vicente został odwołany na bok i wskazano mu krzesło w bardziej odległym rzędzie. Dobrze, pomyślała. Zaczęło się. Patrząc na jego urażoną, wściekłą twarz, zrozumiała, że tej nocy zostanie ukarana. Rób, co chcesz. Jestem od ciebie silniejsza. Nigdy mnie nie złamiesz.

Weszła na środek parkietu. Zamknęła oczy. Ledwie słyszała, jak ktoś ją przedstawia, mówi zebranym, że tego wieczoru będzie dodatkowy element programu. Gdzieś pod nią gitarzysta stroił instrument. Dźwięki dobiegały do jej uszu przez otwory wentylacyjne w podłodze sali balowej z ukrytego pomieszczenia pod spodem. Dawniej chowała się tam orkiestra przygrywająca tancerzom. Kto będzie grał? – zastanawiała się Rosa. Bez wątpienia jeden z naszych. Może on też kupił życie własne albo swojej rodziny, zgadzając się wystąpić przed wielkim generałem jak cyrkowe zwierzę? Każda nuta unosiła się w niej niczym delikatna bańka mydlana, przechodziła przez nią, od nóg, przez tułów, ramiona, wreszcie szyję, kiedy odchylała do tyłu głowę, rozluźniając się, uwalniając ducha. Zrobiła kilka napiętych kroków, jak drapieżnik w klatce, krew zaczynała jej krążyć szybciej pobudzona wibracją nut, czuła na sobie oczy śledzące ją z półmroku. Gdy gitarzysta zakończył strojenie, stanęła nieruchomo i czekała. Wzniosła oczy ku górze, rozchyliła usta i zaczęła mocnym przytupem.

Natychmiast rozpoznała śpiewaczkę. Jej mąż został zabrany w momencie, gdy tylko nacjonaliści zajęli miasto. Przenikliwy ból w głosie kobiety nadawał ruchom Rosy wyrazistość i precyzję. *Duende* wychodziło z samych wnętrzności ziemi i niczym wyładowanie elektryczne przeszywało nuty, głos, ciało tancerki. Zatraciła się w muzyce. Zawsze tak było. Miała ten taniec we krwi, w kościach. Tańczyła tak wiele razy w grotach ze swoją rodziną. Tańczyła w cieniu Alhambry dla Lorki. Wijącym ruchem poruszała dłonią nad głową, jakby oplatała ją winoroślą. Pamiętała, jak recytował, jego słowa brzmiały niczym zaklęcia, nawet wiatr wydawał się zielony, gałęzie drzew ożywały. Obcasy tłukły o posadzkę z siłą gromu, falbany spódnicy furkotały w powietrzu. Tańczyła tak jak dla Picassa w Albaicin, jak dla Jordiego w świetle ogniska, podczas ich ostatniej wspólnej nocy w ruinach Sagunto. Miała wówczas wrażenie, że stare kamienie odpowiadają ciepłem na witalność bijącą z jej ciała. Wiedziała, że to był jej najlepszy taniec w życiu, miał w sobie pasję, miłość, moc płynącą z głębi ziemi i magię pochodzącą od duchów tamtych ruin.

Muzyka nabierała tempa. Rosa czuła cierpienie i namiętność zawarte w melodii. Zastanawiała się, czy tam na dole słychać uderzenia jej stóp o podłogę, wybijaną staccato odpowiedź. Odwróciła się, zatrzymując spojrzenie najpierw na generale, potem na Vicente. Mogli być pewni, że nigdy nie posiądą jej ducha. Tańczyła dla kraju, który kochała.

Rytm, a wraz z nim ruchy tancerki stawały się coraz szybsze. Wirowała, jakby zawieszona w powietrzu. Duchem była zupełnie gdzie indziej. Vicente zdradził brata, była tego pewna. Widziała Jordiego biegnącego w stronę morskiego brzegu. Psy i żołnierze byli tuż za nim. Widziała, jak Jordi i Marco pędzą przez pola ryżowe do starego chłopskiego domu i chowają się pod stromym dachem. Słyszała, jak żona gospodarza mówi:

– Nie, nie widziałam tu nikogo.

Widziała, jak leżą na zakurzonych deskach i patrzą na żołnierzy, którzy wyciągają kobietę na zewnątrz.

– Nie możemy pozwolić, żeby ją zabrali – powiedział Jordi szeptem do przyjaciela.

– Zabiją ją tak czy inaczej. – Marco pokręcił głową. – Wszyscy wiedzą, że ta rodzina to anarchiści.

Zobaczyła, jak Jordi odbezpiecza pistolet.

– Wolisz umrzeć jak bohater czy żyć jak tchórz?

– Nie miałbym takich oporów, gdyby mnie po prostu zastrzelili – słyszała odpowiedź Marca. – Nie chcę, żeby mnie wzięli żywcem.

– W takim razie chodź. – Jordi objął przyjaciela. – Na co czekamy?

Muzyka wypełniała ją teraz bez reszty, z krwią rozchodziła się po całym ciele. Jak przez mgłę docierały do niej klaskanie i okrzyki. Olé! Olé!

Jednak jej tam nie było. Unosiła się nad ziemią, nad Jordim, jak wiatr, próbując go pchnąć w stronę morza. Kule świstały obok niej i przez nią, kiedy starała się go osłonić. Marco upadł. Jordi biegł dalej.

– Uciekaj! – zawołał Marco, przyciskając dłoń do boku.

Krew sączyła się spomiędzy jego palców i skapywała na piasek.

– Nie! Nie zostawię cię tutaj. – Rosa widziała, jak Jordi wytęża wzrok i dostrzega niewielką łódź rybacką na horyzoncie. – Będę cię niósł.

Marco krzyknął z bólu, kiedy Jordi usiłował go podnieść.

– Zostaw mnie! – W pobliżu rozległy się nawoływania.

– Ale zostaw mi też twój pistolet. Idź już – wyszeptał, gdy Jordi wciskał mu broń do ręki.

Stopy Rosy poruszały się w niewyobrażalnym tempie, biły o posadzkę, jakby chciały wykrzesać z niej iskry. Kiedy muzyka osiągnęła crescendo, jak przez zasłonę ognia zobaczyła, że Marco unosi pistolet do skroni. Trzask! Złamał się obcas u jej buta. Znów biegła, biegła u boku Jordiego do łodzi.

– Jesteśmy Hiszpanami – powiedział jej, kiedy byli razem po raz ostatni. – Życie jest dla nas tragedią. – Złączyli się w ostatnim, rozpaczliwym pocałunku. – *Salud,* Rosa! – zawołał. – Gardzimy śmiercią, nasza miłość jej się oprze!

Tańczyła coraz szybciej i szybciej, stopy uderzyły o ziemię, jeszcze raz, drugi i znieruchomiały nagle. Ramiona Jordiego wystrzeliły w górę. Zrobiła to samo, obracając je nad głową. Poczuła, że go traci. Kiedy upadł, ona także upadła, jakby uszło z niej życie. Leżała na podłodze, oddychając z wysiłkiem, a wokół grzmiały brawa. Zamknęła oczy i próbowała go wypatrywać. Zanurkował? Płynął do łodzi, którą widziała na horyzoncie? Zdołał uciec? Dyszała ciężko, wracając do siebie; pod powiekami przelatywały jej ogniste rozbłyski. A może go zastrzelili? Wyrzucił ramiona w górę, umierając czy ciesząc się z ucieczki na wolność? Leżała nieruchoma, oblana

światłem padającym z żyrandola. Rozpostarta na parkie-
cie suknia tworzyła wokół niej czerwoną plamę. Gromki
aplauz nie cichł, a Rosa pragnęła, by podłoga rozstąpiła
się i ją pochłonęła.

– Jordi! – wyszeptała, przyciągając kolana do brzucha.
W odpowiedzi maleńka stópka trąciła ją od środka, a potem się cofnęła, jakby kopnięciem chciała utorować sobie
drogę na wolność.

Rozdział 50

Walencja, styczeń 2002

Emma narzuciła na siebie luźny szary sweter, rozpyliła odrobinę Chérie Farouche na szczotkę. Zdążyła raz przeciągnąć nią po włosach, gdy zadzwonił telefon.

– Em, kochanie. – Słyszała panikę w głosie Freyi. – Widziałam twoją wiadomość. Dobrze się czujesz? Z dzieckiem wszystko w porządku?

– Nie, nie czuję się dobrze. Jak mogłabym się dobrze czuć po naszej rozmowie? – Podniosła głos. – Myślałam, że komu jak komu, ale tobie mogę ufać...

– Emmo, proszę...

– Nie mogę uwierzyć, że to wszystko było kłamstwem. Okłamałaś mnie! Kim ja jestem, Freyo? Kim jestem?

– Kochanie, uspokój się, proszę. Pozwól mi wytłumaczyć...

– Nie. Dosyć kłamstw. – Emma usłyszała kroki na dole. – Idę porozmawiać z Macu. Wiedziałaś, że Rosa siedziała w więzieniu?

– W więzieniu? O Boże, nie! – Głos Freyi drżał. – Zawsze się tego bałam.

– W głowie mam same pytania. – Emma czuła ucisk w piersi. Schodząc z komórką przy uchu na dół po schodach, oddychała ciężko. – Jak ty i mama wróciłyście do Anglii?

– Powiedziałam Rosie, gdzie będę, w Cerbère. Udało mi się też dostać angaż na oddziale położniczym zorganizowanym w starej posiadłości w Elne. Miałam nadzieję, że Rosa pojedzie tam ze mną... Ale kiedy wróciła do Jordiego, ja zostałam na granicy i zdołałam odnaleźć Charlesa. Panował chaos. Żołnierze Franco strzelali do uchodźców z broni maszynowej. Tak zginął Hugo, a Charles stracił rękę. Nim zdołali go przywieźć do punktu medycznego, wdała się gangrena. Biedny Charles. Kiedy w końcu nabrał sił na tyle, by móc podróżować, wyjechaliśmy razem.

– Z mamą?

– Tak.

– I nikt was nie zatrzymywał? Tak po prostu zabrałaś dziecko z Hiszpanii do Anglii i wychowałaś jako swoją córkę?

Freya wyraźnie się zawahała.

– To nie było aż takie proste.

– Jak Rosa mogła porzucić mamę?!

Freya westchnęła.

– Sama nie potrafiłam zrozumieć, jak może opuścić swoje dziecko. Powiedziała, że nie ma wyboru, ale tak naprawdę miała. Wybrała Jordiego.

– Wiedziała, że mama będzie z tobą bezpieczna.

– Być może. Te kobiety ochotniczki miały w sobie niewiarygodną siłę. Pamiętam, jedna z nich powiedziała mi, że wolałaby własne dziecko zabić, niż być przez nie niezdolna do walki u boku męża.

Emma usłyszała, że Luca ją woła.

– Muszę iść.

– Emmo, zrozum, proszę, miałam powody... Bardzo

ważne powody, żeby ukrywać prawdę. Próbowałam jedynie chronić Liberty i ciebie.

– Mama wiedziała?

– Dowiedziała się niedługo przed śmiercią. – Freyi głos drżał od emocji. – W końcu wydusiła to ze mnie.

– Dlatego przyjechała do Hiszpanii? Dlatego kupiła ten dom?

– Tak. Kazała mi obiecać, że kiedyś ci powiem. Moment nigdy nie wydawał się odpowiedni, a teraz... – Westchnęła. – Zabawne. Rosa powiedziała mi kiedyś, że jej córka i wnuczka będą mieszkać w Villa del Valle, i miała rację. Myślę, że Liberty chciała ci dać coś, czego jej zawsze brakowało.

„Korzenie i skrzydła", przypomniała sobie słowa matki Emma. Skrzywiła się, bo powłoki jej brzucha napiął bolesny skurcz.

– Muszę już iść. Porozmawiamy później.

– Kocham cię, Emmo. Uważaj na... – Głos Freyi zamilkł gwałtownie w pół zdania, ponieważ Emma się rozłączyła.

– Emmo! – zawołał Luca z kuchni.

– Idę! – Ściągnęła brwi, masując brzuch. – Co się dzieje, u licha?

– Musisz tu przyjść i to zobaczyć.

Luca poprowadził ją przez kuchnię i wskazał na dół, który Marek kopał pod basen w ogrodzie.

– O Boże! – wykrzyknął nagle Marek. Zatrzymał koparkę i wyłączył silnik. – Borys!

– Co jest? – Borys wyłonił się zza rogu domu, objuczony pudłami ciemnoniebieskich kostek mozaiki, gotowy do wykładania nimi basenu.

Marek wspiął się na łyżkę koparki i zanurzył rękę w ziemi o barwie ochry. Borys z głośnym stęknięciem opuścił pudła na ziemię, wzniecając tuman kurzu. Odwrócił się do Marka, mówiąc coś cicho po polsku. Nagle się przeżegnał. Marek w dłoni trzymał czaszkę, ludzką czaszkę. Odwróciwszy się w stronę domu, dostrzegł w drzwiach Emmę z Lucą. Kiedy podniósł czaszkę wyżej, żeby im pokazać, poranne słońce błysnęło na złotych zębach.

Rozdział 51

WALENCJA, KWIECIEŃ 1939

– Gdzie byłaś? On tu szalał! – Macu nerwowo splatała ręce. Kiedy tylne drzwi kuchni otworzyły się z hukiem, naftowa lampa zakołysała się gwałtownie od przeciągu, cienie zatańczyły po ścianach. Rosa spokojnie odstawiła na stół koszyk pełen błyszczących zielonych liści.

– Zamknął i zabił deskami pokój Jordiego! – krzyczała Macu. – Wszystkie twoje rzeczy, sukienki, perfumy, wszystko tam zostało.

Rosa pomyślała o zdjęciach ukrytych pod podłogą w jej pokoju. Przynajmniej one były bezpieczne. Na zawsze razem, pomyślała. Ściągnęła z ognia ciężki czarny gar i sprawdziła, czy woda się gotuje.

– Nie potrzebuję tych rzeczy – powiedziała cicho, nabierając garść liści.

– Zachowuje się, jakby chciał wymazać wszelkie ślady swojego brata. Jakby Jordi nigdy nie istniał.

– Jest winny. – Rosa przygotowała tłuczek i moździerz.

– Winny? Kto jest winny? – spytał Vicente, wpadając do kuchni. Był rozebrany do pasa, jego muskularne, poznaczone bliznami ciało lśniło od potu. Podszedł do Rosy.

– Gdzie byłaś?

– Po jedzenie i ślimaki na kolację, Vicente. – Popatrzyła na niego wzrokiem pozbawionym wyrazu. – Gotuję to, co lubisz najbardziej. – Wskazała oskórowanego królika leżącego w koszyku.

Wyszedł. Słyszały, jak nakłada łopatą zaprawę do wiadra. Kiedy znów wszedł do domu, twarz miał mokrą od deszczu i wszędzie zostawiał błotniste ślady.

– Nie masz zamiaru nic mu powiedzieć? – spytała Macu, ściszając głos do szeptu.

Rosa pokręciła głową, zajęta ubijaniem liści w moździerzu.

– Wszystko w swoim czasie.

Macu sprawdziła stan paelli, próbując chrupiącej warstwy na spodzie patelni.

– Jest gotowa – stwierdziła, odchodząc od pieca. – Mam go zawołać?

– Tak. – Rosa wylała do zlewu większą część koniaku z butelki, a to, co zostało, postawiła na stole. Oddychała powoli, chociaż serce tłukło jej się o żebra. Słuchała głuchego dudnienia stóp Vicente, podążała za nim słuchem, gdy pokonywał resztę drewnianych schodów. Nalała sobie niewielki kieliszek i usiadła, żeby na niego czekać.

– Już czas. – Vicente wszedł do kuchni. Umył ręce w miednicy z wodą przy zlewie.

– Macu, mogłabyś obsłużyć mojego męża? – zapytała spokojnie Rosa. Macu chwyciła dużą metalową łyżkę i napełniła miskę parującym ryżem. Vicente zaczął jeść, nie zwracając na nią uwagi.

Rosa pociągnęła łyk koniaku.

– Vicente?

– Hm? – mruknął, nie podnosząc wzroku znad jedzenia.

– Dlaczego zamknąłeś pokój Jordiego?

Vicente wyssał ślimaka i odrzucił na bok pustą skorupę.

– Tam, gdzie teraz jest Jordi, niepotrzebne mu łóżko.

Rosa popatrzyła na niego z pobladłą twarzą.

– Co masz na myśli?

– Jordiego już nie ma. – Ryż przywarł do jego błyszczących ust wygiętych w pełnym okrucieństwa uśmiechu.

– Nie słyszałaś? Dziś rano o jedenastej republikanie oficjalnie się poddali. Franco zwyciężył. Teraz to wszystko należy do mnie.

– Powiedziałeś, że mu pomożesz. Powiedziałeś, że zadbasz, by wsiadł na łódź.

Vicente się zaśmiał.

– Port jest zatłoczony pięćdziesięcioma tysiącami ludzi próbujących uciec. Może mu się udało, a może nie.

– Vicente. – Mówiła cicho, ręce pod stołem zacisnęła w pięści. – Co słyszałeś?

Wzruszył ramionami, na jego twarzy malowała się bezmierna próżność.

– Pewien mały ptaszek powiedział mi, że biegli do łodzi przez plażę koło Albufery. – Sięgnął po butelkę i nalał sobie wszystko, co w niej było. – Są ich tysiące – powtórzył, opróżniając kieliszek. – Roją się na brzegu jak szczury. Marco został zastrzelony.

– O Boże, nie! – jęknęła Macu, ukrywając twarz w dłoniach.

– A Jordi? – Skrzywił się drwiąco. – Kto wie... A jak ty sądzisz? We dwóch przeciwko oddziałom wielkiego generalissimusa. – Twarz znów pociemniała mu z gniewu. – Zresztą co za różnica? Tamto jest przeszłością. Przyszłość to ty i ja. – Odsunął krzesło, podszedł do Rosy, położył rękę na jej brzuchu. – Nasze dziecko.

Rosa widziała, że przyjaciółka z trudem stara się zapanować nad nerwami.

– Oczywiście, Vicente – powiedziała spokojnie.

– Jordi dostał to, co mu się należało. Nigdy nie zapominaj, że mógłbym w każdej chwili wezwać tu wojsko, gdybym tylko chciał, o tak. – Pstryknął palcami niemal przed nosem Macu.

– W takim razie dlaczego nie wzywasz? – spytała.

– Może paru twoim przyjaciołom udało się wywinąć, ale większość jest wyłapywana, zamykana w więzieniach i na arenach. – Udając, że trzyma pistolet, wymierzył palcem wskazującym w Macu. – Ale ty nie jesteś warta tego, żebym się fatygował do miasta. – Lekceważąco machnął ręką. – Do widzenia i krzyż na drogę. To wspaniały dzień. Flaga starej Hiszpanii znów powiewa na naszym balkonie. – Wyciągnął kieliszek w stronę Rosy w geście toastu. – A ty, moja ukochana, moja mała gołębico, znów jesteś moją żoną. Koniec z tym bezsensownym *mi compañero*.

– Przyniosę ci jeszcze koniaku. – Rosa pociągnęła Macu za sobą do spiżarni i zamknęła drzwi.

– Jak możesz tu zostać? – Macu cała się trzęsła. – Ten człowiek to bydlę! To, co zrobił Jordiemu, Freyi i mnie…

Rosa spokojnie otworzyła narożną szafkę, przejrzała stojące w niej butelki i wybrała niebieską.

– Co to jest? – spytała Macu.

– Środek na uspokojenie. Nie chcę, żeby się do mnie dobierał dziś w nocy.

– Żałuję, że nie miałam czegoś takiego, kiedy przyszedł do mnie.

Rosa odwróciła się i przytrzymała o blat. Spojrzała na przyjaciółkę wzrokiem, w którym była jakaś mroczna determinacja.

– Przykro mi. – Wzięła ją za rękę. – Gdybym wiedziała…

– To nic w porównaniu z tym, jak ciebie traktuje. Nie możesz mu na to pozwalać.

– Nie mam zamiaru – odpowiedziała poważnie Rosa.

– Groził mojej córce, zdradził człowieka, którego kochałam, swojego brata.... – Odkorkowała butelkę. – I jeszcze wiesza portret tego łotra w mojej kuchni! Faszystowska świnia!

– Strumień obelg popłynął wraz z koniakiem odlewanym ze świeżo otwartej butelki. – Wystarczy – zdecydowała. Podniosła niebieską butelkę i oglądała ją pod światło. – Zapłaci za to, co zrobił mnie, Freyi, tobie, Jordiemu. Świat będzie lepszy czy gorszy, gdy ubędzie jednego faszysty? – Przelała całą zawartość niebieskiej butelki do koniaku. Zdjęła ścierkę z białej miski, którą wcześniej odstawiła na bok, zaczerpnęła chochlą jej zawartości i dolała do koniaku przez lejek.

– Rosa, co to jest?

– Ty się w to nie mieszaj. To są liście, które wcześniej ugotowałam. Oleander – odpowiedziała rzeczowo. – Normalnie wystarczy kilka kropel, żeby zabić człowieka. Vicente dostanie więcej.

– Nie mogę pozwolić, żebyś to zrobiła – oświadczyła twardo Macu.

– To nie ma z tobą nic wspólnego. Ja podjęłam decyzję. Vicente nigdy nie pozwoli mi odejść. Możesz iść, jeśli chcesz. Im szybciej sobie pójdziesz, tym bezpieczniej dla ciebie. Niedługo wojsko zacznie przeszukiwać okolicę. Lepiej żebyś była wtedy w domu, z Ignaciem. Nie wolno ci tu wracać, nie możemy się więcej widywać.

– Nie. – Macu objęła mocno przyjaciółkę. – Zostanę. Pomogę ci.

Vicente poderwał głowę, kiedy Rosa wniosła koniak; w świetle płomieni widoczny przez szkło trunek miał bursztynową barwę.

– *Joder!* Nie śpieszyło ci się. – Walnął pięścią w stół, odrzucił gazetę.

Rosa zerknęła szybko na nagłówek z pierwszej strony. *La conquista de Valencia y Alicante ha puesto definitivo tremino la peste roja. Peste roja,* pomyślała. „Czerwona zaraza wytrzebiona”.

– No, na co czekasz? – Vicente podsunął pusty kieliszek. Miał nabiegłe krwią oczy i zwiotczałą twarz. Resztki męskiej urody znikały, w miarę jak prawdziwy charakter uwidaczniał się w rysach.

Rosa napełniła kieliszek, butelkę odstawiła na kredens. Nałożyła dodatkową porcję paelli do glinianej miski i podała na stół, a potem usiadła pod lampą, by robić na drutach. Vicente ruchami niezbornymi od alkoholu nabierał łyżkę za łyżką i wpychał sobie do ust. Podniósł się ciężko na nogi, przeszedł przez kuchnię chwiejnie, jak byk po długiej walce, kiedy z jego krwawiących boków wystają niczym kolce ozdobione wstążkami *banderillas*. Napełnił kieliszek, usiadł, wlał w siebie koniak jednym ruchem. Powieki zaczęły mu opadać, położył głowę na stole. Rosa odsunęła robótkę na bok i czekała.

Mijały minuty, podczas których ciszę zakłócał jedynie trzask i syk ognia oraz przetaczające się po niebie grzmoty. Macu chyłkiem zbliżyła się do stołu.

– Czy on…? – odezwała się szeptem.

– Powinien – odpowiedziała Rosa. Twarz miała zastygłą w wyrazie goryczy.

Słyszały, jak deszcz, coraz bardziej rzęsisty, dudni o dach domu.

– Oddycha? – Macu podeszła na palcach do Vicente.
– Sprawdzę.

Wyciągnęła rękę, żeby dotknąć jego szyi. W tym momencie Vicente sapnął. Obie zaczęły krzyczeć, kiedy niezdarnie podniósł się z krzesła.

– Coście mi zrobiły? – Trzymał się za brzuch, wykrzywiony w bólu. – Wiedźmy! Przeklinam was!

Rosa się cofnęła. Vicente chwycił Macu za szyję. Na zewnątrz szalała burza, wiatr targał drzewami w ogrodzie, wpadał przez otwarte drzwi. Macu zaczęła się dusić, jej stopy dyndały nad podłogą. Rozpaczliwie wbijała palce w wielką dłoń Vicente.

– Pomocy! – wycharczała. – Nie mogę...

Rosa próbowała go od niej odciągnąć, ale Vicente mocno zaciskał ręce, mięśnie spięte skurczem rysowały się wyraźnie na jego plecach. Złapała ciężką kamienną misę moździerza, uniosła wysoko i z całych sił uderzyła go w głowę. Z głuchym stęknięciem wypuścił Macu, a nim upadł, z jego skroni buchnęła ciemna krew. Rosa splunęła na niego.

– *Hijo de puta*. Ty sukinsynu.

Kobiety stały nad nim w milczeniu, roztrzęsione, z trudem łapały oddech. Obie aż podskoczyły, gdy błyskawica rozdarła niebo.

– Musisz iść – zwróciła się Rosa do Macu.

– Nie, zostanę. Jesteś moją przyjaciółką na dobre i na złe. Zostanę i ci pomogę. Co z nim zrobimy?

Rosa spojrzała na pogrążony w mroku ogród. Kolejna błyskawica oświetliła stertę zaprawy w miejscu, gdzie Vicente pracował; łopata stała sztywno wbita w ziemię.

– Najpierw wykopiemy dół. Pójdę poszukać w szopie drugiej łopaty. – Wzięła notes z recepturami, tomik wierszy Lorki oraz ciężki moździerz i wyszła z tym wszystkim do ogrodu. Deszcz strugami spływał jej po twarzy. Ramieniem otworzyła drzwi szopy, umieściła moździerz i tłuczek na najwyższej półce. Przechodząc przez ogród, zdjęła z palca złotą obrączkę i wrzuciła do studni. Popatrzyła na ciemną wodę w dole i zobaczyła drżący wizerunek kobiety, której już nie rozpoznawała. Obrączka opadała wolno, obracała się i połyskiwała, zapadając między gładkie kamienie, w ciszę na dnie. Jakby mnie tu nigdy nie było, pomyślała Rosa.

We dwie kopały w brunatnej ziemi, a wokół nich szalała burza.

– To za długo trwa! – zawołała Macu. Po półgodzinie dół miał zaledwie metr głębokości.

Rosa obejrzała się w stronę kuchni, dostrzegła Vicente leżącego na podłodze. Popatrzyła na stertę wapna pod okapem szopy, przygotowaną do wykończenia muru.

– Wszystko będzie dobrze. Poradzę sobie. – Odłożyła łopatę. – Pomóż mi go zaciągnąć do sklepu. Tam się nim zajmę.

– Do sklepu? – Macu się skrzywiła. – Co zamierzasz zrobić?

Rosa ruszyła ścieżką do kuchni.

– Mam zamiar posprzątać. Jak skończę, nikt nie pozna, że tu w ogóle byłyśmy. – Znów pomyślała o zdjęciach pod podłogą na górze. – Dom zapadnie w sen na długie lata, jak w bajce. – Każda chwyciła za jedną nogę i wyciągnęły Vicente z kuchni; jego głowa podskakiwała na kamiennych stopniach. Między drzewami pomarańczy ramiona wlokły się za nim po ziemi po trawie śliskiej od zimnego deszczu.

Rosa odetchnęła, gdy wreszcie dotarły do tylnych drzwi sklepu.

– Odtąd poradzę sobie sama. Chcę, żebyś już poszła.

Niebo znów przeszyła błyskawica, huknął piorun. Macu zajrzała do ciemnego wnętrza, zobaczyła rzędy srebrnych noży; oświetlone kolejną błyskawicą zalśniły złowrogo. Rosa chwyciła ją za ramiona.

– Macu, zapomnij o mnie. Zapomnij o tym wszystkim.

– Nie mogę. Jesteś moją przyjaciółką.

Rosa przytuliła ją, czuła, jak Macu drży w jej objęciach.

– Idź i miej dobre życie z Ignaciem. Możesz mieć wszystko, dom, życie, rodzinę. Bądź bezpieczna. – Ucałowała ją w oba policzki. – Zapomnij o mnie.

Słyszała tupot nóg Macu biegnącej przez ogród, odczekała, aż trzaśnie zamykana brama. Obejrzała się na dom; wiatr mierzwił gałęzie drzew pomarańczowych. Serce podeszło jej do gardła na myśl o tym, co musi zrobić. Palce jej drżały, kiedy sięgała ponad zimnymi kaflami lady.

– Już czas, Vicente – powiedziała cicho. – Już czas.

Rozdział 52

WALENCJA, STYCZEŃ 2002

– Nie te, tamte. – Macu wskazała białe lilie z tyłu wystawy w sklepie Aziza.

– *Si, señora*. – Aziz ostrożnie wyciągnął kwiaty ze stalowego wiadra, dorodne kielichy zakołysały się w powiewie wiatru. Od białych, przypominających języki płatków biła ciężka kadzidlana woń.

– *Buenos días*, Macu – powiedziała Emma, zatrzymując się, żeby cmoknąć staruszkę w policzek. – Są piękne, Aziz. Na jakąś specjalną okazję?

– Zaniosę je na cmentarz dla mojego Ignacia – wyjaśniła Macu.

– Dzień dobry – powitał je Fidel. Wniósł do sklepiku drewnianą skrzynkę ze świeżymi warzywami. – Mam tu pani zamówienie. Córka prosiła, żebym podrzucił to pani po drodze.

– Dziękuję. Ile jestem winna? – Emma sięgnęła po portfel. Fidel poklepał ją po ręce.

– Nic. Cała przyjemność po mojej stronie. Potrzebuje pani świeżych owoców i warzyw. Dla dobra dziecka.

– Dobrze się czujesz? – zainteresowała się Macu. – Jesteś bardzo blada.

– Nic mi nie jest. – Emma oparła się o ladę. – Tylko... przeżyłam lekki szok. Wykopali szkielet w ogrodzie za domem.

– Szkielet? – Macu aż się cofnęła.

– Tak, i czaszkę ze złotymi zębami.

– Mówię wam, ten dom ma w sobie *mala sombra*, złą energię – powiedział Aziz, wręczając Macu bukiet.

– Bzdury – zbyła go Emma. Mimo że świeciło słońce, poczuła nagły chłód. – Luca zadzwonił na policję. Myślę, że sprowadzą jakiegoś przedsiębiorcę pogrzebowego, żeby się zajął szczątkami.

– Chodź – powiedziała Macu. – Minie trochę czasu, zanim tu dotrą. Musimy porozmawiać. – Wzięła Emmę pod ramię. – Przejdźmy się razem na cmentarz. Ty też, Fidel.

Szli razem w ciszy przerywanej jedynie stukaniem laski Macu. Fidel pchnął skrzypiącą metalową bramę cmentarza i wpuścił je do środka. Emma zsunęła ciemne okulary z czoła na nos, próbując się bronić przed oślepiającą bielą murów, kłującym w oczy połyskiem szlifowanego kamienia i złoconych wazonów. Na każdym ze schludnie utrzymanych grobów stały świeże kwiaty. Teraz rozumiem, dlaczego interes Aziza tak dobrze idzie, pomyślała; oddychając głęboko, starała się przeczekać skurcz.

Macu przeszła żwirową ścieżką i zatrzymała się przed wielkim marmurowym grobowcem.

– Możesz mi pomóc? – poprosiła Emmę, wskazując zwiędłe goździki. Emma schyliła się niezdarnie, opróżniła wazon stojący na podmurówce. Zatrzymała wzrok na imionach i nazwiskach wyrytych na tablicy. Pod Ignaciem zobaczyła: „Alejandra Ramirez Villanueva 1971–1999". Miała tyle samo lat co ja, pomyślała. Jeszcze niżej znajdowała się inskrypcja: „Xavier de Santangel Ramirez 1999".

Fidel podał jej scyzoryk do przycięcia łodyg.

– Pięknie tu – odezwała się Emma. – Tak spokojnie.

– Lubię tu przychodzić co tydzień i rozmawiać z Ignaciem. – Macu cofnęła się i usiadła z Fidelem na kamiennej ławce pod murem. Odchyliła głowę do tyłu, wystawiając twarz do słońca. – Pytajcie mnie, o co tylko chcecie.

Emma wstawiła lilie do wazonu i także usiadła.

– Dlaczego nikt nie chce mi wyjawić prawdy? Proszę, powiedz, co tu się stało po wojnie.

– To były bardzo złe czasy – zaczęła cicho Macu. – Ja miałam szczęście. Santangelowie to była duża rodzina, chronili mnie. Próbowałam pomóc Rosie, ale kiedy wróciła po tym, jak zostawiła twoją matkę z Freyą...

– Próbowała znaleźć Jordiego? Co się z nim stało?

– Nikt tego nie wie. Wielu ludzi zaginęło.

– A Rosa?

– Aresztowano ją wraz z innymi w porcie. Została wysłana do więzienia. – Macu na chwilę zamilkła. – Były tam statki ratownicze, niektóre z nich zabierały na pokład kobiety i dzieci. Ale nacjonaliści złamali warunki ugody. Obiecywali, że pozwolą uchodźcom bezpiecznie odpłynąć, lecz ludzie Franco zmusili wszystkich, co do jednego, do powrotu na ląd. To była pułapka, straszliwa pułapka. Wyłapali ich jak motyle do siatki. – Głos Macu łamał się i drżał. – Niektórzy mężczyźni, dzielni mężczyźni jak Jordi i Marco, żegnali się tam w porcie uściskiem i strzelali sobie w głowę. Woleli to, niż dostać się w łapy faszystów. Rosa opowiadała mi, że sama widziała, jak to robili, mówiąc: „na trzy: *uno, dos, tres*"... Bum. Wyobrażacie sobie? Co za tragiczna śmierć...

– Może powinniśmy zaczekać z tą opowieścią – odezwał się Fidel. – To nie jest dobre dla Emmy, dla dziecka.

– Nie. Emma chce wiedzieć. Skoro chce tu zacząć nowe życie, musi znać prawdę o swojej rodzinie. – Macu zamknęła oczy. – Ludzi, którzy nie mieli kul, żeby się zabić, zagnano do więzień i na areny. Nie mieli jedzenia, niczego dla dzieci, tylko to co na sobie.

– Kobiety i dzieci też zabrali? – spytała Emma.

Fidel pokiwał głową.

– Po wojnie wystarczyło być żoną albo dziewczyną czerwonego. Po upadku Barcelony i Walencji wsadzili do więzień setki tysięcy ludzi.

– Nikt nie mówi o tym, co się działo w więzieniach czy obozach koncentracyjnych – powiedziała Macu.

– Takich jak w nazistowskich Niemczech?

Macu potwierdziła skinieniem głowy.

– To było potworne. Ludzi traktowano jak zwierzęta, w Hiszpanii, w ich własnym kraju, i we Francji. – Popatrzyła w dal ponad grobem. – Wiesz, zamietli pod dywan zbrodnie reżimu, kiedy Franco zmarł w tysiąc dziewięćset siedemdziesiątym piątym roku. Wszyscy pragnęli łatwego przejścia do demokracji. Nie było procesów. Nikt nie chce zerwać tego niepisanego paktu milczenia. Myślą, że lepiej nie pamiętać. – Macu westchnęła. – Ale nawet zmarli mają swoje prawa. Musimy rozmawiać, musimy dopilnować, żeby to się nigdy nie powtórzyło.

Fidel mocno ścisnął dłonie kolanami.

– Nie ma tu spokoju. Tak wiele rodzin zostało rozbitych, tak wiele dzieci straciło rodziców. Turyści przyjeżdżają do Hiszpanii i widzą słoneczny kraj, wspaniały na wakacje, ale pod spodem… Niektórzy ludzie wciąż nie kupują ode mnie, bo moja rodzina była czerwona. Czasami się zastanawiam, czy pożar, który zabił moją żonę i jej matkę… zastanawiam się, czy wybuchł przypadkowo.

Wzruszył ramionami.

– Moja matka też siedziała w więzieniu. Była wśród tych, których zgarnięto z portu, jak Rosę. – Zwiesił głowę. – Tak wiele dzieci straciło życie.

– Trzymali dzieci razem z kobietami? – spytała Emma, czując bolesne napięcie w brzuchu.

– Tak. Dawali kobietom po jednym śledziu na dzień i po parę klusek w morskiej wodzie. Matki karmiące traciły pokarm i ich dzieci umierały. To było straszne, straszne – mówiła Macu. – Jeden ze strażników powiedział do Rosy: „Nie chcemy was przekonać, że mamy rację, chcemy was ukarać".

– Twierdzili, że jesteśmy niedorozwinięci umysłowo – wszedł jej w słowo Fidel. – Że tylko ktoś nienormalny może być czerwonym. Naukowcy prowadzili eksperymenty na naszych ludziach... na pierwszy ogień szli ci z Brygad Międzynarodowych.

Emma pomyślała o Charlesie i zrobiło jej się słabo.

– Rozumiem – szepnęła. – Rozumiem, dlaczego ludzie nie chcą do tego wracać. Czuję się, jakbym otworzyła puszkę Pandory.

– Nie. Powinnaś znać prawdę. – Macu się zawahała. – Chcę, byś wiedziała, że twoja babcia była bardzo dzielna. – Ujęła dłoń Emmy. – Udało mi się zobaczyć z Rosą. Potem odesłali ją do więzienia Ventas w Madrycie. Przenosili więźniów tam, skąd pochodzili. Rosa urodziła się na południu, ale mieszkała w Madrycie, więc tam ją zabrali. Więzienie zostało wybudowane dla pięciuset osadzonych, ale trzymali tam ponad pięć tysięcy kobiet, w tym matek z małymi dziećmi. Och, jacyż oni byli okrutni!

– Tam, gdzie ja byłem, uważali, że dzieci należy odebrać rodzicom – powiedział Fidel. – Rozdzielili mnie z matką. – Zacisnął powieki. – Pamiętam, jak w okropnym zimnie z innymi dziećmi szedłem przez plac i patrzyłem na kraty. Wszystkie matki cisnęły się do okien, rozpaczliwie próbując dojrzeć swoje dzieci. Miałem wtedy jakieś cztery, pięć lat. Bardzo za matką tęskniłem.

– Musisz pamiętać, że większość z tych kobiet nic nie zrobiła – dodała Macu. – Były córkami, żonami republikanów. To było ich jedyne „przestępstwo". Dlatego ciągnięto je nago po ulicach, z ogolonymi głowami, upokarzano, torturowano, gwałcono, więziono.

Emmie kręciło się w głowie.

– Co się stało z Rosą?

– Udało mi się z nią zobaczyć tylko dlatego, że sądzili, iż może umrzeć po stracie dziecka.

Emma odwróciła się do niej zaskoczona.

– Dziecka?

– *Si*. – Macu pokiwała głową. – Znów zaszła w ciążę z Jordim. Byli razem, zanim poszedł walczyć w ostatnich bitwach wojny. A w więzieniu... Pamiętam odgłos drzwi zamykanych za moimi plecami. Byłam przerażona, że mogą mnie nie wypuścić. Z przepełnionych toalet wylewały się fekalia... co za smród! Słychać było płacz dzieci. Rosa powiedziała mi, że codziennie umiera pięcioro lub sześcioro z nich. Na czerwonkę, zapalenie opon mózgowych. Nawet odra oznaczała wyrok śmierci.

– Co się stało z jej dzieckiem?

Macu wolno pokręciła głowa.

– Urodziła w więzieniu. Potrafisz sobie wyobrazić sprowadzenie nowego życia na świat w takim miejscu? Wzięli od niej dziecko, by je umyć, powiedzieli jej, że to chłopiec. Więc moja przyjaciółka, moja droga, dzielna Rosa czekała i czekała, leżała zziębnięta, samotna, we krwi. W końcu wrócili i oznajmili jej, że dziecko nie żyje. – Głos jej się załamał, po policzku spłynęła łza. – Urodziło się martwe. – Wyjęła z kieszeni koronkową chusteczkę i otarła nią twarz. – Rosa poprosiła, żeby jej pokazali synka, ale powiedzieli, że już został pochowany wraz z innymi dziećmi.

– O Boże... – westchnęła Emma, trzymając się za brzuch. – Biedna Rosa.

– Pewnie kłamali. Często oddawali dzieci „dobrym" nacjonalistycznym parom, które uczyły je salutować generalissimusowi – rzekł Fidel.

Macu zmięła chusteczkę w palcach.

– Tak również bywało. Rosa myślała, że skoro jej dziecko zmarło, zostanie stracona, tak się stało z jedną jej znajomą, zgwałconą przez dziewięciu policjantów i skazaną na śmierć. Czekali, aż urodzi, i dwa dni później ją zastrzelili. Rosa powiedziała, że to była najgorsza scena, jaką widziała podczas tej wojny. Wyrwali tej kobiecie dziecko z ramion. Matka wyła z rozpaczy. Rosa była załamana, kiedy mi o tym mówiła.

Emma miała ściśnięte gardło.

– Boże, to za wiele, żeby udźwignąć. Jak się stamtąd wydostała? Jak trafiła do Meksyku?

– Ja jej pomogłam – powiedziała cicho Macu. – Kiedy zobaczyłam, co jej zrobili... Mówiła mi, że usłyszały od księdza, że są gorsze od dziwek. Że nie są godne być matkami, dlatego ich dzieci umierają. Rosa wciąż wierzyła, nigdy nie straciła wiary. Kiedy ksiądz tak powiedział, była zdruzgotana. Uważała, że dziecko zmarło przez nią. – Skręcała chusteczkę w dłoniach. – Wiedziałam, że nie może tam zostać, że długo tego nie wytrzyma. Zamieniłyśmy się ubraniami i dokumentami. Rosa w futrze z lisów wyszła z Ventas do czekającego samochodu. Mój kierowca zabrał ją na wybrzeże. Ja leżałam na ziemi na tyle długo, by zdążyła uciec, potem zaczęłam udawać, że mnie obezwładniła. Uderzyłam kilka razy głową o ścianę, żeby się poranić. – Przesunęła smukłymi palcami wzdłuż nasady włosów. – Ignacio przyszedł i mnie uratował. Myślę, że wiedział, co zrobiłam. Ale nigdy o tym nie rozmawialiśmy.

– Był dobrym człowiekiem – wtrącił Fidel.

– Rosa miała rację co do niego – powiedziała Macu do Emmy. – Sprzeciwił się rodzicom i wziął ze mną ślub. Kochał mnie, a ja z czasem także go pokochałam. Na sześćdziesiąt lat. Żyliśmy długo i szczęśliwie. Żadne z nas nie było „czerwonym" ani „faszystą", po prostu kochaliśmy się nawzajem i kochaliśmy nasz kraj. Miał możnych przyjaciół i załatwił ułaskawienie dla Rosy.

Emma uścisnęła staruszkę.

– Dzięki tobie moja babcia uciekła.

Macu pogładziła ją po plecach.

– Była moją przyjaciółką. Myślę, że w Hiszpanii nie ma rodziny, która by nie miała powodu do żałoby. Fidel należy do pokolenia zaginionych dzieci. Będziemy się zmagać z tym bólem aż do śmierci.

– Co gorsza – rzekł Fidel – nawet tym, którzy uciekli, dzieciom adoptowanym w Rosji, Meksyku, Anglii, nawet im Franco nie dał spokoju. Zabił ich rodziców, a potem dobrał się do nich. Zagraniczne służby Falangi ich szukały. Mimo nowych nazwisk, nowych rodzin, nie były bezpieczne.

Emma teraz zrozumiała, dlaczego Liberty i Freya wpadały w panikę za każdym razem, gdy jako dziecko się od nich oddaliła.

– Opowiedz mi, jak było, kiedy moja matka tu wróciła – poprosiła Fidela.

– Przyjechała wiele miesięcy temu – zaczął. – W lutym zeszłego roku.

Emma na moment się zamyśliła.

– Musiałam lecieć do Nowego Jorku. – Ściągnęła brwi. – Mama powiedziała, że wybiera się do Kornwalii ostatni raz. To było niedługo przed jej śmiercią.

Rysy Fidela zmiękły w wyrazie czułości.

– Chciała, żeby ten dom był dla ciebie niespodzianką. Przykro mi, że nie mogłem tego ci powiedzieć, kiedy się po raz pierwszy spotkaliśmy.

Emma miała łzy w oczach.

– Nie szkodzi. Mama zawsze lubiła robić niespodzianki. Opowiedz mi o jej wizycie.

– Zabrałem ją w góry, żeby mogła zobaczyć ziemie swoich ojców. Pokazałem jej wieś i Villa del Valle. – Uśmiechnął się do wspomnień. – Powiedziała: „To jest to! Przez całe życie odczuwałam tęsknotę za czymś, czego nigdy nie poznałam". Powiedziała mi też, że w Wielkiej Brytanii, gdzie dorastała, Celtowie nazywają to *hiraeth*, tęsknotą za domem.

Emma odetchnęła głęboko.

– Tak się cieszę, że była tu szczęśliwa.

– Właśnie tego chciała dla ciebie. Miała nadzieję, że zaczniesz tu wszystko od nowa.

– Rosa też by tego chciała – powiedziała cicho Macu. – Uciekła do Meksyku na statku „Sinaia", z Sète. Nancy Mitford i jej mąż założyli w Perpignan biuro pomagające w ucieczce prześladowanym matkom. Rosa z nią pracowała. – Macu się uśmiechnęła. – Wyobrażasz sobie swoją babcię w środku tego chaosu? Mnóstwo ludzi z tekturowymi walizkami, wszędzie osły, kozy i psy. Musiał być niezły harmider. – Pokręciła głową. – Dostałam od niej tylko jeden list, po tym jak dotarła do Meksyku. Wsiadła na statek jako pielęgniarka, żeby pomagać dzieciom. Nigdy stamtąd nie wróciła. – Macu patrzyła gdzieś w dal ponad cmentarzem. – Po jej śmierci jakaś zakonnica przysłała mi zdjęcie, to, które ci niedawno dałam. Nasz przyjaciel Carlos zrobił je jesienią tysiąc dziewięćset trzydziestego siódmego roku. Było dla niej skarbem. – Macu spojrzała na medalion na szyi Emmy. – Nie mieliśmy wtedy wielu zdjęć. – Znowu się uśmiechnęła, myśląc o przyjaciółce. – Rosa kochała ten ogród. Bardzo by się cieszyła, że dzięki tobie znów rozkwita.

Emma uścisnęła jej doń.

– Dziękuję. Wiem, jak musi ci być trudno o tym mówić.

– Trudno jest nie móc o czymś mówić – odezwał się Fidel. – Ludzie myślą, że stare rany się wygoiły. Nie dla naszych rodzin. – Podał Macu ramię. – Mojego ojca zabrali. – Emma za zdumieniem dostrzegła, że ocierał łzy, kiedy przechodzili przez cmentarz. – Wiele republikańskich rodzin wciąż nie ma gdzie opłakiwać swoich bliskich. Gdzie pierwszego listopada mają zanieść kwiaty, żeby uczcić swoich zmarłych? – Weszli w cień muru i od razu zrobiło się chłodniej. Fidel przejechał ręką po rzędzie okrągłych dziur w tynku. – Widzisz? To ślady po kulach. Wygarnęli ze wsi mężczyzn, którzy popierali republikanów, i kazali im kopać wielki dół. Zastrzelili ich i wrzucili tam ciała. Gdzieś pośród nich jest mój ojciec. – Rozpostartymi dłońmi pogładził soczyście zieloną trawę. – Chcę go odszukać. Powinien być należycie pochowany, jak ludzie Franco. – Wskazał równe rzędy dobrze utrzymanych grobów pod pomnikiem upamiętniającym wojnę. – Bardzo tego pragnę.

– Takie groby są rozsiane po całym kraju – podjęła Macu. – Ludzie byli wrzucani do studni, rowów, przepaści. Może któregoś dnia Hiszpania otworzy oczy. Mamy demokrację. Niektórzy mówią, że przeszłość należy zostawić pogrzebaną, ale dopóki ludzie tacy jak ojciec Fidela nie spoczną we własnym grobie, dopóty stare rany się nie zagoją.

– Zastanawiam się, kto został pochowany przy moim domu – powiedziała z zadumą Emma.

– To był mąż twojej babki.

– Jordi?

– Nie, nie Jordi – odpowiedziała Macu ze złością. – Ten sukinsyn Vicente.

Twarz Emmy wykrzywił grymas bólu. Oparła się ręką o mur.

– Dobrze się czujesz? – zaniepokoił się Fidel.

Macu przyjrzała jej się z troską.

– Zdenerwowaliśmy cię. Nie chciałam ci tego wszystkiego mówić, nie w tym momencie.

Emma ściągnęła usta i powoli wypuściła powietrze.

– Nie. Cieszę się, że wiem. Ale chyba… – Zacisnęła zęby, przeczekując kolejny skurcz. – Chyba muszę jechać do szpitala.

Rozdział 53

LONDYN, MARZEC 1939

Czerwony triumph dolomite przemknął przez Pond Place, mijając domki robotników, ochlapał brudną wodą Freyę i wózek z dzieckiem.

– Niech cię diabli! – mruknęła, odgarniając mokre od deszczu włosy i skostniałymi z zimna palcami sięgnęła po klucz. – Ciii... – Zakołysała wózek nogą, otwierając drzwi. Miała nadzieję, że Charles jest w lepszym nastroju. Od powrotu z sanatorium nie był w stanie z nikim się widywać ani rozmawiać. Freya pamiętała słowa siostry przełożonej z Hiszpanii: „Kiedy już jesteście pewne, że więcej nie zniesiecie, uśmiechajcie się. Zawsze się uśmiechajcie, dziewczęta". Drzwi były czarne od sadzy, z każdego komina w pobliskich domkach unosił się ku niebu gęsty szary dym. Freya zakaszlała, aż zabolało ją w piersi. Nie mogła się pozbyć przeziębienia. Otwarte drzwi zaklinowały się w miejscu, gdzie od wilgotnego dywanu powstało wybrzuszenie w podłodze. Freyę powitał głos Billie Holiday płynący z gramofonu oraz mgła papierosowego dymu.

– Jesteś wreszcie. Gdzie byłaś? Pada już od paru godzin. – Charles z widocznym wysiłkiem dźwignął się z kanapy. W domu panował przenikliwy ziąb, więc miał na sobie dwa swetry i szalik. Freya wciągnęła ciężki wózek do pokoju.

– Wyglądasz...

– Wyglądam okropnie. – Spojrzała na stolik do kawy zastawiony pustymi butelkami, które połyskiwały blado w świetle płonącego węgla.

– Nalać ci drinka, staruszko? – Charles uniósł kieliszek pod światło, po czym odstawił go z powrotem na stolik. Ręka mu zadrżała, kiedy sięgał po butelkę brandy i kieliszek zjechał z blatu, rozbijając się o palenisko. – A niech to diabli! – wymamrotał, próbując uklęknąć, żeby zebrać kawałki szkła.

– Zostaw to – rzuciła szorstko Freya. Popłakiwanie dziecka przybrało na sile.

– Nie, nie. Poradzę sobie. – Język mu się plątał. – Ciągle jeszcze się uczę robić wszystko jedną ręką.

– Zostaw to! – krzyknęła. – Na litość boską, Charles... – Wybuchnęła płaczem.

Zgasił papierosa. Wyjął z kieszeni czystą chusteczkę i machał nią jak flagą, sygnalizując poddanie.

– Przepraszam. – Wytarła oczy. – Zwykle nie... Nie wiem, co się ze mną dzieje.

Otoczył ją ramieniem.

– Mam ci przynieść coś do picia? Może herbatę?

Freya popatrzyła na niego ze smutkiem, łzy wciąż płynęły jej po policzkach.

– Nie, dziękuję. Jestem po prostu strasznie zmęczona. Przeszłam kawał drogi, próbując ją uśpić. Nie przestaje płakać, a ja nie wiem, co mam robić.

– Mogę? – Odsunął koc z wierzchu wózka. Liberty miała sine wargi, nóżki podciągnięte do brzuszka. – Myślę, że ma kolkę.

– Wiem. Próbowałam wszystkiego. Nie mam pojęcia, czy to przez jedzenie, czy... – Freya znów zaczęła chlipać.

– Nie wiedziałam, że to będzie aż takie trudne. Tak jest przez cały czas. W dzień i w nocy.

– Już dobrze, dobrze. – Charles poklepał ją po ramieniu.

– Jestem pewien, że z czasem będzie łatwiej.

– Mam nadzieję. Chyba dłużej tego nie wytrzymam.

– Słuchaj, mam pomysł. Połóż się dziś wcześniej. Jestem pewien, że sam dam sobie radę.

– Nie, nie wydaje mi się... – Popatrzyła na stół pełen butelek.

– Bzdura. Przecież nie jestem sparaliżowany, Frey. – Oparł sobie dziecko na biodrze i zajrzał mu w oczy. – Młoda damo, zabawia cię jeden z najlepszych angielskich kolekcjonerów motyli. Wprawdzie w ogóle się nie znam na dziecięcym jedzeniu, ale mogę cię nieźle znudzić opowieściami o motylach. – Mrugnął do Freyi, która w odpowiedzi uśmiechnęła się przez łzy. – Kładź się do łóżka.

Tamtej nocy po raz pierwszy od tygodni porządnie się wyspała, podczas gdy Charles niestrudzenie krążył po salonie. W kamizelce osłoniętej na wszelki wypadek czystą pieluszką chodził tam i z powrotem, huśtając Liberty na ramieniu.

– Kurczę, trzeba przyznać, że masz niesamowitą krzepę – mruknął. Nagle przystanął, spoglądając na małą podejrzliwie. – No nie, ty chyba... – Skrzywił się. – Mam nadzieję, że masz na sobie pieluchę? – Przeszedł do kuchni. – Zobaczmy, Freya chyba rozwiesiła kilka do wysuszenia. – Ułożył dziecko na ręczniku na kuchennym stole. Mała przyglądała mu się, ssąc kciuk. – Teraz chyba lepiej się czujesz? – odezwał się spokojnie. – No dobrze, jak to się robi? – Podrapał się po głowie. – Widziałem, jak Freya cię przewijała. To nie może być aż takie trudne. – Rozejrzał się. – Trochę ciepłej wody? Płócienna myjka czy coś w tym rodzaju?

Znalazł odpowiednie naczynie pod zlewem, napełnił je wrzątkiem z czajnika, dolał zimnej wody. Znów się podrapał.

– Wiem! Mam kawałek płótna w gabinecie. – Wrócił ze szklanym słoikiem w ręku. – To trochę brudniejsza robota niż usypianie chloroformem motyli, ale nie ma na co czekać. – Ostrożnie rozpiął ubranko. – O Boże, to jest... – Skrzywił się, poczuł, że zaczyna w nim wzbierać histeryczny śmiech. Zdjął czystą piżamkę ze sznura. – Może to się nada? – Ściągnął usta. – Fuj. Jak taka mała istotka może zrobić aż tyle... – Myjąc dziecko, starał się trzymać twarz odwróconą w bok. – Mogłabyś być trochę bardziej pomocna? Właśnie wpakowałaś w to nóżkę.

W końcu udało mu się założyć dziecku pieluszkę i przebrać je w czyste rzeczy.

– No, całkiem nieźle nam poszło i nawet cię nie ukłułem przy tym agrafką. – Cofnął się, podziwiając swoje dzieło. Pielucha tworzyła dziwne wybrzuszenie w okolicy kolan. – Przyznaję, że nie wyglądasz zbyt elegancko, ale może jakoś wytrzymasz do rana. – Wrócił do salonu, gdzie wyciągnął się na kanapie i ułożył sobie dziecko na brzuchu.

Freyę obudzi brzęk butelek z mlekiem ustawianych na progu pod oknem jej sypialni. Jak zawsze, najpierw pomyślała o Tomie. Mijały miesiące, a ona wciąż nie dostała od niego żadnej wiadomości. Poprzedniego dnia powiedziała sobie, że nie ma nadziei. Zapomniał o niej. Znów przypomniały jej się słowa siostry przełożonej: „Uśmiechajcie się, dziewczęta. Żadnych łez, bądźcie silne". Westchnęła, przeciągając się leniwie. Cudownie jest się wyspać, pomyślała. Zaraz potem gwałtownie otworzyła oczy.

– Liberty! – krzyknęła, siadając na posłaniu. Kołyska u stóp jej łóżka była pusta. – Charles! – zawołała, pośpiesznie wciągając na siebie stary szlafrok z niebieskiej flaneli. Zbiegła na dół. – Charles, gdzie... – Stanęła jak wryta, usta same wygięły jej się w uśmiechu. Charles leżał na kanapie i chrapał, a Liberty, osłonięta nim przed upadkiem, bawiła się kolorowymi motylami z papieru, które dla niej powycinał.

Rozdział 54

LONDYN, STYCZEŃ 2002

– Freya! – Charles ciężkim krokiem przeszedł przez oranżerię. – Freya!

– Jestem w kuchni! – odkrzyknęła. W całym domu słychać było melodię przewodnią ze słuchowiska *The Archers*. Freya podniosła wzrok znad ciastek w kształcie serc, które wykrawała foremką.

– Ona zaczęła rodzić, Frey. Jakiś Luca właśnie dzwonił.

– Luca de Santangel. Wnuk Macu. – Freya otrzepała ręce z mąki.

– Dobry Boże, to Macu ma wnuki? – Charles opadł na kuchenne krzesło.

– Charles, ona ma prawnuki. Jak ci się wydaje, ile my mamy lat? Dwadzieścia? – Nakładała na ciastka dżem truskawkowy.

– Owszem, czasami właśnie tak mi się zdaje – przyznał. – Nie mogę uwierzyć, że nasza Em będzie matką.

– Podjąłeś decyzję?

– W sprawie czego?

– Hiszpanii, Charles. Jeśli się nie zdecydujesz, pojadę sama. Em znalazła jakąś młodą nianię, więc będzie miała pomoc przez pierwsze tygodnie, nie potrzebuje nas od razu. Chcę jechać za jakiś miesiąc lub dwa, kiedy pogoda się poprawi.

– Rozumiem. To ci powinno dobrze zrobić. Wakacje na słońcu po tych wszystkich kłopotach, jakie masz z Delilah.

– Poradzę sobie z nią. – Freya popatrzyła na równe rzędy serc. – Po prostu martwię się o Emmę. Nie zniosłabym, gdyby to nas poróżniło teraz, po tylu latach.

– Tajemnice mają brzydki zwyczaj wychodzenia na jaw. – Charles rysował palcem w mące rozsypanej na blacie stołu. – Mówiłem, że powinniśmy byli jej powiedzieć prawdę już dawno temu.

– Wcale nie mówiłeś! Ty to wszystko zacząłeś. Przez ciebie całe nasze życie było zbudowane na kłamstwie.

– Frey, pamiętam dokładnie, jak ci mówiłem, kiedy Liberty skończyła osiemnaście lat, że powinniśmy...

– Bzdury. – Podniosła się z trudem, opierając cały ciężar ciała na lasce. – Gdybyśmy jej powiedzieli, od razu by pognała do Hiszpanii, chcąc odnaleźć Jordiego i Rosę, a to nie było bezpieczne. Represje ciągnęły się latami. – Freya odciągnęła drzwiczki piekarnika w starym piecu. – Niech to licho! – zaklęła, kiedy oderwany uchwyt został jej w ręce.

Charles mruknął coś pod nosem.

– Zostaw to mnie. – Wziął od niej uchwyt i przymocował z powrotem.

– Mówiłeś, że każesz to naprawić.

– Kolejne kłamstwo?

– Nie zaczynaj, dobrze ci radzę. – Trzymając blachę w rękach, Freya potknęła się i ciastka wylądowały na podłodze. – Zobacz, co przez ciebie zrobiłam! – zawołała, patrząc bezradnie, jak dżem oblepia starą drewnianą podłogę.

– Psiakrew! Przepraszam, Frey – powiedział Charles. Ming pojawił się nagle, niepewnie obwąchał ciastka i odszedł rozczarowany. – Ale nawet kot uważa, że ciasto jest trochę za suche. – Freya mimo woli się roześmiała, sięgając po zmiotkę. – A tak w ogóle dlaczego pieczesz ciastka w kształcie serc? Walentynki dopiero za dwa tygodnie.

– Miałam zamiar wysłać paczkę Em – mruknęła, sprzątając bałagan. – Nie pamiętasz? Robiliśmy tak co roku. – Zamrugała szybko.

Charles usłyszał drżenie w jej głosie. Zbliżył się, szurając nogami, i objął ją serdecznie.

– Już dobrze, staruszko...

– Tylko nie waż się mówić, że mam się trzymać.

Wyłączył piekarnik.

– Miałem zamiar cię spytać, co byś powiedziała na krwawą mary w klubie. Trzeba wypić pępkowe.

Freya odrzuciła na bok szczotkę i chwyciła go za ramię.

– To akurat świetny pomysł. Myślisz, że Em kiedyś nam wybaczy? – spytała, kiedy kuśtykali przez dom do wyjścia. – Miała tyle złości w głosie, kiedy z nią ostatnio rozmawiałam.

– Przeżyła potężny wstrząs. – Charles zdjął z wieszaka przy drzwiach szarą wełnianą pelerynę i podał ją Freyi. – Wkrótce się przekonamy.

– Nie mogę tego znieść. Obawiałam się, że ten dzień kiedyś nadejdzie. – Wygładziła Charlesowi szalik. – Przez całe życie się bałam, że je obie stracę.

– Powiesz jej? – Charles nie potrafił spojrzeć na siostrę. – Powiesz jej, co zrobiłem?

– Co zrobiliśmy – poprawiła go Freya. – Nie, chyba że będę musiała. Emma wystarczająco wiele przeszła.

Rozdział 55

LONDYN, MAJ 1941

Freya leżała w skłębionej pościeli z Liberty śpiącą spokojnie u jej boku. Śniła o Walencji, o tamtym dniu, kiedy oddział wroga ostrzelał port. To był Dzień Dziecka. Wzruszyło ją, że mimo szalejącej wokół wojny zorganizowano dla najmłodszych tę uroczystość jak co roku. Dała Rosie chwilę odpoczynku i zabrała Liberty na paradę figur z papier mâché. Znajome postacie Myszki Miki, kota Feliksa, Kaczora Donalda, Sancho Pansy i Don Kichota chwiały się przed nią, wielkie i trochę straszne. Zaczęło gwałtownie padać, wiele dzieci schroniło się pod potężną Myszką Miki.

Freya rzucała się przez sen. Biegła w deszczu przez ciemny gaj pomarańczowy, pchając przed sobą wózek. Wózek robił się coraz większy i większy, toczył się szybko między drzewami, korzenie oplatały koła. W górze, w świetle księżyca widziała Toma czekającego na nią.

– Freya! – wołał, przyzywając ją gestem. – Freya...

Zamrugała i zobaczyła szary londyński świt. Wiosenny deszcz spływał po szybach, stare okna stukały pod naciskiem wiatru.

– Freya! – Charles potrząsał nią, żeby się obudziła.

Uniosła się na łokciach, ostrożnie, by nie zbudzić dziecka.

– Co się dzieje?

– Krzyczałaś przez sen.

– Chyba mi się coś śniło... – Otrząsnęła się z myśli o Tomie. W miarę jak miesiące przechodziły w lata, godziła się ze swoją stratą, jedną z wielu podczas tej wojny. – Przypomniało mi się, jak przywieźli cię do szpitala na granicy – skłamała.

– Byłaś bardzo, bardzo dzielna. – Charles przysiadł na brzegu łóżka. – Nigdy wcześniej nie widziałem, żebyś płakała. – Zamyślił się na chwilę. – Nawet ja płakałem, kiedy mi odcięli rękę. – Wygiął wargi w smutnym uśmiechu. – Człowiek przyzwyczaja się do swoich kończyn i raczej je lubi. Cóż, dobrze, że nie skończyłem pośród otępiałych nieszczęśników w szpitalnej pralni, nawet gdybyś ty miała mnie tam doglądać.

Freya wymierzyła mu kuksańca w bok. Popatrzyła na Liberty, która poruszyła się przez sen.

– Ma teraz tylko nas. Tak bardzo chcę, żeby miała prawdziwą rodzinę, tak jak my w dzieciństwie. Nawet po tym, jak straciliśmy mamę i tatę, zachowaliśmy szczęśliwe wspomnienia, do których mogliśmy wracać. – Pogłaskała śpiące dziecko po główce. – Zawsze wiedzieliśmy, kim jesteśmy, skąd pochodzimy. – Popatrzyła na Charlesa. – Musimy jej zapewnić bezpieczeństwo. A gdybym ją formalnie adoptowała...

– Frey, nie wolno ci się zamartwiać.

– Ale rozmawiałam z jedną z dziewcząt z komitetu do spraw uchodźców baskijskich. Ci przeklęci faszyści ścigają dzieci uchodźców! Co zrobimy? A jeśli przyjdą po Liberty?

– Co możemy zrobić? – Charles się zasępił.

– Myślałam... o tym domku w Kornwalii...

– Nie nadaje się do zamieszkania, Frey. Nie pamiętasz, jaki jest zniszczony? Tylko na coś takiego mogliśmy sobie pozwolić z resztki naszego spadku. Kupiłem go z myślą o naszej przyszłości, ale nie mieliśmy pieniędzy na remont.

– Charles, po warunkach, w jakich żyliśmy w Hiszpanii, ten domek wyda nam się pałacem.

– Chcesz powiedzieć, że myślisz o wyjeździe?

Freya usłyszała nutę urazy w jego głosie.

– Nie na zawsze, Charles. Ty też mógłbyś jechać.

– Nie, jedno z nas musi pracować, a z tym – wskazał na kikut – niewiele zdziałam jako rybak. – Po chwili zadumy dodał: – Wrócę do moich motyli. W końcu do trzymania siatki wystarczy jedna ręka, a jestem pewien, że dawni koledzy znów mnie zatrudnią jako nauczyciela. Napiszę do Immsa. – Popatrzył na siostrę. – Jesteś bardzo dzielna, Frey. Obiecuję ci, że wszystko będzie dobrze. Zaopiekuję się wami obiema.

Rozdział 56

WALENCJA, STYCZEŃ 2002

Gumowe kółka popiskiwały na linoleum, kiedy łóżko wjeżdżało do sali operacyjnej. Emma śledziła wzrokiem światła na suficie. Znalazła się w ciemnym pomieszczeniu, zaraz jednak z cichym brzęczeniem rozbłysły świetlówki i jednocześnie usłyszała radio grające przeboje z lat osiemdziesiątych.

– A teraz, Emmo, proszę się odprężyć – odezwał się anestezjolog. Chwycił jej ręce i przywiązał, rozpostarte jak na krzyżu, do drewnianej poprzeczki stołu operacyjnego. Zamknęła oczy.

Mijały kolejne godziny, a ona wciąż leżała w szpitalnej sali.

– Nie mogłabym wstać i trochę pochodzić? Proszę...

– Nie. – Położna uniosła głowę spomiędzy jej nóg. – Nie wygląda to dobrze. Wody odeszły, a rozwarcie nadal ma pani tylko na dwa palce...

Emma jęknęła. Skurcze następowały raz za razem, ból rozrywał jej ciało.

– Proszę o spokój – mruknęła położna.

Co takiego?! – pomyślała Emma. Ty suko, nie masz pojęcia... Wstrząsnęła nią następna fala bólu.

– *Necesito control... dolor* – wydukała z trudem, nie dbając o poprawność słów.

– To niemożliwe.

– Epidural. – Emma zacisnęła zęby i zmusiła się do uniesienia głowy. – Natychmiast! – wyrzuciła z siebie, mierząc położną wściekłym spojrzeniem.

Kobieta w odpowiedzi tylko ściągnęła usta.

– Poproszę pani męża.

Męża? Emma patrzyła, jak zielona sylwetka oddala się korytarzem, dopóki powracający ból nie zmącił jej wzroku. Skupiła się na prawidłowym oddychaniu, ale miała wrażenie, że każdy mięsień w jej ciele na przemian napina się i rozciąga z prędkością błyskawicy. Usłyszała głosy. Luca. Został.

– Jeśli pan nie jest mężem, nie może pan podpisać dokumentów – mówiła położna.

– Jestem prawie jak mąż. – Luca wziął Emmę za rękę. Emma zacisnęła mocno palce, czując nadchodzący skurcz.

– Co mogę zrobić?

– Epidural, natychmiast – wydyszała.

– Podajcie jej epidural – zażądał Luca. – Proszę wezwać lekarza. Szybko! Podpiszę, co tylko zechcecie. Jesteśmy kochankami, to moje dziecko. – Popatrzył na Emmę, oczekując potwierdzenia.

– Tak! – krzyknęła głośno.

– Mam sam iść po lekarza? – zwrócił się Luca do położnej.

Trzymał Emmę za rękę, kiedy wkłuwali się z zastrzykiem. Szybko poczuła lodowatą, odrętwiającą ulgę. Wróciła do siebie, znów łatwo jej było oddychać.

– Dziękuję – wyszeptała. Luca pogłaskał ją po włosach.

– Dziękuję, że zostałeś. Nie wiem, co bym zrobiła... – Nagle się zorientowała, że ma na sobie chirurgiczne wdzianko, które nie zakrywa pośladków.

– Kiedy zobaczyłem, jak cię zabierają, wyglądałaś na taką zagubioną... i byłaś taka dzielna. – Miał cienie pod oczami i zaczerwienione białka. – To mi przypomniało... – Urwał, kręcąc głową. – Nieważne. Mam nadzieję, że nie masz mi za złe tego, co mówiłem? Że jesteśmy razem i że dziecko... – Ujął jej dłoń. – Rozmawiałem z lekarzem. Masz tak silne bóle, bo dziecko utknęło.

– Och... – Łzy napłynęły Emmie do oczu; spojrzała na monitor śledzący pracę serca płodu. – Czy... Wszystko będzie dobrze, prawda?

Sala nagle zapełniła się lekarzami i pielęgniarkami.

– Oczywiście, że tak, Emmo, ja...

– Emmo – przerwał im mężczyzna w stroju operacyjnym. Nachylił się tak, żeby mogła go widzieć. – Pani dziecko jest zagrożone. Musimy je wydobyć najszybciej jak to możliwe.

– O Boże! Proszę, uratujcie moje dziecko! – Łzy spłynęły jej po policzkach. Popatrzyła na Lucę. – Gdyby mi się coś stało...

– Nie mów tak. – Pocałował ją w czoło. – Wszystko będzie dobrze. Będę na ciebie czekał.

Zaraz potem została przeniesiona na łóżko, którym przewieziono ją do sali operacyjnej.

Słyszała brzęk metalu uderzającego o metal. Za płóciennym ekranem zasłaniającym dolną część jej ciała czuła jedynie nacisk i ciągnięcie. I już dziecko było na świecie. Krzyk. Zaskoczona otworzyła oczy, kiedy anestezjolog lekko odchylił płótno.

– Patrz, twój syn.

Ujrzała wygięte plecki i wąskie bioderka pokryte mazią płodową. Starała się utrzymać głowę uniesioną, chociaż trzęsła się z wysiłku. Ekran wrócił do poprzedniej pozycji, a ona opadła rozluźniona, uśmiechnięta od ucha do ucha. Nade wszystko pragnęła synka przytulić. Kiedy chirurdzy zakładali szwy, kończąc zabieg, słuchała, jak jej dziecko krzyczy w sąsiednim pomieszczeniu. Próbowała odwrócić głowę w jego stronę, balansując na granicy świadomości.

– *Eh, Mamá!* – usłyszała kobiecy głos. – *Rubio! Qué bonito!*

Ktoś położył dziecko obok niej. Wyglądało jak miniatura Joego. Pozbawione wyrazu ciemne oczy odwzajemniły jej spojrzenie. Próbowała unieść rękę, żeby dotknąć maleńkich paluszków, pogładzić miękkie jasne włoski nad czółkiem, ale nadal była przywiązana.

– Cześć, dziecinko – wyszeptała. Odpowiedział mrugnięciem. Wyglądało to, jakby wiedział wszystko, znał każdą tajemnicę wszechświata i sens życia.

Zaraz potem go zabrano, a Emma wyczerpana zamknęła oczy.

Obudziła się w normalnej sali na oddziale położniczym. Przeszkadzało jej kwilenie i krzyk innych noworodków. Było ciemno. Gdzie ja jestem? Jak długo spałam? – zastanawiała się. Wszystko ją bolało. Miała wrażenie, że lodowate igły przenikają jej ciało, choć była otulona kocami po szyję. Przesunęła językiem po spieczonych wargach. Jeszcze nigdy w życiu tak bardzo nie chciało jej się pić. Dziecko! Gdzie jest dziecko? Wciąż nie mogła wstać. Obróciła głowę w bok i zobaczyła Lucę drzemiącego na krześle. Dziecko zawinięte w kocyk spało na jego piersi.

– Luca – odezwała się szeptem.

– Hej, już nie śpisz. – Przytrzymując zawiniątko, ostrożnie nachylił się i pocałował ją w czoło. – Spójrz, czego dokonałaś. – Chwycił dziecko w taki sposób, żeby mogła je zobaczyć. – Jest idealny, piękny.

Emma wyciągnęła ramiona, uważając na rurki kroplówek. Luca delikatnie ułożył śpiące dziecko w jej objęciach. Ucałowała maleńką rączkę, napawając się tym szczególnym, niemowlęcym zapachem.

– Więc jesteś wreszcie z nami. – Uśmiechnęła się do maleństwa, które na dźwięk jej głosu poruszyło się i otworzyło ciemne oczka. Jasny puch na główce tym razem zakrywała czapeczka wydziergana na szydełku.

Luca pogłaskał Emmę po włosach.

– Byłaś bardzo dzielna.

– Myślałam... – Łzy wezbrały jej pod powiekami.

– Oboje macie się dobrze, wkrótce dojdziesz do siebie. A on ma dziesięć paluszków u rączek, dziesięć u nóżek i mocne płuca.

– O, obudziła się pani – stwierdziła pielęgniarka, która w tym momencie weszła do sali. – Sprawdzimy parę rzeczy.

– Wody... Mogę się napić trochę wody?

– Nie, żadnych płynów przez następnych kilka godzin.

– Żartuje pani?

– Żadnych płynów, a potem *dieta blanda*. – Sprawdziła przepływ morfiny w kroplówce, poprawiła kołdrę. – Jak się obudzi, może go pani nakarmić. Mąż zostaje z panią?

– Ja nie... Musisz iść?

– Nie, jeśli nie chcesz, to nie pójdę – rzekł Luca. – Paloma przyjdzie do ciebie rano.

– Chciałabym, żebyś został.

Pielęgniarka przyjrzała się z zaciekawieniem najpierw Emmie, potem Luce.

– Dobrze. Proszę trochę odpocząć.

Luca nachylił się i odebrał od Emmy dziecko, po czym mówiąc coś do niego cicho po hiszpańsku, na powrót usadowił się wygodnie na krześle przy łóżku.

– Jak go nazwiesz?

Emma patrzyła na Lucę trzymającego dziecko, które wydawało się jeszcze mniejsze w jego dużych, opalonych rękach.

– Joseph Luca Temple – odpowiedziała cicho.

– Naprawdę? – ucieszył się Luca. W pociemniałej od świeżego zarostu twarzy rozbłysły równe białe zęby.

– Cześć, Josephie Luco. – Ucałował główkę dziecka. – Nie nadasz mu nazwiska ojca?

– Nie byliśmy małżeństwem. A teraz go nie ma, więc chcę, żeby dziecko czuło się związane z moją rodziną.

– Wciąż za nim tęsknisz?

– Nie. – W tym momencie Emma uświadomiła sobie, że mówi prawdę. – Już nie. Ja rzeczywiście... Chodzi mi o to, że nie można być z kimś przez lata i tak po prostu przestać go kochać, prawda?

– Prawda. – Luca nagle wydał jej się bardzo zmęczony. – Nie można przestać. Nawet jeśli ktoś cię opuści, to kiedy ból wygasa, miłość trwa nadal.

– Ciebie też to spotkało? Też kogoś straciłeś?

– Owszem. Kogoś, kogo bardzo kochałem. Moją żonę, Alejandrę. Dwa lata temu straciła dziecko i zmarła przy porodzie.

– Och, Luca, tak ci współczuję.

– Nic nie mogłem zrobić. W żaden sposób nie mogłem jej pomóc.

– I od tamtego czasu nikogo przy tobie nie było? Nie czułeś się samotny?

Wzruszył ramionami.

– Czasami, ale jestem zajętym człowiekiem, no i są dzieci Palomy... traktuję je jak własne.

– Zgodzisz się być ojcem chrzestnym Josepha?

– Dziękuję ci – odpowiedział z uśmiechem. – To będzie dla mnie zaszczyt. – Wyciągnął rękę, żeby odgarnąć jej kosmyk włosów z policzka. – Prześpij się trochę.

O świcie obudził ją krzyk Josepha. Miała wrażenie, że przez noc zyskała nowe ciało. Z niedowierzaniem patrzyła na swoje piersi. Dziecko płakało z głodu, ale nie potrafiło ssać. Luca wyszedł do domu, żeby wziąć prysznic i zjeść śniadanie, a goście napływający nieustannie do dziewczyny z sąsiedniego łóżka popatrywali na Emmę obojętnie. Obolała i zakrwawiona, zbyt dumna, żeby poprosić o pomoc, w końcu się załamała i zaczęła pochlipywać.

– Emma! – Paloma zjawiła się z wielkim bukietem strelicji. – Och, biedactwo, ileż ty musiałaś przejść! Luca wszystko mi opowiedział! – Ucałowała ją w oba policzki. – *Buenos.* – Skinęła gościom sąsiadki. – Dlaczego nie ma tu parawanów, u licha? – Ustawiła krzesła w taki sposób, żeby zapewnić Emmie minimum prywatności. – A kto to nam tak hałasuje? Joseph Luca? Hej, *cariño...* – Uspokoiła dziecko, kładąc je sobie na ramieniu i masując mu plecki. – Mamy kolkę, tak?

– To kolka? Nie wiem, nie radzę sobie z tym wszystkim. – Emma wskazała swoje piersi. – Nie umiem go przystawić tak, żeby jadł.

Paloma przysiadła na brzegu łóżka.

– Nie martw się. Ja też nie umiałam. Pomóc ci?

– O tak, proszę. Będę... będziemy bardzo wdzięczni.

Paloma zmierzyła wzrokiem starszego mężczyznę, prawdopodobnie wujka położnicy z sąsiedniego łóżka, który gapił się w ich stronę.

– Hej! – rzuciła, na co zmieszany szybko sięgnął po czasopismo. – Czasami myślę, że powinni nad drzwiami każdego oddziału położniczego umieszczać napis: „Zostaw swoją godność przed wejściem" – powiedziała ze śmiechem do Emmy. – Pokaż mi, jak to robiłaś. – Ostrożnie pomogła młodej matce ułożyć dziecko we właściwej pozycji.

– Ojej! – wykrzyknęła Emma, otwierając szeroko oczy ze zdziwienia. Dziecko od razu chwyciło brodawkę i zaczęło ssać. Poczuła nieopisaną ulgę. – To działa! Udało ci się!

– *Hola.* – Luca stał w progu z naręczem pastelowych róż. – Mogę wrócić... – zaczął nieśmiało.

– Nie, nie trzeba, zaczynam się przyzwyczajać do publiczności – oznajmiła Emma ze śmiechem. – Twoja siostra dokonała cudu.

Luca był świeżo ogolony; Emma wyczuła, że użył Acqua di Parma.

– Olivier parkuje samochód. Wyglądasz lepiej.

– Siostra Ratched w końcu pozwoliła mi się napić wody.

– O Boże, pamiętam to – westchnęła Paloma. – A gorąco tu jak w szklarni. *Dieta blanda?* – Emma potwierdziła skinieniem głowy. – Będą cię przez kilka dni żywić kleikiem, a potem, przy odrobinie szczęścia, dostaniesz cienki rosołek z makaronem. Zapewniam cię, po tygodniu uznasz, że jajecznica jeszcze nigdy nie smakowała tak wybornie.

– Jak długo będą was tu trzymać? – zapytał Luca.

– Co najmniej tydzień. – Emma skrzywiła się z bólu przy próbie ruchu.

– Będę was odwiedzał, gdy tylko dam radę – obiecał Luca. Zauważył, że Paloma mu się przygląda.

– Nie wiem, co bym bez was zrobiła – powiedziała Emma.

– Wykazałeś się wielką dzielnością – pochwaliła brata Paloma, na co zamrugał i opuścił wzrok. Emma popatrzyła na rodzeństwo, domyślając się tajemnicy skrywanej przez Lucę.

– Chyba pomogło. – Pogładził palcem maleńką piąstkę dziecka. – Przez lata się bałem... A potem zobaczyłem tego małego faceta, mojego chrześniaka...

– O! – wykrzyknęła Paloma. – To wspaniale! Urządzimy chrzciny u nas.

– Nie chciałabym się narzucać... – zaczęła Emma.

– To będzie dla nas przyjemność – przerwał jej Luca.

– Odtąd Joseph Luca należy do rodziny. – Uśmiechnął się do Emmy. – Mam ci coś przynieść?

– Jeśli można, to butelkę zimnej wody.

Po wyjściu Luki Emma z pomocą Palomy ostrożnie wstała z łóżka. Nie mogła głębiej zaczerpnąć tchu.

– Z czasem będzie lepiej – pocieszyła ją Paloma. – Po znieczuleniu trudno oddychać. Dasz radę?

– Nic mi nie będzie – zapewniła ją Emma, sunąc naprzód drobnymi kroczkami. – Muszę iść do łazienki.

Znalazłszy się w toalecie, usłyszała, jak Luca rozmawia na korytarzu z Olivierem.

– Wyglądasz jak dumny ojciec – powiedział Olivier.

– Ojciec chrzestny – sprostował Luca.

– Słyszałem, że cały czas byłeś z nią w szpitalu.

– Nie mogłem zostawić Emmy samej.

– Bądź ostrożny, Luca. Igrasz z ogniem.

– Nie wiem, o co ci chodzi.

– Potrzebowałeś mnóstwo czasu, żeby się znów pozbierać do kupy. Dopiero co doszedłeś do siebie.

– Emma jest tylko przyjaciółką.

Emma ściągnęła brwi. Czego ja się spodziewałam? – pomyślała. Próbowałam oszukiwać samą siebie.

– Naprawdę wiesz, co robisz? To zbyt skomplikowane, ona nie jest stąd, urodziła dziecko innego mężczyzny.

– Powiedziałem ci, Emma jest tylko przyjaciółką

– powtórzył Luca. – Nic więcej. Było mi jej żal, bo jest sama – dodał takim tonem, jakby się bronił.

Było mu mnie żal.

– Już dobrze, dobrze – mruknął ugodowo Olivier. – Po prostu się martwiłem.

– No to się nie martw. Nie ma czym.

Tylko przyjaciółka, pomyślała, czując, jak ulatuje z niej nadzieja. Jestem tylko przyjaciółką.

Rozdział 57

LONDYN, MAJ 1941

Freya otworzyła drzwi, weszła do domu i upuściła na podłogę swoją medyczną torbę. Z westchnieniem zrzuciła z nóg buty. Usłyszała, że Charles rozstawia talerze do kolacji na starym kuchennym stole.

– Czołem – odezwała się, przystając koło Liberty, która spała na kanapie przy kominku razem ze swą przyjaciółką.

– Spóźniłaś się – powiedział Charles, kiedy weszła do kuchni.

– To był długi poród. – Freya ziewnęła. – Biedna dziewczyna sama była jeszcze dzieckiem. W domu wszystko w porządku? Libby i Matie ładnie się razem bawiły?

– Były grzeczne. Przyprowadziłem Matie dziś po południu. Powiedzieli, że odbiorą ją jutro rano.

– Dałeś dziewczynkom kolację?

– Tak, zjadły i już śpią. – Zarzucił ścierkę na drewniany ociekacz i zmarszczył czoło. – Słuchaj, mieliśmy dziś rano wizytę. Lepiej usiądź.

– O co chodzi? – Oparła się o krawędź sosnowego stołu.

– Wiesz, że miałem oko na poczynania Falangi tu w Anglii?

– Tak?

– Otrzymują spore wsparcie od angielskich faszystów. Komórki Falangi istnieją obecnie w całym kraju, w Londynie, Bristolu, Glasgow... Podejmują starania mające na celu repatriację dzieci. Słyszałaś o specjalnej delegaturze do spraw repatriacji nieletnich? – Freya przytaknęła. Bała się tego, co miała zaraz usłyszeć. – Teraz odpowiedzialność za odzyskiwanie dzieci została przeniesiona na służby zagraniczne Falangi. Papież Pius XII wydał nawet edykt mówiący, że dzieci muszą wrócić do Hiszpanii, bo inaczej będą narażone na oskarżenie o apostazję.

– Co? Wyrzucą je z Kościoła? Dobry Boże...

– Papieski wysłannik dotarł do komisji zajmującej się tą sprawą. – Charles nerwowym ruchem przejechał palcami po włosach. – Faszyści są sprytni, większość repatriacji dokonywana jest kanałami dyplomatycznymi. A brytyjska prasa nie pomaga, drukują te wszystkie niedorzeczne historie o kradzieżach dokonywanych przez dzieci.

– Tak samo było we Francji w przypadku uchodźców. Uważali ich za kryminalistów. Co za tępe, świętoszkowate... – Freya bezradnie załamała ręce. – Wystarczy przecież spojrzeć na te śliczne, niewinne dzieciaki w obozach uchodźców w Hammersmith i Barnes. Pamiętasz, jak pięknie Matie i te baskijskie dzieci śpiewały na imprezie charytatywnej? Nie możemy pozwolić, żeby faszyści je porwali.

– Nie sądzę, żeby Falanga chodziła od drzwi do drzwi, porywając dzieci.

Freya prychnęła gniewnie.

– Chcesz się założyć? Po tym, co widzieliśmy na wojnie, niczym by mnie nie zaskoczyli. Co to oznacza dla nas?

– Dziś po południu rozmawiałem z jednym z ludzi z Hammersmith. Organizacje pomocowe odsyłają wiele z tych dzieci do domu.

– Do Hiszpanii? – Freya spojrzała przez drzwi kuchni na śpiącą Liberty; buzię dziewczynki oświetlał migotliwy blask płomieni z kominka. Freyę ogarnął nagle przenikliwy chłód. – Nie. Nie mogą jej zabrać.

– Problem w tym, że jakiś człowiek był tu dzisiaj i dał mi to. – Przesunął w jej stronę po blacie kopertę.

– I mówisz, że nie polują na te dzieciaki? Jak nas znaleźli? Nie rozumiem.

– Twierdzą, że republikanie dopuścili się okrucieństwa, wysyłając dzieci za granicę.

– Okrucieństwa? Zabranie dzieci ze strefy, gdzie toczy się wojna, jest okrucieństwem?

– Ich kraj obecnie nie jest w stanie wojny, w przeciwieństwie do naszego. Freya, w tej chwili ewakuuje się dzieci z Londynu. – Charles postukał palcem w nagłówek „Timesa". – Co noc jakieś dzieci giną na skutek bombardowań. – Zapalił papierosa. – Człowiek, który tu dziś był, powiedział, że te dzieci powinny być wychowane na Hiszpanów.

– I zapewne na zagorzałych faszystów. Ja… – Freya wpatrywała się w kopertę. Głos jej zamarł, gdy rozpoznała dziecinne pismo Rosy.

– Nie wszyscy nacjonaliści są faszystami. – Charles czekał. – Frey?

Zamknęła oczy.

– Tak jak nie wszyscy republikanie są komunistami? Powiedz to tej suce przełożonej, która mi odebrała nocne dyżury, kiedy się wydało, że byłam w Hiszpanii. „Nie możemy sobie pozwolić na trzymanie czerwonych pielęgniarek na naszym oddziale, panno Temple". Niewiarygodne. Pojechałam tam z misją humanitarną! Pojechałam, bo chciałam pomóc zwykłym, pracującym ludziom, takim jak my. Nie dość, że weterani Brygad

Międzynarodowych nie otrzymują renty, to jeszcze nadal jesteśmy prześladowani.

– Może to wcale nie było złe, że straciłaś tę pracę. Masz za wiele obowiązków, Frey. Jako wolontariuszka zajmujesz się dziećmi w obozach dla uchodźców, pracujesz jako położna, wychowujesz Libby.

– A jaki mam wybór? Dzieci potrzebują pomocy, a my musimy jeść.

– Mówiłem ci. Szukają dla mnie posady w Cambridge. Wyjdziemy na prostą.

– A ludzie, którzy nie mają takich możliwości? Dokerzy i budowlańcy, którzy potracili ręce i nogi? – Freya ukryła twarz w dłoniach. – Jesteśmy bez grosza, Charles. – Była bliska łez. – To się nigdy nie skończy. Przynajmniej dopóki Franco będzie przy władzy. Cały czas będą nękać republikanów i ich rodziny.

– Musimy stawić czoło sytuacji. Dzieci są odsyłane ze Związku Radzieckiego, z Francji...

– I z Anglii?

– Tak, z Anglii. Rozmawiałem z uroczą kobietą pracującą z kwakrami. Zabrali grupę dzieci na hiszpańską granicę i przekazali. Twierdziła, że to była jedna z najgorszych rzeczy, jakie musiała w życiu zrobić. Jednak rodzice tych dzieci pisali listy z prośbami, żeby dzieci wróciły do Hiszpanii.

– Jak Rosa? – Freya postukała palcem w kopertę. – Nie wierzę. Przeraża mnie sama myśl o tym, jak ją zmusili, żeby to napisała. – W końcu rozdarła kopertę i przebiegła wzrokiem treść listu. – Spójrz, to zostało napisane tuż po zakończeniu wojny. Dlaczego list potrzebował aż tyle czasu, żeby tu dotrzeć, co? – Skupiona na czytaniu, zaczęła się śmiać. – Kochana Rosa. Posłuchaj tego: „Odeślijcie Lourdes do domu, na łono rodziny, żeby została wychowana na dobrą Hiszpankę. Pamiętacie, ile troski okazywał jej

Vicente? Zazna jej od niego o wiele więcej". – Przesunęła palcem po podpisie Rosy. – Co jej musieli zrobić, żeby dostać nasz adres? – zapytała cicho. – Ten list to ostrzeżenie. Nie wolno nam oddać Liberty, cokolwiek by się działo.

– Problem w tym, Frey, że ją znaleźli. Wiedzą już, gdzie mieszka. – Charles chwycił dłoń siostry. – Rano przyjdą po Matie i chcą zabrać także Libby.

Freya pokręciła głowa.

– Nie, nie, nie. Obiecałam Rosie, że będzie bezpieczna. Do diabła z nimi, jeśli uważają, że moralnie nas nie stać na wychowanie hiszpańskiego dziecka. – Poderwała się i zaczęła chodzić tam i z powrotem po kuchni. – Nic, żaden podstęp wymyślony przez tłustych, bogatych, tchórzliwych ludzi nas nie pokona. Nie możemy pozwolić, żeby oni wygrali, Charles.

– To się nigdy nie skończy.

– Zatem nigdy się nie poddamy. Choćby byli nie wiem jak przebiegli i okrutni, nigdy nie zniszczą prawdy i odwagi.

– A co z agentami? Oni wrócą.

– W takim razie muszę z Libby uciekać. – Freya popatrzyła na bladą, nieogoloną twarz brata. – Adoptuję ją, zmienię jej nazwisko. – Przeszła do salonu, Charles za nią. – Myślisz, że… – zaczęła szeptem. – Libby i Matie tak dobrze się rozumieją. Nie moglibyśmy jej także zabrać?

– Nie, Frey! To nie są kocięta. Poza tym nie możesz uratować wszystkich hiszpańskich dzieci. Matie nic nie będzie, komitet tego dopilnuje. Obiecałem ci, że zaopiekuję się tobą i Liberty. – Popatrzył na dziewczynki śpiące na kanapie. – Choćby nie wiem czego to wymagało.

– Jutro rano wyjeżdżam do Kornwalii.

Rozdział 58

WALENCJA, MARZEC 2002

Tuż przed imprezą z okazji dnia świętego Józefa Emma wyrzuciła do kubła na śmieci ostatnie puste pudełka. Krążąc boso po pokojach, cieszyła się panującym w nich spokojem. Przez ostatnich kilka tygodni dom nabrał ostatecznego kształtu. Joseph spał jak suseł, na kominku buzował ogień, porąbane drwa leżały przygotowane obok. Korytarzem niósł się dźwięk gitary dobiegający z pokoju Solé, razem z odgłosem jej prysznica. Trochę trwało, nim Emma przyzwyczaiła się do obecności niani w domu, ale Macu miała rację, Emma nie zdawała sobie sprawy, jak wyczerpujące są pierwsze tygodnie z noworodkiem, rzeczywiście potrzebowała pomocy. Solé była miłą dziewczyną, choć może trochę zbyt naiwną. Borys i Marek lubili się z nią droczyć – dała się nabrać, że koszulki polo są głównym produktem eksportowym Polski, a wódka Chopin pita przez Borysa jest pozyskiwana z podziemnego źródła przy jego domu i tam na miejscu butelkowana. Emma z uśmiechem padła na łóżko i rozpostarła ramiona, napawając się miękkością nowej białej pościeli. Wreszcie miała poczucie, że wszystko znalazło się na swoim miejscu.

Odwróciła głowę na bok, słysząc brzęczenie komórki. Przyszedł SMS od Freyi: „Em, nie chcę Ci przeszkadzać, skoro jesteś na przyjęciu. Ostrzegam tylko: Delilah jest w drodze". Emma czuła, jak w miarę czytania żołądek podchodzi jej do gardła. „Japończycy nie podpiszą bez Ciebie. Jedzie, żeby Cię osobiście przekonać. Trzymasz w ręce wszystkie atuty. Pozdrowienia dla Ciebie i małego. Całuski".

Zagryzając wargę, Emma odpisała szybko: „Dzięki, Freya, Delilah niech idzie do diabła. Kocham Cię. Całuję".

Ubierała się powoli, poświęcając odpowiednio dużo czasu na zrobienie fryzury i makijażu. Po raz pierwszy od miesiąca udało jej się włożyć coś bardziej eleganckiego od spodni dresowych i starego swetra. Skoro Delilah tu jedzie, to dobra okazja, żeby wrócić między ludzi, pomyślała Emma. Bała się momentu, gdy będzie musiała stawić czoło dawnej przyjaciółce. Wyobrażała sobie tę chwilę tysiące razy. Delilah występowała w niej ubrana w swą ulubioną szarą jedwabną bluzkę, wąską spódnicę, szpilki Louboutina i zaciągała się dymem papierosowym jak bohaterki grane przez Veronicę Lake. Emma bez wątpienia miałaby poplamiony mlekiem podkoszulek, obwisłe legginsy i nieumyte włosy.

Myśl o Delilah wytrąciła ją z równowagi. Od czasu kłótni nie rozmawiała z Freyą, ale teraz chciałaby ją mieć przy sobie. Zadzwonię do niej rano, postanowiła. Wyciągnęła z szafy kilka sukienek. Żadna nie wydawała jej się odpowiednia. Przeszła do niebieskiego pokoju i zapaliła w nim światło. Wyjęła z szafy czerwoną suknię. Emma była tego samego wzrostu i budowy co Rosa, a przez krągłości zyskane dzięki ciąży sukienka leżała na niej jak skrojona na miarę. Po włożeniu lekkich pantofelków na wysokich obcasach i skropieniu się mgiełką swoich nowych jaśminowych perfum była gotowa na wieczór. Podsunęła nadgarstek pod nos i powąchała. Proporcja olejku neroli w górnej nucie nie była jeszcze idealna, ale nuta serca, gęsty zmysłowy zapach jaśminu przyprawił ją o dreszcz. Była coraz bliższa pełnego sukcesu. Nie ma pośpiechu... Pomyślała o liście matki dotyczącym perfum. „Stworzenie dobrego zapachu wymaga czasu".

Marek zagwizdał z uznaniem, widząc ją schodzącą po schodach.

– *Mi amor*... – powiedział cicho.

– Wygląda pani prześlicznie – wyraził uznanie Borys, ściskając w dłoniach wysłużoną czapkę. – Przyszliśmy się pożegnać. Przenocujemy w zajeździe koło dworca.

– Już wyjeżdżacie? Nie będziecie na tańcach?

– Jestem za stary, żeby tańczyć – powiedział Borys, wyginając plecy.

– Ja może później wpadnę. – Marek wskazał frontową ścianę kominka. – Zawiesiliśmy ramkę ze zdjęciami. Kim oni są? Dziewczyna jest bardzo piękna. Prawie tak piękna jak pani.

– To Rosa, moja babcia – wyjaśniła Emma, rumieniąc się lekko. – Oczywiście była wtedy dużo młodsza ode mnie. – Udawała, że jest skupiona bez reszty na zdjęciach, ale czuła, że Marek jej się przygląda. – Dziękuję. Urocza niespodzianka. – Przechyliła głowę, z uśmiechem patrząc na urodziwą, dumną twarz Rosy. Umieszczenie zdjęcia nad kominkiem sprawiło, że urządzanie domu wydało się zakończone. – Nie mogę uwierzyć, że to wasza ostatnia noc tutaj – zwróciła się do Marka i Borysa. – Będzie mi was brakowało. – Napotkawszy spojrzenie Marka, dodała z naciskiem: – Będzie mi brakowało was obydwu. Dokąd pojedziecie?

– Do Sopotu – odpowiedział Marek. – Wracamy do domu.

– Miło słyszeć. Cieszycie się?

Wzruszył ramionami.

– To przyjemne miasto koło Gdańska. Może kiedyś się pani wybierze? – Wyciągnął rękę. – Mamy dla pani ostatnią niespodziankę. – Poprowadził ją na tyły domu. – Okej! – zawołał. Borys włączył światło na dzwonnicy i basen ukazał się w całej okazałości, połyskując nową niebieską mozaiką.

– Och! Jaki piękny! Nie sądziłam, że wystarczy wam na to czasu! Pływając tu z Josephem, zawsze będę o was myśleć. Na pewno polubi pływanie! – Uścisnęła Borysa, a potem Marka, który przytulił ją do siebie; wyczuła, że wcale nie ma ochoty wypuścić jej z objęć. – Bardzo wam dziękuję! Naprawdę, dziękuję wam za wszystko. – Odsunęła się; Marek ani na moment nie odrywał od niej oczu.

– Powinniśmy to uczcić. Lubicie hiszpańskiego szampana?

– Cavę? Pewnie!

– No to otwórzmy butelkę. Joseph zostaje dziś z Solé i Macu, więc mogę się wreszcie trochę rozerwać.

Poszła do kuchni, wróciła z trzema kieliszkami i wręczyła Borysowi butelkę. Korek wystrzelił, przelatując łukiem za basen.

– Za nasz ostatni wieczór – wzniosła toast. – Za powrót do domu.

Rytm salsy pulsował na ulicach La Pobli, brzmiał jak bijące w mroku serce. Emma czuła się młoda i pełna życia. Kiedy szły z Palomą w stronę rynku, co chwilę rozlegały się za nimi okrzyki: *Guapa! Mi amor!* Niebo przypominało granatowy aksamit; nad białymi lampkami rozwieszonymi na platanach świeciły gwiazdy.

– Zawsze tak jest? – spytała Emma. Ciemne ulice były pełne ludzi. W powietrzu unosił się zapach drzewnego dymu i smażonego mięsa, raz po raz rozbrzmiewał ostry trzask petardy. Dzieci ubrane w tradycyjne czarne fartuszki i kraciaste biało-niebieskie chustki plątały się pod nogami dorosłych objętych w tańcu. Muzyka buchała z otwartych drzwi barów. Miało się wrażenie, że tej nocy wszystko może się zdarzyć.

– Tej nocy wszystko wolno. – Paloma machnęła do Luki stojącego przy barze. – To Fallas, dzień świętego Józefa. – Przecisnęły się przez tłum. – A przy okazji, wszystko jest gotowe na jutrzejsze chrzciny.

– Dzięki. Bardzo miło z waszej strony.

– To odpowiedni moment, żeby uczcić przybycie na świat małego Josepha, a teraz zostaliśmy rodziną. Joseph jest chrześniakiem Luki. – Paloma zatrzymała wzrok na Marku otoczonym gromadą nastolatek. – On naprawdę jedzie do domu?

– Kto? – Emma wygładziła spódnicę swej czerwonej jedwabnej sukienki. Czuła się skrępowana, dostrzegała nieprzychylne spojrzenia starszych kobiet z miasteczka.

– Twój przystojny budowlaniec, ma się rozumieć! – wyjaśniła ze śmiechem Paloma. – Połowa tutejszych dziewcząt za nim szaleje.

– Naprawdę? Nie zauważyłam – skłamała Emma.

Paloma widziała, że Marek nie spuszcza Emmy z oczu.

– A dla niego istniejesz dziś tylko ty.

– Ależ skąd! – Emma zerknęła w jego stronę.

– Nie mów! Dobrze znam to spojrzenie.

– Jest za młody.

– Gadanie. Ile on ma, dwadzieścia dwa, dwadzieścia trzy lata?

– Owszem, jestem dla niego trzydziestoletnią staruszką!

– Słuchaj, powinnaś się trochę zabawić – powiedziała Paloma. Widziała minę Luki, który zaczął iść w ich stronę.
– Nie potrzeba ci skomplikowanego, trudnego związku. Jeszcze nie. Przecież nie będziesz z nim spędzać reszty życia! Potrzebujesz rozrywki, cudownej, szalonej nocy.

Luca przepychał się przez ciżbę.
– Emmo, miałabyś ochotę zatańczyć?
– Idźcie, sio! – Paloma wzięła od Luki kieliszek z winem i pchnęła ich w kierunku parkietu. – Ja poszukam swojego męża.

Luca objął Emmę, a muzyka wprowadziła ją w stan uniesienia. Bez trudu weszła w rytm, rozluźniona, pozwoliła mu się prowadzić. Zapamiętała się w tańcu, oszołomiona melodią, jego bliskością, naciskiem tłumu. Jesteśmy tylko przyjaciółmi, powtarzała sobie w duchu. Zamknęła oczy, wspominając tamten moment, kiedy go ujrzała po raz pierwszy. Czas jakby się wtedy zatrzymał. Luca przyciągnął ją do siebie mocniej, poczuła znajomy zapach skóry, wody kolońskiej i rozgrzanego ciała. Pamiętała, jak się czuła tamtego pierwszego razu, gdy siedziała obok niego w katedrze. Pragnęła zostać tam na zawsze.

Melodia nabrała tempa, Emma zawirowała, odrywając się od niego. Między nimi pojawiła się dziewczyna w czarnej sukience; tańczyła wyzywająco tuż przy Luce. Szukał Emmy wzrokiem w ciemności, ale kiedy dziewczyna go pocałowała, przywierając natarczywie do jego ust, Emma się wycofała. Idąc do baru, przybita, obejrzała się przez ramię.

– Gdzie Luca? – zapytał ją Olivier.
Emma ruchem głowy wskazała parkiet. Starała się nie okazać, jak bardzo jest rozczarowana.

– Tylko nie ona znowu! – westchnęła Paloma.

– Znowu? A kim ona jest? – Emma próbowała zachować obojętny ton.

– Nikim. Jedną z jego dziewczyn.

– Jedną z wielu, tak? – Emma sięgnęła po swoją torebkę. – Słuchaj, świetnie się bawiłam, ale jestem zmęczona.

– Nie, zaczekaj… – Paloma chwyciła ją za rękę.

– Naprawdę. – Emma zerknęła ukradkiem na parkiet. Dziewczyna kleiła się do Luki, a on zaśmiał się, kiedy mu zarzuciła nogę na biodro.

Muzyka ucichła; Luca skierował się do baru, dziewczyna za nim.

– Może wypijemy jednego, Luca, za dawne czasy?

– Jak sobie życzysz. – Wzruszył ramionami, zapalając papierosa i rozglądając się za Emmą. Kiedy dziewczyna, wykorzystując jego nieuwagę, zabrała mu papierosa z ust, poirytowany sięgnął po następnego.

Dziewczyna zaciągnęła się głęboko, po czym wypuściła ze ściągniętych ust długą smugę dymu. Opierała się o bar tak, że można jej było zajrzeć głęboko w dekolt.

– Nie muszę dziś wieczorem pracować – wymruczała.

– Moglibyśmy…

– Nie – przerwał jej Luca. Jednym haustem opróżnił kieliszek koniaku, nalał sobie następny.

– Hej, przecież zawsze się razem dobrze bawiliśmy, nie? – Przejechała po wierzchu jego dłoni szkarłatnym paznokciem.

– Powiedziałem: nie.

– Żadnych zobowiązań… tak jak zwykle.

Luca przesunął papierosa do kącika ust. Sięgnął po portfel, rzucił na ladę zwitek banknotów i wziął butelkę koniaku.

– Wychodzisz? Coś się zmieniło? – Zmarszczyła czoło.

– Aha – mruknęła drwiąco. – Ta kobieta od perfum?

– Nie mam pojęcia, o czym mówisz.

Dziewczyna nachyliła się ku niemu.

– Uwielbiam perfumy. Wiesz, czym ty pachniesz, Luca? – wyszeptała mu do ucha. – Seksem. Wielka szkoda. Oszczędzałeś się dla Alejandry, swojej ukochanej od dzieciństwa, a teraz dla niej...

– Idź do diabła!

– Powinieneś pamiętać, na kogo możesz liczyć. – Palcem zamoczonym w koniaku przesunęła mu po ustach.

– Doceniałeś moją przyjaźń, kiedy Alejandra...

– Nie mów o mojej żonie.

– A ta twoja dziewczyna o niej wie?! – zawołała za nim.

– Wie, że jej rywalka jest duchem?

Marek pobiegł za Emmą.

– Chyba jeszcze nie wychodzisz? – Zrównał się z nią.

– Miałem nadzieję, że ze mną zatańczysz.

– Jestem zmęczona – odpowiedziała. Wyciągnęła spinkę z włosów, pozwoliła, by swobodnie opadły jej na ramiona.

– Ależ ślicznie wyglądasz! – westchnął. Światło latarni padało na jego jasne kędziory, miękkie i połyskujące złociście.

Emma obejrzała się na plac, gdzie pary kręciły się w koło pod sznurami białych lampek. Poczuła, jak muzyka znów ją wypełnia, wchodzi w nią od dołu, przez stopy i zaczyna pulsować wraz z krwią.

– Chcesz tańczyć? – spytała, nie patrząc na niego. – To zatańczmy.

Razem wrócili na parkiet. Kiedy wziął ją w ramiona, ich oczy znalazły się na tej samej wysokości. Taniec sprawiał jej przyjemność. Marek miał szczupłe, mocne ciało, prowadził ją pewnie, wykonując obrót za obrotem. Opierali

się o siebie, zetknięci czołami, z ustami tuż przy ustach.
Poczuła, że on przytula ją do siebie coraz mocniej.

– Pozwól mi być z tobą tej nocy – poprosił szeptem.

– Daj mi tę jedną noc, zanim wyjadę.

– Nie, ja...

– Szaleję za tobą. Przez te wszystkie tygodnie co noc myślałem o tym, żeby się z tobą kochać. – Musnął wargami jej skroń. – Wiem, że ty też o tym myślałaś. – Pociągnął ją w cień na skraju placu i delikatnie oparł plecami o ciepłą korę platana. A potem dotknął jej ust niewyobrażalnie czułym, słodkim pocałunkiem.

Co ja robię? – pomyślała Emma. Marek wsunął jej palce we włosy, kiedy odwzajemniała pocałunki. Aż do bólu pragnęła znów poczuć na sobie ciało mężczyzny. Nie chciała już być sama. Podjęła decyzję, jeszcze zanim sprowadził ją z parkietu.

Piosenka wciąż trwała, kiedy Luca wrócił na parkiet. Rozejrzał się po tłumie tańczących, wypatrując Emmy.

– Hej, ty! – Dziewczyna w czarnej sukni deptała mu po piętach.

– Odejdź, nie jestem zainteresowany.

– Szukasz kobiety od perfum? – Udała, że ogląda swoje paznokcie. – Dopiero co widziałam, jak wychodziła z tym swoim seksownym budowlańcem. Nie mogli się od siebie oderwać. Gdybym tak nie szalała na twoim punkcie, sama bym się do niego zabrała.

– Nie, mylisz się.

– Założę się, że teraz ją bzyka.

Luca odsunął się od niej, a potem torując sobie drogę przez tłum, ruszył w kierunku Villa del Valle.

Paloma pobiegła za nim.

– Luca! U diabła, co się z tobą dzieje?

– Emma... – Twarz mu się ściągnęła. – Poszła z tym chłopakiem?

Paloma wzięła się pod boki.

– Owszem. Sama jej kazałam.

– Co takiego? *Joder!* Jak mogłaś? – Miał wrażenie, że się udusi, niewypowiedziane słowa dławiły go w gardle.

– A czego oczekujesz? – zapytała spokojnie. – Myślisz, że wiecznie będzie na ciebie czekać?

Luca godzinami jeździł po górach, na zmianę włączał i wyłączał światła, kusząc los. Oczami duszy widział, jak Marek zsuwa Emmie z ramion czerwony jedwab, całuje ją po szyi. Widział, jak Emma rozpina guziki jego koszuli, jak wsuwa mu ręce we włosy. Przeżywał tortury za sprawą własnej wyobraźni, która uporczywie podsuwała mu ten sam obraz. Jechał przez noc, waląc pięścią w kierownicę i wyjąc z zazdrości.

O świcie znalazł się z powrotem w miasteczku. Zaparkował samochód i opustoszałymi ulicami poszedł do jej domu.

Emma i Marek nie zdążyli dotrzeć do łóżka. Na dźwięk klucza przekręcanego w drzwiach wejściowych obudzili się na dywanie przed kominkiem w kuchni.

– Solé wróciła! Szybko! – zachichotała Emma.

– Ty idź na górę. – Marek rzucił jej sukienkę, a sam pośpiesznie wciągnął dżinsy. – Zajmę się dzieckiem, dopóki nie zejdziesz.

Przez chwilę gwarzył z Solé i jednocześnie nasłuchiwał, jak Emma przechodzi do łazienki, odkręca wodę pod prysznicem. Solé podała mu dziecko, a sama wyszła po rzeczy do samochodu. Joseph zaczął płakać, więc Marek przytulił go, opierając sobie na ramieniu.

– Hej, cicho, mały. – Odwrócony plecami do wejścia kołysał dziecko, równocześnie nastawiając ekspres. – Cicho, malutki – powtórzył łagodnie. Na odgłos otwieranych drzwi rzucił przez ramię: – Chcesz kawy? – Nie słysząc odpowiedzi Solé, obejrzał się i zobaczył na progu kipiącego złością Lucę. – Skąd pan się tu wziął? – Próbował uspokoić maleństwo huśtaniem; Joseph na moment otworzył oczy, ale zaraz potem znów zacisnął powieki i rozdarł się jeszcze głośniej.

Luca ruszył w ich stronę.

– Nie tak. – Wziął dziecko. Marek założył ręce na piersi i oparł się plecami o piec. – Nie lubi, jak się nim wywija. Prawda, *cariño*? – wymruczał Luca, dotykając ustami miękkich jak puch włosków. Joseph chwycił go za koszulę i zaciskając fałd materiału w paluszkach, stopniowo się uspokajał, aż w końcu całkiem umilkł i zamknął oczy. Luca trzymał go mocno, lecz delikatnie, na wysokości swojego serca.

– Czemu wciąż tu jesteś? – zwrócił się do Marka.

– A jak pan sądzi?

– Ty gówniarzu, jesteś nikim...

Zaskrzypiały schody, Emma schodziła z góry.

– Może i jestem nikim, ale to ja spędziłem z nią noc – odpowiedział mu Marek, ściszając głos, żeby Emma nie usłyszała. – Radzę o tym pamiętać.

– Luca? – Emma odgarnęła z twarzy włosy mokre po kąpieli. Była boso, ubrana w białą plażową sukienkę. Cerę miała promienną, usta nabrzmiałe od pocałunków. Luca jeszcze nigdy aż tak bardzo jej nie pragnął. – Wyglądasz okropnie. Chcesz kawy?

Zamiast odpowiedzieć, chwycił ją za ramię i pociągnął do holu.

– Spałaś z nim?

– Słucham? – Odruchowo przymknęła drzwi do kuchni.

– To nie twoja...

– Spałaś z nim? – Poprawił sobie dziecko w ramionach.

– A jeśli nawet, to co? To co, Luca? Co cię to obchodzi? Jesteśmy tylko przyjaciółmi. – Wytrzymała jego spojrzenie. – Zgadza się, prawda? Tak powiedziałeś Olivierowi.

– Z tym chłopakiem! Przecież to smarkacz! – Starał się panować nad gniewem. – Jak mogłaś wybrać jego, kiedy...

– Kiedy co? – Zbliżyła się, ściszając głos. – Kiedy co, Luca? Mam żyć jak zakonnica? Nie bądź takim hipokrytą. Wiem o tobie i tej... tej kobiecie z wczoraj.

Luca się żachnął, przybrał obronny ton.

– O co ci chodzi? Łączył mnie z nią wyłącznie seks.

– To ma niby wszystko tłumaczyć? Uprawiasz seks z kimś takim jak ona, ale za każdym razem jak się do siebie zbliżamy...

– Dlaczego? Dlaczego z nim?

– Bo jestem samotna. Bo nie czułam się pożądana od dawna, od czasu, gdy Joe mnie zostawił, a ty...

– Co ja?

– Nic – westchnęła zniechęcona. – Ty nic. Musiałeś czuć... co nas łączy. – Zmusiła go, żeby na nią spojrzał. – Nie wiem, na czym stoję, jeśli chodzi o ciebie. Z Markiem... to było proste. Poprawił mi samopoczucie. Poczułam się młoda i pełna życia, a tego właśnie potrzebowałam. Potrzebuję. – Wzdrygnął się, kiedy dotknęła jego ramienia. – O co chodzi? O twoją żonę?

– Alejandra odeszła dawno temu.

– Ale ja tu jestem, Luca. Prawdziwa. I nie chcę już być sama. – Cofnęła się o krok, kiedy drzwi się otworzyły.

– *Hola* – powitała ich Solé. Obrzuciła szybkim spojrzeniem najpierw jedno z nich, potem drugie i wzięła dziecko od Luki. Po wejściu do kuchni wdała się w pogawędkę z Markiem.

Słysząc zbliżające się kroki Marka, Emma spojrzała na Lucę i powtórzyła z naciskiem:

– Nie chcę być sama.

– Musisz już iść – powiedział Luca do Marka głosem drżącym ze złości. Potem zwrócił się do Emmy. – Zobaczymy się na chrzcinach.

– Proszę cię, nie... – zaczęła Emma.

– Dziękuję, Emmo. Za wszystko. – Marek uniósł jej dłoń do ust, ucałował i dopiero potem przeniósł wzrok na Lucę.

Luca szedł przez miasto do kawiarni. Niestety, autobus miał opóźnienie i Marek wciąż czekał na przystanku.

– Hej! – zawołał do Luki z drugiej strony ulicy. – Wykopała pana? Nie mógł jej pan dać tego, czego chciała? – Zaśmiał się, sięgając do kieszeni po papierosa. Pochylony nie zauważył, że Luca wychodzi na jezdnię i zmierza w jego stronę. Kiedy znów podniósł wzrok, Luca stał tuż przed nim. Jedną ręką chwycił go za kołnierz, drugą wykonał zamach.

– Nie wyrażaj się o Emmie w taki sposób. – Zacisnął pięść.

– Co pan ma zamiar zrobić? Zbić mnie? – zadrwił Marek. Zatoczył się, odepchnięty przez Lucę, i upadł.

– Nie jesteś tego wart. – Luca patrzył na Marka rozciągniętego na chodniku i widział nieokrzesanego chłopaka, do którego uśmiechnęło się szczęście. Z westchnieniem wyciągnął rękę. – Wstawaj.

Marek pozbierał się na nogi.

– Nie rozumiem. Dlaczego mnie pan nie uderzył?

– Bo jesteś dzieciakiem, w dodatku z dala od domu. A ja byłem kiedyś taki sam. – Luca otrzepał mu rękaw z kurzu.

– Przepraszam.

– Pamiętaj. – Dźgnął Marka w pierś wyprostowanym palcem. – Zapamiętaj, jakie miałeś szczęście. Emma jest niezwykłą kobietą.

– Kocha ją pan, prawda?

– To skomplikowane.

– Myślę, że ona też pana kocha.

– Dlaczego tak myślisz?

Marek wzruszył ramionami.

– Bo wtedy, w nocy wymówiła pana imię.

– Naprawdę?

– Może to raczej pan jest szczęściarzem... – Autobus hałaśliwie wtoczył się na główną ulicę i wjechał na przystanek. Marek wrzucił do środka swój bagaż; stojąc już na schodach, odwrócił się i powiedział: – Lepiej się nie ociągaj. Ona jest za dobra. Jeśli pan nie wykona żadnego ruchu, ktoś pana ubiegnie.

Rozdział 59

LONDYN, MAJ 1941

– Jeden, dwa, trzy... – Charles zaczął liczyć do stu, podczas gdy Matie i Liberty z chichotem biegły przez dom do ogrodu, szukając kryjówki. Kiedy się oddaliły na tyle, że już nie mogły go słyszeć, opadł ciężko na fotel i potarł czoło u nasady nosa. Dopiero co odebrał telefon od znajomego z obozu w Barnes. Nadszedł czas odsyłania dzieci z powrotem do Hiszpanii i wkrótce mieli przyjechać po dziewczynki.

Wyjrzał przez brudne okno na pustą ulicę. Do tej pory sprzyjało im szczęście. Bomby co noc spadały na Londyn. W przeciwieństwie do wielu innych mieszkańców, którzy w czasie ataków chowali się w schronach i tunelach metra, on i Freya zachowywali się podczas nalotów tak jak zawsze. Tego ranka Freya zażartowała, że są „bomboodporni", ale on zastanawiał się, czy ich życie będzie jeszcze kiedyś proste i bezpieczne. Pomyślał o rozmowie, jaką dziewczynki prowadziły przy śniadaniu.

– Jadę do domu – wyspleniła Matie, zanurzając łyżkę w owsiance.

– Do domu? Gdzie jest dom? – Liberty podciągnęła nóżki na krzesło.

– Mój dom jest w Hiszpanii. Jadę do Hiszpanii.

– Wujku Charlesie, gdzie jest mój dom? Też w Hiszpanii?

Charles podniósł wzrok znad gazety.

– Nie. Twój dom jest tutaj, Libby, z twoją mamusią Freyą i ze mną.

Hiszpania, myślał teraz z żołądkiem skurczonym ze strachu. Skubał zębami zadzior przy paznokciu kciuka, a w jego głowie jak w kalejdoskopie powstawały wciąż nowe obrazy. Ostatnio nie czuł się dobrze sam ze sobą, nie potrafił odpocząć, otrząsnąć się ze wspomnień, przegnać osaczających go duchów. Zakrył twarz dłonią, a potem przeczesał włosy palcami.

– Dziewięćdziesiąt dziewięć, sto! – zawołał. Przeszedł przez dom, kierując się od razu do oranżerii. Jednak nie znalazł w niej nic poza dwoma zakurzonymi wiklinowymi fotelami – miał nadzieję, że kiedyś będzie pełna roślin i motyli. Odgłos jego kroków niósł się echem po spękanych ceramicznych kaflach. – Szukam, nie czekam!

– Wiedział, że Liberty zawsze chowa się w kredensie stojącym w małej narożnej wnęce, więc lekko poskrobał w drzwi.

– To niesprawiedliwe! – krzyknęła Libby z pretensją.

– Masz rację, Libby – przytaknął Charles. Serce mu waliło jak oszalałe. – Zabawmy się w coś innego. Nie powiem Matie, gdzie się schowałaś. Chcę, żebyś tu została, rozumiesz? – Dziewczynka z powagą skinęła głową. – Chcę, żebyś była bardzo, bardzo cicho.

– Jak myszka!

– Właśnie, jak myszka. – Charles spojrzał na zegarek. Mogli się zjawić w każdej chwili. – Zostań tu, dopóki po ciebie nie przyjdę.

Docisnął drzwi kredensu i przekręcił klucz w zamku.

– Matie! – zawołał, wychodząc do ogrodu. – Matie!

– Usłyszał chichot dobiegający zza szopy na narzędzia.

– Znalazłem cię! – Podniósł ją i przytulił; czuł, jak rośnie mu gula w gardle. Dziewczynka kurczowo trzymała go za szyję. Niosąc ją do domu, powiedział: – Słuchaj, Matie, niedługo przyjadą tu mili ludzie z komitetu i jeszcze inni ludzie, z Hiszpanii.

– Z domu?

– Tak, Matie, z domu. Libby się chowa. Bardzo dobrze się schowała. Ci ludzie nie mogą jej znaleźć, Matie. Jeśli cię spytają, gdzie jest Libby, to powiesz, że wyjechała. Powiesz, że bawiłyście się wczoraj wieczorem i Libby wyjechała.

– Tak, wujku Charlesie.

– To taka zabawa – dodał spokojnie. – Po prostu zabawa. – Rozległo się pukanie. – Czas jechać do domu – powiedział, otwierając drzwi. Z marsową miną powitał ludzi stojących na progu. Weszli do środka i jakaś kobieta wzięła Matie za rękę.

– Do widzenia, Matie. – Zaciskając mocno powieki, pocałował dziewczynkę w czubek głowy. – Niech cię Bóg błogosławi.

– Ma pan dokumenty dziecka?

– Tak. Chwileczkę. – Sięgnął do kieszeni i oddał papiery.

– Gdzie jest drugie dziecko?

– Nie powiedzieli wam? – Wytrzymał pytające spojrzenie. – Zdarzył się wypadek. Lourdes del Valle zginęła podczas nalotu.

– Przykro mi. Oczywiście zbadamy tę sprawę. – Mężczyzna z komitetu uścisnął mu dłoń i mrużąc oczy, spojrzał na kikut drugiej ręki. – To musi być dla pana bardzo trudne. Zapewniam, że to dziecko w Hiszpanii będzie szczęśliwe.

Charles popatrzył na bystrą, pełną nadziei twarzyczkę Matie czekającej na tylnym siedzeniu samochodu. Dziewczynka mu pomachała rączką na pożegnanie.

– Dobrze się nią opiekujcie – powiedział cicho i zamknął drzwi.

Oparty o ścianę słuchał, jak samochód się oddala. Serce chciało mu wyskoczyć z piersi; potykając się, ruszył w stronę kuchni. Nalał sobie wielką porcję whisky z butelki stojącej na komodzie i sięgnął po telefon.

– Halo – odezwał się do słuchawki trzymanej drżącą ręką. – Czy to komitet do spraw dzieci? Mówi Charles Temple. Obawiam się, że mam złe wieści. Chodzi o dziewczynkę, która u nas mieszkała, Lourdes del Valle. Tak...
– W telefonie rozległ się szelest przekładanych papierów.
– Wczorajszy nalot zaskoczył nas poza domem. – Słuchał, pozwalając mówić kobiecie po drugiej stronie linii. – Obawiam się, że zginęła. Tak, reszta z nas nie ucierpiała. Nie, ciała do tej pory jeszcze nie znaleziono. Tak, oczywiście. Przyjdę podpisać wszelkie niezbędne dokumenty. Dziękuję. Tak, wszyscy jesteśmy zdruzgotani.

– Charles?

Odwróciwszy się gwałtownie, ujrzał Freyę. Stała w kuchni, tuż za nim, z twarzą szarą jak popiół. W ręce miała koszyk zakupów spożywczych na podróż do Kornwalii.

– Do widzenia – powiedział, po czym odłożył słuchawkę na widełki.

– Charles, coś ty zrobił?

– Nie miałem wyboru. Przyjechali po Liberty.

– Coś ty zrobił? – powtórzyła głośniej.

– Matie pojechała, ale Libby jest bezpieczna.

– O czym ty mówisz? Oszalałeś? Jak możesz twierdzić, że nie żyje? Chciałam ją adoptować zgodnie z prawem.

– Freya podeszła do telefonu. – Zadzwonię do komitetu i powiem im, że jesteś pijany, że postradałeś rozum.

Charles nie dał jej podnieść słuchawki.

– Zabiorą ją. Zabiorą ci Liberty, tak jak zabrali Matie. Rozumiesz? – Ścisnął ramię siostry. – Obiecałem ci, że będę chronił ciebie i Liberty.

– Więc co mamy teraz zrobić? Uciekać i ukrywać się przez resztę życia? – Freya pokręciła głową z niedowierzaniem. – Jesteś niepoczytalny! – Potarła usta wierzchem dłoni.

– Odtąd Hiszpania nie istnieje i nigdy nie istniała – powiedział Charles. – Rosa, Jordi, nie ma ich. Lourdes del Valle nie żyje. – Objął ją i wyszeptał, dotykając ustami jej włosów: – Liberty Temple jest twoją córką, Freya. Nikt nigdy nie może poznać prawdy.

– Nie mogę, Charles. Nie mogę budować całego naszego życia na kłamstwie.

– Nie masz wyboru. Zabiorą ją, jeśli się dowiedzą. Mają list od Rosy i to im całkowicie wystarczy. Damy radę, Frey, musimy dać radę, dla Libby. Nie wiem, czy mi uwierzą. Dzieci giną podczas nalotów codziennie, ale będą podejrzliwi. Będą nas obserwować. Najlepiej będzie, jeśli ty i Liberty wyjedziecie do Kornwalii natychmiast. Tu nie jest bezpiecznie, Falanga wszędzie ma swoich szpiegów.

– Walizki są prawie spakowane.

– To dobrze. Przyprowadzę samochód i zawiozę was prosto na stację. – Zastanawiał się przez chwilę. – Na wypadek gdyby obserwowali dom, możemy ukryć Libby w jednej z walizek, mówiąc jej, że to zabawa.

– Zabawa? – jęknęła Freya. Zakryła twarz dłońmi, a następnie gestem wyrażającym zmęczenie i rezygnację potarła oczy. – Nie mogę...

– Możesz. Musisz. Musimy to zrobić dla niej. – Głos mu drżał. – Jeśli uratujemy jedno dziecko, tylko jedno dziecko z… z tego… – Zamknął oczy, próbując się bronić przed obrazami wojny, które uparcie podsuwała mu wyobraźnia. Potrząsnął głową. – Jedno dziecko, jedno bezcenne dziecko czyni różnicę.

– To się nie uda!

– Jest wojna, ludzie wciąż znikają. Władze są zawalone pracą. – Zamyślił się na chwilę. – Jak już dojedziesz do Kornwalii, zgłoś po prostu, że straciliśmy wszystko podczas nalotów, wszystkie dokumenty, w tym jej akt urodzenia. Powiedz im, że jest twoją nieślubną córką, że urodziłaś ją w Hiszpanii. – Wziął Freyę za rękę. – Liberty jest odtąd twoją córką.

– Gdzie ona jest?

– Chowa się w oranżerii.

Freya ruszyła tam biegiem. Opróżniając kieliszek, Charles słuchał, jak uspokajająco przemawia do dziecka. Po chwili minęła go, niosąc Liberty w ramionach, dziewczynka oplatała ją w pasie nóżkami.

– Gdzie jest Matie, wujku Charlesie? – spytała Liberty znad ramienia Freyi.

– Musiała pojechać do domu. – Charles wytrzymał spojrzenie siostry, wzrok miał twardy i nieustępliwy. – A teraz, kochanie, nauczę cię nowej zabawy. Udawajmy…

Rozdział 60

Walencja, marzec 2002

Emma nie uniknęła kaca. Przeszukała nowe szafki w łazience, ale nie znalazła paracetamolu. Krzywiąc się, wycisnęła sobie wprost do ust dwie saszetki calpolu.

– Solé! – zawołała z góry. Podskakując na jednej nodze, zasunęła zamek buta. – Czas wychodzić!

Słysząc głosy w kuchni, zmarszczyła brwi. Chwyciła ulubiony żakiet od Nicole Farhi i zbiegła po schodach.

– Nabożeństwo zaczyna się za kwadrans – powiedziała z opuszczoną głową, zapinając sobie na szyi medalion Rosy.

– No, proszę, proszę – odezwała się Delilah, przeciągając sylaby.

Emma gwałtownie poderwała głowę. Delilah stała na środku kuchni z Josephem w ramionach.

– Twoja niania mówi, że wybieracie się do kościoła ochrzcić Joego. – Popatrzyła na dziecko. – Czuję się jak zła wróżka pojawiająca się bez zaproszenia.

– Jak się tu dostałaś? – Emma zauważyła rumieniec na policzkach Solé.

– Powiedziałam jej, że jestem twoją starą przyjaciółką. – Delilah zrobiła krok w stronę Emmy. – Jest piękny, Em.

Wykapany tatuś. – Rozejrzała się wokół. – Wszystko tu jest perfekcyjne. Ale przecież ty zawsze byłaś perfekcjonistką.

– Nie jestem perfekcjonistką. I nigdy nie starałam się nią być.

Delilah wywróciła oczami.

– Ty nie musisz się starać, ty po prostu jesteś doskonała. Twarz prosperującej firmy, dekoratorka wnętrz, piękność, lojalna przyjaciółka... a teraz jesteś matką jego dziecka. – Pochyliła się ku Emmie. – Gratulacje.

– To nie miała być zemsta na tobie, jeśli tak sądzisz.

– Pieprzyłaś się z nim po tym, jak związał się ze mną – wysyczała Delilah. – Masz z nim dziecko. To nie fair.

– Obie jesteśmy w żałobie – powiedziała szeptem Emma, spoglądając na Solé.

– Tak, tylko że ja byłam tą suką, która was poróżniła.

– Odgrywaj ofiarę, jeśli tak chcesz, Lila, zawsze świetnie ci to wychodziło.

– On mnie kochał. Ożenił się ze mną.

– Kochał nas obie i nic nigdy tego nie zmieni. – Emma popatrzyła na zegar. – Solé, mogłabyś zabrać już Josepha do kościoła? Ja będę tam za parę minut. Luca na ciebie czeka.

– Luca? Kim jest Luca? – spytała Delilah, podając dziecko niani. Emma starała się nie okazać, jak wielką poczuła ulgę.

– Ojciec chrzestny Joego. Przyjaciel.

– Miło. Zupełnie jak ja.

Emma odczekała, aż zamkną się frontowe drzwi, po czym zwróciła się do Delilah:

– Straciłaś wszelkie prawa do mojej przyjaźni za pierwszym razem, kiedy spałaś z Joem.

Delilah uniosła ręce w geście poddania.

– Wybacz mi.

– Podaj mi jeden dobry powód, dla którego powinnam ci wybaczyć. – Emma przeszyła ją gniewnym spojrzeniem.

– Bo żałuję tego z głębi serca. Bo idę o zakład, że z nikim innym nie przegadałaś całej nocy, słuchając Jamesa Taylora. Pamiętasz? – Delilah zanuciła: – *Masz przyjaciela...*

– Przestań! – Emma sięgnęła po torebkę. – Na miłość boską, tylko nie zaczynaj mi tu śpiewać – powiedziała, ruszając do wyjścia.

– No tak, zawsze fałszowałam. – Delilah wyszła za nią na zewnątrz; kiedy zakładała ciemne okulary, słońce odbiło się w jej złotych tipsach.

– Słuchaj, to nie jest dobry moment.

– Nie zamierzam zostać długo. Chcę tylko, żebyś podpisała papiery.

– Będę potrzebowała czasu, żeby się zastanowić – odpowiedziała Emma, zamykając drzwi domu na klucz. – Gdzie się zatrzymałaś?

– Tutaj.

– Chyba żartujesz?!

– A co, wyrzucisz mnie? Musimy załatwić tę sprawę z Japończykami. Nawiasem mówiąc, nie oczekuję podziękowań...

– Podziękowań?! – wykrzyknęła Emma.

– Beze mnie cała sprzedaż by się posypała. Chcesz całkowitego zerwania stosunków? Świetnie. Właśnie to ci oferuję. – Wyszły z posesji przez bramę i skierowały się w stronę centrum miasteczka. Delilah przyjrzała się Emmie. – Wyglądasz aż za dobrze jak na kobietę, która dopiero co urodziła dziecko.

– Niczego nie zyskasz pochlebstwami. – Emma zmrużyła oczy przed ostrym słońcem; ból głowy nadal dawał jej się we znaki. – Wiesz, kiedy nabrałam pewności, że ty i Joe macie romans? Jechałam do biura i zobaczyłam cię,

jak szłaś Kings Road. Pomachałam ci, zwolniłam, żeby
cię zgarnąć, wiedziałam, że mnie widzisz... a ty odeszłaś.

– Nie pamiętam.

– Czułaś się tak bardzo winna, że nie byłaś w stanie
na mnie spojrzeć.

– To było po pierwszym razie – powiedziała Delilah
cicho.

– Zatem kiedy to się stało?

– Co?

– Kiedy nawiązaliście romans?

– Em, przestań...

– Nie! – Emma stanęła w miejscu. – Chcę wiedzieć.
Jak myślisz, ile nocy przepłakałam, zastanawiając się, jak
i gdzie się to zaczęło?

– W Brighton.

– W Brighton?

– Pracowaliśmy do późna. To był piękny wieczór. Za-
proponowałam Joemu, żebyśmy pojechali nad morze, tak
dla zabawy, jak robiliśmy dawniej we trójkę.

Emma pamiętała ich wyprawy kabrioletem Joego. Wiatr
smagał ją po twarzy, kiedy pędzili nad morze. Lila zwykle
spała skacowana na tylnym siedzeniu.

– To powinnam była być ja – powiedziała cicho Delilah.

– Co?

– Czekałam na niego przez cały ten czas. Umawiał się
z tą dziewczyną...

– Clare?

– Tak, zgadza się. Staroświecka Clare. Przez cały pierwszy rok na Columbii był jej wierny. Starałam się, jak mogłam...

– Nie wątpię.

– A potem usłyszałam, że z nią zerwał. Tamtego pierwszego wieczoru naszego ostatniego semestru miałam zamiar

mu powiedzieć, że się w nim kocham. – Delilah zaśmiała się z goryczą. – Ale pojawiłaś się ty jak powiew świeżego powietrza, żywiołowa, piękna. – Westchnęła. – Joe zwierzał mi się wtedy, dasz wiarę? Widziałam, że zakochaliście się w sobie nawzajem od pierwszego wejrzenia. – Popatrzyła Emmie w oczy. – Straciłam jedyną szansę. Ukradłaś moje pięć minut. Nienawidziłam cię.

Emma wytrzymała jej spojrzenie.

– Dobrze to ukrywałaś. – Odwróciła się i poszła w stronę kościoła.

– Nie chciałam go stracić. Gdybym okazała, co czuję do ciebie, straciłabym Joego. Mówi się, że miłość jest po prostu innym sposobem patrzenia na przyjaciela. Musiałam się nauczyć tak zachowywać, żeby moja miłość do Joego wyglądała na przyjaźń.

– Więc... nasza przyjaźń to były jedynie pozory?

– Z początku. Ale ty... jesteś taka cholernie urocza. Wydaje mi się, że kiedy miałam grypę tamtej zimy, zaczęłam żywić do ciebie cieplejsze uczucia.

– Do mnie czy do mojego bulionu z imbirem? – Emma pamiętała godziny spędzone na opiekowaniu się Delilah. Niekończące się butelki z gorącą wodą, wielogodzinne przeglądanie starych egzemplarzy „Vanity Fair" i „Vogue'a" na jej łóżku, wśród chusteczek higienicznych. – Nie mam pojęcia, jakim cudem się nie zaraziłam.

– Ty? Ty nigdy nie chorujesz. Masz system odpornościowy hipopotama.

– Hipopotamy są takie zdrowe?

– Cholera wie. – Delilah pogmerała w torebce, wyjęła papierosa i zapaliła. – Ale się porobiło, Em. Przepraszam.

Emma przystanęła na schodach kościoła i spojrzała na nią. Miała przed sobą kobietę, która z premedytacją zniszczyła jej życie. Ona też cierpi, pomyślała. Z ociąganiem, ale jednak ją objęła.

– Wybaczam ci.

– Naprawdę?

– Co innego mogę zrobić? Obie go straciłyśmy.

Delilah odwzajemniła uścisk.

– Dziękuję ci. Życie jest za krótkie, Em, tak mi kiedyś powiedziała twoja mama. Miała rację, jak zawsze. Zostawmy przeszłość za sobą.

– Jak sama wiesz, pragnę całkowitego zerwania stosunków. – Emma cofnęła się, widząc, że Luca idzie ku niej z Josephem na rękach. – Zostań albo odejdź, wszystko mi jedno. Nic tu po tobie.

Delilah patrzyła, jak Emma oddala się w głąb kościoła.

– Nie liczyłabym na to – wyszeptała z zaciętym wyrazem twarzy.

Pnie drzew przygotowane na ogniska leżały na skraju miasta w wielkiej stercie przypominającej stos pogrzebowy. Dalej, po otwartej przestrzeni, w szarym świetle późnego popołudnia snuły się ludzkie postacie, ze wzrokiem utkwionym w ziemi wyglądały jak dusze wygnańców.

– Co robią ci ludzie? – zapytała Delilah, jadąc z piskiem opon.

– Zbierają ślimaki – odpowiedziała Emma z tylnego siedzenia. Otuliła kocem Josepha zapiętego w foteliku. – Jest święto Fallas.

– Co z nimi robią?

– Wkładają do torby z ziołami, myją i jedzą. Powinnaś sama spróbować.

– Fuj, obrzydlistwo! – Auto podskakiwało na nierównościach drogi. – Niech to szlag – mruknęła Delilah przy kolejnym wyboju. – Wypożyczalnia samochodów słono mi za to policzy. Powinnyśmy były wziąć twój. Nie wiem, jak możesz tu mieszkać. Cholerne zadupie... cały kraj przypomina plac budowy. Wszędzie parszywe kundle. I jeszcze to... – Wskazała stadko brązowych owiec skubiących zakurzoną trawę w cieniu drzew oliwnych. – Jak w biblijnych czasach.

– Mnie się tu podoba.

– Och, nie musisz się bronić, kochana. Ja tylko się o ciebie martwię. Raczej nie do takich warunków jesteś przyzwyczajona. – Przesunęła ręką po swych blond lokach. Emmę wciąż od nowa zdumiewały dłonie Delilah: małe, miękkie jak u dziecka. – Naprawdę sprawiasz wrażenie okropnie spiętej.

Ciekawe dlaczego, pomyślała Emma. Nie mogła uwierzyć, że Delilah udało się wyłudzić od Dolores zaproszenie na przyjęcie.

– Rozmawiałaś z kimś o tym? – zapytała Delilah. – Wiele kobiet po urodzeniu dziecka popada w depresję. – Zerknęła we wsteczne lusterko.

– Nie mam depresji!

– Daj spokój, kochana, to przecież widać. Trochę się zapuściłaś, co? Kiedy ostatni raz robiłaś coś z włosami?

Emma wzięła głęboki oddech. W gospodarstwie, do którego się zbliżali, na podwórku stał rozpalony piec. Nad kamiennym cokołem pochylało się sześciu lub siedmiu mężczyzn. Pomiędzy nimi widać było cztery ciemne, wierzgające nogi.

– Co się tam dzieje? – zainteresowała się Delilah.

– Nie patrz – poradziła jej Emma. Wzdrygnęła się na dźwięk przeraźliwego kwiku. – Zabijają świnię.

– Co to ma być? Jakaś pieprzona rzeźnia?! – Delilah uniosła zaciśniętą pięść. – Dranie!

– Przecież jadasz bekon. Jak myślisz, skąd się bierze?

440

– Nie chcę wiedzieć! – Delilah przejrzała się w lusterku na szybie, przejechała językiem po zębach.

– Skręć tutaj. – Emma wskazała długi podjazd do posiadłości Santangelów.

– No... robi wrażenie – mruknęła z uznaniem Delilah, zatrzymując się przed domem. – Twój przyjaciel ma prezencję i pieniądze. Niezły zestaw.

– *Hola* – powiedział Luca, otwierając Emmie drzwi. Czuła, że nadal jest na nią bardzo zły, ale dobrze to ukrywał. Ucałował najpierw Josepha w główkę, a potem Emmę w oba policzki. – Ceremonia była piękna. Proszę do środka.

Delilah wysiadła z samochodu.

– Witam wszystkich. Jaki uroczy dom. Ja... – Głos uwiązł jej w gardle, kiedy zobaczyła ludzi z cateringu niosących świeżo ubite jagnię ku palenisku, żeby je upiec. – O Boże! – jęknęła i zemdlała. Luca doskoczył i zdążył ją chwycić w ramiona.

– Tylko nie to – westchnęła Emma. – Zawsze tak ma na widok krwi.

Luca zaniósł Delilah na ławkę, zaczerpnął wody z fontanny i spryskał jej czoło. W odpowiedzi Delilah zatrzepotała rzęsami.

– Spoliczkuj ją – mruknęła Emma. – To czasem pomaga.

– Przepraszam, Delilah – powiedział Luca.

– Nie mogłabym ci nie wybaczyć. – Popatrzyła mu w oczy. – Nazywaj mnie Lilą, jak wszyscy moi przyjaciele.

– Miło cię poznać, Lila.

Emma sztywnym krokiem ruszyła w stronę domu, z którego właśnie wyszła Paloma.

– Oto nasz gość honorowy! – Wzięła na ręce Josepha. – Gdzie twoja znajoma?

Emma kiwnięciem głowy wskazała fontannę.

– Wisi na twoim bracie.

Paloma zmrużyła oczy.

– Znam ten typ. – Nachyliła się ku Emmie. – Domyślam się, że nie ma wielu przyjaciółek?

Emma uświadomiła sobie, że wciąż utrzymuje kontakty z ludźmi poznanymi w czasach szkoły, a Delilah nie ma żadnych znajomych.

Ściągnęła brwi. Nie zamierzała pozwolić, by Delilah zepsuła ten dzień. Wzięła Palomę pod rękę.

– Dziękuję wam, wszystko tak świetnie przygotowaliście – powiedziała, kiedy szły do gości.

– Cała przyjemność po naszej stronie. Może coś do picia? Pozwól, że przyniosę ci soku.

– Nie, dzięki... mam wielką ochotę na kieliszek wina.

– Wina? Witamy z powrotem w świecie żywych.

Uczestnicy przyjęcia rozmawiali ze sobą, przekazując sobie Josepha z rąk do rąk; starsze panie zachwycały się malcem, udzielając Emmie nieproszonych rad, które przyjmowała z wdziękiem. Na tarasie Paloma nakryła stół białym obrusem, zawiesiła lampki na rozłożystym drzewie. Posiłek był prosty, ale pyszny. Luca siedział u szczytu stołu. Emma zauważyła, że Delilah sprytnie zajęła miejsce obok niego. Znała skłonność Delilah do flirtowania z każdym atrakcyjnym mężczyzną, jaki stanął jej na drodze, i zawsze traktowała ją pobłażliwie, jednak w tym momencie każdy gest Delilah działał jej na nerwy. Z misy na stole wybrała figę i powąchała, wciągając czystą zieloną nutę oraz zapach kojarzący się z drewnem i ziemią. Wzięła do ręki ostry srebrny nożyk i rozkroiła owoc. To, co czuję, jest chyba bliskie nienawiści, pomyślała. Zmysły miała wyostrzone. Odnosiła wrażenie, że widzi wyraźnie po raz pierwszy od miesięcy. Zatopiła zęby w słodkim miąższu, miękkim pod dotykiem języka. Uniosła wzrok, czując na sobie spojrzenie Luki.

Zapadł zmierzch, dorośli siedzieli przy stole i rozmawiali, a dzieci ze śmiechem uganiały się po trawnikach. Benito wyniósł na zewnątrz wieżę stereo i ludzie zaczęli tańczyć na podwórzu.

– Był bardzo grzeczny. – Luca przykucnął obok krzesła Emmy. Pogładził buzię dziecka śpiącego w jej ramionach.

– Chyba mu się podobało, że jest w centrum uwagi. Ma to po swoim ojcu – powiedziała chłodnym tonem Emma.

Luca popijał wino, wolną rękę zarzucił na oparcie jej krzesła.

– Twoja znajoma dobrze się czuje?

– Skąd mam wiedzieć? Kiedy ją ostatnio widziałam, siedziała ci na kolanach.

Luca uśmiechnął się rozbawiony.

– Ona też jest w ciąży?

– Bo zemdlała? Nie, ona po prostu tak ma. A co, jesteś zainteresowany?

Wzruszył ramionami.

– Obiecałem, że pokażę jej jutro Walencję. Może byś pojechała z nami?

Kiedy odchodził do swego miejsca przy Delilah, Emma wbiła wściekły wzrok w jego plecy.

– Nie pokazuj tego po sobie aż tak wyraźnie – poradziła szeptem Paloma, najwidoczniej czytając w myślach Emmy. – Nikt tu jej nie zna. Są przekonani, że to twoja najlepsza przyjaciółka i przyjechała z Anglii specjalnie na chrzciny. Źle na tym wyjdziesz. Takie jak ona potrafią każdego oczarować, jak Machiavelli, na oko chodząca dobroć, a w głębi, domyślam się...

– Dzięki Bogu, że tu jesteś. – Emma poklepała jej dłoń.

– I tak nikt by nie uwierzył. Popatrz, jak swobodnie i czarująco się zachowuje. Nikt by nie uwierzył, że ukradła mi miłość mojego życia.

– Naprawdę był kimś takim?

Emma się zawahała.

– Nie wiem. Joe był pierwszym mężczyzną, którego pokochałam. Właściwie byłam dzieckiem, kiedy go poznałam.

– Więc nie mów pochopnie. – Paloma nachyliła głowę tak, że zetknęły się czołami. – Może miłość twojego życia ma dopiero nadejść. – Nie była ani trochę zdziwiona, że Luca wcale nie patrzy na Delilah, tylko na Emmę.

Rozdział 61

Londyn, marzec 2002

Charles siedział przy piknikowym stoliku na placu przy Chelsea Gardener i popijał herbatę ze styropianowego kubka. Czytał biuletyn fundacji imienia Brygad Międzynarodowych i czekał na Freyę. Jego wzrok przyciągnął nekrolog jednego z lekarzy, który pracował przy transfuzjach krwi z Bethune'em. Jak ten chłopak miał na imię? – zastanawiał się, wracając pamięcią do tamtego dnia w tysiąc dziewięćset czterdziestym drugim.

Któregoś popołudnia szwendał się po domu, próbując zebrać w sobie odwagę, by odwiedzić Freyę w Kornwalii. Dopiero po kilku seriach głośnego pukania do drzwi ruszył się, żeby otworzyć.

– Kto się dobija, u diabła? – burknął.

Stanął chwiejnie na nogi, przewracając przy tym pustą butelkę. Minął kuchenny stół zastawiony kieliszkami i brudnymi naczyniami. Przeszedł przez salon, potykając się o sterty książek i gazet. Pukanie się powtórzyło.

– Idę! – zawołał z irytacją. Otworzył drzwi i wyjrzał na zewnątrz. Robiło się ciemno, więc wytężył wzrok, spoglądając na mężczyznę stojącego na progu. – Mogę w czymś pomóc?

Tom zdjął kapelusz i wsadził go sobie pod pachę.

– Witam. – Wyciągnął do Charlesa rękę i pokazał kartkę z wypisanym ręcznie adresem.

Charles zobaczył pismo Freyi, a także bukiet białych róż w dłoni gościa.

– Czy ja pana znam?

– Nie, nigdy wcześniej się nie spotkaliśmy. Jestem Tom Henderson. Przyjaciel Freyi. Pan musi być jej bratem, Charlesem.

– Przykro mi, ale ona już tu nie mieszka. – Charles oparł się o framugę. W głowie mu się kręciło, twarz Toma pływała mu przed oczami.

– Minęło sporo czasu. Byłem w Chinach, z urządzeniem do transfuzji Bethune'a.

– Bethune? Pamiętam go.

– Niestety, zmarł w trzydziestym dziewiątym, ale kontynuujemy jego dzieło.

Charles miał przerażające wrażenie, że zaraz zwymiotuje.

– Ona wyjechała – rzucił szorstko.

– Ma pan jej obecny adres? Pisałem do Freyi kilka razy, ale nie dostałem odpowiedzi. Wracam do domu, do Kanady, miałem nadzieję…

– Jakiś czas temu wyszła za mąż – skłamał Charles, myśląc z poczuciem winy o listach, które sam zniszczył.

– Ma córkę. – Dostrzegł rozczarowanie na twarzy Toma. Nie miał jednak zamiaru ryzykować, bo ten człowiek był związany z Hiszpanią. – Nie planuje powrotu.

Charles podniósł się ciężko i wrzucił kubek do kosza na śmieci. Wlokąc się noga za nogą przez centrum ogrodnicze, dostrzegł w oddali Freyę. Wybierała sadzonki na rabaty.

– Frey! – zawołał. Podniosła wzrok. Nadal jest piękna, pomyślał, zmierzając w jej stronę. Miał przed sobą scenę jak z obrazu: oszałamiająco barwne kwiatki w przyćmionym świetle stanowiły tło siwych włosów przyciętych na pazia i pochylonej, szczupłej sylwetki w nieodłącznej czarnej koszulce polo.

– Jeszcze nie skończyłam – rzuciła. – Wiesz, że nie lubię być ponaglana. Mówiłam ci, żebyś się napił herbaty i na mnie poczekał.

– Przestań mną dyrygować, kobieto. – Poklepał biuletyn, wystający z kieszeni marynarki. – Odszedł jeszcze jeden... jakiś człowiek, który obsługiwał urządzenie do transfuzji.

Freya zmieniła się na twarzy.

– Chyba nie Tom Henderson?

– Nie, ale właśnie tego nazwiska nie mogłem sobie przypomnieć. Kim on był?

– Tom? – Freya dotknęła płatków ciemnoniebieskiego bratka. Charles zauważył, że rysy jej złagodniały, oczy zasnuł smutek. – Tom był... – Wzruszyła ramionami i odstawiła doniczkę. – Kochaliśmy się. Miałam nadzieję... – Westchnęła. – Cóż, nie ułożyło się. Ostatnia wiadomość, jaką o nim miałam, to że wyjechał do Chin z Bethune'em. Całkiem o mnie zapomniał. – Splotła ramiona na piersi. – Ale ja nie zapomniałam. Może dlatego nigdy nie wyszłam za mąż. Żaden inny mężczyzna nie dorastał Tomowi do pięt.

– Na litość boską, kobieto, przez cały ten czas? Dlaczego mi o nim nie powiedziałaś?

– Nie wiem, czemu teraz ci mówię. – Ruszyła przed siebie, spoglądając na rzędy różnobarwnych kwiatów w wiosennej ekspozycji. – Pewnie dlatego, że Emma urodziła. Ma się wrażenie, że to nowy początek dla nas wszystkich. Przy małej Liberty... – Głos jej się załamał. – Moje problemy jakby przestały się liczyć. Zaszyłam się w Kornwalii, zorganizowałam sobie życie na nowo. – Popatrzyła na Charlesa. – Wiesz, że w ten weekend są chrzciny i święto Fallas.

– Och, Frey, nie podjąłem jeszcze decyzji.

– Chciałabym tam być, dla Emmy. Delilah jest w drodze, a nie ufam jej ani trochę.

Podreptali do domu coraz bardziej zaludnionymi ulicami. Reflektory rozświetlały zapadający mrok; kierowca zatrąbił na nich, gdy zbyt opieszale przechodzili przez jezdnię. Charles pokazał znak zwycięstwa jakiejś białej furgonetce, kiedy już stali bezpieczni na chodniku. Dysząc ciężko, wyciągnął z kieszeni klucz.

– Dlaczego nie powiedziałaś mi tego wszystkiego wtedy przed laty? – spytał, gdy drzwi domu już się za nimi zamknęły. – Ten Kanadyjczyk pojawił się w Londynie.

– Tom? – Otworzyła usta ze zdumienia. – Tom wrócił do mnie? – Macając za sobą ręką, opadła na fotel.

– Owszem, bardzo miły człowiek. Powiedziałem mu, że wyszłaś za mąż, masz dziecko.

– Och, Charles. – Pokręciła głową, zapalając lampę. – Dlaczego?

– To było zaraz po tym, jak próbowali zabrać Libby. Uznałem, że będzie bezpieczniej, jeśli zerwiemy wszelkie powiązania z Hiszpanią. Próbowałem chronić was obie. – Ścisnął ramię siostry. – Były też listy... – Wzdrygnął się, kiedy krzyknęła. – Szczerze mówiąc, nie sądziłem, że to coś poważnego, myślałem, że chodzi o jakiś wojenny romans.

– Dlaczego mi nie powiedziałeś?

– Chryste, przepraszam! Gdybym wiedział... – Wyjął okulary z górnej kieszeni marynarki. – Skoro tyle dla ciebie znaczył, czemu nigdy nie próbowałaś się z nim skontaktować?

– Bałam się. – Freya patrzyła na swoje dłonie. – Nie miałam od niego żadnych wiadomości, więc bałam się, że sobie znalazł kogoś innego albo że między nami się zmieniło. Bałam się, że kocham bardziej, niż jestem kochana.

– To śmieszne. Nie widziałem, żebyś się kiedykolwiek czegoś bała. – Charles podszedł do swojego laptopa. – Zawsze uważałem, że mogłaś więcej osiągnąć w życiu. Może przez tego całego Toma nigdy nie podjęłaś ryzyka.

– Osiągnąć więcej od czego, Charles? Pracowałam, stworzyłam rodzinę. Nie przyszło ci nigdy do głowy, że osiągnęłam wszystko, czego pragnęłam? Żyłam...

– I kochałaś?

– Tak, kochałam. Kochałam Toma, bardzo, namiętnie, chociaż byliśmy razem tak krótko. – Przetarła oczy. – Że też akurat ty to mówisz, casanova. Tak cię pochłonęło niemożliwe do spełnienia marzenie o Gerdzie, że przegapiłeś to, co miałeś na wyciągnięcie ręki. Ty też zmarnowałeś życie na próżne żale.

Charles usiadł ciężko na krześle przy biurku.

– Masz na myśli Immaculadę, prawda?

– Straciłeś swoją szansę, Charles. Ona cię kochała. Gdybyś poprosił, poszłaby za tobą.

– Myślisz, że nie rozmyślałem o tym tysiące razy? Co by było, gdybym ją ze sobą zabrał? Gdybyśmy z Hugonem po prostu wyjechali po rozwiązaniu brygad? – Przejechał dłonią po włosach, zerkając na kredens. – Jest jeszcze szkocka?

– Nie. I wiesz, że nie powinieneś, lekarz cię ostrzegał, że musisz uważać na wątrobę.

– Frey, mam osiemdziesiąt sześć lat. Pozwól mi mieć odrobinę przyjemności z życia. – Wypolerował szkła okularów. – Była piękną dziewczyną – powiedział z zadumą. – Spodziewam się, że wyszła za tego rozsądnego chłopaka, który chodził za nią jak szczeniak. Jak on miał na imię?

– Ignacio.

– Tak, Ignacio. – Charles zacisnął wargi i wzruszył ramionami. – Może oboje straciliśmy swoje szanse. Ale jeszcze nie jest za późno. – Rozprostował palce nad klawiaturą laptopa. – Najważniejsza jest teraźniejszość.

– Co robisz? – Freya z trudem podniosła się z fotela i zajrzała mu przez ramię. Charles wstukał w wyszukiwarkę „Dr Thomas Henderson, Kanada". Po sekundzie na ekranie ukazał się adres. – Och, sama nie wiem. Nie mogę...

– Za późno. – Wybrał podany przy adresie numer i podał Freyi słuchawki.

– Dzień dobry, tu gabinet doktora Hendersona.

– Charles, nie mogę tego zrobić... – zaczęła Freya. – Och, dzień dobry. Doktora Toma Hendersona?

– Tak, proszę pani, dzień dobry. W czym możemy pomóc?

– Czy mogłabym zamienić z nim słowo?

– Połączę panią. Mogę spytać, kto dzwoni?

– Freya Temple.

– Chwileczkę.

Freya cała się trzęsła. Charles ustąpił jej miejsca, żeby mogła spocząć. Usłyszała odgłos podnoszonej słuchawki.

– Dzień dobry. Tom Henderson.

Serce waliło jej głośno.

– Tom? Czy to ty? – Jego głos brzmiał tak samo, dokładnie tak samo. Wydawało się to niemożliwe. Jakby czas się cofnął. Pamiętała uścisk jego ramion, zmarszczki wokół oczu, kiedy się uśmiechał. Jak bardzo go kochała!

Mężczyzna po drugiej stronie roześmiał się miło.

– Tak, to ja. A z kim mam przyjemność rozmawiać?

– Z Freyą. – Może ją zapomniał po tylu latach? – Możesz nie pamiętać... pracowaliśmy razem z Bethune'em.

– Doktorem Bethune? – spytał po krótkiej pauzie. – Och, rozumiem. Zapewne chodzi pani o mojego ojca? Toma Hendersona seniora?

Freya uderzyła się w czoło otwartą dłonią.

– Oczywiście.

– Proszę powiedzieć, jest pani tą Freyą? Tą, o której wciąż mówił po śmierci mamy?

– Mam nadzieję.

Znów się zaśmiał.

– O rany, to by mu się spodobało.

Serce zamarło jej w piersi.

– Chce pan powiedzieć, że Tom...

– Niestety, tata zmarł wiosną zeszłego roku.

– Tak mi przykro. – Freya poczuła łzy wzbierające pod powiekami. – Współczuję, że stracił pan ojca.

– Cóż... – Westchnął. – Bardzo mi go brakuje. Ale wie pani, mój syn jest do niego bardzo podobny.

– Czy on... czy był szczęśliwy?

– O tak! Po powrocie z Chin w czterdziestym drugim roku tata ożenił się z mamą. Mieli sześcioro dzieci...

– Sześcioro? – Freya zaśmiała się przez łzy.

– Tata zawsze uwielbiał dzieci.

Freya przypomniała sobie, jak się bawił z dzieciakami na ulicy w Madrycie, żartował z nimi, rozdawał słodycze.

– Spodziewam się, że był cudownym ojcem.

– Mama z tatą przeżyli razem pięćdziesiąt dobrych lat. Doczekali się wnuków, czego zawsze pragnął.

Freya wyobraziła sobie Toma jako patriarchę doglądającego gromady ciemnowłosych dzieci.

– Miło mi słyszeć, że był szczęśliwy.

– Nigdy o pani nie zapomniał, Freyo. – Zamilkł na chwilę. – Trzeba przyznać, że wasze pokolenie wiele przeszło.

– Tak... – Freya otarła łzę. – To prawda.

– Zastanawiał się... Nie wiem, czy powinienem panią o to pytać. Tata wiele o pani mówił po śmierci mamy. Czasami się zastanawiał, czy pani żałowała, że nie pojechała razem z nim.

Freya pomyślała o jego urodziwej, szczerej twarzy, o tym, jak bardzo go kochała.

– Ja też byłam szczęśliwa. – Zawahała się, po czym dodała: – Ale myślałam o nim codziennie. Codziennie, przez całe życie.

Rozdział 62

WALENCJA, MARZEC 2002

– Otwórzcie usta – poradził Luca, spoglądając na zegarek.

– Po co? – zdziwiła się Delilah.

– Zaufaj mi! Tutejszy pokaz fajerwerków… – Nastąpiła potężna eksplozja. Ziemia się zatrzęsła, na zatłoczonym rynku podniosły się okrzyki na wiwat.

Emma miała wrażenie, że powietrze drży, rozpada się, hałas ranił jak fizyczny cios, ostry zapach dymu wciskał się w nozdrza, przyprawiał o zawrót głowy.

– Dlaczego to robią? – zapytała.

– Dzięki temu człowiek czuje, że żyje! – odpowiedział jej ze śmiechem Luca. Poprowadził je przez rozbawiony tłum do miejsca, gdzie zaparkowali samochód koło Plaza la Reina. Figura Matki Boskiej, wysoka jak wieża katedry, spoglądała na nich z góry pod niebiesko-białymi markizami. Królowe Fallas objuczone naręczami goździków podawały kwiaty mężczyznom, którzy stojąc na rusztowaniu, wtykali je łodyżkami w konstrukcję tworzącą szaty Dziewicy.

– Co teraz? – zapytał Luca, kiedy już wydostali się z najgęstszej ciżby. – Chcecie pojechać na wybrzeże czy jeść? Może walka byków?

– O tak, walka byków! – Delilah wzięła go pod rękę.

– Jesteś pewna? Znowu zemdlejesz – powiedziała Emma.

– Luca się mną zaopiekuje, a wszystkiego trzeba choć raz spróbować. – Delilah zsunęła ciemne okulary na koniec nosa i posłała mu powłóczyste spojrzenie spod starannie wytuszowanych rzęs. – Albo dwa razy, jeśli się spodoba.

Emma miała ochotę walnąć Lucę w ramię. Czemu on się śmieje? Wpatrywała się gniewnie w szczupłe plecy idącej przed nią Delilah, która odciągnęła ramiona do tyłu, poza linię łopatek i wygięła kręgosłup tak, że nad jej pośladkami powstało wgłębienie w kształcie konturu odwróconego serca. Ubrana była na różowo. Bez wątpienia wybrała ten kolor, by wyglądać kobieco i bezbronnie. On nie może oderwać od niej oczu, pomyślała Emma, zerkając nerwowo na Lucę. Czuję się, jakbym miała na sobie namiot. Wiatr wydymał lekko jej białą bawełnianą sukienkę.

Nie chciała ryzykować, zostawiając Delilah sam na sam z Lucą, więc towarzyszyła im, zostawiwszy Josepha w domu pod opieką Solé.

– Jadę z przodu! – zawołała Delilah, wskakując na fotel obok kierowcy.

Luca otworzył drzwi Emmie, która wślizgnęła się na tylne siedzenie. Wkrótce jechali ruchliwą Guillem de Castro.

– Odwiedzasz Walencję po raz pierwszy, Lila? – spytał Luca.

– Owszem. Uważam, że jest fantastyczna. – Nachyliła się, patrząc na bliźniacze wieże Torres de Quart. – Cudowny zamek! Wygląda jak z bajki. Tej o Roszpunce.

– To nie zamek. Wieże stanowią część dawnych murów. Wydaje mi się, że przez jakiś czas było tu więzienie dla kobiet.

– Kiedy? – Emma patrzyła na wielkie gotyckie wieże i myślała o Rosie. Czy była tu więziona, zanim trafiła do Ventas? Wyobrażała sobie kobiety stłoczone w zimnych kamiennych pomieszczeniach razem z dziećmi.

– Nie wiem. Dawno temu. Znacie historię Cyda? – Luca jechał dalej. – W filmie Charlton Heston wyjechał z tej wieży przywiązany do konia.

– Jak romantycznie! – zachwyciła się Delilah, spoglądając na wielkie kamienne wieże poznaczone śladami po kulach. Przez łukowate wejście dostrzegła kilka wielkich postaci z papier mâché. – Boże, trochę to makabryczne, nie sądzicie? Mówiłeś poważnie, że zamierzają te figury spalić jutro wieczorem?

– Oczywiście. To ostatnia noc święta Fallas, la Cremà. Całe miasto stanie w ogniu.

Delilah wykręciła szyję, żeby jeszcze popatrzeć na wieże.

– Tam na górze są ludzie… powinniśmy później też się wdrapać. – Obejrzała się na Emmę i wykrzywiła usta w grymasie udawanego żalu. – No tak, nie możemy. Zapomniałam o twoim lęku wysokości, Em.

Emma zaplotła ramiona na piersi.

– Nie rezygnujcie z mojego powodu.

– Trzeba uważać – włączył się Luca. – Strażnikom wieży zdarza się zamykać turystów w środku, bo tak im śpieszno do domu. Kilka dni temu długo nie mogli znaleźć człowieka, który trzyma klucz. Jakaś Bogu ducha winna rodzina spędziła tam zamknięta kilka godzin. – Zerknąwszy na zegarek, zwrócił się do Delilah: – Lubisz architekturę? Mamy jeszcze trochę czasu do rozpoczęcia walki byków. Pokażę ci nowe Miasto Sztuki i Nauki.

Przejechał przez most Calatrava. Emma patrzyła w górę na białe żebra rozpięte łukowato na tle nieba o barwie kobaltu. Dla niej wyglądały jak wytrawione kości. Oślepiająco jasne zabudowania usytuowane w mieniących się mozaikowych basenach przypominały jej segmenty kręgosłupa, żebra, oczy. Pomyślała o porozcinanych kościach Vicente, porozrzucanych pod lipą. Policjant twierdził, że to się musiało wydarzyć podczas wojny. „Było wówczas tyle okrucieństwa... ten człowiek został poćwiartowany". Emma oparła czoło o szybę. Teraz szczątki spoczywały w grobie rodziny del Valle. Nie była przesądna, ale czuła, że atmosfera w domu zdecydowanie się zmieniła.

Emma była głęboko zamyślona. Ocknęła się, dopiero kiedy po objechaniu całego miasta samochód zatrzymał się nieopodal areny do walk byków. Luca obszedł auto dookoła i otworzył jej drzwi.

– Dziękuję – powiedziała.

– Jesteś bardzo milcząca. Dobrze się bawisz?

– Owszem, bardzo zabawnie flirtujesz z Delilah.

– Flirtuję? Jestem po prostu uprzejmy dla twojej przyjaciółki.

– Niezmiernie uprzejmy.

– Zachowujesz się nierozsądnie.

– Nierozsądnie? – Nie była w stanie się powstrzymać.
– Zawsze jestem rozsądna, Luca. Poczciwa, rozsądna Emma. Nie sądzisz, że już wystarczająco mnie ukarałeś?

– Co się dziś z tobą dzieje?

– Nic. Mówiłam ci, jestem zmęczona.

– Chciałabyś jechać do domu?

– Tak.

– Chyba jeszcze nie wracamy? – Delilah stanęła obok nich. – Daj spokój, nie bądź taka nudna, Em!

Emma ugryzła się w wewnętrzną stronę policzka. Nie miała ochoty spędzać z Delilah ani chwili dłużej. Spojrzała na zegarek.

– Wy dwoje róbcie, co chcecie. Ja wracam do Josepha.

– Jesteś pewna? – spytał Luca.

Zaczęła się cofać.

– Bawcie się dobrze. Wezmę taksówkę, zobaczymy się w domu. – Odwracając się, dostrzegła wyraz triumfu na twarzy Delilah.

W Plaza de Toros z widocznego w górze kręgu nieba lał się żar na wydeptaną ziemię w kolorze ochry.

– Mam nadzieję, że miejsca będą ci odpowiadać. – Luca puścił Delilah przodem.

– Jestem pewna, że są doskonałe.

– Lubię słońce. Kupując bilety na corridę, wybierasz *sol* lub *sombra*. Słońce lub cień.

– Fascynujące. – Delilah rozejrzała się po arenie. – Emmie się to podoba?

– Nie wiem. Nigdy razem nie byliśmy.

– Wątpię, żeby jej się podobało. Daj jej Boże zdrowie, ale potrafi być bardzo humorzasta. – Delilah wyjęła z torebki czerwoną szminkę i wydęła wargi. – Dobrze, tłumacz mi, co się dzieje.

– Matadorzy idą do *capilla*...

– Gdzie?

– Do kaplicy. Przed walką proszą Marię Dziewicę o wsparcie. – Rozległ się ryk tłumu. – A to jest *paseíllo*, parada.

Delilah ziewnęła. Od gorąca czuła się ociężała.

– Kto siedzi tam na górze?

– To loża dla prezydenta albo innej najważniejszej osoby spośród obecnych. Dzisiaj to jest burmistrz, a z nim weterynarz i konsultant artystyczny.

– Artystyczny? – prychnęła. – Zarzynanie byków nazywają sztuką?

– To jest sztuka.

457

– Och, daj spokój, śmieszny człowieczek w błyszczącym ubraniu...

– To świetlisty ubiór zrobiony z jedwabiu mocnego jak zbroja.

– ...drażni wspaniałego dorodnego byka.

– Gdybyś widziała ciała matadorów, nie byłoby ci do śmiechu. Mają dosłownie bliznę przy bliźnie. – Splótł ramiona. – Nie rozumiesz. Utożsamiamy się z bykiem i matadorem. Napięcie między nimi...

Delilah krzyknęła, ukrywając twarz na ramieniu Luki, kiedy byk zachwiał się od ciosu; zabójczo kolorowe oszczepy *banderillas* kołysały się wbite w jego grzbiet. Gdy w końcu uniosła głowę, na koszuli Luki pozostał ślad czerwonej szminki.

– Przepraszam... – Nachyliła się, żeby go pocałować, ale Luca gwałtownie wstał z miejsca.

– Nie, to ja przepraszam. Popełniłaś błąd.

Przepychając się przez tłum, wyszedł z areny; sięgnął po wibrujący telefon i spojrzał na wyświetloną wiadomość. „Cuenca jutro? Emma".

Emma siedziała na tarasie z telefonem pod ręką. Patrzyła na płomienny zachód słońca i rozmyślała o swojej rozmowie z Freyą. Powiadomiła ją o przyjeździe Delilah do Hiszpanii, a Freya opowiedziała jej o Tomie.

– Walcz o Lucę – mówiła łamiącym się głosem. – Jeśli uważasz, że masz szansę na szczęście z tym człowiekiem, nie pozwól, by Delilah zniszczyła coś, co jeszcze się nawet nie zaczęło.

Wokół Emmy leżała reszta listów Liberty, pudełko świeciło pustką. Pociągnęła łyk wina, patrząc w dal ponad górami; nietoperze zataczały leniwe pętle nad drzewami pomarańczy. W dłoni miała ostatnią kopertę, z napisem „W razie nagłego wypadku". Sięgnęła po srebrny nożyk, w którym odbijały się promienie zachodzącego słońca. Wahała się przez chwilę, a potem otworzyła list.

Kochana Emmo,

Po pierwsze, cokolwiek się stało, nie jest aż tak źle, jak Ci się wydaje. Jeśli dotarłaś do jednego z tych momentów w życiu, który daje poczucie, że stoisz na rozdrożu, zatrzymaj się i zastanów. Zmiana jest jedyną pewną rzeczą w życiu. Choć staramy się kurczowo trzymać tego, co znamy, wszystko przemija. Życie może być piękne lub straszne – często równocześnie. Kiedy jest straszne, warto pamiętać, że wszystko się kiedyś zmienia. I ten stan minie. Pomyśl o możliwościach rozpościerających się przed Tobą – wybieraj to, co piękne.

Zatrzymaj się i wsłuchaj w siebie. Odpowiedź jest w Tobie. Podejmij decyzję, a potem działaj. Naprawdę nie ma większego znaczenia, czy dokonałaś idealnego wyboru. Dokonałaś wyboru. Sama decydujesz o swym losie, a nie zdajesz się na przypadek. Dlatego tak wiele marzeń pozostaje tylko marzeniami – ludzie nie podążają za wewnętrznym instynktem. Em, ufaj sobie. Zrób ten krok. Jeśli życie cię powali, podnieś się. Jeśli znów sprawi, że upadniesz, pozbieraj się na nogi i staw mu czoło – za każdym razem.

Zawsze będzie trzeba z czymś lub z kimś walczyć. Najczęściej jest to walka z samym sobą. Wybieraj starannie swoje walki i swoich przyjaciół. Życie jest krótkie i uwierz mi, biegnie zbyt szybko. Nie trać czasu na ludzi, którzy wysysają z ciebie energię – otaczaj się ludźmi, którzy dają ci siłę. Nie

pozwól, żeby głupcy Tobą kierowali. Bądź silna.
Walcz z nimi. Nie pozwól im przekraczać granic,
które wyznaczyłaś. Jeśli masz silne serce i duszę,
wygrywasz za każdym razem.
Jesteś silniejsza, niż mogłabyś sobie wyobrażać,
a ja zawsze, zawsze osłaniam Ci tyły.
Kocham Cię, Emmo. Poradzisz sobie.

Całuję,
Mama xxx

Emma się uśmiechnęła. Właśnie takiej rady potrzebowała. Dziękuję, mamo. Popatrzyła na listy rozrzucone po stole. Każda z pozostałych rad, dotyczących interesów, rodziny, przyjaźni, miała mieć swój dzień. Wzięła do ręki telefon i wysłała SMS-a do Luki. Następnie odkręciła swoje pióro Montblanc i przewertowała kartki japońskiej umowy dla Liberty Temple. Postawiła parafkę na każdej stronie i zatrzymała się przy ostatniej. Przez chwilę wyobrażała sobie, że wraca do Londynu, organizuje wykup, zmusza Delilah do opuszczenia firmy. Spojrzała ponad swoim ogrodem na zachód słońca, na lawendowe góry. „Wybieraj to, co piękne". Tu było jej miejsce na ziemi. Warte, by o nie walczyć.

Rozpromieniona podpisała się obok nazwiska Delilah. Odsunęła od siebie papiery, zrzuciła z nóg japonki i boso ruszyła przez ogród, chłonąc zieloną woń chłodnej trawy pod stopami, cierpki aromat ziół. Czuła się, jakby zdjęto z niej wielki ciężar. Z wysoko uniesioną głową obeszła od wewnątrz graniczny mur. Dotykając koniuszkami palców liści, wyobrażała sobie kwiaty, które wśród nich zakwitną. Ogród Rosy wracał do życia, aromatyczna bazylia, mięta, rozmaryn nasycały powietrze swoim zapachem. Układała w głowie receptury perfum, wyobrażając sobie wirowanie opadających płatków.

– Powstań, wietrze północny – powiedziała cicho, cytując Pieśń nad Pieśniami, którą tak często słyszała w ustach Liberty, kiedy była dzieckiem. – Nadleć, wietrze z południa, wiej poprzez ogród mój, niech popłyną jego wonności! Niech wejdzie miły mój do swego ogrodu.

Upewniwszy się, że Joseph spokojnie śpi w łóżeczku, Emma rozpaliła ogień w kuchni, a potem znów wyszła przed dom. Narzuciła na sukienkę gruby wełniany kardigan i czekała na Delilah, patrząc, jak słoneczna kula opada coraz niżej.

Furtka otwarła się gwałtownie.

– Następnym razem, jak się będę wybierać na jakąś cholerną walkę byków, przypomnij mi, żebym kupiła *sombra*, nie *sol*, dobrze? – Delilah weszła na taras. Twarz miała czerwoną, wokół oczu białe obwódki. – Mogłaś mnie uprzedzić, że tutejsze słońce parzy jak wściekłe. Dlaczego moje walizki stoją w korytarzu?

– Bo wyjeżdżasz – odpowiedziała spokojnie Emma. Bez pośpiechu spakowała listy matki do pudełka i wsunęła sobie pod pachę.

– Co?

– Powiedziałam, że wyjeżdżasz – powtórzyła Emma. Wstała, zgarniając kartki umowy.

– Nie mogę teraz wyjechać! – obruszyła się Delilah.

– Zapada noc… wiesz, że nie mogę prowadzić po ciemku.

– Dobrze. – Emma ją wyminęła. – W takim razie wyjedź rano. Jutro wcześnie jedziemy z Lucą na spotkanie. Jak wrócę, ma cię tu już nie być.

– Zaczekaj, Em. Co on ci powiedział? – Oczy Delilah zapłonęły.

– Nie zaczynaj, Lila! – ostrzegła Emma. – Nawet nie próbuj odwracać kota ogonem. To koniec. – Rzuciła przed nią umowę. – Podpisałam papiery. Sprzedaj firmę, zabierz pieniądze i wynoś się z mojego życia.

– Tylko tyle?! – zawołała za nią Delilah. – Po tych wszystkich latach?

– Wolałabym nigdy cię nie poznać.

– Chcesz tak po prostu mnie zostawić i odejść? Jak możesz?!

Emma przystanęła i rzuciła jej spojrzenie przez ramię.

– To łatwe.

Rozdział 63

WALENCJA, MARZEC 2002

Zapaliło się światełko sygnalizujące konieczność zapięcia pasów. Freya spojrzała na migoczący dywan świateł w dole, na ronda i drogi, których sześćdziesiąt lat wcześniej wcale tam nie było. Ulice świeciły na pomarańczowo, pulsowały jak synapsy w słabym świetle poranka.

– Jesteśmy na miejscu, Charles. Wróciliśmy.

Charles otworzył oczy i ujrzał różowe promienie załamujące się na szybie; samolot przechylił się lekko na bok przy schodzeniu do lądowania w Walencji.

– Myślałem właśnie o tym, jak nam próbowali odebrać Liberty. Pamiętasz?

– Nie mogłabym tego zapomnieć.

– Byłem pewien, że nigdy mi nie wybaczysz, gdy powiedziałem, że zginęła.

Freya wzięła brata za rękę. Pamiętała, jak któregoś dnia Charles zawitał do Kornwalii. Nie odpowiadała na jego listy, nie odbierała telefonów. Szedł do niej plażą Bamaluz, zgnębiony i zaniedbany, targany podmuchami wiatru. Stali i patrzyli na siebie, podczas gdy Liberty pluskała się w wodzie, zupełnie nieświadoma tego, co się działo. Freya zrobiła pierwszy krok i przywarli do siebie z całych sił.

Ich dziwna mała rodzina znów się połączyła pod czystym, oślepiająco błękitnym niebem.

– To było dawno. – Patrzyła w dół, na hiszpańskie wybrzeże, na morze błyszczące w oddali.

– Wczoraj w nocy myślałem o chrzcinach, o pojawieniu się Delilah. Myślałem o Rosie i o tym, że nic gorszego nie może się przytrafić matce niż utrata dziecka.

Freya potrząsnęła głową.

– Daj spokój. To szaleństwo. – Uścisnęła jego dłoń.

– Klątwa del Valle'ów, o to ci chodzi? Jesteś stanowczo zbyt rozsądny, żeby w to wierzyć.

Odpowiedział siostrze poważnym spojrzeniem.

– Wiesz, jaka Delilah jest niezrównoważona. Ostatnia próba się nie powiodła, ale... – Zmarszczył czoło. – Może powinniśmy byli powiedzieć Emmie.

– Nie chciałam jej martwić. Miała i bez tego zbyt wiele na głowie. – Freya wyglądała przez okno, kiedy samolot dotknął ziemi. – Nie sądziłam, że Delilah starczy odwagi, by się tam pokazać, ale po wczorajszej rozmowie z Emmą jestem pełna najgorszych przeczuć...

Charles poklepał ją po ręce.

– Nie martw się. Dla nas jest za późno, ale nie jest za późno dla Emmy. – Oparł głowę o fotel i patrzył na znajome pasmo gór. Pomyślał o Gerdzie i o Hugonie.

– Gdzie się podziały te wszystkie lata, Charles? – odezwała się Freya tonem zadumy. – Gdybyśmy tak...

– Gdybyśmy co? Można zmarnować całe życie na gdybanie. Nie ma czegoś takiego jak „życie długie i szczęśliwe". Można być zadowolonym, zakładając łaskawość losu. Ale szczęście, prawdziwe szczęście jest jak jeden z moich motyli, piękne i rzadkie, a znajdujesz je, kiedy się tego najmniej spodziewasz. – Zamrugał. – Ulatuje zbyt szybko.

Freya ucisnęła dłoń brata.

– Chyba że uda się uchwycić je w locie.

Delilah zaciągnęła ostatnią walizkę do samochodu. Słysząc, że w domu dzwoni telefon, wróciła do środka i zamknęła za sobą drzwi.

– Dom pani Temple – powiedziała do słuchawki.

– Delilah, to ty?

– O, Freya, jakże miło cię słyszeć.

– Co ty tam robisz?

– Właśnie wyjeżdżam. Emma podpisała umowę.

– Jest w domu?

Delilah odwróciła głowę, bo usłyszała klucz obracany w zamku.

– Nie, wyjechała wcześnie rano na jakieś spotkanie.

Solé weszła do domu, pchając przed sobą dziecięcy wózek.

– Przepraszam panią. Zapomniałam jego butelki i zgłodniał.

– Jesteś pasożytem, Delilah! Zawsze byłaś. Żerujesz na wszystkich i wszystkim.

– Ple, ple, ple, brzmisz jak zdarta płyta, Freyo.

Delilah gestem nakazała Solé, żeby podała jej dziecko, które w tym momencie zaczęło płakać.

– To Joseph? – zapytała Freya. – Dlaczego Emma cię z nim zostawiła?

Delilah uśmiechnęła się, słysząc w jej głosie panikę.

– Wyjedź. Zdobyłaś już wszystko, czego chciałaś – poprosiła Freya.

– Wiesz, tym razem masz całkowitą rację.

– Rozłączyła się bez uprzedzenia. – Freya i Charles wyszli z hali przylotów na ostre słońce.

– Emma ma wyłączoną komórkę. – Charles spoglądał na swój telefon. – Wolałbym, żeby przestała to robić. Ile razy już jej to mówiłem? Cóż, nie można się poddawać. Musimy ją ostrzec.

Freya obejrzała się na niego zniecierpliwiona.

– No chodźże! – Machnęła laską na taksówkę. – Barbarzyńcy u bram. – Odrzuciła na ramię połę peleryny. – Nasza dziewczynka nas potrzebuje. Musimy powstrzymać Delilah. Nie zniosłabym, gdyby coś się stało dziecku Emmy.

Rozdział 64

CUENCA, MARZEC 2002

Droga do Cuenca przecinała pasma wzniesień, pnąc się coraz wyżej w góry. Ziemia koloru czerwonej ochry odcinała się od błękitnego nieba jak krew od piasku areny do walk byków. W miarę jazdy z Emmy opadało napięcie. Cieszyła się, że jest z Lucą, że podróżują razem w milczeniu, że mają przed sobą cały poranek. Zaparkowali na obrzeżach miasta i przez kamienny most weszli na klify. Nad nimi wznosiły się domy uczepione skały; drewniane balkony wisiały nad przepaścią.

– Latem okoliczne pola są pełne słoneczników – powiedział Luca. – Wszystkie kwiaty obracają się ku słońcu idealnie równo.

– Chciałabym to zobaczyć. Podoba mi się też ten *parador*, bardzo bym chciała w nim pomieszkać. – Skierowała wzrok na piękny stary hotel.

– Wspaniały hotel jest też na terenach Alhambry, w Grenadzie. – Luca poprowadził ją na most. – Nigdy tam nie mieszkałem, ale za każdym razem, kiedy jadę do ogrodów, widzę... pary. Zawsze wydaje mi się to...

– Romantyczne?

– Owszem.

Luca wprowadził ją w wąską uliczkę za katedrą.

– Cuenca jest inna od Walencji, prawda?

– Zupełnie inna. – Emma spojrzała w górę, na ciemne stare mury; emanowały historią, jakby rzucały cienie tajemnic, które kiedyś w sobie kryły. Zadrżała. – Nadal nie oswoiłam się z tym hiszpańskim kontrastem ciemności i światła.

– *Sol y sombra*. Tacy właśnie jesteśmy.

– Mówiąc szczerze, ta ciemność nadal trochę mnie przeraża.

– Może ma przerażać.

Zatrzymali się przed ciężkimi drewnianymi drzwiami. Luca zapukał. Emma usłyszała odgłos kroków zbliżających się po kamiennej posadzce i zaraz potem drzwi otworzyły się ze skrzypnięciem.

– Witaj, Concepción. – Luca pochylił się, żeby uściskać niską staruszkę ubraną na czarno.

– Luca, Luca. – Ujęła jego twarz w obie dłonie. – Wciąż za ciężko pracujesz? Kiedy się ustatkujesz i spłodzisz kilku synów, żeby ci pomagali, co?

– To moja przyjaciółka Emma. Emmo, to jest Concepción Santos.

– Wejdźcie.

Stara kobieta odsunęła się na bok, żeby ich wpuścić do swojej pracowni. Po zamknięciu drzwi ogarnął ich zapach drzewa sandałowego i przypraw korzennych. O kostki Emmy otarł się czarny kot, miękki jak kłębek jedwabiu.

– Ty też zajmujesz się perfumiarstwem? – zwróciła się Concepción do Emmy.

– Rodzina Emmy pochodzi z Walencji – wtrącił Luca. – Jej babcia była z Granady, z Sacromonte. Przyjaźniła się z moją babcią.

Staruszka splotła ramiona na piersi.

– I co zamierzasz robić? Syn pokazał mi twoją firmę w komputerze. Sprawia wrażenie bardzo nowoczesnej, nastawionej na sprzedaż gotowego zapakowanego produktu.

– To przeszłość – zapewniła ją Emma. – Sprowadziłam ograny perfumiarskie mojej mamy, ale chcę też po raz pierwszy zbudować własne. Chcę korzystać z naturalnych esencji pochodzących stąd. – Emma pomyślała o *duende*, duchu, pasji wywodzącej się z ziemi. Taką magię pragnęła zawrzeć w efektach swojej pracy.

– Nie jest to łatwe. – Staruszka ściągnęła usta. – Będą ci mówić, że naturalne składniki są zbyt trudne w użyciu.

– Zacznę od prostych kompozycji, może od kwiatowych wód toaletowych.

Concepción cmoknęła językiem.

– W Walencji nie znajdziesz dobrych ekstraktów kwiatowych. Najlepsze pochodzą z Sycylii i Andaluzji.

– Emma to wie – włączył się Luca. – Możemy jej pomóc w pozyskaniu naszych współpracowników z Południa.

– Oczywiście – przytaknęła Emma. – Będę musiała używać surowców z całego świata. Zawsze tak było w perfumiarstwie. Z czasem, o ile wszystko pójdzie dobrze, produkcja będzie musiała osiągnąć większą skalę. Chcę jednak, żeby firma tu miała swoje korzenie. Na razie zamierzam się skupić na wyprodukowaniu oryginalnych tutejszych zapachów.

– Tak było dawniej, zanim wprowadzono syntetyki – powiedziała Concepción. – Cieszę się, że perfumy wracają do natury. Może znów będzie się je traktować tak, jak na to zasługują.

– A kiedy już firma się rozkręci, znów będziesz tyle podróżować? – zwrócił się do Emmy Luca.

– Nie. Wcześniej w moim życiu brakowało równowagi. Zatrudnię kogoś młodego, kto lubi być ciągle w drodze. Ja zostanę w domu i będę robić to, w czym jestem dobra.

– Czyli będziesz tworzyć perfumy, kochać i rodzić dzieci. – Concepción wybuchnęła śmiechem. – Ja mam prawie dziewięćdziesiąt lat i przez całe życie robiłam to, co kocham. – Gestem nakazała Emmie, by się nachyliła, po czym dodała szeptem: – Wiesz, że w Alhambrze nałożnice z haremu jadły piżmo, żeby podczas miłosnych uniesień ich pot pachniał jak perfumy? Mogę ci pokazać kilka starych receptur. – Poklepała Emmę po dłoni i poprowadziła gości w głąb domu. Emma czuła, że zdała jakiś test. W miarę jak podążali słabo oświetlonym korytarzem, temperatura spadała, jakby wchodzili w głąb wzgórza, do jaskini. Concepción przekręciła klucz w bocznych drzwiach i zapaliła świece.

– Doceniam, że pozwala mi pani obejrzeć swoją pracownię… – zaczęła Emma, ale głos jej zamarł, kiedy przekroczyła próg. Pomieszczenie nie miało okien. Ściany obwieszone były soczyście czerwonymi aksamitnymi kotarami. Na środku stał wielki mahoniowy stół z rzędami półek wypełnionych maleńkimi szklanymi buteleczkami; każda miała ręcznie wypisaną etykietę, a niektóre ślady wytartego złocenia wokół zatyczek. – Och, to niezwykłe! – Znów poczuła się jak dziecko, przypomniała sobie coniedzielne wyprawy z Charlesem do sklepu na rogu, żeby wybrać ćwierć kilo słodyczy ze szklanych słojów z drażami i landrynkami. Wokół niej połyskiwały setki fiolek czystych ekstraktów, absolutów, esencji i olejków. – Nigdy wcześniej nie widziałam… czy w Hiszpanii też nazywacie taki warsztat organami? Przy tym moje miejsce pracy to stolik amatora. – Kiedy jej wzrok przyzwyczaił się do panującego tam półmroku, odwróciła się i zobaczyła na tylnej ścianie półki ze słoikami; każdy zawierał zioła i jakiś połyskujący płyn.

– Moja rodzina pracuje nad perfumami od wieków – powiedziała Concepción. – Moi przodkowie pochodzili z Arabii, tworzyli zapachy dla Boabdila, sułtana z Alhambry.

– Podejrzewam, że niektóre z tych buteleczek są tu od czasów Boabdila – rzekł Luca żartobliwie.

Concepción z czułością pogładziła zniszczone drewno roboczego blatu.

– „Organy" to chyba dobre słowo. Kiedy tworzysz wspaniałe perfumy, to słyszysz, jak melodia staje się symfonią. Komponujesz zapach jak muzykę.

– Muszę się jeszcze tak wiele nauczyć – westchnęła Emma, obracając się w miejscu.

– Nie ma pośpiechu. Powstanie wszystkich najlepszych perfum trwało lata.

– Moja mama zawsze to mówiła.

Concepción posmutniała.

– W mojej rodzinie już nikogo to nie interesuje. Jestem ostatnia. – Wskazała odległą ścianę. – Wiele z tych składników maceruje się od lat. Podobnie jak w przypadku wina, niektóre zbiory i niektóre roczniki są lepsze od innych. Sami się tu rozejrzyjcie. – Wyszła.

– Niesamowite! – Emma pochyliła się, żeby lepiej widzieć etykiety. *Ambergris,* przeczytała. No tak, oczywiście. – Te buteleczki wyglądają, jakby miały setki lat. O, ta jest chyba ze szkła weneckiego.

– Concepción jest taka sama jak moja babcia, nigdy niczego nie wyrzuca – stwierdził Luca. – Wydaje mi się, że od czasu wojny lubią czuć, że zgromadziły wystarczająco dużo zapasów.

– Wiesz, podczas szkolenia w Grasse nauczyłam się zapamiętywać trzy tysiące zapachów – powiedziała Emma.

– A na pewno są tu zapachy, o jakich mi się nawet nie śniło. – Otworzyła jedną z fiolek i powąchała. – Naturalnych istnieje tylko kilkaset. Właśnie one mnie obecnie interesują.

– Czy to cię nie będzie ograniczać?

Pokręciła głową.

– Perfumy są zakorzenione w naturze, a liczba kombinacji jest prawie nieskończona. Bardzo mi się to podoba. Mama zawsze mówiła, że olejek jest duszą rośliny, kwiatu. Dla niej perfumy były święte.

– A ty się z nią zgadzasz? – Luca uśmiechnął się na widok zachwytu w jej oczach. Usiadł na wysokim drewnianym stołku przy blacie. – A to co za zapach?

– Zamknij oczy. – Kiedy podeszła i jej udo dotknęło jego kolana, uchylił jedno oko. Odstawiła buteleczkę i zdjęła z szyi czerwony paszminowy szal. Zakrywając mu nos i usta, poleciła: – Oddychaj. To ci oczyści nozdrza. – Luca położył ręce na udach, kiedy zawiązywała mu oczy.

– Żadnego oszukiwania – ostrzegła szeptem, muskając oddechem jego ucho. – Zaufaj mi. – Podsunęła buteleczkę ku jego twarzy. – Co czujesz?

– Drzewo sandałowe – odpowiedział. – To było łatwe – dodał i zaśmiał się trochę niepewnie.

– Bardzo dobrze. – Wzięła czystą buteleczkę ze stołu, odmierzyła odrobinę zawartości i wpuściła ją do alkoholowego rozpuszczalnika. Odwróciła się, Luca poczuł ruch jej bioder tuż obok siebie. Każdy odgłos, każdy zapach nabierał intensywności, krew zaczynała w nim krążyć coraz żywiej. – A to co?

Wciągnął powietrze.

– Cynamon. – Ciepły, suchy zapach wprawił go w lekkie oszołomienie. Po omacku wyciągnął ręce i natrafił na talię Emmy.

– Doskonale – mruknęła. Jej ruchy nabrały tempa. Luca słyszał delikatny brzęk szkła, kiedy wybierała spośród fiolek, czuł grę mięśni w jej plecach, gdy skupiona tworzyła swoją kompozycję.

– Co robisz? – Znów wyciągnął ku niej ręce. Miał świadomość własnego oddechu, bicia serca. Różne zapachy dolatywały do niego niczym pojedyncze nuty melodii – lawenda, drzewo pomarańczowe, neroli, skóra... coś, czego nie potrafił nazwać, jakby ziemia po deszczu.

– Cierpliwości! – odparła ze śmiechem.

Usłyszał ostatni brzęk szklanego kroplomierza i aż otworzył usta, kiedy dobiegł go zapach – ciepłej skóry, lata, seksu.

– Czuję tylko...

– To dla ciebie. – Emma wzięła jego rękę, upuściła kilka kropel na wewnętrzną stronę nadgarstka i potarła ją kciukiem, wmasowując płyn w skórę. – Co sądzisz?

Luca uniósł rękę pod nos i powąchał. Jego zmysły ożyły, miał wrażenie, że budzi się z długiego snu. Emma poluzowała węzeł na szalu, który się zsunął, muskając go po policzku.

– Sądzę, że jesteś czarodziejką. – Ujął jej twarz w obie dłonie i pocałował ją, zamykając przy tym oczy. Wszystko wokół jakby zastygło w próżni, kiedy ich usta się zetknęły. Szal spadł na podłogę i zniknął w cieniu, a oni stali objęci; Luca, z rękami w jej włosach, mrucząc jej imię, całował ją po szyi, ona wodziła dłońmi po jego ramionach i plecach.

– Z czego to zrobiłaś? – spytał, kiedy już zaczerpnął powietrza.

– To tajemnica.

Usłyszała drobne kroki Concepción w korytarzu. Odwróciła się w stronę blatu, wypisała etykietę i okleiła nią fiolkę. Zdążyła wsunąć na miejsce zatyczkę, nim Luca przywarł do jej warg pocałunkiem. Jeszcze nigdy nikogo tak nie całował; miał wrażenie, że bez cienia lęku spada w otchłań. Kiedy skrzypnęły otwierane drzwi, odsunął się od Emmy gwałtownie.

– *Oh, me gusta*. – Concepción podeszła do nich z tacą, na której stała karafka z sherry; rżnięte szkło błyszczało w słabym świetle. – Bardzo męskie. Bardzo... – Popatrzyła na nich oboje rozbawionym wzrokiem. – Przypomina mi trochę Peau d'Espagne.

– Cieszę się, bo dokładnie o to mi chodziło.

– Ale jest coś poza tym... może piżmo?

– Ambra – powiedziała Emma.

– O, interesujące. – Concepción odstawiła na bok sherry i spojrzała na nich domyślnie. – Podoba mi się wyważenie proporcji. Działa na zmysły jak afrodyzjak. Chyba powstało coś specjalnego. Jak to nazwiesz?

Emma odpowiedziała uśmiechem. Nazwa mogła być tylko jedna.

– *Duende*. Musi mi pani pozwolić zapłacić za składniki – zwróciła się do staruszki, sięgając po torebkę.

– Nie chcę nawet o tym słuchać. – Concepción klasnęła w dłonie. – Zatem co dalej? – Nalała im po kieliszku sherry i podsunęła talerz z solonymi migdałami.

Emma popatrzyła na Lucę, a on ujrzał swoje pożądanie odbite w jej oczach.

– Byłabym zaszczycona, mogąc kontynuować pani dzieło. Bardzo bym chciała, żeby mi pani przekazała swoją wiedzę.

– Co zrobisz, Concepción? – zapytał Luca. Zlizując sól z warg, czuł, jak sherry rozgrzewa mu gardło.

– Przejdę na emeryturę. Moja siostra mieszka w Maladze. Zaprasza mnie, żebym z nimi zamieszkała. Ten dom już jest sprzedany. Mają zamiar zrobić z niego atrakcję turystyczną. – Machnięciem dłoni wskazała perfumy. – Zależy mi jedynie, żeby to trwało.

– Myślę, że to dopiero początek – powiedziała Emma, spoglądając na Lucę.

Rozdział 65

WALENCJA, MARZEC 2002

Luca ukrył twarz we włosach Emmy, kiedy otwierała drzwi do Villa del Valle.

– Cudownie pachniesz.

– Pachnę seksem – odszepnęła. Zachód słońca zapierał dech w piersiach, niebo płonęło odcieniami bursztynu i różu.

– Właśnie. – Pocałował ją. – Powinnaś zapomnieć o kwiatach pomarańczy. Gdybyś mogła stworzyć zapach, od których mężczyźni czuliby się tak jak ja w tej chwili...

– Możemy stworzyć coś takiego, rodzaj afrodyzjaku.

– Coś więcej. – Przesunął koniuszkami palców po jej policzku, od ucha ku brodzie. – *Duende...* magia... miłość... Kocham cię.

– Kochasz mnie? Ty? Mnie? Kochasz... – Zaśmiała się cicho.

– Kochałem cię od momentu, gdy po raz pierwszy cię ujrzałem.

Po otwarciu drzwi powitała ich cisza i Emma od razu wiedziała, że coś jest nie tak. Normalnie słyszałaby radio, którego Solé słuchała przy prasowaniu, albo film o Teletubisiach z DVD. Przeszła przez ciemny dom, obcasy jej butów stukały o ceramiczną posadzkę. Zauważyła, że bagaż Delilah zniknął. Z kuchennego telefonu zadzwoniła do Solé na komórkę.

– *Digame* – odpowiedziała dziewczyna. W tle Emma słyszała śmiech.

– Solé? Gdzie ty jesteś?

– Ja? W miejskim parku. Zaraz się zacznie Cremà.

– Wracaj do domu. Jak się czuje Joseph?

– Nie ma go z panią?

W Emmie wezbrała fala paniki.

– Nie. Zostawiłam go z tobą. Mówiłam ci...

– Ale ona powiedziała, że tak będzie dobrze.

– Kto? Kto powiedział, że będzie dobrze?

– Pani przyjaciółka powiedziała, że zabierze go na spacer. Powiedziała, że pani niedługo wróci, że na panią zaczeka.

– Nie ma jej tu! – Emma zaczęła krzyczeć. – Delilah zabrała mi dziecko!

– O mój Boże, dziewczyno kochana, jest gorzej, niż sądziłam. – Freya postawiła na progu skórzaną torbę podróżną.

– Freya? Charles? – Emma odwróciła się gwałtownie. – Skąd się tu wzięliście?

– Pomyśleliśmy, że może przyda ci się pomocna dłoń w pozbyciu się Delilah – odparł Charles. – Wygląda na to, że przybyliśmy za późno. Gdzie byłaś? Przesiedzieliśmy w kawiarni cały dzień. Miałaś wyłączony telefon.

Emma drżącą ręką odłożyła słuchawkę.

– Ona porwała moje dziecko.

Freya przez chwilę trzymała ją w objęciach, nim przystąpiła do działania.

– Wiedziałam, że na wiele ją stać, ale miarka się przebrała. Dzwoniłaś już na policję?

– Na policję? – zdziwił się Luca. – Uważacie, że to konieczne?

– Owszem – powiedziała stanowczo Freya. – Nie chcieliśmy cię martwić, ale Delilah nie jest w najlepszym stanie psychicznym.

Luca wyciągnął komórkę.

– A w ogóle kiedyś była? – mruknął pod nosem Charles, opadając na pobliskie krzesło. – Nie zmieniła się ani trochę.

– Co to znaczy, że nie jest w najlepszym stanie? – Emmie serce chciało wyskoczyć z piersi.

– Jestem pewna, że wszystko będzie dobrze – zapewniła ją Freya, kiedy Luca rozmawiał z policją.

– Już tu jadą – oznajmił, zakończywszy połączenie.

– Emmo, usiądź, a ja zaparzę herbatę – zaproponowała Freya.

– Herbatę? Nie chcę herbaty! – zawołała Emma, ale Freya już sięgała do szafki przy piecu.

– Rosa trzymała ją w tym samym miejscu. – Zapaliła gaz pod czajnikiem i wsypała trochę liści do dzbanka. – Nie możemy nic zrobić, dopóki policja tu nie dotrze. Opowiedz mi dokładniej, co się stało.

– Sprowadzę moją rodzinę. Przyda nam się każda pomoc – odezwał się Luca. Pochylił się ku Emmie i czule ją pocałował. – Nie martw się. Znajdziemy Josepha, jestem tego pewien.

Kiedy wychodził, Freya odprowadziła go wzrokiem.

– To jest Luca? – zwróciła się do Emmy.

– Tak. Przepraszam, powinnam była was sobie przedstawić.

– Będzie na to dość czasu. Usiądź wreszcie, na litość boską, bo mi się kręci w głowie, jak na ciebie patrzę. Oszczędzaj energię. Jadłaś coś?

– Nie, nic od rana.

– No tak. – Freya zaczęła szperać w kredensie. Znalazła chleb. – Słodka herbata i grzanki. Zrobię tyle, żeby starczyło dla wszystkich.

Nie było sensu się sprzeciwiać. Freya zawsze od tego zaczynała w sytuacjach kryzysowych.

– Cieszę się, że oboje tu jesteście. – Emma wzięła Charlesa za rękę. – Rozumiem. Wiem, co się stało w Hiszpanii. – Ukryła twarz na jego ramieniu, a on ją przytulił. – Dziękuję. Rozumiem, co zrobiłeś dla mamy.

– Zrobiliśmy to, co było konieczne, żeby zapewnić jej bezpieczeństwo. – Popatrzył na Freyę. – Bez wahania zrobilibyśmy to ponownie, gdyby zaszła taka potrzeba.

Kuchenny zegar głośno odmierzał minuty. Zapadał zmierzch.

– Widzę, że pewne rzeczy się nie zmieniają. – Charles opróżnił filiżankę, wyglądając przez okno na ogród. Aż podskoczył, gdy rozległ się huk pierwszego fajerwerku. – Gdzie, u diabła, jest ta policja?

– Tu nikt się nie śpieszy. – Emma podniosła wzrok, kiedy drzwi się otworzyły i do kuchni weszła Dolores.

– Luca do mnie dzwonił. Byliśmy w drodze na uroczystość, ale przyszliśmy pomóc. – Zza jej pleców wyłoniła się Solé z oczami czerwonymi od płaczu.

– To moja wina. Zaufałam pani przyjaciółce – chlipnęła. Emma ją objęła.

– Nie, to nie twoja wina. Nie wiedziałaś.

Usłyszeli trzaśnięcie drzwi auta, a następnie kroki zmierzające do domu.

Freya usiłowała podsłuchać, co mówią policjanci między sobą.

– Dokąd mogła się udać? – Spojrzała na notes leżący obok telefonu, rozpoznała pismo Delilah. – Hotel Ad Hoc?

– Stoi niedaleko katedry – powiedziała Dolores. – Pojechała do miasta.

– Lila jest za sprytna na to, żeby zostawić adres tak po prostu – stwierdziła Emma.

– Przynajmniej mamy od czego zacząć.

Emma odbyła szybką rozmowę z funkcjonariuszami.

– Proszę, to jest jej najbardziej aktualne zdjęcie, jakie posiadam. – Podała im najnowszy folder Liberty Temple. Popatrzyła na wchodzących do domu Lucę z Palomą i Olivierem.

– Witam – odezwał się Charles, robiąc krok w ich stronę. Wyciągnął rękę. – To jest Freya, a ja jestem…

– Carlos! – Immaculada wyszła z cienia.

– Macu?

Freya roześmiała się, klaszcząc w dłonie.

– Nie wierzę! – Podeszła, żeby uściskać starą przyjaciółkę. Obejrzawszy się na brata, dostrzegła rumieńce na jego policzkach.

– Wy się wszyscy znacie? – spytał Luca zaskoczony.

– To długa historia – odpowiedziała mu Immaculada.

– Bardzo długa historia. Ale teraz znajdźmy dziecko.

– A to… jest mój syn – powiedziała Emma, wyciągając z portfela fotografię Josepha.

– Natychmiast puścimy zdjęcia w obieg – obiecał policjant. – Czy jest jeszcze coś, co powinniśmy wiedzieć?

– Ona jest zdolna do wszystkiego – powiedziała Freya. – Parę miesięcy temu próbowała popełnić samobójstwo. – Zobaczyła zdumione i przerażone oczy Emmy. – Nie chciałam cię martwić…

– A teraz ona ma moje dziecko! – Emma w geście rozpaczy ukryła twarz w dłoniach.

Luca ją objął.

– Na co czekacie? Idźcie go szukać – ponaglił policjantów. Kiedy wyszli, zwrócił się do Emmy: – Co chcesz robić teraz?

– Nie mogę tu siedzieć bezczynnie. Tyle razy myślałam, że gdybym pojechała do Nowego Jorku, to znalazłabym Joego... – Otarła oczy. – Tym razem nie mogę biernie czekać. Zawieziesz mnie?

– Oczywiście. – Chwycił kluczyki.

– Będziemy jechać tuż za wami – powiedział Olivier, wychodząc z Palomą i Dolores.

– My tu zostaniemy – oznajmiła Freya i ujęła Macu pod ramię. – Em, masz przy sobie komórkę? – Gdy Emma potwierdziła skinieniem głowy, dodała: – Pilnuj, żeby była włączona. Jeśli tylko czegoś się dowiemy, zaraz do ciebie zadzwonię.

– Czy dzisiaj jest może Cremà, dzień świętego Józefa? – odezwał się Charles. – Wieczorem całe miasto będzie w ogniu. – Podniósł oprawione zdjęcie Joego z gzymsu nad kominkiem. Dostrzegł podobieństwo, widział w twarzy malca rysy Liberty z czasów, kiedy była dzieckiem. Pomyślał, co robili, żeby ją chronić. Tyle kłamstw, tyle utraconych szans na szczęście, myślał. Walczyliśmy o to, żeby przyszłe pokolenia mogły mieć dzieciństwo niewinne i bezpieczne. Serce ścisnął mu lęk o małego Josepha.

Rozdział 66

WALENCJA, MARZEC 2002

Luca uderzył otwartą dłonią w przycisk klaksonu, gestem ponaglając jadący przed nimi samochód do usunięcia się z drogi. Wąż czerwonych tylnych świateł wił się, zmierzając ku miastu.

– Nie jest dobrze – mruknął. – Dojazd do centrum zajmie nam zbyt wiele czasu. Wszyscy z okolicy zjeżdżają się na Fallas.

Emma siedziała na skraju fotela, ręce zaciskała na desce rozdzielczej.

– Zatrzymaj się tu. Będzie szybciej, jak pobiegniemy.

Luca zjechał na pobocze, samochód Oliviera zaraz stanął za nimi.

Zostawili auta na przedmieściu w suchym korycie Turii, przebiegli mostem Trinidad i zaczęli się przeciskać przez tłum w stronę Plaza de la Virgen. Im głębiej się zapuszczali w coraz węższe, ciemne uliczki, tym cięższe stawało się powietrze od dymu, tym więcej było rozbłysków i hałasu fajerwerków. Nocne niebo pulsowało złowróżbną łuną.

– Wkrótce będą palić figury. – Luca spojrzał na zegarek. – Zapanuje istne szaleństwo, musimy ją znaleźć, zanim…

– Zanim będzie za późno? – dokończyła za niego Emma.

Olivier, Paloma i Dolores przeszukiwali plac, a ona z Lucą pobiegli do hotelu. Recepcjonista powiedział im, że Delilah spędziła tam tylko kilka godzin, wymeldowała się i odjechała ze swoim dzieckiem.

– Swoim dzieckiem! – zawołała ze złością Emma, kiedy biegli pełnymi ludzi ulicami. Znaleźli Oliviera nieopodal bazyliki.

– Dowiedzieliście się czegoś? – usiłował przekrzyczeć zgiełk. Dolores i Paloma dołączyły do nich.

Emma zaprzeczyła ruchem głowy.

Zadzwonił telefon Luki; rozmawiał pośpiesznie, osłaniając ucho przed hukiem wystrzałów i krzykami tłumu.

– Policja mówi, że nie ma jej na lotnisku – powiedział. – Obserwują też stację kolejową. Miała samochód?

– Na pewno by nie prowadziła po ciemku. – Emma miała mętlik w głowie.

– Zatem jest w mieście. Gdyby planowała podróż autem, zaczekałaby do rana. Wciąż mamy szansę…

Emma czuła wzbierającą panikę na widok otaczającej ich ludzkiej ciżby.

– Popatrz, ile ludzi, to beznadziejne!

– Może coś ci się skojarzy, może coś Delilah powiedziała? – dopytywała się Paloma.

– Nie zamartwiaj się, *cariño* – pocieszała Emmę Dolores. – Przeszukamy całe miasto, jeśli będzie trzeba. Pomyśl spokojnie. Znasz tę kobietę. Dokąd by się udała?

Udało im się przepchnąć do wąskiej bocznej uliczki.

– Zaczekaj! – zawołała Emma do Luki idącego przodem. Odwrócił się i wziął ją za rękę. Nad ich głowami wznosiły się makabryczne figury z papier mâché – smoki, księżniczki, rycerze wielkości domów. Fontanny fajerwerków wzbijały się ku niebu, złoty deszcz iskier spadał na miasto. Emmie serce waliło jak oszalałe, krew szumiała w uszach.

I nagle ją olśniło. Przypomniała sobie, jak Delilah, patrząc na wieże, powiedziała, że wyglądają jak z bajki. Gdy tylko dotarli do Calle Caballeros i zrobiło się trochę luźniej, znów puściła się biegiem. – Wiem, gdzie ona jest! Wieże! Na pewno tam poszła!

Emma i Luca biegli obok siebie starymi ulicami, bez zatrzymywania, omijając uczestników zabawy. W oddali widzieli Torres de Quart, potężne i mroczne, przytłaczające swym ogromem wieżyce po obu stronach wąskiej ulicy. Ciemne łukowate przejście w łączącym je murze ziało niczym żarłocznie otwarte usta. Luca nie potrzebował wiele czasu, by wypatrzyć Delilah z Josephem w ramionach na jednym z tarasów.

– Tam! – zawołał, pokazując palcem.

– Delilah! – Emma próbowała przekrzyczeć huk fajerwerków. Ruszyła przed siebie. W tym samym momencie Delilah dostrzegła ją i odsunęła się od krawędzi, znikając w cieniu.

Tłum ryczał, jako że w całym mieście pozapalano papierowe figury. Emma z Lucą rozpychali ludzi na boki; dym dławił ich w gardle, szczypał w oczy. Jakaś kobieta złapała Emmę za ramię.

– Czy to pani znajoma utknęła na wieży? Wzywała pomocy. Już ktoś dzwonił po dozorcę z kluczami.

– Wzywała pomocy? – Emma, osłaniając oczy, spojrzała w górę. Mur był tak wysoki, że zakręciło jej się w głowie.

– To się czasami zdarza. Ludzie bywają tam zamykani przez przypadek.

Przypadek? Nigdy w to nie uwierzę, pomyślała Emma.

– Tędy się idzie do wejścia! – zawołał Luca.

Emma podbiegła do metalowych krat, chwyciła za pręty,

szarpnęła, po czym rozczarowana uderzyła w nie otwartą dłonią.

– Zamknięte. – Popatrzyła na kamienne schody prowadzące do łukowatych drewnianych drzwi. – Musimy się dostać do środka.

– Bóg jeden wie, ile czasu zejdzie, nim dozorca tu dotrze, zwłaszcza teraz. – Tłum napierał i co chwilę byli przez kogoś potrącani, więc Luca opiekuńczym gestem objął Emmę, żeby ją chronić. – Zadzwonię jeszcze raz na policję – zdecydował.

Emma z zadartą głową patrzyła na wieże.

– Ta suka wie, że mam lęk wysokości – mruknęła pod nosem, podwijając rękawy. Postawiła nogę na poprzecznym pręcie kraty stanowiącej bramę.

– Co robisz?! Uważaj! – krzyknął Luca, odrywając wzrok od telefonu.

– Czekanie na policję za długo potrwa. Muszę się tam dostać. – Obejrzała się na Lucę. – To sprawa między Delilah i mną. – Podciągnęła się na rękach. Już na szczycie skrzywiła się z wysiłku; mięśnie brzucha wciąż miała słabe po porodzie.

– Uważaj na zaostrzone pręty! – zawołał Luca, idąc w jej ślady. – Postaw stopy na moich ramionach. Będziesz wtedy mogła przeskoczyć na drugą stronę.

Wokół nich zebrała się spora grupa ludzi. Kilku mężczyzn także wspięło się po kracie, żeby pomóc. Zeskakując na ziemię po drugiej stronie, Emma krzyknęła z bólu.

– Nic ci się nie stało? – przestraszył się Luca.

– Nie, nic – uspokoiła go, podnosząc się na nogi. – Moja kostka... – Zadarła głowę i dostrzegła mignięcie jasnych włosów, kiedy Delilah spojrzała na nich z góry.

Luca wyciągnął do niej ręce przez kraty.

– Zaczekaj na nas.

– Nie. Ona ma moje dziecko. Muszę jej odebrać Josepha natychmiast.

Wbiegła po kamiennych stopniach i spróbowała otworzyć ciężkie, nabijane ćwiekami zewnętrzne drzwi wieży. Były zamknięte na klucz. Naparła na nie całym ciałem, ale nawet nie drgnęły. Zbiegła z powrotem na dół. Czuła, jak pot ciecknie jej po kręgosłupie. Musi być jakiś sposób, żeby tam wejść, myślała, gorączkowo szukając innych drzwi lub choćby uchylonego okna.

– Emma! – usłyszała głos Luki przebijający się przez hałas. Pobiegła w jego stronę i zobaczyła starszego mężczyznę wybierającego klucz z wielkiego pęku na drucianym kółku. – Udało się, bo był w mieście, żeby obserwować palenie figur.

– Proszę mi go dać! – zażądała, wyciągając rękę przez kraty.

Mężczyzna wręczył jej stary żeliwny klucz, który odczepił z kółka. Potykając się, biegiem wróciła na schody. Ręka tak jej drżała, że nie od razu trafiła w dziurkę. Wreszcie klucz obrócił się w zamku, drzwi otwarły się ze skrzypieniem i wpadła w ciemność korytarza. Odgłos jej kroków niósł się głośnym echem. Miała wrażenie, że śni jakiś koszmarny sen, kiedy biegła w górę po kręconych schodach ze stopniami wznoszącymi się w mroczną pustkę, poganiana żałosnym płaczem synka. Zachwiała się, kiedy Joseph zapłakał głośniej, wyraźnie przestraszony. Przez osłabioną kostkę zsunęła się kilka stopni w dół, niemal zawisając nad czeluścią wysoko sklepionego holu. Kurczowo uczepiła się gładkiego kamienia, przeczekując zawrót głowy. Po chwili udało jej się chwycić cienkiej metalowej balustrady, pozbierała się i pobiegła jeszcze szybciej. Serce chciało jej wyskoczyć w piersi, płuca paliły.

W końcu wybiegła na szczytowy taras i ujrzała rozpościerające się w górze niebo zasnute szarym dymem bijącym z miasta. W dole widać było płonące figury. Przez tłum korkujący ulice przedzierał się pojazd błyskający niebieskimi światłami.

Emma zrobiła unik, kiedy metalowy pręt przeleciał obok jej głowy.

– Nie podchodź ani kroku bliżej! – ostrzegła Delilah.

– Porwałaś moje dziecko – powiedziała Emma, trzęsąc się z gniewu i lęku.

– Nie porwałam go – odparła Delilah. – Zostałam tu zamknięta.

– Akurat! Dobrze wiedziałaś, co robisz. Pomyślałaś, że to dobre miejsce, żeby się ukryć i przeczekać noc, że tutaj nie będę cię szukać.

– Boisz się, Em? – zapytała drwiąco Delilah. – Ale wysoko! – Wychyliła się przez krawędź. – Bardzo wysoko.

Emma przysunęła się o parę centymetrów.

– Co to ma być? Kolejne wołanie o pomoc? Czego ty chcesz, Delilah? Zwrócić na siebie uwagę?

– Wołanie o pomoc? – powtórzyła cicho Delilah.

– Nie rób krzywdy mojemu dziecku.

– Twojemu dziecku? On powinien być moim dzieckiem, moim i Joego. – Delilah musnęła ustami główkę niemowlęcia. – Chciałam tylko... chciałam...

Emma zrobiła następny krok. Delilah znajdowała się na skraju blanków, wiatr rozwiewał jej włosy, z dołu biły w niebo iskry fajerwerków.

– Joseph jest moim dzieckiem – powiedziała Emma z naciskiem.

– Powinien być mój. – Delilah cofnęła się, przyciskając do siebie Josepha jeszcze mocniej. – Powiedziałam mu wszystko o Joem. Powiedziałam mu wszystko o jego ojcu.

– Proszę, zejdź stamtąd. – W głosie Emmy dało się wyczuć napięcie.

– Dlaczego? Po co warto żyć?

Emma myślała gorączkowo.

– Delilah, będziesz bogata, zawsze tego chciałaś. Weź wszystko, nie zależy mi. – Żałosne zawodzenie synka raniło jej serce. – Tylko oddaj mi dziecko.

– Pieniądze? Chcę tylko Joego. – Delilah otarła oczy wierzchem dłoni; tusz do rzęs zostawił czarne smugi na jej policzkach. Niemowlę niebezpiecznie zsunęło jej się z ramienia. Emma wstrzymała oddech, gotowa rzucić się, by je złapać. Ostrożnie przesunęła się jeszcze bliżej. – Kochałam Joego od chwili, gdy go poznałam – ciągnęła Delilah. – Ale ty musiałaś się pojawić i wszystko zepsuć.

– Nie wiedziałam.

– To nie w porządku.

– Nie wiemy, czy Joe zginął.

– Wiemy! – Delilah zaczęła płakać z otwartymi ustami. – On nie żyje!

– Nigdy nie będziemy tego wiedzieć na pewno. Może przyjdzie po ciebie. – Emma znalazła się tak blisko, że mogła dosięgnąć dziecka.

– Po mnie? – Delilah zanosiła się szlochem.

Emma osłoniła oczy przed dymem i iskrami. Za plecami Delilah dostrzegła postać zbliżającą się ku nim wzdłuż blanków.

– Mogłaś mieć każdego chłopaka! – łkała Delilah. – Ale ty wolałaś Joego. Odebrałaś mi go! A teraz ja odbiorę ci syna.

– Nie!

Luca załapał Delilah w momencie, gdy wskoczyła na krawędź muru.

– Oddaj Emmie dziecko – powiedział spokojnie.

– Puść mnie! – Szarpała się, próbując go uderzyć.

Emma chwyciła Josepha.

– Puść go – zwróciła się do Delilah błagalnym tonem. – To dziecko, niewinne dziecko.

Delilah spojrzała Emmie w oczy, twarz miała ściągniętą żalem.

– Jestem tu – przypomniał Luca.

– Puść go – powtórzyła cicho Emma głosem pełnym rozpaczy. – Proszę, oddaj mi dziecko... – Poczuła, że Delilah rozluźnia chwyt, i zaraz potem trzymała Josepha w ramionach.

– Masz wszystko. – Delilah zalała się łzami. – Wszystko, czego ja pragnęłam.

Luca zeskoczył na taras.

– Wezmę go – zaproponował, biorąc Josepha na ręce i odchodząc z nim w bezpieczne miejsce. – A ty spróbuj jej przemówić do rozumu.

– Jest taki piękny – powiedziała cicho Delilah. – Taki piękny.

Emma podziękowała Luce i odwróciła się z powrotem do Delilah, która w tym momencie przekładała nogę przez krawędź muru. Zwarły się wzrokiem. Emma zapamiętała na zawsze wyraz absolutnego spokoju na twarzy Delilah rzucającej się w otchłań.

– Nie! Lila! – Podbiegła i zdołała chwycić Delilah za nadgarstek. Trzymała z całych sił, choć szorstki kamień wbijał jej się w ramię, ocierał skórę.

– Puść mnie! – krzyczała Delilah, machając w powietrzu nogami i wolną ręką. But spadł jej ze stopy i zniknął w ciemności, po czym odbijając się od kamiennych stopni, wylądował na ulicy.

– Nie utrzymam cię dłużej! – zawołała Emma. – Lila, staraj się podciągnąć!

Przegub wyśliznął się z jej zaciśniętych palców. Widziała szeroko otwarte oczy Delilah i słyszała, co mówi, spadając na rozświetloną ogniem ulicę:

– Prawie nam się udało, Joe, prawie nam się udało. Krzyknęła z rozpaczą. Z dołu dobiegł ryk przerażonego tłumu. Siedemset figur wykonanych tradycyjnie na święto Fallas stanęło w płomieniach. Emma zakryła oczy dłońmi. Luca, trzymając dziecko na jednej ręce, drugą przygarnął ją do siebie.

– Dzięki Bogu, że nic się wam nie stało. Przykro mi, że nie zdążyłem wcześniej. – Pocałował ją w skroń. Noc rozdarło wycie syren.

– Zdążyłeś. Uratowałeś moje dziecko.

Kiedy tak stali, tuląc się do siebie, Emma popatrzyła na miasto. Ponad płomieniami rozpościerało się niebo lśniące tysiącami gwiazd. Pomyślała o swojej matce. Pomyślała o Rosie w czerwonej sukience tańczącej dla Jordiego przy ognisku, o Freyi i Tomie idących ramię w ramię przez hiszpańskie wzgórza. Myślała o wszystkich ludzkich losach przerwanych przez wojnę. Pomyślała o Joem, który dochodząc do World Trade Center, czytał jej SMS-a, a w górze nad jego głową przelatywał samolot. Pomyślała o ludziach spadających z okien w Nowym Jorku i o żołnierzu padającym na zdjęciu Capy. Zobaczyła ich losy spisane na nocnym niebie. Zobaczyła przeszłość, teraźniejszość i przyszłość zlewające się w jedno.

– Ona odeszła. – Luca przytulał do siebie mocno ją i dziecko. – Jesteś teraz bezpieczna.

– Uratowaliśmy go – odpowiedziała, całując Josepha. Następnie podniosła wzrok na Lucę. Zacisnęła w dłoni złoty medalion. – Może nadszedł czas, żeby ratować się nawzajem.

OD AUTORKI

W lipcu tysiąc dziewięćset trzydziestego szóstego roku konserwatywni generałowie pod wodzą Francisco Franco zorganizowali wojskowy zamach stanu przeciwko demokratycznie wybranemu rządowi Drugiej Republiki Hiszpańskiej. Ocenia się, że hiszpańska wojna domowa, która wtedy wybuchła, pochłonęła życie pół miliona ludzi. Kolejne pół miliona uciekło z kraju.

Konflikt ten stanowił preludium do drugiej wojny światowej. Zbuntowani nacjonaliści Franco zyskali wsparcie nazistowskich Niemiec Hitlera i faszystowskich Włoch Mussoliniego. Niemal sześćdziesiąt tysięcy ochotników z ponad pięćdziesięciu krajów dołączyło do Brygad Międzynarodowych, aby zbrojnie lub w formacjach pomocniczych walczyć u boku armii republikańskiej z nacjonalistami. Wśród ochotników było także wiele kobiet, przeważnie oddelegowanych do służb medycznych.

W walce zginęło dwieście tysięcy ludzi, w tym cztery tysiące dziewięćset z Brygad. Kolejnych trzysta tysięcy straciło życie podczas wojny i represji po zwycięstwie nacjonalistów – w wyniku morderstw, egzekucji lub podczas nalotów bombowych. Wiele z tych ofiar stanowiły kobiety i dzieci. Walencja broniła się przed nacjonalistami najdłużej. Było to ostatnie duże miasto, które upadło. Weterani z Brygad Międzynarodowych oraz republikańscy uchodźcy walczyli później z faszyzmem podczas drugiej wojny światowej.

Hiszpańska wojna domowa podzieliła kraj i rodziny. Do roku dwa tysiące siódmego przestrzegano ogólnonarodowego „paktu zapomnienia" (*pacto de olvido*). Hiszpański pisarz George Santayana napisał: „Ci, którzy nie pamiętają przeszłości, skazani są na jej powtarzanie". Teraz, dzięki ustawie Prawo Pamięci Historycznej, historia wojny pisana jest na nowo.

Moja relacja z wojennych losów kobiet i ich rodzin miesza fikcję literacką z prawdziwymi historycznymi wydarzeniami. Autentyczne wspomnienia osób biorących w nich udział dają świadectwo niezwykłym ofiarom, jakie zwykli ludzie ponosili wówczas w imię wolności.

PODZIĘKOWANIA

Kiedy zbierałam materiały do napisania tej książki, wielu ludzi życzliwie dzieliło się ze mną swą wiedzą i doświadczeniem. Szczególne podziękowania kieruję do profesora Paula Prestona, Jima Jumpa z fundacji imienia Brygad Międzynarodowych, Emilia Silvy ze Związku na rzecz Odzyskania Pamięci Narodowej oraz Cynthii Jackson z archiwum Roberta Capy w Międzynarodowym Centrum Fotografii za ich znaczącą pomoc i cenne rady. Chciałabym także podziękować Stuartowi Christie, Angeli Jackson, Natalii Benjamin ze Stowarzyszenia Dzieci Baskijskich 1937, Jamesowi Cronanowi z archiwum narodowego, Mónice Moreira, Harriet Batchelor Patrizi, wielebnej Alison Craven z St Luke's and Christ Chuch, Timowi Birchowi, Susanie Gil, Pilar Ballesteros, Ivanowi Llanzy Ortizowi, Davidowi Barrosowi, Jorge Garzónowi, Johnowi Muddemanowi, Julianowi Donohue z Towarzystwa Lepidopterycznego, Markowi Ritchie z Royal Borough of Kensington and Chelsea oraz Lisie Wood z archiwum John Rylands University. Moje podziękowania niech zechcą przyjąć także: dr Rookmaaker, dr Foster, dr Friday i dr Asher z Uniwersytetu w Cambridge, Elaine Oliver i Jonathan Smith z biblioteki Trinity

College oraz Tracy Wilkinson z archiwum King's College. Izabelle Gellé i Luce Turinowi wyrażam wdzięczność za cenne informacje na temat perfum.

Dziękuję Peterowi Stanfordowi i Davidowi Whitingowi z Cecil Day-Lewis Estate za zgodę na wykorzystanie pięknego fragmentu z piosenki *Walking Away*.

Podziękowania należą się również: Leili Aboulela, Sherry Ashworth, Nicholasowi Royle, mojej grupie magistrantów na Manchester Metropolitan University i entuzjastom z Moniack Mhor za pomoc przy pisaniu tej książki.

Dziękuję mojej cudownej agentce Sheili Crowley i wszystkim z agencji Curtis Brown, a także świetnemu zespołowi z wydawnictwa Corvus Books, zwłaszcza mojej niesamowitej redaktorce Laurze Palmer, Lucy Ridout, Rinie Gill i Becci Sharpe.

Parafrazując Marcela Prousta, „czarującym ogrodnikom", dzięki którym moja dusza rozkwita i którzy z wielką cierpliwością wspierali mnie w pisaniu tej książki – moim dzieciom i rodzinie – składam nieustające wyrazy podziękowania i miłości. Nie zapominajcie wąchać kwiatów.